KARL MARX
OU L'ESPRIT DU MONDE

DU MÊME AUTEUR

Essais :

Analyse économique de la vie politique, PUF, 1973.
Modèles politiques, PUF, 1974.
L'Anti-économique (avec Marc Guillaume), PUF, 1975.
La Parole et l'Outil, PUF, 1976.
Bruits, PUF, 1977, nouvelle édition Fayard, 2000.
La Nouvelle Économie française, Flammarion, 1978.
L'Ordre cannibale, Grasset, 1979.
Les Trois Mondes, Fayard, 1981.
Histoires du Temps, Fayard, 1982.
La Figure de Fraser, Fayard, 1984.
Au propre et au figuré, Fayard, 1988.
Lignes d'horizon, Fayard, 1990.
1492, Fayard, 1991.
Économie de l'Apocalypse, Fayard, 1994.
Chemins de sagesse : traité du labyrinthe, Fayard, 1996.
Mémoires de sabliers, éditions de l'Amateur, 1997.
Dictionnaire du XXIe siècle, Fayard, 1998.
Fraternités, Fayard, 1999.
Les Juifs, le monde et l'argent, Fayard, 2002.
L'Homme nomade, Fayard, 2003.
Foi et raison, Bibliothèque nationale de France, 2004.

Romans :

La Vie éternelle, roman, Fayard, 1989.
Le Premier Jour après moi, Fayard, 1990.
Il viendra, Fayard, 1994.
Au-delà de nulle part, Fayard, 1997.
La Femme du menteur, Fayard, 1999.
Nouv'elles, Fayard, 2002.
La Confrérie des Éveillés, Fayard, 2004.

Biographies :

Siegmund Warburg, un homme d'influence, Fayard, 1985.
Blaise Pascal ou le génie français, Fayard, 2000.

Théâtre :

Les Portes du Ciel, Fayard, 1999.

Contes pour enfants :

Manuel, l'enfant-rêve (ill. par Philippe Druillet), Stock, 1995.

Mémoires :

Verbatim I, Fayard, 1993.
Europe(s), Fayard, 1994.
Verbatim II, Fayard, 1995.
Verbatim III, Fayard, 1995.

Jacques Attali

Karl Marx
ou
l'esprit du monde

biographie

Fayard

« Ainsi, pour entendre l'Écriture, il faut avoir un sens dans lequel tous les passages contraires s'accordent. Il ne suffit pas d'en avoir un qui convienne à plusieurs passages accordants ; mais il faut en avoir un qui concilie les passages même contraires. »

PASCAL, *Pensées*.

À mon père

Introduction

Aucun auteur n'a eu plus de lecteurs, aucun révolutionnaire n'a rassemblé plus d'espoirs, aucun idéologue n'a suscité plus d'exégèses, et, mis à part quelques fondateurs de religions, aucun homme n'a exercé sur le monde une influence comparable à celle que Karl Marx a eue au XXe siècle.

Pourtant, juste avant l'aube du siècle suivant, où nous sommes, ses théories, sa conception du monde ont été universellement rejetées ; la pratique politique construite autour de son nom a été renvoyée aux poubelles de l'Histoire. Aujourd'hui, presque plus personne ne l'étudie, et il est de bon ton de soutenir qu'il s'est trompé en croyant le capitalisme moribond et le socialisme à portée de main. Aux yeux de beaucoup, il passe pour le principal responsable de quelques-uns des plus grands crimes de l'Histoire, et en particulier des pires perversions qui marquèrent la fin du précédent millénaire, du nazisme au stalinisme.

À lire son œuvre de près, on découvre pourtant qu'il a vu, bien avant tout le monde, en quoi le capitalisme constituait une libération des aliénations antérieures. On découvre aussi qu'il ne l'a jamais pensé à l'agonie et qu'il n'a jamais cru le socialisme possible dans un seul pays, mais qu'il a fait au contraire l'apologie du libre échange et de la mondialisation, et qu'il a prévu que la révolution ne viendrait, si elle advenait, que comme le dépassement d'un capitalisme devenu universel.

À revisiter sa vie, on prend aussi conscience de l'extrême actualité de cet extraordinaire destin considéré dans toutes ses contradictions.

D'abord, parce que le siècle qu'il traversa ressemble étonnamment au nôtre. Comme aujourd'hui, le monde était dominé démographiquement par l'Asie et économiquement par le monde anglo-saxon. Comme aujourd'hui, la démocratie et le marché tentaient de conquérir la planète. Comme aujourd'hui, des technologies révolutionnaient la production d'énergie et d'objets, les communications, les arts, les idéologies, et annonçaient une formidable réduction de la pénibilité du travail. Comme aujourd'hui, nul ne savait si les marchés étaient à la veille d'une vague de croissance sans précédent ou au paroxysme de leurs contradictions. Comme aujourd'hui, les inégalités étaient considérables entre les plus puissants et les plus misérables. Comme aujourd'hui, des groupes de pression, parfois violents, voire désespérés, s'opposaient à la mondialisation des marchés, à la montée de la démocratie et à la sécularisation. Comme aujourd'hui, des gens espéraient en une autre vie, plus fraternelle, qui libérerait les hommes de la misère, de l'aliénation et de la souffrance. Comme aujourd'hui, nombre d'écrivains et d'hommes politiques se disputaient l'honneur d'avoir trouvé la voie pour y conduire les hommes, de gré ou de force. Comme aujourd'hui, des hommes et des femmes de courage, en particulier des journalistes comme Marx, mouraient pour la liberté de parler, d'écrire, de penser.

Comme aujourd'hui, enfin, le capitalisme régnait en maître, pesant partout sur le coût du travail, modelant l'organisation du monde sur celle des nations européennes.

Ensuite, parce que son action est à la source de ce qui fait l'essentiel de notre présent : c'est dans l'une des institutions qu'il a fondées, l'Internationale, qu'est née la social-démocratie ; c'est en caricaturant son idéal que s'édifièrent quelques-unes des pires dictatures du siècle passé, dont plusieurs continents subissent encore les séquelles. C'est par les sciences sociales, dont il fut l'un des pères, que s'est façonnée notre conception de l'État et de l'Histoire. C'est par le journalisme, dont il fut l'un des plus grands professionnels, que le monde ne cesse de se comprendre et donc de se transformer.

Enfin, parce qu'il est au point de rencontre de tout ce qui constitue l'homme moderne occidental. Il hérite du judaïsme l'idée que la pauvreté est intolérable et que la vie ne vaut que si elle permet d'améliorer le sort de l'humanité. Il hérite du christianisme le rêve d'un avenir libérateur où les hommes s'aimeront les uns les autres. Il hérite de la Renaissance l'ambition de penser le monde rationnellement. Il hérite de la Prusse la certitude que la philosophie est la première des sciences et que l'État est le cœur, menaçant, de tout pouvoir. Il hérite de la France la conviction que la Révolution est la condition de l'émancipation des peuples. Il hérite de l'Angleterre la passion de la démocratie, de l'empirisme et de l'économie politique. Enfin, il hérite de l'Europe la passion de l'universel et de la liberté.

Par ces héritages qu'il assume et récuse tour à tour, il devient le penseur politique de l'universel et le défenseur des faibles. Même si maints philosophes avant lui ont pensé l'être humain dans sa totalité, il est le premier à appréhender le monde comme un ensemble à la fois politique, économique, scientifique et philosophique. À l'instar de Hegel, son premier maître à penser, il entend donner une lecture globale du réel ; mais, à sa différence, il ne voit le réel que dans l'histoire des hommes, et non plus dans le règne de Dieu. Manifestant une incroyable boulimie de connaissances dans toutes les disciplines, dans toutes les langues, il s'évertue jusqu'à son dernier souffle à embrasser la totalité du monde et des ressorts de la liberté humaine. Il est l'esprit du monde.

Au total, l'extraordinaire trajectoire de ce proscrit, fondateur de la seule religion neuve de ces derniers siècles nous donne à comprendre comment notre présent s'est édifié sur ces hommes rares, qui choisirent de vivre en marginaux démunis pour préserver leur droit de rêver à un monde meilleur alors que les allées du pouvoir leur étaient ouvertes. Nous avons à leur égard un devoir de gratitude. Dans le même temps, le destin de son œuvre nous montre comment le meilleur des rêves en vient à déraper dans la pire barbarie.

Je le dis sans emphase ni nostalgie. Je n'ai jamais été ni ne suis « marxiste » en aucun sens du mot. L'œuvre de Marx ne m'a pas accompagné dans ma jeunesse ; si incroyable que cela puisse paraître, je n'ai même guère entendu prononcer son nom pendant mes études de sciences, de droit, d'économie ou d'histoire. Mon premier contact sérieux avec lui est passé par la lecture tardive de ses livres et par une correspondance avec l'auteur de *Pour Marx*[56], Louis Althusser. Depuis, le personnage et l'œuvre ne m'ont jamais quitté. Marx m'a fasciné par la précision de sa pensée, la force de sa dialectique, la puissance de son raisonnement, la clarté de ses analyses, la férocité de ses critiques, l'humour de ses traits, la clarté de ses concepts. De plus en plus souvent, au fil de mes recherches, j'ai éprouvé le besoin de savoir ce qu'il pensait du marché, des prix, de la production, de l'échange, du pouvoir, de l'injustice, de l'aliénation, de la marchandise, de l'anthropologie, de la musique, du temps, de la médecine, de la physique, de la propriété, du judaïsme et de l'histoire. Aujourd'hui, toujours conscient de ses ambiguïtés, sans presque jamais partager les conclusions de ses épigones, il n'est pas un sujet dans lequel il me soit donné de m'engager sans que je me demande ce qu'il en a pensé. Et sans trouver un immense intérêt à le lire.

Sur cet esprit prodigieux, des dizaines de milliers d'études, des dizaines de biographies ont été écrites, toujours hagiographiques ou hostiles, presque jamais distanciées. Pas une ligne de lui qui n'ait suscité des centaines de pages de commentaires rageurs ou éblouis. Certains en ont fait un aventurier politique, un arriviste financier, un tyran domestique, un parasite social. D'autres ont vu en lui un prophète, un extraterrestre, le premier des grands économistes, le père des sciences sociales, de la Nouvelle Histoire, de l'anthropologie et même de la psychanalyse. D'autres, enfin, sont allés jusqu'à voir en lui le dernier philosophe chrétien[134]. Aujourd'hui, alors que le communisme semble s'être à jamais effacé de la surface du globe et que sa pensée n'est plus un enjeu de pouvoir, il devient enfin possible d'en parler avec sérénité, sérieusement et donc utilement.

Le moment est donc venu de raconter sans faux-semblants, de façon moderne, son incroyable destin et son extraordinaire trajectoire intellectuelle et politique. De comprendre comment il put rédiger à moins de trente ans le texte politique le plus lu de toute l'histoire de l'humanité ; de révéler ses rapports singuliers avec l'argent, le travail, les femmes ; de découvrir aussi l'exceptionnel pamphlétaire qu'il était. De réinterpréter par la même occasion ce XIXe siècle dont nous sommes les héritiers directs, fait de violences et de luttes, de détresses et de massacres, de dictatures et d'oppression, de misère et d'épidémies, si étranger aux flamboiements du romantisme, aux fumets du roman bourgeois, aux dorures de l'Opéra et aux coulisses de la Belle Époque.

CHAPITRE PREMIER

Le philosophe allemand

(1818-1843)

Aussi loin qu'on remonte dans la généalogie de Karl Marx, du côté de son père comme de celui de sa mère, on trouve des rabbins.

Au début du XVe siècle, un certain Ha-Levi Minz quitte l'Allemagne pour fuir les persécutions. Son fils, Abraham Ha-Levi Minz, né vers 1408, devient rabbin de Padoue. Parmi ses descendants figurent un Meir Katzenellenbogen, directeur de l'université talmudique de Padoue, mort en 1565, et un Josef ben Gerson Ha-Cohen, mort en 1591 à Cracovie[215]. Au début du XVIIe siècle, cette famille revient, sous le nom de Minz, sur la terre de ses origines et s'installe à Trèves, en Rhénanie.

Trèves est alors une toute petite ville, la plus ancienne d'Allemagne, fondée par l'empereur Auguste à la jonction de ce qui deviendra plus tard les cultures allemande et française . D'abord résidence impériale et l'une des quatre capitales de l'Empire sous Dioclétien, rattachée ensuite au royaume des Francs lors du partage de Verdun (843), puis de nouveau germanique, elle est restée catholique alors que maints États allemands ont été convertis par Luther et les siens.

Établie là au XVIIe siècle, la famille Minz n'en bouge plus. Les garçons y deviennent rabbins de père en fils ; les filles épousent d'autres rabbins dont les fils deviennent eux-mêmes rabbins, en général à Trèves et toujours en Rhénanie. Et, comme on ne vit pas de ce sacerdoce, ils sont aussi tailleurs, menuisiers ou prêteurs sur gages. On trouve ainsi, au début du XVIIIe siècle, un Aron Lwów, rabbin à Trèves puis à Westhoffen, en Alsace. Son fils, Josua Herschel Lwów, devient lui aussi rabbin à Trèves avant d'être nommé en 1733 Landrabbiner à Ansbach. Son fils, Moses Lwów, lui succède comme rabbin de Trèves ; et la fille de ce dernier, Eva Lwów, épouse un autre rabbin de la ville, un certain Mordechai Marx Levy, rabbin depuis 1788, lui-même fils d'un autre rabbin de la ville, Meier Marx Levy, venu, lui, de Sarrelouis, ville de la Sarre que Vauban avait transformée en forteresse et où il portait le nom d'Abraham Marc Halévy[215]. La transformation de « Marc » en « Marx » ne tient donc qu'à des errements de graphie dans la rédaction de pièces d'état civil.

Trèves est alors si totalement catholique que, si l'on en croit Goethe qui y séjourne, « à l'intérieur de ses murs, elle est encombrée – non, oppressée – par des églises, des chapelles, des cloîtres, des collèges, des maisons d'ordre et de chevalerie ou des communautés monastiques ; à l'extérieur, elle est bloquée – non, assiégée – par des abbayes, des fondations religieuses, des chartreuses[124]. »

La région reste disputée par le royaume de France et par certains États allemands. Les Juifs y sont peu nombreux et y vivent dans une extrême pauvreté ; presque toutes les professions, y compris l'agriculture, leur sont encore interdites. Beaucoup sont prêteurs sur gages, seule profession qui leur soit largement ouverte et qu'ils sont parfois contraints d'exercer[62].

Tandis qu'en France se construit une nation moderne, le Saint Empire romain germanique n'est encore qu'une confédération de principautés indépendantes écartelées par la rivalité des deux États les plus puissants : la Prusse et l'Autriche. Ni le peuple, maintenu dans l'analphabétisme, ni les princes, exclusivement soucieux de la pérennité de leur dynastie, ne s'intéressent à l'idée de nation. Seuls des marchands, des philosophes et quelques poètes rêvent à l'unification de l'Allemagne.

Quand commence la Révolution française, Trèves devient un refuge pour les aristocrates, l'avant-poste de la réaction, l'avant-garde de Coblence. L'armée de Condé y croise les bataillons blancs ; des émigrés y trament des conspirations sans nombre. Pourtant, en 1794, les armées de la Convention, qui viennent de défaire les troupes royalistes au terme d'une foudroyante contre-attaque, y sont accueillies dans l'enthousiasme. Une jeunesse conquise par les idéaux de la démocratie y danse autour d'un arbre de la Liberté. Trèves devient le chef-lieu du département français de la Sarre, des fonctionnaires arrivent de Paris pour l'administrer, des notables vont créer un club des Jacobins.

Les Juifs de la ville sont alors quelque trois cents. Avec l'arrivée des Français, ils espèrent obtenir l'émancipation politique dont ont bénéficié leurs coreligionnaires français depuis la Constituante. En 1801, la France confirme son emprise sur la ville quand le premier consul Bonaparte se voit concéder par l'Autriche la rive gauche du Rhin.

Face à l'Empire napoléonien, les principautés allemandes s'effondrent les unes après les autres. En 1806, une fois la Prusse et l'Autriche vaincues et occupées, Napoléon dissout le Saint Empire.

Alors que se déroulent ces événements, Samuel, l'un des deux fils de Mordechai Marx Levy, se prépare à succéder à son père comme rabbin de Trèves. Meier Marx Levy meurt en 1798. L'autre fils de Mordechai, Herschel, né en 1777

– son père était alors rabbin à Sarrelouis –, n'est, lui, pas du tout tenté par le rabbinat ; il est même fort éloigné de la religion[277]. La Révolution française l'a beaucoup marqué dans son adolescence. En 1799, avec l'accord réticent de son père, il part – un des tout premiers parmi les Juifs de Rhénanie – faire des études juridiques en français à l'université de Strasbourg[215]. Il s'y imprègne de l'esprit et du droit de la Révolution. Il veut devenir avocat, en particulier pour défendre les Juifs contre toute forme d'agression. Il est le premier de sa ville. Les Juifs de France peuvent depuis peu exercer ce métier ; pas encore ceux de Trèves.

Comme tous les autres Juifs de l'Empire napoléonien, ceux de Trèves sont appelés à désigner des délégués à l'assemblée réunie à Paris par Portalis, ministre des Cultes, le 26 juillet 1806, pour définir le statut des Juifs de l'Empire[62]. Encore étudiant à Strasbourg, Herschel Marx Levy est alors, comme la plupart de ses coreligionnaires, un admirateur inconditionnel de Napoléon. Au même moment, en septembre 1806, l'ambassadeur d'Autriche à Paris, Metternich, n'écrit-il pas au ministre des Affaires étrangères à Vienne, le comte Stadion : « Tous les Juifs voient en Napoléon le Messie[62] » ?

En 1807, alors que, à Paris, David achève *Le Sacre de Napoléon* et que, à Berlin, Hegel publie *La Phénoménologie de l'Esprit*, le Code civil est introduit en Rhénanie. Après un an de discussions, les 17 mars et 20 juillet 1808, un statut des Juifs est édicté : la compétence des tribunaux rabbiniques est restreinte aux questions religieuses, et les Juifs deviennent des citoyens comme les autres : ils doivent porter un nom de famille, ils peuvent acheter des terres, se marier librement, et surtout, grande libération qui concerne Herschel au premier chef, ils peuvent exercer le métier de leur choix[62]. Mais il leur est interdit de quitter le pays où ils vivent, tout comme il est interdit aux Juifs étrangers à l'Empire de s'y installer, sauf à y acquérir une propriété agricole ou à y être employés. Plus précisément, aucun Juif non encore domicilié dans le Haut-Rhin ou le Bas-Rhin ne peut venir s'y établir, dans la mesure où ils s'y trouvent déjà trop nombreux. En revanche – catastrophe pour les Juifs de Trèves ! –, le métier de prêteur sur gages, le seul à leur offrir un contact avec les autres communautés, leur est désormais interdit comme à tout un chacun, l'activité de prêteur étant dorénavant réservée aux banques[62]. Autrement dit, Herschel peut exercer le métier qu'il veut, mais à Trèves et nulle part ailleurs dans l'Empire. Herschel Marx Levy note aussi qu'en interdisant aux Juifs de prêter de l'argent, ce qui revient à les priver de leur moyen de subsistance, on risque d'encourager un esprit de revanche, ainsi qu'une méfiance à l'égard de leurs nouveaux droits de citoyens.

Quelques rabbins rhénans, dont Mordechai Marx Levy et son fils Samuel, tentent d'empêcher les membres de leur communauté de porter leurs conflits devant les tribunaux impériaux. En vain : l'accès au travail, l'entrée dans les universités, les relations avec les chrétiens bousculent règles et habitudes. Passionnés par l'ère nouvelle, fascinés par la science, la démocratie, la philosophie et la liberté, les plus jeunes redoutent plus que tout une défaite de l'Empire qui les priverait de leurs droits nouveaux.

Herschel Marx Levy peut, quant à lui, espérer exercer le métier d'avocat dont il rêve. Sans doute devient-il plus ouvertement athée. Il passe en tout cas pour un excellent spécialiste du Code Napoléon qui, peu à peu, dans toutes ses dimensions, entre en vigueur en Rhénanie comme dans le reste de l'Empire. En 1810 – il a trente-trois ans –, il s'installe enfin comme avocat à Trèves où son frère Samuel est devenu rabbin à la mort de leur père Mordechai. Il est le premier Juif établi comme tel dans la ville. D'autres le sont aussi à Cologne, première ville de Rhénanie, où les Juifs sont plus nombreux, plus riches et mieux acceptés qu'à

Trèves. Quelques Juifs rhénans les rejoignent dans l'exercice de métiers nouveaux : ils deviennent journalistes, magistrats, officiers, ingénieurs, chimistes, industriels, peintres, musiciens, romanciers ou poètes. Plus une activité est nouvelle, plus elle les attire, parce qu'aucun pouvoir, aucune caste n'a pu encore en verrouiller l'accès, ce qui n'est déjà plus le cas de la profession d'avocat[62]. D'aucuns, malgré les interdits, réussissent à quitter la Rhénanie pour Paris où ces métiers nouveaux sont encore plus aisément accessibles.

En novembre 1812, alors que la Grande Armée se noie dans la Berezina, les peuples de l'Empire grognent de plus en plus contre le poids des impôts et contre la conscription. Paysans mosellans et fils d'artisans trévois meurent en grand nombre, comme bien d'autres, dans les tribulations des armées impériales. La flamme révolutionnaire menace de s'éteindre, le souffle bonapartiste faiblit, l'indifférence fait place à l'hostilité. Les Juifs, eux, restent parmi les derniers soutiens de l'Empire et sont même parfois accusés d'être des espions à la solde de Napoléon. De fait, certains d'entre eux protègent la débandade de l'Empereur et de ses troupes durant la retraite de Russie.

Et ils ont bien raison de le soutenir : la chute de Napoléon annonce pour les Juifs d'Europe des temps troubles. Pendant tout ce temps, le roi de Prusse, Frédéric-Guillaume III, a en effet maintenu l'obligation faite aux Juifs de son pays de se convertir pour exercer une profession libérale ou une charge publique. Quant au décret prussien qui a en principe aboli un certain nombre de dispositions discriminatoires, leur ouvrant notamment écoles et universités, il n'a jamais été appliqué. Il en va d'ailleurs de même en Autriche et en Russie.

Le 22 novembre 1814, alors que Napoléon vient d'être exilé sur l'île d'Elbe et que s'ouvre le congrès de Vienne, l'avocat Herschel Marx Levy, alors âgé de trente-sept ans, épouse à la synagogue de Trèves, ville encore sous administration française, une Juive hollandaise de vingt-six ans, Henrietta Pressburg.

Henrietta est issue d'une famille juive d'origine hongroise fixée depuis longtemps aux Provinces-Unies où, depuis le départ des Espagnols, les Juifs bénéficient d'une liberté religieuse et économique unique en Europe. Son grand-père maternel a été rabbin à Nimègue ; son père y est encore un commerçant prospère ; une de ses sœurs vient d'épouser un banquier juif de la ville, Lion Philips, aïeul du fondateur de la firme du même nom. Henrietta sait lire et écrire en néerlandais, ce qui, à l'époque, n'est guère courant chez une femme ; elle maîtrise mal l'allemand, appris à partir du yiddish qu'elle parle aussi, comme toutes les familles de Juifs venus de l'Est[215].

Henrietta reçoit pour son mariage une dot de 4 536 thalers, soit l'équivalent de quinze ans d'un salaire honorable. Le jeune couple s'installe à Trèves dans une belle maison au 664, Brückenstrasse (aujourd'hui le n° 10)[215].

En janvier 1815, les onze mille habitants de la ville, qui avaient tant applaudi à l'arrivée des Français, accueillent les coalisés en libérateurs. Trèves est rattachée à la Prusse. Les plus heureux sont les quelque trois cents luthériens de la cité, de même confession que le nouveau maître. Les Prussiens traitent la région avec circonspection ; des fonctionnaires de haut niveau y sont envoyés avec mission de respecter les particularités locales : la vente des biens nationaux n'y est pas remise en cause ; le Code Napoléon y reste en vigueur ; les tribunaux y conservent la procédure publique et orale. La Prusse ne règne qu'à distance en Rhénanie. En juin 1815, quand s'achève le congrès de Vienne, les vainqueurs créent une « Confédération germanique », alliance princière et non État national, qui se substitue au Saint Empire défunt. Le seul organe commun est une Diète sans pouvoirs qui réunit à Francfort sous présidence autrichienne des émissaires mandatés par les trente-neuf princes et souverains des différents États allemands.

Partout, la Sainte Alliance invalide les dispositions relatives à l'émancipation des Juifs : à Florence comme à Francfort, ils sont renvoyés dans le ghetto. En Rhénanie redevenue prussienne, il leur est interdit d'acheter des terres, de se marier librement, de choisir leur lieu de résidence, d'exercer les métiers de leur choix. Les rares Juifs qui, sous le régime français, avaient pu remplir des fonctions officielles doivent quitter le service de l'État. À Trèves en particulier, trois Juifs sont frappés par cette mesure, dont Herschel Marx Levy.

Il s'y attendait : depuis que l'Empire français s'était mis à vaciller, il savait que le rêve allait se terminer et qu'il allait perdre le droit, si difficilement conquis, d'exercer le seul métier qu'il connût et aimât. Il ne peut l'admettre, cherche des appuis, veut obtenir une dérogation, frappe à toutes les portes.

Au lendemain de Waterloo, à la fin du mois de juin 1815, Herschel Marx Levy s'adresse à la commission chargée par les Prussiens, à Trèves, d'organiser la transmission des pouvoirs entre anciens et nouveaux maîtres : dans un mémoire, il explique qu'il est un citoyen loyal et qu'il sera fidèle au roi ; il dit sa confiance dans l'esprit d'équité de la Prusse et sollicite une dérogation. Le président de la commission transmet sa requête à Berlin ; il conseille aux autorités d'occupation de l'agréer en présentant Herschel comme « un homme fort instruit, plein de zèle et parfaitement loyal[248] ». La réponse se fait attendre, puis tombe : c'est un refus. Pas de traitement de faveur ! Tous les Juifs de toutes les provinces allemandes sont exclus des professions libérales.

Comme tous les autres Juifs de l'ancien Empire français, Herschel Marx Levy doit donc choisir entre sa profession et sa confession.

Beaucoup de Juifs rhénans confrontés au même dilemme optent pour la conversion. Herschel hésite : il est marié depuis peu, sa femme vient d'avoir un enfant – une fille – et en attend déjà un autre. Il n'imagine pas d'exercer un autre métier parmi ceux qui resteront autorisés aux Juifs. Il croit, mais pas à ce Dieu du judaïsme, avec toutes ses particularités, mais à un Dieu abstrait qui parle plus aux savants qu'aux prêtres. Cela fait longtemps qu'il ne se rend plus qu'épisodiquement aux offices de son frère, dont il trouve le rituel archaïque. Il se reconnaîtrait mieux dans les Juifs de Hambourg qui disent les prières en allemand et n'évoquent plus ni le retour à Sion, ni la venue du Messie, ni les sacrifices du Temple, et chez qui l'office hebdomadaire a même lieu le dimanche. Son frère, le rabbin de la ville, le supplie de ne pas trahir leur peuple, de ne pas faire cette peine à leur mère malade.

Herschel hésite, puis prend sa décision : il ne se convertira pas. Il se met en congé du barreau et vit des subsides de sa famille. Ses amis chrétiens continuent de le voir. Il persiste à espérer, à intriguer, à se démener. Il fait la connaissance des nouveaux fonctionnaires arrivés de Berlin pour organiser la transition ; le premier d'entre eux, le baron Ludwig von Westphalen, essaie de l'aider – en vain[215]. Ce baron est un aristocrate atypique dont le père a été l'aide de camp du duc de Brunswick pendant la guerre de Sept Ans et dont la deuxième femme était fille d'un pasteur écossais issu d'une grande famille, les Argyll. Cultivé, sans fortune personnelle, ce père de sept enfants des deux mariages reçoit le plus haut traitement de la ville : 1 800 thalers annuels.

La situation matérielle de Herschel devient précaire. Sa première fille meurt juste avant la naissance de sa sœur, Sophie, le 13 novembre 1816, soit quelques semaines après la première réunion à Francfort de la Diète germanique. Il songe un moment à partir pour la France, où les Juifs ont pu au moins en apparence conserver leurs droits, mais il n'y est pas autorisé. Il ne voit ni où ni comment il pourrait exercer son métier, et il ne s'imagine pas davantage quitter cette ville à laquelle tant de liens l'attachent. Il ne se voit pas non plus vivre indéfiniment de l'aide familiale.

L'année suivante, à la mort de sa mère, Herschel n'y tient plus. Il se résout à sauter le pas : il renonce au judaïsme et troque le nom de Herschel Marx Levy pour celui de Heinrich Marx. Il ne rompt pas pour autant avec sa communauté, en particulier avec son frère. Afin de bien montrer que sa conversion n'est que d'ordre politique, et qu'elle est sans doute provisoire, il n'opte pas pour la religion dominante de la ville, le catholicisme, mais pour le luthéranisme, la religion des maîtres berlinois, qui ne regroupe que quelque trois cents membres parmi les onze mille quatre cents habitants – donc pas plus que les Juifs. Il redevient alors avocat. Toute sa vie, il continuera d'assurer la défense de Juifs rhénans[248] et de protester contre l'injustice dont il se sent lui-même victime à l'instar des autres Juifs allemands.

Son premier fils naît à Trèves le 5 mai 1818. Il n'est ni circoncis ni baptisé conformément au rite luthérien. Comme par provocation, il porte, selon la tradition juive, le nom de son père et celui de son grand-père, ancien rabbin de la ville : Karl Heinrich Mordechai.

Karl Marx est né. Cette année-là, Schopenhauer publie *Le Monde comme volonté et comme représentation* et Mary Shelley[249] son *Frankenstein* dont la lecture, vingt-cinq ans plus tard, impressionnera tant le jeune Karl. Cette année-là, à la tête du gouvernement, le chancelier Hardenberg réorganise la Prusse en huit provinces et instaure de nouveaux tarifs douaniers qui permettent de faire prospérer la vigne en Rhénanie. Berlin encourage par ailleurs les Trévois à renouer avec leur passé et subventionne massivement les fouilles que mènent durant leurs loisirs médecins, avocats et professeurs : un moyen de les empêcher de trop sacrifier à la soif de liberté.

Ailleurs, celle-ci est toujours vivace : l'année suivante a lieu la première traversée de l'Atlantique par un bateau à vapeur, le *Savannah*, en vingt-huit jours, tandis qu'une manifestation pour la réforme et les droits civils rassemble soixante mille personnes près de Manchester ; sa répression fait six morts.

Herschel est redevenu un avocat prospère ; sa famille renoue avec l'aisance matérielle et, en octobre, déménage dans une demeure confortable, au 1070, Simeonstrasse (aujourd'hui le n° 8), près de la Porta Nigra[215].

En 1820 – année de publication d'*Ivanhoé* de Sir Walter Scott, qui deviendra l'un des livres préférés de Karl – naît une troisième fille, Henriette. Heinrich Marx devient avocat à la cour d'appel qui vient de s'installer à Trèves. Passionné par la chose publique, amoureux de la démocratie dans une Allemagne où la police est omniprésente et où tout écart de langage risque de conduire en prison, Heinrich, avec quelques amis – dont Hugo Wyttenbach, professeur de philosophie, directeur du gymnase (lycée) Frédéric-Guillaume de Trèves –, fonde le Club Casino, un cercle où se réunit la bourgeoisie éclairée de la ville. Il s'y lie avec le baron Ludwig von Westphalen et avec les plus gros négociants catholiques de la ville. Tous deviennent ses clients. On disserte prudemment philosophie, littérature et même politique. On discute de la fabrication de la première pile thermo-électrique par un physicien allemand, Thomas Seebeck, et, l'année suivante, en 1821, de la création à Manchester de la première usine de tissus imperméabilisés par un certain Macintosh.

Deux autres enfants voient le jour dans la famille : un garçon, Hermann, en 1821, et une autre fille, Émilie, en 1822. L'année suivante, Heinrich discute au Club Casino d'un formidable mouvement d'opinion en Angleterre qui vient d'obtenir l'adoption d'un texte légalisant les unions ou coalitions de travailleurs, et autorisant les grèves.

Deux ans plus tard – en 1824, année de la fabrication à Londres du premier moteur électrique –, Heinrich saute le pas et, malgré l'opposition de sa femme, fait baptiser ses quatre enfants dans un temple luthérien de la ville. La rupture avec le judaïsme est désormais totale : pour lui comme pour ses enfants, il ne croit plus à un retour possible à la religion de ses aïeux. L'absolutisme, pense-t-il, est là pour trop longtemps.

Passionné de littérature, de philosophie, de science, il est soucieux de profiter des rares interstices de liberté dont il peut disposer. En 1825, il apprend avec émerveillement qu'une première voie ferrée vient d'être installée en Angleterre. Il débat avec animation, dans son club, de la création, près de New York, d'une première communauté dénommée « socialiste » à partir d'un mot inventé trois ans auparavant par un certain Edward Oppen dans une lettre adressée à Robert Owen, fondateur de ladite communauté[67]. Celui-ci, né au pays de Galles, est parti aux États-Unis en 1824 pour fonder « New Harmony », dont les principes de base sont l'égalité et l'autonomie.

Il discute aussi de l'œuvre du comte de Saint-Simon, qui meurt cette année-là. Il est fasciné par sa théorie des « classes sociales » opposant à une majorité de travailleurs exploités une minorité d'exploiteurs que sont les oisifs, les propriétaires-rentiers et, plus généralement, tous ceux qui n'entreprennent pas. Il admire son idée d'un « Conseil des Lumières » constitué de savants, d'artistes, d'artisans et de chefs d'entreprise. Il en parle même à Karl, son fils, alors âgé de sept ans, avec lequel il entretient déjà une relation très forte, adulte. L'enfant semble doté d'une personnalité exceptionnelle ; celle-ci frappe aussi bien ses sœurs, qui diront plus tard avoir admiré d'emblée ses talents de conteur[277]. La propre fille de Karl, Eleanor, rapportera avoir entendu ses tantes décrire Karl enfant comme un véritable tyran, les faisant dévaler la colline de Markusberg, à cheval sur leur dos, et les obligeant à ingérer des « gâteaux » confectionnés avec ses mains sales à partir d'une pâte à l'avenant, ce à quoi elles se soumettaient de mauvaise grâce, désireuses qu'elles étaient de continuer à entendre les histoires qu'il leur narrait[277]. Nanti d'un physique quelconque, d'un teint mat, d'une santé plutôt fragile, Karl témoigne une grande tendresse à sa mère. Aisée, unie, la famille mène pour l'instant une vie sans histoires...

En 1826, une grave crise financière, conséquence d'une surproduction agricole, affecte l'Europe entière. À la même époque, Nicéphore Niépce tire la toute première photographie (une vue de sa maison familiale). Les jours à Trèves coulent doucement. Les Marx et les Westphalen se reçoivent. Jenny von Westphalen, fille du baron, devient l'amie de Sophie Marx. Elle rencontre le frère de celle-ci, Karl, en classe avec son propre frère, Edgar. Il a huit ans, elle en a douze.

En 1827, un mois après la mort de Beethoven, un an avant celle de Goya, Heinrich applaudit à l'ouverture de la première ligne de chemin de fer française entre Saint-Étienne et Andrézieux. La même année meurt Samuel Marx Levy, rabbin de Trèves, frère de Heinrich et oncle de Karl. Pour la première fois depuis des siècles, le rabbin de la ville ne sera plus un membre de la famille. Heinrich, quant à lui, est désormais ouvertement déiste.

L'année suivante, le Club Casino débat de l'abolition de l'esclavage dans l'État de New York et de l'échec de la communauté américaine socialiste d'Owen, minée par des dissensions internes. Heinrich, qui admire la France et suit tout ce qui s'y passe, se réjouit de la voir faire retour sur la scène internationale : sous Charles X, dix vaisseaux de guerre français traversent la Méditerranée pour aller soutenir la révolte des Grecs ; alliée avec les Anglais et les

Russes, la France remporte une victoire navale à Navarin contre la flotte ottomane.

En 1829, Heinrich salue la fabrication par Stephenson de la première locomotive destinée au transport de voyageurs. Comme tous les membres du Club Casino, il devine que le chemin de fer va révolutionner l'Europe. Il traque avec passion tout signe annonciateur du retour d'un vent de liberté : il applaudit à la création, par les ouvriers porcelainiers de Limoges, de la première société de secours mutuel, et apprend la fondation, qui se voulait secrète, par Auguste Blanqui et Eugène Cavaignac, de la « Société des amis du peuple » qui ose militer pour la république. C'est aussi l'année de la parution des *Chouans*, premier succès d'Honoré de Balzac qui deviendra plus tard l'écrivain français préféré de Karl, au point que celui-ci projettera de lui consacrer un livre.

En juillet 1830, comme tous les libéraux d'Europe, Heinrich assiste avec enthousiasme à la révolution des Trois Glorieuses qui contraint Charles X à abdiquer et fait de Louis-Philippe Ier le « roi des Français ». En Europe, les lignes bougent : la Belgique se détache du royaume de Hollande ; en Italie du Nord, en Pologne, dans certains États allemands du Sud, à Cologne même, éclatent des émeutes. Un commerçant d'Aix-la-Chapelle, président du tribunal de commerce, Hansemann, demande à Frédéric-Guillaume III de Prusse d'instaurer une hégémonie prussienne sur l'Allemagne et de mettre en place un Parlement dans lequel serait représentée « la partie la plus active de la nation » ; il va jusqu'à écrire : « Supprimons les misérables vestiges de la féodalité ! » Comme beaucoup de bourgeois de Trèves, Heinrich Marx croit venue en Rhénanie l'heure d'une république bourgeoise sur le modèle hollandais, et le dit un peu imprudemment. Dans le même temps, il applaudit à l'inauguration de la ligne de chemin de fer reliant Liverpool à Manchester par le Premier ministre britannique, le duc de Wellington : la démocratie, pense-t-il, favorise à plein le progrès économique.

Cette année-là, Karl a douze ans, l'âge où les jeunes Juifs, ses cousins, préparent leur bar-mitsva. Il côtoie la communauté juive de la ville, mais ne la fréquente plus guère depuis la mort de son oncle. Même s'il sait que son père a dû se convertir pour ne pas renoncer à son métier et que sa mère, se considérant toujours comme juive, continue de se rendre aux offices, il entend s'assimiler. Même s'il lit l'hébreu que sa mère lui inculque, il rejette l'image du Juif usurier que dénonce son père et dont il se sait l'héritier. Il ne croit pas au Dieu de sa mère, un peu à celui de son père. Il est en revanche fasciné par la famille von Westphalen, ces aristocrates aisés qui gouvernent la ville sans vraiment travailler et pour qui l'argent n'est pas un sujet de conversation. Le jeune Edgar von Westphalen est son meilleur ami ; et Jenny, de quatre ans son aînée, est à ses yeux la plus jolie fille du monde. Celle-ci aime tendrement son jeune frère, dont elle parlera plus tard comme du « frère unique et bien-aimé, l'idéal de mon enfance et de ma jeunesse, mon unique et cher compagnon[50] ».

Cette année-là (1830), Trèves connaît une grave crise sociale et des conditions économiques difficiles. La ville, qui tire une bonne part de ses revenus de la vigne, voit les prix du vin s'effondrer : les cours baissent de 90 % par rapport à ceux de 1818. Heinrich Marx s'investit dans les actions de lutte contre la pauvreté en achetant des parts dans un dépôt public de vivres visant à vendre le pain à prix réduit[248].

Karl entre au lycée Frédéric-Guillaume de Trèves et y découvre les œuvres de Heinrich Heine, poète juif allemand converti qui va bientôt s'exiler à Paris, ainsi que celles de Goethe et d'Eschyle. Il exerce sa mémoire exceptionnelle en apprenant par cœur des vers dans des langues qu'il ignore.

En France, la monarchie vacille à nouveau sous les coups de la crise économique. La foule défile devant le Palais-Royal et les Tuileries, réclamant « de l'ouvrage et du pain » ; à Lyon, quarante mille canuts se révoltent : ils gagnent six fois moins que sous l'Empire. Cette même année 1831, Victor Hugo publie *Notre-Dame de Paris*. En Virginie éclate une insurrection d'esclaves, alors que l'invention de la moissonneuse mécanique par l'Américain McCormick annonce un bouleversement dans l'agriculture mondiale. À Marseille, un ancien révolutionnaire italien en exil, Giuseppe Mazzini, fonde la société secrète de la « Jeune-Italie » avant de s'exiler à Londres. En Allemagne, une conspiration échoue à Göttingen. À Berlin, au moment où meurt Hegel, le géant de la philosophie prussienne, le pouvoir impérial, plus autocratique que jamais, confisque sa chaire à un jeune philosophe d'Erlangen, Ludwig Feuerbach, qui vient d'oser proclamer dans ses *Pensées sur la mort et sur l'immortalité*[118] que seule la raison, et non pas l'âme, est immortelle.

Comme la France, l'Allemagne continue d'être secouée de soubresauts libertaires. Le 27 mai 1832, plus de vingt mille personnes manifestent à Neustadt devant le château de Hambach pour réclamer la démocratie et l'unité allemande. Le 28 juin, le roi de Prusse interdit aux journaux de parler politique ; seule la *Gazette* d'Augsbourg, bénéficiant d'un traitement de faveur, reste autorisée à publier des lettres de Heine, de Thiers ou de Moltke. À Paris, dans une série d'articles parus dans *La Tribune*, Desjardins utilise le premier le mot « prolétariat » pour désigner la classe ouvrière. Cette année-là, réfugié en France depuis l'insurrection polonaise de 1830, un jeune pianiste, Frédéric Chopin, stupéfie Paris par son premier récital donné chez Pleyel, cependant qu'une épidémie de choléra fait dix-huit mille morts dans la capitale française, dont le président du Conseil, Casimir Perier.

En 1833, l'avocat Heinrich Marx reçoit le titre de « conseiller de justice » et devient bâtonnier du barreau de Trèves. Ses activités l'ont assez enrichi pour lui permettre d'acquérir deux petits vignobles en Moselle, comme font les plus riches Trévois. La fortune personnelle de sa femme est évaluée à 11 136 thalers[215].

Karl a alors quinze ans. Il parle toujours autant avec son père de la France, du judaïsme, de Dieu, de la morale, de la liberté. Le baron von Westphalen prend l'adolescent en amitié et l'initie à Shakespeare. Ils parlent ensemble d'Homère, de Cervantès, de Goethe – qui vient de disparaître – et du comte de Saint-Simon, l'économiste français dont son père lui a déjà vanté les théories et qui a laissé à sa mort, huit ans plus tôt, une trace profonde dans la société intellectuelle européenne.

Sophie, la sœur aînée de Karl, est toujours la meilleure amie de Jenny, le « plus beau parti de Trèves » ; la jeune fille est séduite par l'insolence et l'esprit de ce gamin de quatre ans plus jeune qu'elle.

Le 1er janvier 1834, l'entrée en vigueur du Zollverein, union douanière créée à l'initiative de la Prusse, marque la prise de conscience d'une communauté d'intérêts économiques entre les trente-neuf États allemands réunis au sein de la Confédération. Dans certains de ces États, dont la Rhénanie, la libéralisation économique s'accompagne d'une amorce de libéralisation politique : y sont élues des assemblées parlementaires dotées de maigres pouvoirs.

Pour fêter l'élection de quelques députés libéraux à l'assemblée rhénane, Heinrich Marx porte, dans un dîner du Club Casino, un toast sarcastique au roi de Prusse, aussitôt rapporté à la police. Le Club est alors mis sous surveillance, et Heinrich Marx repéré comme « fauteur de troubles[277] » ; son ami Wyttenbach, directeur du lycée, est placé sous la tutelle d'un codirecteur nommé par l'administration prussienne[277].

Karl et son père épiloguent longuement sur ces mesures, ainsi que sur l'agitation ouvrière en France : à Limoges, des ouvriers porcelainiers cessent une nouvelle fois le travail pour protester contre la baisse des salaires, et des émeutes républicaines tournent au massacre à l'heure où Balzac termine et publie *Le Père Goriot*. Ils parlent aussi de l'abolition en Angleterre de la vieille « loi sur les pauvres », qui les vouait à la prison, et de l'ouverture de *workhouses* chargés désormais d'accueillir les indigents[67]. Pour sa part, Heinrich s'inquiète et se fait plus prudent : il se veut avocat, rien de plus.

Après l'échec en Hesse, en 1834, de la conspiration de la Société pour les droits de l'homme, affluent dans la capitale française des masses de réfugiés qui y rejoignent Ludwig Börne et Heinrich Heine, lequel déclare être à Paris « pour pratiquer son art dans les conditions de liberté qui lui sont indispensables[132] ». Pierre Leroux emploie le néologisme « socialisme » pour la première fois en français en mars 1834 dans un texte intitulé « De l'individualisme et du socialisme », publié dans *La Revue encyclopédique*. Leroux le définit comme « la doctrine qui ne sacrifiera aucun des termes de la formule Liberté-Fraternité-Égalité[219] ».

En 1835, Alexis de Tocqueville publie la première partie de *De la démocratie en Amérique*[268], cependant que le Texas se proclame indépendant du Mexique et que Colt invente le revolver à barillet. Une ligne de chemin de fer Saint-Étienne-Lyon est ouverte aux voyageurs, et un décret autorise la construction d'une ligne Paris-Saint-Germain-en-Laye. Karl est de plus en plus fasciné par le développement de ce mode de transport et Jenny, à qui il vient de déclarer son amour – il a dix-sept ans –, se moque de lui en l'affublant du sobriquet « Monsieur Chemin de Fer »[277].

Les premiers textes de Marx dont on ait gardé la trace sont trois dissertations écrites cette année-là alors qu'il fréquente le lycée[248]. La troisième, « Réflexions d'un jeune homme sur le choix d'une vocation », est la plus éclairante sur les directions que sa vie va emprunter. Il y livre un autoportrait sensible, d'autant plus intéressant qu'il n'y analyse pas ses préoccupations personnelles au travers du prisme de ses vues ultérieures sur la nature de l'expérience humaine[218]. Marx confesse que le jeune homme qui s'apprête à choisir une profession doit être guidé par « le devoir, le sacrifice de soi, le bien-être de l'humanité, le souci de notre propre perfection[248] », et qu'il est faux de croire que ces types d'intérêt s'opposent l'un à l'autre. Il lie sa foi dans le progrès de l'humanité à toute une série d'angoisses concernant son propre avenir. Un mauvais choix professionnel, soutient-il, risque de rendre un homme malheureux toute sa vie. De surcroît, au moment d'opérer ce choix, tout jeune homme est soumis à des contraintes personnelles dont les premières sont d'ordre social[248]. Notre constitution physique, reconnaît Marx à regret, apporte aussi une limitation à nos aspirations. Dès l'âge de dix-sept ans, il pose ainsi l'existence d'un conflit entre déterminations « idéales » et déterminations « matérielles » de la vie humaine[248].

En octobre de cette même année 1835, au sortir d'études secondaires plus qu'honorables où il a appris le latin, le grec, le français et un peu d'hébreu, Karl est envoyé par son père à Bonn étudier le droit. C'est une destination naturelle : là se trouve l'université la plus proche, créée en 1786, où travaillent près de sept cents étudiants. Comme il est naturel aussi, Heinrich destine son fils au métier d'avocat ou de professeur de droit. Certains biographes[123] prétendent que Karl est envoyé là, pour l'éloigner de Jenny. Il n'en est rien : les deux mères s'inquiètent certes d'une attirance trop précoce, mais en aucun cas d'une mésalliance qui n'est jamais évoquée, si ce n'est par Ferdinand, demi-frère de Jenny, qui vit loin de Trèves et déteste les Marx depuis qu'il a appris que son père fréquentait des Juifs convertis.

À Bonn, où Karl arrive en octobre 1835, la vie estudiantine est bien organisée et relativement plus libre qu'ailleurs en Allemagne. Pour s'intégrer, les nouveaux étudiants doivent adhérer à l'une des nombreuses associations qui structurent la vie universitaire. Elles sont de trois types : les *Korps* regroupent les jeunes gens d'une même origine sociale (comme le Borussia Korps qui rassemble les héritiers de l'aristocratie prussienne) ; les *Landsmannschaften* fédèrent les natifs d'une même ville (tel le Treviraner Klub, qui réunit les Trévois), et les *Burschenschaften* sont des associations politisées, extrêmement surveillées.

Significativement, Karl ne s'inscrit pas d'emblée à un club politique, mais au Treviraner Klub qui compte alors plus de trente membres. Sur les sept Trévois qui entrent cette année-là à l'université de Bonn, quatre viennent y étudier le droit, et tous adhèrent à ce club-là.

Karl se fait tout de suite remarquer par sa force de travail et son rayonnement personnel[277]. Il soigne son abondante chevelure et se laisse déjà pousser une petite barbe. De taille et de corpulence moyennes, il s'exprime avec un léger zézaiement et un accent rhénan marqué. Il commence par tout faire de façon extrême : le travail, les nuits blanches, les violences verbales et physiques… et l'alcool[248]. Il fréquente les bars, les salles de bal ; il se bat. Il fait même l'acquisition d'un pistolet pour se prémunir contre ses rivaux. Il n'a pour toutes ressources que ce que lui envoie son père, qu'il dépense sans compter à boire, manger, se loger, acheter des livres. En quelques mois, il contracte des dettes pour le montant considérable de 160 thalers, que son père doit rembourser en protestant vivement[230]. Ainsi débute la relation éminemment complexe de Karl avec l'argent, faite de fascination et de haine, qui bientôt le rendra proprement malade. Ainsi commence aussi sa mise en procès du travail contraint, pour gagner sa vie. Du travail salarié, du travail exploité. Et même, on le verra, de tout arrachement d'une œuvre des mains de celui qui la produit.

Pendant que Karl passe l'hiver et le printemps 1836 à étudier le droit à Bonn, en Angleterre est créée l'Association des travailleurs londoniens, qui revendique le suffrage universel. En France, les frères Schneider prennent le contrôle des hauts fourneaux du Creusot, Émile de Girardin lance son journal *La Presse* et la ligne de chemin de fer Paris-Saint-Germain est mise en service. L'ouvrier-tailleur allemand Weitling fonde à Paris la Ligue de Brennus.

Karl travaille beaucoup : à côté des cours de droit et des cours de littérature latine sur Properce, il découvre la philosophie. C'est une révélation. Ce sera son domaine. C'est là qu'il se sent le mieux. Il ne la quittera jamais plus.

Il découvre surtout Hegel, maître absolu de la philosophie allemande de l'époque, pour qui c'est la Raison qui gouverne le monde. Chaque époque de l'histoire des hommes est pour lui un moment logiquement nécessaire du développement de l'Esprit. « La mort – lit-il dans la préface à *La Phénoménologie de l'Esprit* – est la chose la plus redoutable, et tenir fermement face à ce qui est mort est ce qui exige la plus grande force[131]. » Pourtant, poursuit-il, « ce n'est pas cette vie qui recule d'horreur devant la mort et se préserve pure de la destruction, mais la vie qui porte la mort et se maintient dans la mort même qui est la vie de l'Esprit[131] ». Hegel ajoute : « Il faut regarder avec l'œil de la Raison qui pénètre la superficie des choses et transperce l'apparence bariolée des événements. » Karl est fasciné de découvrir dans ce livre un sens à l'Histoire qui, entraînée par le progrès de la rationalité, de la morale et de la liberté, tend vers un but que Hegel appelle « Dieu », ou « Idée », ou « Esprit absolu », ou « Savoir absolu », réalisation d'un droit, lieu de l'universalité et de la liberté[131]. Pour le philosophe, les individus, formes d'expression de la liberté, sont, sans le vouloir ni le savoir, au service de l'Histoire par ce qu'il appelle une « ruse de la Raison ». Le rôle de l'État, entité idéale et absolue, au-dessus de l'Histoire, est de permettre à chacun de disposer de ce qui est nécessaire pour vivre « décemment », de veiller à ce que « nul n'en soit privé, nul n'en fasse un usage abusif », et de mettre fin aux conflits. Au terme de l'Histoire disparaîtra l'« aliénation », qui est à la fois pour Hegel l'*Entfremdung* (se déshumaniser, s'extraire de l'essence de l'homme) et l'*Entäusserung* (sortir de soi, devenir celui qu'on n'est pas[131]).

Cette rencontre avec Hegel marquera Karl à jamais. Par lui, il découvre l'importance de la pensée, qui devient à ses yeux la première des activités humaines, plus importante même que la quête du Bien. L'un de ses gendres, Paul Lafargue, témoignera : « Je l'ai souvent entendu répéter le mot de Hegel, son maître de philosophie au temps de sa jeunesse : "Même la pensée criminelle d'un bandit est plus grande et plus noble que toutes les merveilles du Ciel."[161] » La science passe avant l'éthique. L'analyse sociale doit être rationnelle et objective avant d'être morale. Karl n'oubliera plus ce précepte.

Cette année-là, il correspond beaucoup avec son père et avec Jenny. Avec le premier, il parle droit, littérature, politique et même philosophie ; son père lui répond études et réduction des dépenses. Dans ses lettres, Heinrich fait l'éloge de Kant et souligne que la foi en Dieu – le Dieu de « Newton, Locke et Leibniz » – est une aide précieuse et nécessaire pour mener une vie morale. Dans une missive datée de 1836, Heinrich écrit à son fils : « Si Dieu le veut, tu as encore devant toi une longue vie à vivre pour ton bien, pour celui de ta famille et – si mes pressentiments sont exacts – pour celui de l'humanité[248]. » Henrietta Marx adresse à Karl des recommandations touchantes, exhortant son fils à « ne jamais considérer l'ordre et la propreté comme des choses secondaires », car « la santé et le bonheur en dépendent[248] » ; elle s'inquiète de ce qu'il ne boive ni trop de vin ni trop de café, ne mange pas trop épicé, ne fume pas, se couche et se lève tôt, « [se] protège du rhume et ne danse pas tant qu'[il n'est] pas complètement rétabli[248] ».

Avec Jenny, il échange des lettres d'amour ; la jeune fille est éprise, mais sage : elle craint que la passion de Karl à son égard ne soit passagère, comme un amour de jeunesse. Un homme, pense-t-elle, n'aime pas qu'une fois. Comprenant l'intérêt de Karl pour Hegel, la jeune fille, qui n'a pas fait d'études, se met à son tour à lire de la philosophie.

Karl mène une vie si agitée qu'il est condamné en juin 1836 à un jour d'arrêts pour ivresse et tapage nocturne. Comme il aime déjà commander dans tout ce qu'il entreprend, il devient en juillet président du Treviraner Klub ; sur une lithographie de l'époque représentant les membres de cette amicale en train de faire la fête à l'auberge du Cheval Blanc, Karl est reconnaissable contemplant la scène avec la dignité qui sied à un président de club[230]. En août 1836, alors qu'il termine sa première année universitaire, une bagarre éclate entre les membres du Borussia Korps et ceux du Treviraner Klub. Première lutte de classes… ? Marx est blessé à l'arcade sourcilière gauche et en gardera toute sa vie une cicatrice. Son père est furieux : l'avocat doit consentir beaucoup de sacrifices pour payer les études de son aîné et voilà que celui-ci dépense cet argent en libations, qu'il se bat et va en prison ! Inacceptable.

Karl a cependant étudié assez de droit pour recevoir, le 22 août 1836, un certificat de fin d'année de l'université de Bonn qui loue « l'excellence de son assiduité et de son attention », tout en faisant état d'une mise aux arrêts d'une nuit « pour tapage et ivresse[277] ». À la lecture de ces observations, son père décide de le faire changer d'université mais Karl souhaite poursuivre ses études à Bonn pour y étudier la philosophie, et non plus le droit ; il n'ose s'en ouvrir à son père. De fait, la philosophie continue d'être mal vue, cette année-là, dans toutes les universités allemandes : le gouvernement prussien refuse au jeune professeur qui a déjà fait scandale quelques années plus tôt, Ludwig Feuerbach, le droit d'enseigner à l'université, ce qui le pousse à rallier un groupe de jeunes philosophes critiques, surnommés « jeunes hégéliens[74] », pour qui l'État prussien tel qu'il est n'a rien d'idéal et doit être réformé : ils n'osent pas encore se distinguer de Hegel, mais se donnent le droit de l'interpréter ; être « jeune hégélien », c'est croire au rôle de l'action politique dans la conquête des libertés.

En septembre 1836, Karl rentre à Trèves pour quelques vacances. Il ne sait pas encore que son père ne veut plus le laisser étudier à Bonn. Il y retrouve sa mère, son père, son jeune frère Hermann, malade, et ses quatre sœurs : Caroline, Louise, Émilie et Sophie. Un début de tuberculose lui vaut d'être dispensé du service militaire. Jenny et lui, qui se sont beaucoup écrit, décident de se fiancer. Heinrich n'y voit pas d'obstacle : le mariage peut même ramener un peu de calme dans la vie de son fils. Henrietta se montre plus réticente : Karl est trop jeune – il n'a que dix-huit ans – et Jenny, qui en a vingt-deux, est habituée à un train de vie que Karl ne pourra assumer.

Séduit par Karl, ébloui par son énergie et sa culture, le baron von Westphalen est pour sa part favorable à l'union avec Jenny. Mais Ferdinand, le demi-frère, alors premier conseiller du gouvernement à Trèves, fait tout pour s'y opposer ; il demande à la police berlinoise un rapport sur la vie et les activités de son futur beau-frère et fait connaître au baron les frasques de Karl à Bonn[248]. Ledit baron s'en moque. On célèbre donc les fiançailles, tout en décidant que le mariage n'aura lieu que le jour où Karl aura trouvé un emploi stable. Bien plus tard, l'une des filles de Karl et de Jenny écrira : « Mon père disait qu'à cette époque il était une sorte de Roland furieux. Mais la question fut vite réglée et il fut accepté comme fiancé avant l'âge de dix-huit ans[200]. »

Puisque son père espère toujours que Karl deviendra comme lui avocat à Trèves ou, au pis, professeur de droit, il l'envoie continuer ses études à Berlin. Là-bas, il en aura au moins pour cinq ans. On verra alors ce qu'il sera advenu de cette relation.

Dans cette ville austère, encore rurale, Heinrich pense que son fils sera soumis à moins de tentations qu'à Bonn. C'est le contraire qui va se produire : l'intolérance qui y règne va faire de lui un révolté.

La capitale du royaume de Prusse compte alors 190 000 habitants. Son université, créée en 1810 en réaction à l'occupation française, est alors placée sous haute surveillance, en particulier pour ce qui concerne les disciplines du droit et de la philosophie[74]. La philosophie hégélienne sert de caution idéologique à cette politique autoritaire. Pourtant de jeunes philosophes y font sécession : ils partagent avec leurs aînés le postulat fondateur de la dialectique hégélienne selon lequel « tout ce qui est réel est rationnel et tout ce qui est rationnel est réel[129] ». Mais, alors que les conservateurs mettent exclusivement l'accent sur la première partie de la proposition, les jeunes progressistes insistent sur la seconde. En outre, à Berlin la presse est muselée, les associations étudiantes, bâillonnées.

Le 22 octobre 1836, Karl loue une chambre à Berlin au 61, Mittelstrasse, à deux pas de l'université Friedrich-Wilhelm. Il n'a que peu d'argent, la pièce est humide ; il tombe malade. Il lit, boit, écrit à Jenny des poèmes enflammés (pas moins de cent cinquante-deux dans un cahier de deux cent soixante-deux pages envoyé pour Noël 1836)[248]. Il « possédait une imagination poétique d'une richesse incomparable », dira l'un de ses gendres : « ses premières œuvres littéraires furent des poésies. Madame

Marx gardait soigneusement ces œuvres de jeunesse de son mari, mais ne les montrait à personne[161] ». Par sa correspondance avec son père[50], avec qui il entretient toujours une exceptionnelle complicité intellectuelle, on sait tout de ses lectures de cette année-là : Schiller, Goethe, le *Laocoon* de Lessing, divers écrivains aujourd'hui oubliés pour certains (Heinsius, Thibaut, l'*Erwin* de Solger), l'*Histoire de l'art* de Winckelmann, l'*Histoire allemande* de Ludenv. Il traduit en allemand la *Germanie* de Tacite, les *Tristia* d'Ovide, deux recueils de jurisprudence latine. Il étudie l'anglais et l'italien tout seul, sans même l'aide d'une grammaire. Il entreprend d'écrire un roman historique, *Scorpion et Félix*, qu'il interrompt au bout de quelques chapitres, et une tragédie, *Oulanam*, dont il ne compose qu'une scène qu'il envoie à son père. Il se veut écrivain, philosophe, poète ; il se voit avant tout célèbre, connu du monde entier. Il dort peu, travaille sans relâche, rature, réécrit. Il sait que ce qu'il écrit n'est pas bon, que de ses pages la vie et la passion sont absentes. Il se désespère de ne pas trouver de valeur à sa poésie. Il n'est pas doué pour écrire, finit-il par penser.

Là apparaît un trait de caractère qui l'accompagnera toute sa vie et influencera profondément son œuvre. L'impossibilité de considérer un manuscrit comme terminé, de se laisser arracher une œuvre. Il en déduira que tout travail est aliénant.

C'est au cours de ses années d'études à Berlin qu'on a commencé à l'appeler couramment « le Maure », sobriquet qui restera son surnom préféré. Il lui vient certes de son teint mat, mais recèle aussi une référence voilée à sa judéité[248]. Les Berlinois des années 1830 ne connaissaient guère les Maures que par la littérature, le plus célèbre d'entre eux étant Othello : Shakespeare est alors à la mode et passionne Marx depuis que son futur beau-père le lui a fait connaître[248]. On trouve aussi des Maures dans certaines pièces de Schiller et un personnage des *Brigands*[247], Karl von Moor (qui n'est pas maure cependant), un des plus grands héros romantiques, sorte de justicier au grand cœur condamné à la violence par la trahison d'un frère. La pièce, que Schiller a écrite à vingt-deux ans et qui fait écho aux *Souffrances du jeune Werther* de Goethe, autre drame de la rébellion adolescente[248], a pour morale que « les vices de la société l'empêchent de profiter des vertus des meilleurs de ses membres[247] ». Karl s'identifie à ce jeune Karl von Moor qui entretient avec son père des relations à la fois orageuses et affectueuses, qui ne sont pas sans rappeler celles qu'il a avec Heinrich Marx.

Le « Maure » a pour professeurs de droit Eduard Gens, Friedrich Carl von Savigny, et surtout Bruno Bauer, théologien protestant lié aux mouvements libéraux et que sa vaste culture, son sens des formules, son ironie et sa hardiesse portent naturellement à la tête du mouvement des « jeunes hégéliens » de la ville ainsi qu'à celle d'un club très fermé, le Doktorklub, qui regroupe les plus combatifs et les plus doués de ces jeunes philosophes. Entre eux, les sujets de discussion ne manquent pas. Pour certains, comme Bauer, il faut d'abord faire la révolution dans les consciences ; car c'est par la pensée qu'on exercera une influence sur le monde. Pour d'autres, comme Adolf Rutenberg – qui, à peine sorti de prison, parraine l'entrée de Karl au Doktorklub –, il faut laisser tomber la réflexion pour passer à l'action. Pour d'aucuns, la monarchie prussienne constitue la réalisation idéale de l'État tel que l'a défini Hegel[74]. Les autres, au contraire, pour qui l'hégélianisme est essentiellement une doctrine du mouvement, ne peuvent admettre que l'Histoire se soit arrêtée et qu'elle ait atteint son achèvement dans cette monarchie. La gauche hégélienne soutient donc qu'il y a en fait deux Hegel : l'authentique, foncièrement athée, critique de l'ordre existant, qui se serait exprimé à l'intention des seuls initiés, et un Hegel officiel qui aurait multiplié les concessions au pouvoir politique de son temps[74]. Bien entendu, les jeunes hégéliens prétendent que l'État prussien ne s'identifie en rien avec l'État idéal et rationnel, rêvé par Hegel en Prusse. La cause essentielle en est pour eux la toute-puissance de la religion qui entrave le développement de la liberté. Le sens profond et caché de la pensée de Hegel, c'est l'athéisme. Il faut d'abord, disent-ils, libérer l'homme et l'État de l'emprise de la religion[74].

Karl pense comme Bauer et les « jeunes hégéliens » qu'une nouvelle interprétation du monde est nécessaire et suffisante pour le transformer. Il décrit alors à son père son ambition littéraire : « Une fois de plus, je voulais plonger dans la mer, mais dans l'intention bien arrêtée d'établir que la nature de l'esprit est tout aussi nécessaire, concrète et solidement définie que la nature du corps. Mon but n'était plus de me livrer à des trucs d'escrimeurs, mais de faire venir de vraies perles à la lumière du jour[2]. » Dans une lettre de la même année, il écrit, à propos de sa mère, tout entière dévouée à sa famille, qu'elle est un « ange de mère[248] ».

À la fin de l'hiver 1837, après six mois de fièvre et de toux dans sa chambre berlinoise, Karl loue sur les conseils d'un médecin une chambre à la campagne, chez l'un des habitants de Stralow, village de pêcheurs sur la rive droite de la Spree, distant de l'université d'une heure de marche, à travers la forêt. Il tente d'approfondir Hegel, mais, cette fois, il est déçu de ce qu'il y trouve[248] : sa « mélodie grotesque ne [l']inspire plus[2] ».

Cette année-là, les progrès techniques se multiplient et la croissance économique redémarre en Europe. Les Anglais Cooke et Wheatstone mettent au point le premier télégraphe à impulsion électrique ; le Français Engelmann dépose un brevet pour un procédé de lithographie en couleurs.

Karl s'absorbe encore dans les livres de droit pour préparer ses examens : une étude de Savigny sur la propriété, un traité de droit criminel de Grolmann Cramer, le *De verborum significatione*, les Pandectes, recueils du Code Justinien regroupant des extraits d'œuvres des jurisconsultes romains de l'époque classique. Il étudie les livres de Wenning-Ingenheim et de Mühlenbruch commentant ces Pandectes. Il se plonge dans les volumes de droit civil et de procédure de Lauterbach, dans le *Concordia discordantium canonum* de Gratien, dans les *Institutiones* de Lancelotti. Il étudie l'histoire du droit allemand et s'intéresse en particulier aux capitulaires des rois de Franconie et aux bulles pontificales. Il traduit en partie la *Rhétorique* d'Aristote, dévore le *De augmentis scientiarum* de Francis Bacon ainsi que l'ouvrage de Hermann Samuel Reimarus sur l'instinct artistique des animaux[2]. Il finit de se détacher de Hegel, dont les accomplissements sont certes « d'une grandeur infinie », chez qui il a découvert l'importance de la notion de « société civile » pour asseoir sa propre théorie matérialiste, mais à partir duquel il a surtout perçu la nécessité d'aller plus loin en acquérant la maîtrise d'une science nouvelle : l'économie politique. Il commence alors à découvrir Adam Smith, Adam Ferguson, David Ricardo, François Quesnay, Boisguillebert...

Dans sa chambre, les livres s'entassent en grand désordre. Son gendre Lafargue écrira : « Marx ne permettait à personne de mettre de l'ordre – ou plutôt du désordre – dans ses livres et ses papiers. Car leur désordre n'était qu'apparent : en réalité, tout était à sa place et il trouvait toujours sans peine le livre ou le cahier dont il avait besoin. Même, au cours d'une conversation, il s'interrompait souvent pour montrer dans le livre un passage ou un chiffre qu'il venait de citer. Il ne faisait qu'un avec son cabinet de travail, où livres et papiers lui obéissaient comme les membres de son corps[161]. »

Karl commence ainsi à découvrir les textes de Feuerbach, ce jeune professeur de philosophie chassé de l'université pour avoir fait scandale par son athéisme et sa critique de Hegel. Il est fasciné par celui « qui a le courage d'être absolument négatif et a la force de créer du neuf[116] », qui ose reprocher à Hegel d'avoir posé l'être comme une abstraction et d'avoir soutenu que les contradictions sont nécessaires à la naissance du neuf, tout en prétendant que l'Histoire s'achèvera par un système sans contradictions[116].

Il cherche donc sa voie entre Hegel et Feuerbach. Il travaille énormément, écrit régulièrement à son père, à Jenny, mais aussi sort et dîne avec ses amis, débat de philosophie plus que de droit, boit beaucoup, voit des femmes. Soucieux de se mesurer aux géants, Karl rédige un dialogue de vingt-quatre pages, *Point de départ et continuité nécessaire de la philosophie*, critique radicale de Hegel, l'idole déchue. Mais, après examen, il trouve son propre texte nul, enrage, le déchire et le brûle avec ses amorces de romans. Pendant plusieurs jours, il est si vexé qu'il est incapable de réfléchir ; il marche à l'aveuglette à travers bois et va même jusqu'à accepter d'accompagner le propriétaire de son logement de Stralow à la chasse, ce qu'il a jusque-là toujours refusé[2].

Il commence à se demander si ses talents sont bien à la hauteur des ambitions de son enfance. Il s'interroge sur sa carrière. Et s'il renonçait à tout ? Et s'il se résignait à mener une petite vie ? Après tout, tant d'autres l'ont fait avant lui ! Il croise un inspecteur des impôts, un dénommé Schmidthanner, qui lui conseille d'entrer dans la magistrature – ce « qui serait plus à mon goût, car je préfère la jurisprudence à toute science administrative[2] », écrit-il à son père. Cet inspecteur du fisc lui explique que cela lui permettra même d'entrer un jour à l'université par une porte dérobée, fût-ce sans aucun talent. Ainsi lui, en trois ans, à Münster, a pu atteindre un grade administratif lui donnant l'équivalence du doctorat en droit – ce qui lui ouvre la perspective d'obtenir un poste de professeur de droit, poste qu'a obtenu par le même canal, à Bonn, un ami qui n'avait à son actif qu'un médiocre travail sur la législation provinciale[2]. Karl commence à penser qu'il pourrait fort bien se contenter de ce genre de vie.

À l'été 1837, au terme de sa première année universitaire à Berlin, il revient pour les vacances à Trèves, y retrouve sa mère, son frère Hermann, très malade, et ses quatre sœurs. Il passe du temps avec Jenny, elle aussi souffrante, et avec le baron von Westphalen, impressionné de voir le collégien moyen devenu un jeune homme de dix-neuf ans cultivé, passionné de littérature et de philosophie, d'une ambition sans bornes. Tous deux parlent de Berlin, dissertent sur la démocratie et le progrès scientifique, sur le monde qui vient. Karl passe surtout de nombreuses heures en compagnie de son père qui n'est pas jaloux de sa relation avec le baron. Heinrich s'inquiète encore des dépenses de son fils à un moment où lui-même, atteint d'une tuberculose sévère, ne dispose plus des mêmes revenus. Il n'aime pas non plus le voir parler politique trop librement et estime qu'il s'abaisse en s'intéressant à l'économie politique, science qui n'est guère prisée alors en Allemagne ; il exhorte son fils à travailler davantage le droit et à ne pas renoncer à faire une belle carrière.

Après l'été, Karl s'en retourne à Berlin, emportant avec lui un daguerréotype de ce père qui lui a redonné confiance en son avenir[230]. Le Doktorklub, dont il est maintenant l'un des membres les plus actifs, devient un lieu à la réputation sulfureuse. Sous l'influence de Ludwig Feuerbach, le club n'hésite plus à afficher son athéisme. Quoique beaucoup plus jeune que ses autres membres, Marx y exerce une véritable fascination, y compris sur Feuerbach quand celui-ci vient y rencontrer ses émules.

Karl se rêve désormais en professeur de philosophie, comme son maître Bruno Bauer et comme Ludwig Feuerbach lui-même. Il ne veut plus se mentir, ni surtout mentir à son père. Il décide donc de revenir à Trèves pour Noël et de tout lui expliquer. Il lui écrit ses intentions. Mais Heinrich lui interdit d'y donner suite : Karl doit achever au plus tôt ses études. Par ailleurs, il ne veut pas que son fils le voie malade : sa tuberculose s'est brusquement aggravée.

Le 10 novembre 1837, Karl écrit à son père une nouvelle et très longue lettre[47] dans laquelle il réitère sa demande de venir le voir au plus tôt. Il lui résume son année de travail et lui laisse entendre qu'il va abandonner le droit pour passer à la philosophie. La rédaction de cette missive lui prend toute la nuit ; à quatre heures du matin, il doit s'interrompre, faute de chandelle. Ces pages si emphatiques, révélatrices de la psychologie du jeune Karl – il n'a pas vingt ans –, méritent d'être longuement citées :

« Cher père, il y a des moments, dans la vie d'un homme, qui sont comme des postes-frontières marquant la fin d'une période et indiquant clairement une nouvelle direction. En de tels moments de transition, on se sent obligé de regarder le passé et l'avenir avec des yeux d'aigle pour être conscient de la réalité. En vérité, l'histoire du monde elle-même aime à regarder ainsi en arrière, à faire le bilan, ce qui donne parfois un sentiment de recul ou de stagnation, alors qu'il s'agit simplement de s'asseoir dans un fauteuil pour se comprendre soi-même et embrasser intellectuellement toute l'activité de son propre esprit. En de tels moments de mutation, chacun peut céder au lyrisme, car toute métamorphose est en partie comme un chant du cygne, en partie comme l'ouverture d'un ample et nouveau poème [...]. Chacun a alors le sentiment qu'il doit élever un mémorial à ce qu'il a vécu, de telle façon que l'expérience retrouve dans les émotions ce qui a été oublié de l'action. Il n'y a pas meilleur lieu pour élever un tel mémorial que le cœur d'un père, le plus indulgent, le plus empathique, dont le soleil de l'amour réchauffe toutes nos actions. Et quel meilleur pardon espérer pour ce qui est blâmable que de tenter de le faire reconnaître comme la manifestation d'une nécessité ? Et comment faire au moins admettre que ce qui vient, pour l'essentiel, du hasard ou d'erreurs intellectuelles ne mérite pas d'être critiqué comme résultant de l'action volontaire d'un cœur perverti [...] ? À la fin d'une année passée ici, je regarde en arrière, mon cher père, et permettez-moi de regarder ma vie comme je regarde la vie en général, c'est-à-dire comme l'expression d'une activité intellectuelle se développant dans toutes les directions, en sciences, en arts et dans la sphère privée [...]. Attristé par la maladie de Jenny et par mes vains efforts intellectuels pour échapper à l'idolâtrie qui m'animait pour une pensée que maintenant j'exècre, je suis tombé malade, comme je te l'ai déjà écrit, mon cher père. Quand j'ai été mieux, j'ai brûlé mes poèmes et mes débuts de romans, pensant à renoncer totalement, car, jusqu'à aujourd'hui, rien ne me permet de penser qu'il existe la moindre preuve de mon talent [...]. Et même mon séjour à Berlin, qui aurait dû me plaire infiniment, m'inciter à contempler la nature, m'a laissé indifférent [...] car, finalement, aucune œuvre d'art n'est aussi belle que Jenny [...]. Mais, mon cher, très cher père, ne serait-il pas possible d'en parler avec vous personnellement ? La santé de mon frère, de ma chère maman, votre propre maladie (que j'espère peu sérieuse), tout cela me fait désirer me précipiter vers vous, et cela en fait presque une nécessité. Je serais déjà là si je n'avais douté de votre permission de me voir quitter Berlin. Croyez-moi, mon cher, cher père, je ne suis animé par aucune intention égoïste (même si ce serait une bénédiction pour moi de revoir Jenny) ; mais il est une pensée qui m'émeut et que je n'ai pas le droit d'exprimer. Et, bien qu'il soit difficile de l'admettre, comme me l'écrit ma chère Jenny, ces considérations sont sans valeur, comparées à l'accomplissement de devoirs sacrés. Je vous supplie, cher père, quoi que vous décidiez, de ne pas montrer cette page de ma lettre à ma mère : mon arrivée à l'improviste pourrait aider cette femme si magnifique à se rétablir [...], tout en espérant que s'éloigneront les nuages qui se sont assemblés sur la famille, et qu'il me sera donné de souffrir et de pleurer avec vous, peut-être aussi de vous donner des preuves de mon amour profond et démesuré que j'exprime en général si mal. Dans l'espoir que vous aussi, cher, très aimé père, vous preniez en compte l'état de trouble de mon esprit pour me pardonner les errances de mon cœur, submergé par mon esprit, et que vous recouvriez vite votre santé en sorte que je puisse vous serrer dans mes bras et vous dire toutes mes pensées. Votre fils à jamais aimant[47]. »

Il ajoute en post-scriptum :

« S'il vous plaît, cher père, excusez mon mauvais style et mon écriture illisible. Il est presque quatre heures du matin, la chandelle arrive à sa fin, mes yeux sont fatigués, une excitation extrême a pris possession de moi et je ne saurai calmer ces spectres turbulents avant d'être avec vous, qui m'êtes si chers. S'il vous plaît, faites part de mes pensées à ma douce et merveilleuse Jenny. J'ai lu sa dernière lettre douze fois et j'y découvre chaque fois de nouvelles délices, y compris de style. C'est à mon avis la plus belle lettre jamais écrite par une femme[47]. »

Marx expédie sa lettre et attend la réponse paternelle. Elle ne vient pas. Il reste donc à Berlin pour Noël et continue d'étudier pendant l'hiver, inquiet de ce qui se passe à Trèves, dont Jenny ne lui dit rien.

Le 10 février 1838, son père lui répond enfin : une lettre bouleversante, suivie de deux post-scriptum, l'un de sa mère, l'autre de sa sœur Sophie. Une lettre qui, à mon sens, va orienter toute la vie de Karl.

Heinrich s'y inquiète d'abord du rapport de Karl à l'argent ; il lui demande de ne pas venir le voir, de continuer ses études, et lui donne allusivement son accord sur son changement d'orientation. Il faut citer cette lettre presque intégralement du fait de l'importance qu'elle va revêtir pour la suite.

« Cher Karl, [...] Aujourd'hui, j'espère être capable de me lever quelques heures et de voir si je suis capable de rédiger une lettre. En fait, je tremble, j'y arrive, mais... je n'ai pas la force de m'embarquer dans une discussion théorique avec toi. Tant mieux si ta conscience s'harmonise modestement avec ta philosophie et est compatible avec elle. Sur un seul point, tu as sagement observé dans ta lettre un silence aristocratique : sur la mesquine question de l'argent dont la valeur, pour le père de famille, est grande, même si tu ne sembles pas le reconnaître. Je m'en veux de t'avoir laissé trop libre sur ce sujet. Nous sommes au quatrième mois de l'année scolaire et tu as déjà tiré 20 thalers. Or je n'en ai pas gagné autant cet hiver. Tu as tort de dire que je te méjuge ou que je ne te comprends pas. Je fais totalement confiance à ton cœur et à ta moralité. Je t'ai toujours fait confiance, même dans ta première année de droit où je ne t'ai pas demandé d'explications sur cette ténébreuse affaire [le duel de Karl]. C'est justement ma confiance en ta haute moralité qui l'a permis. Et, Dieu merci, c'est encore le cas. Pour autant, cela ne me rend pas aveugle [...]. Tu dois croire que tu es au plus secret de mon cœur et que tu es l'un des plus puissants leviers de ma vie. Ta dernière décision [changer de sujet d'étude] est méritoire, sage, et mérite d'être mise en œuvre ; si tu fais ce que tu as promis, cela portera ses meilleurs fruits. Sois sûr qu'il n'y a pas que toi qui fasses un grand sacrifice. C'est vrai de nous tous. Mais la raison doit triompher. Je suis fatigué, cher Karl, je dois m'interrompre [...]. Ta dernière proposition me concernant [venir le voir] se heurte à de grandes difficultés. Quel droit ai-je de t'en prier ? Ton père fidèle[47]. »

En contradiction avec tout ce que des biographes malintentionnés diront de ses mauvaises relations avec son fils et avec Jenny, la mère de Karl ajoute :

« Mon cher Karl adoré, Pour l'amour de toi, ton cher père a pour la première fois refait l'effort de t'écrire. Ton bon père est très faible ; Dieu fasse qu'il recouvre vite ses forces. Je vais bien, cher Karl, et je suis calme, résignée à ma situation. La chère Jenny se conduit comme une fille adorable pour ses parents, et nous réconforte par son état d'esprit, comme si elle était une enfant de la famille qui essaie toujours de voir le bon côté des choses. Écris-moi pour me dire si tu vas bien. Je suis la plus fâchée que tu ne viennes pas pour Pâques. Je laisse mes sentiments aller au-delà de la raison et je regrette, cher Karl, que tu sois, toi, bien trop raisonnable. Tu dois prendre ma lettre comme une mesure de mon amour profond. Il est des moments où l'on ressent beaucoup et où l'on dit peu. Aussi te dis-je au revoir, mon cher Karl, écris vite à ton cher père, cela aidera certainement à sa guérison rapide. Ta mère qui t'aime à jamais[47]. »

Visiblement, comme le lui avait demandé son fils, Heinrich n'a pas montré à sa femme le passage de la lettre de Karl où celui-ci se proposait de venir à Trèves, et il lui a fait croire que le jeune homme avait décidé de son plein gré de rester à Berlin.

Suit un autre post-scriptum d'une des sœurs, Sophie, qui, à mots couverts, lui annonce que la situation financière de la famille est tout aussi inquiétante que la santé du père :

« Cher père se sent mieux. Les choses s'arrangent. Cela fait bientôt huit semaines qu'il est au lit, et il n'en est sorti qu'il y a quelques jours pour qu'on puisse aérer la chambre. Aujourd'hui, il a fait un gros effort pour t'écrire ces quelques lignes de sa main tremblante. Notre pauvre père est maintenant très impatient. Rien d'étonnant : il a été tout l'hiver hors de ses affaires. Le besoin qu'il en ressent est maintenant quatre fois plus grand qu'avant. Chaque jour, je chante pour lui et lui fais la lecture. Envoie-moi enfin la chanson que tu me promets depuis longtemps. Écris vite. Cela sera une distraction pour nous tous. Caroline n'est pas bien. Louise est couchée ; il semble qu'elle ait la scarlatine. Émilie conserve un bon moral. Quant à Jette [Hermann, son frère cadet], il n'est pas précisément de sa meilleure humeur[47]. »

Caroline, Émilie et Hermann mourront bientôt.

Cette lettre majeure qui accorde à Karl le droit d'étudier ce qu'il veut (« Je fais totalement confiance à ton cœur et à ta moralité. [...] Ta dernière décision [changer de sujet d'étude] est méritoire, sage, et mérite d'être mise en œuvre ; si tu fais ce que tu as promis, cela portera ses meilleurs fruits ») recèle aussi, à mon sens, une phrase essentielle : celle qui évoque « [ton] silence aristocratique sur la mesquine question de l'argent dont la valeur, pour le père de famille, est grande, même si tu ne sembles pas le reconnaître. Je m'en veux de t'avoir laissé trop libre sur ce sujet ». La façon dont le père assimile l'aristocratie à la faculté de ne pas parler d'argent laisse augurer de ce que sera l'argent pour Karl : une chaîne de servitude, une source de dépendance. Et il y aura plus tard, dans la dénonciation de l'exploitation par Marx, comme une semblable idéalisation de la noblesse. Exploitation par l'argent dont il ne faut se libérer ni en le gagnant, comme un bourgeois, ni en n'en parlant pas, comme un noble, mais en combattant son pouvoir, comme un prolétaire.

Obéissant à son père, Karl ne revient donc pas chez lui et passe Pâques à Berlin. Il ne le reverra plus : le 10 mai 1838, Heinrich Marx meurt de la tuberculose, à Trèves, à l'âge de soixante et un ans. À compter de ce jour et jusqu'à sa propre mort, Karl portera dans la poche intérieure de son gilet, contre son cœur, le daguerréotype que son père lui a remis un an auparavant, la dernière fois qu'ils se sont vus.

Cette mort marque une rupture : Karl ne se rend pas, semble-t-il, à Trèves pour l'enterrement et sa mère ne lui versera pas sa part d'héritage, soit la somme appréciable de 6 000 francs-or, car il faudrait pour cela vendre la maison où vit encore la famille.

Pour nombre de biographes, c'est par indifférence que Karl n'assiste pas aux obsèques de son père, mais cela est démenti par leur dernier échange épistolaire. Son absence – si elle est avérée – ne s'explique que par le temps nécessaire pour le prévenir du décès. Au surplus, son père, dans sa dernière lettre, ne lui a-t-il pas demandé instamment de rester étudier à Berlin ? Enfin, s'il ne reçoit pas sa part d'héritage, ce n'est pas parce que sa mère l'aurait rejeté ou qu'elle n'aimerait pas Jenny – ce qui, comme l'atteste la même lettre, est tout aussi faux –, mais parce que les sœurs et le frère, tous malades, doivent survivre avec leur mère sur le patrimoine laissé par le père. Au demeurant, Henrietta continue de verser à son fils son allocation mensuelle et reconnaît formellement lui devoir sa part d'héritage.

Ainsi, tout comme son propre père avait attendu la mort de sa mère pour se convertir, Karl, qui a obtenu l'accord de Heinrich dans sa dernière lettre, renonce au métier d'avocat à la mort de ce dernier et se lance dans son nouveau rêve : devenir professeur de philosophie.

C'est dire aussi qu'il va faire de la politique. Car, cette année-là, critiquer Hegel est une autre façon de s'en prendre au régime prussien. Apparaît alors l'expression étrange de « socialisme vrai », inventée par Karl Grün (pseudonyme d'Ernst von Haide) pour désigner le mouvement des jeunes hégéliens, qui s'exprime alors essentiellement dans des revues comme *Le Miroir de la société* ou *La Gazette de Trèves*[74]. Le Doktorklub, leur repaire berlinois, devient le lieu le plus surveillé de la capitale. Deux hommes qui joueront un rôle important dans la vie de Marx y apparaissent :

Débarque d'abord Arnold Ruge, maître assistant de philosophie à Halle d'où il dirige la revue *Les Annales de Halle*, point de ralliement des jeunes hégéliens et de l'intelligentsia prérévolutionnaire, où Feuerbach publie sa sulfureuse *Contribution à la critique de la philosophie de Hegel.*

Passe aussi par là l'ouvrier-tailleur allemand, Wilhelm Weitling, réfugié à Vienne, puis à Paris, qui publie le manifeste d'une société secrète, la Ligue des bannis, fondée à Paris deux ans plus tôt. *L'Humanité telle qu'elle est et telle qu'elle devrait être*, texte dans lequel il dénonce l'exploitation des salariés par les détenteurs du capital, et qui propose la mise en place, sans transition, à partir d'un État fort, d'une propriété communautaire : « Si on a le pouvoir, il faut écraser la tête du serpent [...]. Il ne faut pas accorder d'armistice aux ennemis, ni ouvrir de négociations avec eux, ni croire en leurs promesses[276]. »

Au même moment, Karl a le projet de traiter des derniers philosophes grecs dans leur ensemble. Il écrit une lettre (perdue depuis lors) à Bruno Bauer afin qu'il la transmette à un éditeur de Bonn, Marcus, pour le convaincre d'éditer son futur texte. Bauer lui répond qu'il ne peut faire passer une lettre aussi cavalière : « Je suppose que tu peux écrire à ta lingère plus ou moins de cette façon, mais pas à un éditeur que tu cherches à convaincre ! » Il lui envoie une série de questions qu'on retrouvera fréquemment posées tout au long de la vie de Marx : « Tu dois d'abord m'écrire ce que tu aurais dû mentionner depuis longtemps à Marcus : si le livre existe, s'il est terminé, combien de feuillets il comportera, quelle somme tu en demandes… »

Peu après, Marx renonce à ce projet. Suivant les conseils de Bruno Bauer, il se lance alors dans la rédaction d'une thèse au sujet apparemment étrange, beaucoup plus restreint : le matérialisme antique de Démocrite et d'Épicure[1]. Le titre *(Différence de la philosophie de la nature chez Démocrite et Épicure)* imite celui d'un essai de Hegel *(Différence entre le système de Fichte et celui de Schelling)*. Il s'agit à première vue d'un exercice de style. En réalité, c'est déjà l'affirmation de son obsession de l'observation critique du réel de son matérialisme. Les physiques de Démocrite et d'Épicure sont très proches, mais, à partir de prémisses identiques, les deux philosophes se retrouvent « diamétralement opposés pour tout ce qui concerne la vérité, la certitude, l'application de cette science, le rapport de la pensée à la réalité en général[1] ». Alors que Démocrite réduit la réalité sensible à l'apparence subjective, pour Épicure, au contraire, rien ne saurait réfuter les perceptions sensibles : c'est un matérialiste. Alors que, pour Démocrite, la nécessité est déterministe, pour Épicure le hasard est une réalité « qui n'a d'autre valeur que la possibilité[1] ». Marx expose que la mort de la pensée grecque a ressemblé à sa vie, renouant là avec le thème hégélien : le destin, c'est le caractère. Toutes les écoles de pensée grecques utilisent la figure du *sophos* – l'homme sage – pour expliquer la notion de sagesse philosophique ; celle-ci appartient exclusivement au monde intérieur de certains individus, et non au monde extérieur de la vie empirique[248]. C'est Socrate qui a personnifié le mieux cette scission entre raison et existence. Divisé à l'intérieur de lui-même et condamné, sa mort a figuré le destin de la pensée grecque au sens large. Karl montre que la philosophie hégélienne, au contraire, permet, si elle est dépassée, de découvrir la composante idéale de l'existence dans la vie empirique, parce qu'elle a mis au jour la façon dont la raison a émergé des combats du monde réel[248]. D'où le fait qu'elle n'a pas à se retirer de la vie au nom de la pensée. Les philosophes modernes seraient ainsi protégés de l'isolement destructeur qui fut le destin des Grecs. Karl lui-même pense avoir alors dépassé ces symptômes de son idéalisme hégélien.

Tout en faisant ses gammes en philosophie, il met ainsi au point les bases de sa conception du rôle du philosophe dans la société, lequel doit, en disant le vrai, agir sur le réel. En travaillant sur les Grecs, il travaille en fait sur l'athéisme et le matérialisme ; travailler sur Épicure est encore une façon de s'éloigner du religieux et de s'approcher du social.

Car Karl s'intéresse de plus en plus à la politique. Il s'enthousiasme quand, à Paris, des émeutes débouchent sur l'occupation de la Préfecture et de l'Hôtel de Ville. Il découvre un nouveau mouvement anglais, le chartisme[247], qui tire son nom de la « Charte du peuple » publiée en mai de la même année 1838, et qui revendique l'amélioration des conditions d'hygiène dans les faubourgs ouvriers, le suffrage universel à bulletin secret, le droit d'être candidat sans être propriétaire ; la principale publication du chartisme, *The Northern Star*, se vend d'emblée à plusieurs dizaines de milliers d'exemplaires[277]. Toujours passionné de chemin de fer, Karl s'intéresse aussi à la première locomotive française sortie des ateliers du Creusot, suivie quelques mois plus tard par le premier bateau à vapeur.

Sa relation épistolaire avec Jenny continue, tout aussi intense. Ils ont décidé de se marier dès qu'il aura terminé sa thèse : soit au moins trois ans à attendre ! La jeune fille lui écrit :

« Mon cher et seul aimé, [...] L'amour d'une fille est différent de celui d'un homme. Une fille, évidemment, ne peut donner à un homme plus que son amour, et elle-même comme elle est, et à jamais [...]. Mais, Karl, pensez à moi : vous n'avez aucune considération, aucune confiance en moi. Je sais depuis le début que je ne conserverai pas longtemps votre amour romantique d'aujourd'hui. [...] Votre amour magnifique, touchant, passionné, les belles choses que vous me dites, me rendent malheureuse, parce que je crains que cela ne cesse un jour. Les seules choses qui me rendent heureuses sont les moments où je pense que je pourrais être votre petite femme. [...] Je voudrais rattraper mon retard de lectures et me distraire. Vous connaissez peut-être un livre un tantinet difficile, pour que je ne comprenne pas tout, mais auquel je pourrais tout de même comprendre quelque chose, un peu comme ces livres que tout le monde aime à lire. Pas un livre de contes ni de poésie, je ne les supporte pas. Cela me ferait du bien d'exercer mon esprit[47]... »

Elle redoute les perspectives limitées que la vie offre aux femmes[248] : s'oublier dans l'amour d'un homme. Elle a tendance à se faire des idées sombres. Karl se montre méfiant : elle est durablement bouleversée lorsqu'il soupçonne l'existence d'un rival. Devant la sécheresse des reproches qu'il lui adresse dans ses lettres, elle craint alors que de passionné et attentif il ne devienne froid et renfermé, partageant ainsi l'image que Heinrich a de son fils : ardent et lyrique, il peut parfois sembler sec et détaché. Jenny, en tâchant de ramener Marx au monde réel, reprend le rôle joué par ses parents. Les lettres de celle-ci révèlent une dépendance et un sens du sacrifice mutuels : dans l'une d'entre elles (de 1839), elle imagine même Karl ayant perdu sa main droite dans un duel et la gardant pour toujours à ses côtés pour écrire ses textes[248].

En 1839, Karl continue de travailler à sa thèse quand Bruno Bauer doit quitter Berlin pour aller enseigner à Bonn. Le jeune professeur incite son élève à la prudence pour ne pas se faire interdire ; il lui conseille, le jour venu, de soutenir sa thèse à Iéna, université un peu plus libérale que celle de Berlin. Il lui promet de continuer à suivre son travail et de le prendre ensuite comme son assistant à Bonn. Karl voit ainsi s'ouvrir à lui une carrière de professeur de faculté. Au même moment, le 4 novembre 1839, en Angleterre, un millier de mineurs qui tentaient de s'emparer de la ville de Newport sont repoussés par les tirs de l'armée.

Bauer rédige alors un pamphlet anonyme[248], *La Trompette du Jugement dernier contre Hegel, l'athée et l'Antéchrist*, dont Marx est censé écrire la seconde partie tout en travaillant à sa propre critique de Hegel.

L'année 1840 voit se poursuivre la radicalisation du mouvement politique. En Prusse, un nouveau monarque, Frédéric-Guillaume IV, déçoit tous les espoirs de libéralisation en nommant Schelling chancelier, en instaurant la censure de la presse et en abolissant les franchises universitaires, alors qu'avant son couronnement le nouveau roi avait fait publiquement part de son respect des principes démocratiques, jugés par lui compatibles avec le patriotisme et la monarchie[74]. Frédéric-Guillaume IV se fait d'emblée le fidèle relais de Metternich pour réprimer les démocrates partout en Europe.

La vie des étudiants berlinois devient difficile. Le Doktorklub se radicalise ; ses membres prennent alors le nom d'« Amis du peuple » ou *Freien* (affranchis)[74].

En France, le médecin Louis-René Villermé dénonce la condition ouvrière dans son *Tableau de l'état physique et moral des ouvriers dans les fabriques de laine et de soie*. Un ouvrier devenu philosophe, Pierre-Joseph Proudhon, publie *Qu'est-ce que la propriété ?*, qui cristallise les oppositions les plus radicales à la société capitaliste en train de naître[228]. Des « émeutes de pommes de terre » éclatent à Lens. Le vocable « communisme » apparaît pour désigner la doctrine économique du juriste français Étienne Cabet[67] ; un premier « banquet communiste » se tient à Paris, cependant que le transfert des cendres de Napoléon Ier aux Invalides déclenche une immense émotion populaire.

Karl est maintenant plein de projets, tous étroitement liés à Bruno Bauer : ils parlent d'enseigner ensemble, de publier ensemble des *Archives de l'athéisme*, de lutter ensemble contre leurs adversaires. Karl accède aussi, cette année-là, aux meilleurs milieux de Berlin, dont le salon de la poétesse Bettina von Arnim, née Brentano, qui fut l'amie de Beethoven et de Goethe. En 1841, il croise peut-être sans le voir un jeune homme de deux ans plus jeune que lui, qui passe alors par Berlin pour y faire son service militaire et jouera un très grand rôle dans sa vie : Friedrich Engels.

L'arrière-grand-père de Friedrich, Jean Gaspard Engels, avait fondé à Barmen, à côté de Wuppertal, un petit commerce de fil qu'il transforma en fabrique de dentelles, de rubans et de linge de maison ; à sa mort, son fils aîné y ajouta un commerce de soie en gros. Après lui, les trois petits-fils, qui ne s'entendent pas, tirent au sort à qui écherra l'entreprise. L'un des deux perdants a l'audace de fonder avec deux frères nommés Ermen des filatures de coton, d'abord à Manchester (Angleterre), où se trouvent les meilleures machines, puis à Barmen et à Engelskirchen. Son fils Friedrich, élevé, par une mère qu'il vénère, dans un univers ultra-religieux, est passionné d'histoire et de philosophie, de mathématiques, de biologie, de chimie, de botanique, de physique et même de stratégie militaire (ce qui lui vaudra le surnom de « Général ») ; il rêve d'étudier et ne souhaite pas prendre la suite de son père. Mais en 1837, à dix-sept ans, il est contraint par celui-ci de quitter le lycée pour entrer dans l'entreprise familiale. Friedrich en concevra une aversion tenace pour le monde du travail. En 1841, il débarque à Berlin pour une année de volontariat dans l'artillerie de la Garde – prétexte pour échapper à l'usine et nourrir sa passion de la stratégie – et en profite pour fréquenter les jeunes hégéliens et divers membres du Doktorklub, mais pas Karl.

Cette année-là, Karl lit dès sa parution *L'Essence du christianisme*[117] de Feuerbach, pièce maîtresse de son œuvre dans laquelle il soutient que, pour permettre l'avènement d'une société vraiment humaine, la philosophie doit trouver son prolongement dans la politique, seule capable de libérer l'homme de ses aliénations par l'abolition de la propriété privée et donc du salariat. Il faut, dit Feuerbach, réunir l'humanité souffrante, qui pense, et l'humanité pensante, qui est opprimée, autrement dit les manuels et les intellectuels ; il faut transformer radicalement l'État, car il n'est pas, comme le croyait Hegel, l'incarnation d'un absolu au-dessus des classes, mais le reflet des rapports économiques, juridiques et sociaux d'une époque[117]. Aucune classe sociale ne peut promouvoir l'émancipation générale si elle n'est pas confrontée à la nécessité à laquelle le prolétariat, seule classe où l'humain est totalement nié, est seul absolument confronté[117].

Comme beaucoup de jeunes Allemands de son temps, Marx est profondément touché par ce livre. « Il faut avoir éprouvé soi-même l'action libératrice » de cette lecture, écrira plus tard celui qui deviendra son meilleur ami, Friedrich Engels, alors encore à Berlin. « Nous fûmes tous d'emblée des feuerbachiens[74] ! »

Après quatre ans de travail, Karl parachève enfin sa thèse[1]. Texte difficile sur le rapport entre la philosophie et le monde, sur le lien entre la pensée accédant à l'être et la matière accédant à l'idée. L'opposition entre Démocrite et Épicure y apparaît comme un système d'oppositions à fronts renversés : alors que Démocrite est un « sceptique » et Épicure un « dogmatique », c'est le sceptique qui s'attache aux sciences empiriques alors que le dogmatique, qui tient le phénomène pour réel, « ne voit partout que du hasard, et son mode d'explication tend plutôt à nier toute réalité objective de la nature ». L'originalité de l'approche de Marx tient à ce qu'au rebours des commentateurs qui ont fait de la physique épicurienne une copie de la théorie de Démocrite, il montre que ce dernier était un pur matérialiste là où Épicure a vu la nature comme une composante de la vie idéale. La principale contradiction d'Épicure – le déni d'une rationalité de la nature – est aussi, selon Marx, son apport le plus profond, et l'aspect le plus sage de son système[248] : la conscience individuelle de soi s'y affirme comme le véritable élément principal. Marx fait ainsi d'Épicure la figure du sage grec par excellence ; avec lui, la philosophie grecque connaît une mort héroïque. Démocrite, quant à lui, est confronté dès le départ à une contradiction : l'atome est l'élément principiel de l'existence, et pourtant aucun phénomène naturel ne rend les atomes perceptibles dans le monde visible. Cela le conduit à abandonner la philosophie pour l'étude empirique de la nature. En définitive, tandis qu'Épicure renverse la religion, « avec Démocrite, la porte reste grande ouverte aux superstitions et au mysticisme servile[1] ». Leurs conceptions les ont conduits à prôner deux modes de vie opposés : une vie de retrait et de passivité, pour Épicure ; une vie passée à parcourir le monde et à s'initier à toutes les disciplines afin d'assouvir une soif inextinguible de connaissances, pour Démocrite. Sans savoir qu'il évoque là sa vie à venir, Marx écrit[248] : « Dans les temps de grande crise, la philosophie se doit de devenir pratique, mais la pratique de la philosophie est elle-même théorique[2]. »

Karl dédie cette dissertation au père de Jenny : « Je n'ai pas besoin de prier pour votre bonne santé physique. Vous vous en êtes remis à l'Esprit, qui est un grand physicien versé dans la magie[277]. » Il obtient de l'université de Berlin son certificat de fin d'études le 30 mars 1841. Après divers pourparlers[213], il envoie sa thèse de doctorat, le 6 avril, à l'université d'Iéna, connue à l'époque pour la facilité avec laquelle elle délivre les diplômes de docteur. Dès la semaine suivante, le doyen présente à la faculté de philosophie le candidat Karl Heinrich Mordechai Marx ; son grade de docteur porte la date du 15 avril. Il rejoint alors Bauer à Bonn, après un bref passage par Trèves.

Au début de l'été 1841, Karl Marx et Bruno Bauer se rendent à Cologne, capitale des cités rhénanes, dépendant de la Prusse, devenue un grand centre industriel et commercial grâce au développement de la « Société de remorquage à vapeur sur le Rhin » et à la construction de la première ligne de chemin de fer Cologne-Aix-la-Chapelle. La plupart des grandes entreprises modernes allemandes y ont leur siège. La bourgeoisie de Cologne, qui compte quelques Juifs, dont une famille Marx !, plaide pour l'unification des États allemands autour d'institutions démocratiques garantissant le droit des personnes, la liberté de la presse et la liberté religieuse.

Karl y rencontre un groupe de jeunes commerçants et industriels libéraux qui, mécontents de *La Gazette de Cologne* (ultramontaine et conservatrice), fondent une société en commandite pour renflouer un autre journal, *La Gazette rhénane*[215]. Parmi eux, Moses Hess, un jeune Juif de vingt-huit ans, écrivain et sociologue qui se dit « communiste », animé en fait d'un idéal anarchiste ; Dagobert Oppenheim, frère du banquier Salomon Oppenheim ; Georg Jung, haut fonctionnaire, marié à la fille d'un autre banquier de Cologne[215] ; et des industriels comme Ludolf Camphausen et David Justus Hansemann – dont on reparlera.

Karl revient à Bonn où, en juillet 1841, Jenny et lui trouvent enfin un subterfuge pour se voir seuls. La jeune femme, qui doit se rendre à Neuss, prévient respectueusement sa mère qu'elle s'arrêtera à Bonn pour y voir Karl, ce qu'accepte Mme von Westphalen, à condition qu'Edgar, son jeune frère, lui serve de chaperon[123]. Rappelons que Jenny a alors vingt-sept ans, et Karl vingt-trois...

De retour à Trèves, Jenny lui écrit peu après[123] :

« Ah ! mon petit cœur, qu'il est lourd, le poids que tout cela a fait tomber sur mon âme ! Et cependant, Karl, je n'éprouve, je ne puis éprouver aucun remords. Je ferme les yeux et je vois ton regard heureux. [...] Je sais parfaitement ce que j'ai fait, comme cela me vaudrait la mise au ban, la réprobation publique, et pourtant je n'échangerais le souvenir de ces heures pour aucun trésor au monde. »

Il voudrait qu'elle revienne, mais elle ne peut pas. Elle le lui écrit le 10 août 1841 dans une lettre qui montre ses efforts pour parvenir à partager sa culture :

« Mon petit ours sauvage, [...] Je regrette que tu ne me félicites pas un peu pour mon grec et tu aurais pu consacrer un paragraphe louangeur à mon érudition. Mais vous, messieurs les hégéliens, vous ne reconnaissez rien, même excellent, si ce n'est pas exactement en accord avec vos vues ; alors je dois être modeste et me contenter de mes propres lauriers [...]. Maintenant, tu te mêles aussi de politique ! C'est la chose la plus risquée qui soit. Je dois donc te laisser en te disant *Vale faveque*, puisque tu m'as demandé de t'écrire deux lignes [...]. Si je n'étais pas si malade, j'aurais depuis longtemps fait mes paquets pour te rejoindre [...]. Je pense à toi dans mes nuits sans sommeil et je t'envoie mes bénédictions... Je pose un baiser sur chacun de mes doigts, qu'ils volent vers mon cher Karl, qu'ils ne soient pas les messagers muets de mon amour, mais lui murmurent toutes les expressions mignonnes, douces et secrètes de l'amour... Adieu, seul être aimé...

Adieu, cher petit Chemins de fer. Adieu, mon cher petit homme. C'est sûr, n'est-ce pas, que je vais t'épouser[47] ? »

À l'automne, Karl est toujours à Bonn, d'où il observe la révolte qui monte et gronde en Europe. À Paris, alors que Guizot lance son « Enrichissez-vous par le travail et par l'épargne ! », des manifestants défilent au cri de « Vive la République ! », cependant qu'une loi limite le labeur des enfants dans les manufactures et fixe à huit ans l'âge minimum du travail.

En septembre 1841, tous les rêves professionnels de Marx se trouvent menacés : à la demande du roi Frédéric-Guillaume IV, Bruno Bauer est en effet suspendu de son poste à l'université pour avoir participé à une manifestation libérale et y avoir prononcé un discours hostile à la censure. Mais Karl ne perd pas espoir : la sanction n'est pas définitive.

Moses Hess propose à Marx de participer à son futur journal, *La Gazette rhénane*, dont le rédacteur en chef sera Adolf Rutenberg, le « meilleur ami de Karl à Berlin[230] », qui l'avait parrainé au Doktorklub. Karl accepte tout en restant à Bonn, où il espère encore que Bauer et lui seront autorisés à enseigner.

Le périodique est surveillé avant même d'exister. Un décret du 24 décembre 1841 soumet en effet les journaux à un contrôle accru ; sont en particulier censurés tous ceux qui critiquent les « principes fondamentaux de la religion » et « offensent la morale ». On va même jusqu'à interdire l'annonce d'une traduction de la *Divine Comédie* au motif qu'« on ne fait pas de comédie avec les choses de la religion[123] » !

Comme tous ceux qui l'approchent, Moses Hess est fasciné par la culture vertigineuse, l'impressionnante intelligence et surtout l'aplomb du jeune Marx. En janvier 1842, au moment où paraît le premier numéro de *La Gazette rhénane* qui compte moins de mille abonnés, Hess confie à l'un de ses amis, Berthold Auerbach[248] : « Tu peux te préparer à rencontrer le plus grand – peut-être le seul véritable – philosophe de la génération actuelle. [...] Imagine Rousseau, Voltaire, d'Holbach, Lessing, Heine et Hegel réunis en une seule et même personne – je dis bien réunis, et non juxtaposés –, tu as le docteur Marx. » En mars, Hess lui demande d'écrire une série d'articles sur la liberté de la presse en réaction au « décret de décembre ». Karl rédige alors six articles contre la censure, expliquant qu'elle n'a pas à se mêler de philosophie. Ils sont publiés. Karl propose ensuite un article sur les mariages mixtes : il y soutient qu'un mariage entre personnes de confessions différentes doit pouvoir être laïc. Le rédacteur en chef de la *Gazette*, Rutenberg, refuse l'article, le trouvant par trop tolérant à l'égard du fait religieux. Les deux hommes s'affrontent. Karl reproche à Rutenberg de critiquer la religion sans voir qu'elle n'est que le produit des conditions sociales. En outre, il pense que Rutenberg se compromet dangereusement avec les extrémistes qui clament un mépris simpliste de la religion et de l'État prussien et qui envoient au journal des textes confus sur la liberté[248]. L'article de Marx est finalement publié sur décision de Hess.

En avril 1842, toujours à Bonn, Karl ne se montre pas lui-même spécialement prudent. Il manifeste contre la censure pour « irriter les dévots, heurter les philistins, indigner les bourgeois », et aide Bruno Bauer à finir *La Trompette du Jugement dernier contre Hegel, l'athée et l'Antéchrist* commencé deux ans plus tôt et qui paraît sous la signature fictive d'un chrétien bien-pensant.

Tout cela n'aide pas Bauer à s'attirer la mansuétude du pouvoir. En mai, il est définitivement révoqué de l'université. Tout poste de service public reste interdit à quiconque prétend mettre en cause les fondements de l'État ou de la religion. Ni Bauer, ni Marx, ni aucun autre jeune hégélien n'ont plus la moindre chance de mener une carrière universitaire.

Cela ne remet pas en cause le mariage avec Jenny, fixé pour le mois de mars suivant. Karl vient rarement à Trèves ; il voit peu sa mère et ses sœurs, avec qui les relations restent excellentes. Il s'inquiète de la maladie de son jeune frère, qui s'aggrave.

Une partie des jeunes hégéliens, dont Bauer qui s'en revient à Berlin, se réfugient alors dans le pessimisme philosophique et le renoncement politique. Karl refuse de les y rejoindre : la rupture du maître et du disciple n'est pas loin.

En juillet 1842, Marx est attaqué dans *La Gazette de Cologne* par le rédacteur en chef, Karl Heinrich Hermes, pour avoir défendu dans la revue de Hess l'idée d'un mariage laïc ; en réponse, dans cette même *Gazette de Cologne*, Karl précise qu'il est partisan d'un État laïc, libre et rationnel, sur le modèle de la Révolution française, et il utilise pour la première fois à cette occasion la notion de « fétichisme » pour désigner l'obsession, puisée dans un ouvrage de Charles Debrousses paru en 1760. En août, il s'en prend à l'École historique du droit dirigée par Friedrich Carl von Savigny, son ancien professeur à Berlin. À la lecture de cet article, les fonctionnaires berlinois lui reprochent de « diffuser en Rhénanie la francophilie et des idées françaises[248] ». Il est désormais placé sous haute surveillance policière. Il ne cessera plus de l'être.

Karl entame un long processus d'arrachement à l'influence de ses maîtres. Après Hegel, Bauer et Savigny, c'est au tour de Rutenberg d'essuyer ses attaques, tant et si bien que Hess, patron de *La Gazette rhénane*, décide de remplacer le rédacteur en chef par Karl, moyennant un salaire de 500 thalers. Son premier emploi, son dernier salaire.

Le jeune homme s'installe alors à Cologne et prend le contrôle de la *Gazette*. C'est le début d'une intense relation avec le métier de journaliste, qu'il exercera jusqu'à sa mort. Il entend rendre la revue plus rigoureuse et exigeante. Il refuse en particulier certains articles trop radicaux de jeunes bourgeois de Cologne, leur reprochant de manquer de rectitude intellectuelle et de mépriser les faits. Hess s'inquiète : ces jeunes gens sont à la fois ses amis et ses abonnés ; pourquoi ne pas les publier ? Karl répond à Hess par une lettre péremptoire où percent déjà la violence et le sentiment de supériorité de ce jeune homme de vingt-quatre ans[105] : « Meyer et consorts nous ont adressé en effet par monceaux des barbouillages incendiaires et vides d'idées, écrits sans soin et vaguement mêlés d'athéisme et de communisme (que ces messieurs n'ont jamais étudié). Je n'ai pas cru devoir tolérer plus longtemps que ce journal serve de dépotoir[47]. » Sans appel. Il est le patron !

Le 16 octobre 1842, alors que son jeune frère vient de mourir à Trèves, Karl écrit son premier article politique : « Le communisme et *Die Augsburger Allgemeine Zeitung* ». Il y explique que le « communisme » est un mouvement dont les origines remontent à Platon, aux sectes juives et aux premiers monastères chrétiens, et qu'il est en marche en France, en Grande-Bretagne et en Allemagne.

De cette période date la mort de son frère et la rupture avec sa mère et ses sœurs, qu'il délaisse totalement et qui lui reprochent tant ses opinions politiques que son indifférence à leur sort. De fait, il n'a plus rien à leur dire. Il ne remettra pratiquement jamais plus les pieds à Trèves et ne reverra que fort épisodiquement sa famille. Trèves, c'était son père, et rien d'autre.

Exactement au même moment, à Berlin, les *Annales allemandes* d'Arnold Ruge publient « La réaction en Allemagne », texte politique d'un dénommé Jules Élysard, pseudonyme d'un jeune intellectuel russe, Michel Bakounine : « Oh ! l'atmosphère est lourde et porte la tempête en ses flancs ; c'est pourquoi nous crions à nos frères aveuglés [...] : Ouvrez les yeux de l'esprit, laissez aux morts le soin d'enterrer ce qui est mort, et comprenez enfin que ce n'est pas au sein des ruines effondrées qu'il faut chercher l'esprit éternellement jeune, l'éternel nouveau-né[70] ! » Trente ans plus tard, il sera le pire ennemi de Marx.

En ce même mois d'octobre 1842, une loi de Rhénanie punit le ramassage de brindilles et branchages dans les forêts privées, délit passible de prison[277]. Pour justifier ce texte, un aristocrate déclare à l'Assemblée rhénane : « C'est précisément parce que le chapardage du bois n'est pas considéré comme un vol qu'il se produit aussi souvent[277]. » À quoi Marx réplique en novembre dans un article rageur[230] : « Par analogie, le législateur pourrait conclure : C'est parce qu'une gifle n'est pas considérée comme un meurtre qu'elle est devenue si fréquente. Il devrait donc être décrété qu'une gifle est un meurtre. »

La préparation de cet article portant sur la propriété lui montre que ses connaissances en économie politique sont encore très faibles. Il se plonge alors dans la lecture des premiers socialistes français. Il lit Saint-Simon – dont lui a tant parlé son père –, qui affirme l'égalité entre hommes et femmes, la primauté de l'économique sur le politique, et qui parle lui aussi de classes : « Avant la Révolution, la nation était partagée en trois classes, savoir : les nobles, les bourgeois et les industriels [les travailleurs de l'industrie]. Les nobles gouvernaient, les bourgeois et les industriels les payaient. Aujourd'hui, la nation n'est plus partagée qu'en deux classes : les bourgeois et les industriels[242]... ». Il lit Sismondi, pour qui le travail produit plus que ce que permet d'acheter le salaire ; il y découvre les termes de *mieux-value* et de *plus-value*, ainsi qu'une première analyse de la concentration du capital et de la paupérisation du prolétariat ; Sismondi propose de faire accéder les salariés à la propriété du capital et d'obliger les entrepreneurs à payer les salaires, même en cas de chômage technique ou de maladie[250]. Il lit James Mill, père de John Stuart, qui suggère la constitution de coopératives ouvrières et – audace extrême pour l'époque – la limitation de l'héritage en fonction de la fortune de l'héritier. Il lit Robert Owen, le mécène américain revenu en Angleterre, pour qui « le caractère de l'homme est un produit dont il n'est que la matière première », et qui prône un système social d'où serait bannie la propriété privée. Il lit Louis Blanc, qui propose l'ouverture d'ateliers nationaux et préconise la planification. Il lit Charles Fourier, qui suggère de créer des phalanstères où toutes les activités humaines seraient de l'ordre du paradisiaque, seuls ceux qui travaillent ayant accès à la propriété[67] : « Le droit individuel de propriété ne peut être fondé que sur l'utilité commune générale de l'exercice de ce droit, utilité qui peut varier selon le temps [...]. Plus la propriété s'accroît, plus l'ouvrier est obligé d'accepter à vil prix un travail trop disputé ; et, d'autre part, plus le nombre des marchands s'accroît, plus ils sont entraînés à la fourberie par la difficulté des bénéfices [...]. Tout industrieux est en guerre avec la masse et malveillant envers elle par intérêt personnel. » Il lit aussi Proudhon, cet autodidacte jurassien, fils d'un tonnelier ruiné, typographe et correcteur entre deux bourses d'études, qui vient de publier, on l'a dit, *Qu'est-ce que la propriété ? C'est le vol*, ouvrage dans lequel il écrit : « Cinq mille ans de propriété le démontrent : la propriété est le suicide de la société[228] », et dans lequel il propose de créer des coopératives où tous les ouvriers seraient propriétaires de l'outil de production et éliraient leurs chefs.

Karl Marx pense alors que l'économie est le soubassement de toutes les autres sciences sociales. Et que rien ne saurait échapper à ses lois non plus qu'à celles du matérialisme. Il délaisse l'utopie communiste pour inventer le socialisme scientifique. En novembre 1842, il écrit dans *La Gazette rhénane* : « Le même esprit qui construit les systèmes philosophiques dans le cerveau des philosophes construit les chemins de fer avec les mains des ouvriers. » Désormais, il pense même qu'une logique matérialiste est à l'œuvre qui fait dépendre l'art, la philosophie et le droit des structures socio-économiques et de la propriété.

Le matérialisme ! Le blasphème est absolu. La coupe est pleine. Le gouverneur de la province, Herr Oberpräsident von Schaper, adresse un avertissement à Karl. Lequel répond avec prudence et courtoisie : pas question de mettre en danger la *Gazette*. La police envoie alors de Berlin Wilhelm Saint-Paul, un censeur spécial, pour contrôler et viser tout article avant de l'expédier ensuite au bureau de Cologne du Regierungspräsident, Karl Heinrich von Gerlach.

C'est à ce moment précis, le 16 novembre 1842, que débarque à Cologne, au siège de la revue, un jeune homme de deux ans le cadet de Karl, croisé un an auparavant à Berlin, Friedrich Engels, qui vient y proposer un article, mais sans rencontrer le jeune rédacteur en chef. Deuxième rencontre manquée entre Marx et Engels.

Sous la direction de Karl, *La Gazette rhénane* obtient un franc succès, le nombre de ses abonnés triple et l'on se précipite pour y écrire.

Karl continue de se battre sur tous les fronts. C'est maintenant son maître, Bruno Bauer, qu'il affronte ouvertement à propos du statut des Juifs. Bauer soutient en effet qu'il ne faut leur accorder de droits et de libertés politiques qu'à la condition qu'ils se convertissent au christianisme. Marx, qui n'a jamais oublié l'humiliation subie avant sa naissance par son père, même s'il lui en a peu parlé, pense au contraire, ainsi qu'il l'a écrit dans deux articles de la *Gazette*, que l'émancipation politique doit leur être accordée sans les contraindre à remettre en cause leur identité religieuse, comme c'est déjà le cas aux États-Unis et comme ce fut le cas en Rhénanie occupée par les Français[62]. Cette émancipation politique constituerait un formidable progrès pour l'Allemagne, et il n'y a pas de raison, à ses yeux, de privilégier le christianisme, qui n'est pas plus acceptable que le judaïsme. Il ajoute néanmoins que cette émancipation politique ne suffira pas à garantir le droit des plus faibles d'entre eux ; car la vraie liberté n'est pas un simple statut individuel, mais le résultat d'une situation collective, et il n'est pas de liberté possible tant qu'on ne s'est pas débarrassé de toute religion, et non pas spécifiquement du judaïsme. Il introduit ainsi une distinction entre l'« émancipation politique » et ce qu'il appelle en termes vagues une « émancipation humaine[248] », dont il ne précise pas encore le contenu.

Ayant ainsi rompu en décembre 1842 avec Bruno Bauer, Karl se dispute en janvier 1843 avec Wilhelm Weitling, le tailleur-écrivain qu'il trouve décidement trop stupide et infatué de lui-même. Le seul de ses anciens amis du Doktorklub de Berlin avec qui il s'entende encore est Arnold Ruge, le professeur de Halle, qui continue de publier, depuis Berlin, les *Annales allemandes*, seule revue de langue allemande qu'admire Karl, tout comme le périodique de Karl est le seul que Ruge condescende à respecter en Allemagne.

Mais Karl vient à commettre une erreur : dans *La Gazette rhénane* du 4 janvier 1843, il signe une violente diatribe accusant la Russie tsariste d'être le principal soutien des dictatures européennes[74]. Cette haine de la dictature russe sera d'ailleurs une de ses constantes, qui l'amènera à juger toujours d'une politique étrangère à l'aune de ce qu'elle rapporte ou coûte au tsar. Informé, Nicolas Ier exige immédiatement de son allié prussien qu'il « tienne » mieux sa presse. Le 21 janvier, Frédéric-Guillaume IV dénonce « l'existence et les activités de cette clique de Juifs[74] » qui ose publier un organe de presse dont il ordonne la fermeture avant le 31 mars suivant. Les actionnaires veulent négocier avec le pouvoir. Georg Jung propose à Marx une indemnité de 1 000 thalers s'il démissionne. Ce que Karl fait sans déplaisir : la *Gazette* est trop modeste pour ses ambitions.

Son départ ne sauve pas pour autant le journal. Pas plus que beaucoup d'autres : Frédéric-Guillaume IV obtient aussi du gouvernement de Saxe la suspension des *Annales allemandes* d'Arnold Ruge et de *La Gazette universelle* de Leipzig que dirige Gustav Julius. À moins d'être aux ordres du pouvoir, il n'est plus possible en Prusse d'être journaliste ou professeur de philosophie.

Karl n'en est pas surpris et lie pour partie cette interdiction à sa récente prise de position sur le droit de propriété. Il pense que cette interdiction « fait avancer la conscience politique en Allemagne », et il n'est pas mécontent de reprendre sa liberté.

C'est alors qu'Arnold Ruge lui propose de fusionner leurs deux périodiques en un seul qu'ils iraient publier en commun et diffuser depuis Genève.

Karl est tenté d'accepter. Il a vingt-quatre ans. Il vient de rompre avec sa mère et ses sœurs qui n'apprécient guère des engagements politiques qu'elles trouvent maintenant « vulgaires », indignes d'un bourgeois de Trèves. Rien ne le retient en Rhénanie, sinon Jenny qu'il va bientôt épouser. Or, elle est prête à le suivre n'importe où.

Le 25 janvier 1843, il écrit à Ruge, qui est maintenant son confident : « Je me suis brouillé avec ma famille et, du vivant de ma mère, je n'aurai aucun droit sur ce qui me revient [...]. Il est pénible de se charger de besognes serviles, même pour la cause de la liberté, et de combattre avec des épingles en guise de massues. J'étais las de nos tours et détours, de nos contorsions et de tout cet épluchage verbal. Le gouvernement m'a donc libéré[2]. » Il ajoute : « Nous apportons au monde les principes que le monde a lui-même développés en son sein. Nous lui montrons seulement pourquoi il combat, de façon précise, et la conscience de lui-même est une chose qu'il devra acquérir[2]. » Cette dernière phrase résume tout ce qui lui reste à vivre.

Va-t-il partir ? Nombre de démocrates quittent le pays, pensant que plus rien n'y est possible. Beaucoup partent pour Paris, Bruxelles, Londres ou New York. Il faut imaginer cette masse de proscrits allemands sur les routes du monde. Parmi eux, Bakounine s'installe à Berne dans la famille du professeur Wilhelm Vogt – dont on reparlera.

Au début de mars 1843, pendant leurs préparatifs de mariage et malgré les efforts que déploie Ferdinand pour convaincre son père de ne pas laisser sa demi-sœur épouser ce Juif révolutionnaire, Jenny et Karl parlent de quitter l'Allemagne, peut-être pour Genève ou Strasbourg. Jenny pense que ce ne sera pas pour longtemps : l'autoritarisme ne durera pas, les principes de la démocratie finiront par l'emporter. Elle est acquise aux idéaux de Karl, parfois même plus radicale que lui. Elle se prépare à vivre avec beaucoup moins d'argent qu'elle n'en a eu jusqu'à présent. Elle adresse à Karl, qui est alors à Cologne, une lettre pleine d'humour dans laquelle elle lui reproche habilement de ne pas lui avoir écrit depuis son départ et de dépenser trop : « Bien que la dernière conférence au sommet des deux grandes puissances n'ait pas été claire sur un point et qu'aucun traité n'ait stipulé l'obligation d'entamer une correspondance, et que, par conséquent, il n'existe aucun moyen de rétorsion, néanmoins le petit scribe bouclé s'estime intimement obligé d'ouvrir le bal… » Sur le même ton, elle continue : « Te souviens-tu de nos brillantes conversations, de nos devinettes, de nos heures d'assoupissement ? » Puis, pour la première fois, elle parle d'argent comme s'ils étaient déjà mariés :

« Quand tu es parti, le barbier est venu réclamer sa dette. Et je n'ai pas su lui réclamer la monnaie sur ce que je lui ai donné [...]. De manière générale, mon chéri, n'achète rien sans moi, de façon que si quelqu'un nous vole, ce soit ensemble [...]. Si tu veux acheter des fleurs, que ce soit des roses, ça ira mieux avec ma robe verte. Mais il vaut mieux ne pas le faire [...]. Au revoir, mon seul aimé, mon noir et doux petit mari. Quoi ? Comment ? Ah, ton air fripon ! Talatta, talatta, au revoir, écris vite, talatta, talatta[47] ! »

Le 13 mars 1843, Karl Marx parle à Arnold Ruge de l'imminence de son mariage, prévu pour la semaine suivante : « Je puis vous assurer sans aucun romantisme que j'aime éperdument [...]. Je suis fiancé depuis plus de sept ans et ma fiancée a presque ruiné sa santé en livrant pour moi les plus dures batailles... » Dans la même lettre, il réitère son point de vue sur l'émancipation des Juifs, ajoutant une précision éclairante : « Je viens juste de recevoir la visite du chef de la communauté juive ici [il ne dit pas qu'il s'appelle Raphaël Marx], qui m'a demandé de faire une pétition à l'Assemblée provinciale en faveur [de l'émancipation] des Juifs, et je suis disposé à le faire. Si fort que je déteste la foi juive, le point de vue de Bauer d'obliger les Juifs à se convertir me paraît trop abstrait. Le point est de faire autant de brèches que possible dans l'État chrétien et d'introduire autant que nous le pouvons, en contrebande, le rationnel[47]. » Le judaïsme est pour Karl un moyen d'introduire le rationnel dans l'État chrétien. Pour la première fois, il ose aussi déclarer qu'il déteste le judaïsme ; il va bientôt expliquer pourquoi. À la surprise générale, celle de Marx incluse, l'Assemblée accède à cette requête élevant les Juifs, pour la première fois de l'histoire de l'Allemagne, au rang de citoyens ordinaires.

Mais, quelques jours après cette lettre, meurt le père de Jenny ; le mariage est reporté de trois mois. La baronne von Westphalen envoie Jenny dans leur maison de Bad Kreuznach, ville d'eaux rhénane, pour la faire échapper à l'influence de son demi-frère qui, aux obsèques de leur père, fait tout pour la convaincre de renoncer à cette mésalliance[248].

Karl rejoint Jenny à Bad Kreuznach, où il retrouve la poétesse Bettina von Arnim dont il a fréquenté naguère le salon berlinois et qui le monopolise pour de longues promenades, au grand dam de Jenny.

Trois mois plus tard, le 19 juin 1843, Karl Marx épouse Jenny von Westphalen au temple protestant de Bad Kreuznach. Là encore, c'est après la mort d'un parent – cette fois, celle du père de Jenny – que se décident les bifurcations importantes. Un contrat les place sous le régime de la communauté des biens tout en stipulant que « chacun des conjoints demeure seul responsable des dettes qu'il a pu contacter ou dont il a pu hériter avant mariage ».

Les biographes épilogueront beaucoup sur cette union, sur l'attirance de Karl pour une aristocrate (c'est-à-dire, comme le lui écrivait son père, pour ceux qui peuvent ne pas parler d'argent), sur son désir de s'affranchir du travail, de se désaliéner. Tout a déjà été dit là-dessus dans la dernière lettre de Heinrich à son fils, cinq ans plus tôt.

Bien plus tard, une des filles du couple, Laura Marx, écrira : « Ayant joué ensemble, enfants, et s'étant fiancés très jeunes, ils restèrent ensemble dans la bataille de la vie. Et quelle bataille ! Des années dans le besoin, sans cesse soupçonnés, calomniés, livrés à une indifférence glacée. À travers ça, bonheur et malheur, ils ne faillirent jamais, fidèles jusqu'à la mort qui ne les sépara pas. Marx était amoureux de sa femme[200]. »

Bien plus tard aussi, Charles Longuet, mari d'une de ses autres filles, Jenny, parlera dans le journal *La Justice* de l'opposition à ce mariage du demi-frère aîné de Jenny, Ferdinand, et y ajoutera celle d'un oncle prénommé Georg.

En lisant cela un an avant sa mort, Karl (qui aimait à mêler toutes les langues en écrivant) protestera auprès de Jenny, alors très malade, avec sa cruauté et sa mauvaise foi habituelles : « Toute cette histoire is a simple invention. There was no prejugés à vaincre. Je ne me trompe pas en créditant le génie inventif de M. Charles Longuet de cet enjolivement littéraire. M. Longuet m'obligerait grandement en ne mentionnant jamais mon nom dans ses écrits[2]. »

Une fois mariés, Karl et Jenny partent en lune de miel sur les chutes du Rhin. Ils dépensent sans compter, d'auberge en auberge[248], et passent l'été 1843 dans la maison de Bad Kreuznach. Il a vingt-cinq ans ; elle, vingt-neuf. Karl a emporté quarante-cinq volumes et lit Rousseau, Montesquieu, Machiavel, Diderot qu'il porte au pinacle, et encore Feuerbach dont *Les Thèses introductives à la réforme de la philosophie* viennent d'être publiées. Il n'a renoncé à aucune de ses ambitions d'adolescent et se fixe un programme pour les années à venir : être le plus grand des philosophes, relier tous les savoirs et, à la différence des autres penseurs qui l'ont précédé, produire une critique de l'ordre existant tout en parlant le langage de son temps, accessible à des ouvriers avertis. Tout est décidé dans ces deux mois de premier bonheur conjugal.

Ils ne sont pas longtemps seuls : Arnold Ruge vient discuter de leur projet commun. Où déplacer le siège de la revue ? En Suisse, qui se plie de plus en plus aux ordres de Berlin ? À Bruxelles, où la colonie allemande est bien peu nombreuse ? Ils optent pour Paris, où se trouve réfugiée la majeure partie de l'intelligentsia allemande. Jenny applaudit : Paris !... Ils se préparent au départ. Ils habiteront ensemble chez Georg Herwegh, célèbre poète, ami d'Arnold, riche de par son mariage, qui vient de s'y installer.

Marx propose un titre pour leur futur mensuel : *Les Annales franco-allemandes*, afin de faire le lien entre la philosophie allemande et la pratique révolutionnaire française. L'éditeur de Dresde, Fröbel, que Ruge finance, accepte de distribuer leur périodique en Allemagne.

Les deux amis ne sont cependant déjà pas d'accord sur les perspectives : Ruge espère en un mouvement de la bourgeoisie allemande. Marx, lui, déjà beaucoup plus radical, ne croit pas en une révolution bourgeoise et mise sur l'intervention populaire et dénonce « le système de l'industrie et du commerce, de la propriété et de l'exploitation de l'homme », qui conduit « à une rupture au sein de la société actuelle ».

Cet été-là, à Bad Kreuznach, Karl travaille aussi à deux textes : *Critique de la philosophie du droit de Hegel* et *La Question juive*. Dans l'un et l'autre, il présente le prolétariat comme une force historique capable de renverser les rapports sociaux et de réaliser cette « émancipation humaine » dont il a déjà parlé.

En écrivant, il découvre qu'il peut discuter avec Jenny de ses idées, de ses lectures, de ses manuscrits. Elle devient sa première lectrice et restera la seule capable de déchiffrer parfaitement son écriture[161] ; il lui fera même recopier ses textes avant de les envoyer chez l'imprimeur[161].

Dans *Contribution à la critique de la philosophie du droit de Hegel*, Marx, dans le droit fil de Feuerbach, propose de « renverser la dialectique hégélienne pour la remettre sur ses pieds[16] », c'est-à-dire de partir non plus d'un principe théorique, mais des conditions de vie réelles des hommes. Pour lui, ce sont les hommes qui ont créé Dieu à leur image, et la prière les éloigne de la revendication sociale. Il formule pour la première fois l'idée que la fonction historique du prolétariat est de renverser le capitalisme[16]. À la différence de Hegel, il répète que ce n'est pas l'État qui gère l'Histoire, mais l'Histoire qui façonne l'État ; et que les hommes ne peuvent se libérer que par leur propre action, non par le caprice d'un mécène ou la volonté d'un dictateur éclairé. La révolution ne peut venir que d'une « classe libératrice par excellence[16] », en opposition à la « classe d'oppression par excellence[16] ». Il reproche à Feuerbach de ne pas comprendre que les hommes, ayant besoin de fraternité, sont sensibles à la religion qui leur donne le sentiment d'appartenir à une communauté[248]. Il affirme, contre ses anciens camarades du Doktorklub, que la religion n'est que le produit et le reflet déformé des conditions sociales dans lesquelles les hommes vivent. « La religion est le soupir de la créature opprimée, les sentiments d'un monde sans âme, elle est l'esprit de conditions sans esprit. Elle est l'opium du peuple[16]. » Religion « opium du peuple » : formule qu'il a entendu prononcer par Moses Hess. L'homme est la finalité de l'action humaine. Il affirme : « L'homme est pour l'homme l'être suprême[16]. » Soucieux de rappeler son statut de savant, il écrit : « Nous apportons au monde les principes que le monde a lui-même développés en son sein[16]. » Il lance contre les hégéliens de gauche cette célèbre et menaçante exhortation : « L'arme de la critique ne saurait remplacer la critique des armes. La force physique doit être anéantie par la force physique ; mais la théorie aussi peut devenir une force physique sitôt qu'elle entre en possession des masses[16]. » Enfin, en opposition à Ruge qui croit en l'imminence d'une révolution bourgeoise en Allemagne, Marx conclut : « Si l'Allemagne ne peut s'atteler qu'à une libération humaine radicale, c'est précisément parce que la voie d'une révolution bourgeoise lui est interdite du fait de son retard politique même [...]. L'Allemagne, qui aime aller au fond des choses, ne peut faire de révolution sans tout bouleverser de fond en comble. L'émancipation de l'Allemand, c'est l'émancipation de l'homme [...]. Quand toutes les conditions intérieures auront été remplies, le jour de la résurrection allemande sera annoncé par le chant éclatant du coq gaulois[16]. »

D'où sa fascination pour la situation politique française, avant-garde de la réforme en Europe, qu'il se réjouit d'aller observer de près. La France, tant adorée par son père, sera toute sa vie sa référence. Il parle pour la première fois de « révolution prolétarienne » et identifie la cause de la classe laborieuse européenne à cette volonté d'intégrer idéal rationnel et vie réelle. Il écrit à Ruge sa joie de partir : « À Paris, la vieille école de philosophie, *absit omen* et la nouvelle capitale du nouveau monde. »

Dans le même temps, il affine, dans un autre texte sur la « question juive », sa réponse à Bruno Bauer sur la compatibilité de l'émancipation politique et de l'identité religieuse, ainsi que sur son concept d'« émancipation humaine[25] ». Pour lui, celle-ci suppose de mettre fin à l'aliénation religieuse et passe par une libération du travail.

L'émancipation complète des Juifs implique donc non pas leur conversion, telle qu'on l'a imposée à son père et à lui-même, mais la disparition de toutes les religions, dont le judaïsme n'est qu'une expression parmi d'autres : « L'émancipation politique du Juif, du chrétien, de l'homme religieux, en un mot, c'est l'émancipation de l'État par rapport au judaïsme, au christianisme, à la religion en général[25]... »

En finir avec le judaïsme, c'est aussi en finir avec l'argent. Et l'on touche là à l'essentiel – au lien entre le judaïsme et l'argent : « L'argent est le dieu jaloux d'Israël, devant qui nul autre dieu ne doit subsister. » Sa propre histoire lui a appris à identifier les Juifs à la figure du marchand. Marx écrit : « Quel est le fond profane du judaïsme ? Le besoin pratique, l'utilité personnelle. Quel est le culte profane du Juif ? Le commerce. Quel est son dieu profane ? L'argent. [...] La nationalité chimérique du Juif est la nationalité du commerçant, de l'homme d'argent. » En en finissant avec le judaïsme, on en finira avec l'argent qui « abaisse tous les dieux de l'homme et les change en marchandise. L'argent est la valeur générale et constituée en soi de toutes choses ». Dans la société bourgeoise, « le seul lien qui unit, c'est la nécessité naturelle, le besoin et l'intérêt privé, la conservation de leur propriété privée et de leur personne égoïste[25] ».

En finir avec le judaïsme permettra de faire s'effondrer à la fois le christianisme et le capitalisme, dont le judaïsme constitue le fondement. « Comme l'identité juive est fondatrice, en se débarrassant d'elle on se débarrassera du christianisme qui en découle et du capitalisme qui a pris le relais [...]. Le judaïsme n'atteint son apogée qu'avec la perfection de la société bourgeoise, mais la société bourgeoise n'atteint sa perfection que dans le monde chrétien. » Pour émanciper les croyants, mais aussi les nationalistes, il faut en finir avec toutes les religions, mais aussi avec toutes les nations, avec le capitalisme qu'elles fondent, avec les droits de l'homme qui « ne concernent que l'homme égoïste, l'homme en tant que membre de la société bourgeoise, c'est-à-dire un individu séparé de la communauté, uniquement préoccupé de son intérêt personnel et obéissant à son arbitraire privé[25] ». Aussi est-ce « seulement quand l'homme aura reconnu et organisé ses forces propres comme forces sociales [...] que l'émancipation humaine sera consommée[25] ».

Ainsi, pour Marx, judaïsme, religion, individualisme et argent sont indissociables. Pour se libérer de l'argent, il faut se libérer de toutes les religions, et en particulier du judaïsme qui les fonde. En libérant le Juif de toute identité religieuse, on supprimera les bases de toute religiosité, et celles du capitalisme dont il est la matrice. On ouvrira la voie à l'émancipation de tous les hommes et à la transformation des États « théologiques » en sociétés civiles où l'homme sera un « être profane ».

Ainsi, après son mariage dans un temple protestant et sa rupture avec ses ennemis berlinois, Karl tourne le dos à sa jeunesse, se préparant à partir pour Paris, laissant derrière lui sa mère, quatre sœurs, la tombe de son père, de son frère, de deux de ses sœurs et de tous ses ancêtres. Du moins le croit-il. Car, bien plus tard, il écrira : « La tradition de toutes les générations disparues pèse comme un cauchemar sur le cerveau des vivants[20]. »

CHAPITRE II

Le révolutionnaire européen

(octobre 1843-août 1849)

Le 3 octobre 1843, juste avant de quitter Trèves et la Prusse, Karl demande à Feuerbach d'écrire pour sa future revue parisienne un article contre Schelling, important philosophe idéaliste qui règne alors sur l'université berlinoise.

Ce n'est qu'à son arrivée à Paris qu'il apprend que Feuerbach refuse pour ne pas se commettre avec ses admirateurs dans le débat politique, indigne de son rang. La place de « philosophe engagé » en politique est donc vacante : Karl l'occupera. D'abord comme philosophe, ensuite comme économiste, puis comme penseur global, jusqu'à devenir lui-même un dirigeant révolutionnaire. C'est à Paris que ce glissement s'accomplira pendant les deux vertigineuses années où il y séjournera.

La ville où débarquent Jenny et Karl le 11 octobre 1843 est encore la capitale intellectuelle du monde. Économiquement, l'industrie commence à se développer en France sur le modèle anglais autour de la sidérurgie et du textile ; une lutte sévère oppose les propriétaires fonciers, maîtres de l'agriculture et de l'armée, et la nouvelle bourgeoisie, maîtresse de l'argent et des fabriques. Sans doute le capitalisme industriel français est-il moins avancé que son homologue britannique. Mais son développement n'en affecte pas moins l'ensemble de la société française. Des émeutes éclatent fréquemment dans le sud du pays, en réaction aux conditions faites aux ouvriers par leurs employeurs[74]. La corruption généralisée au sommet de l'État et au sein de l'administration alimente une profonde défiance à l'égard du pouvoir, qui laisse augurer d'une crise imminente[74].

Politiquement, la situation est paralysée par l'inertie de Louis-Philippe, les intrigues de Guizot et les ambitions de Thiers. Le système institutionnel reste celui d'une monarchie autoritaire, mais infiniment moins policière que partout ailleurs sur le continent. On dénombre alors en France 750 journaux, dont 230 à Paris ! Les rêveurs y parlent ouvertement de « révolution », utilisant indifféremment dans leurs discours et articles les mots « démocrates », « socialistes » et « communistes » pour désigner ceux qui sont favorables au suffrage universel, à l'éducation gratuite pour tous, à l'amélioration des conditions de vie des plus pauvres. Les propriétaires des entreprises sont parfois nommés « capitalistes ». Et alors que, en 1840, Proudhon a été poursuivi puis acquitté pour avoir écrit : « Qu'est-ce que la propriété ? c'est le vol », Lamartine peut s'indigner sans risque en écrivant en 1843 : « Au lieu du travail et de l'industrie libres, la France est vendue aux capitalistes ! »

Paris est donc, avec Genève, Bruxelles et Londres, un des refuges des émigrés qui affluent par vagues de toute l'Europe centrale, en particulier d'Allemagne, pour échapper à la censure politique et aux persécutions policières. Certains arrivent après un détour par la Suisse, tel le tailleur Wilhelm Weitling, ou directement de Prusse, tels les fils de banquiers Ludwig Bamberger, Jakob Venedey et le poète allemand alors célèbre Georg Herwegh.

Les Allemands de Paris ont plusieurs journaux, dont les *Pariser Horen* (Heures parisiennes) et surtout le *Vorwärts* (En avant !), hebdomadaire fondé par Heinrich Bernstein, seule publication de gauche en langue allemande non censurée en Europe. Ils se réunissent dans de nombreux clubs au fronton desquels on peut lire, le plus souvent en plusieurs langues : « Tous les hommes sont frères. » Les sociétés secrètes pullulent. Parmi elles, la Ligue des bannis, fondée à Paris en 1836 par Weitling et organisée de façon pyramidale, avec sections locales, cercles et autorité centrale. Tous ces mouvements font l'objet d'une étroite surveillance de la part de la police de Louis-Philippe.

Quand Karl, à vingt-cinq ans, débarque à Paris, il pense à son père pendant un temps citoyen français, ayant étudié en français le droit français, amoureux fou de la Révolution française qui lui avait permis d'exercer son métier en tant que Juif, puis séparé de la France en 1815. Ce père aux yeux de qui la France était le principal chantier du progrès social, et la classe ouvrière française l'avant-garde de la révolution mondiale. Ce père aux trois cultures mêlées – juive, allemande, française – qui avait si bien su transmettre à son fils le goût de la liberté et de l'universalisme. Il songe à toutes les conversations qu'il a eues avec lui, et qu'il aurait tant aimé reprendre ici, à Paris. Il porte encore sur lui – et regarde souvent – le portrait qu'il lui avait donné lors de leur toute dernière rencontre à l'été 1837.

Heinrich Marx n'est mort que cinq ans auparavant – mais, depuis, tant de choses se sont produites ! Tout ce qui entourait alors le jeune homme a disparu. Il a perdu son second père, le baron von Westphalen. Il a perdu son frère et deux sœurs. Il a renoncé à tout espoir de devenir professeur, comme l'escomptait son père. Il s'est éloigné de sa mère et de ses quatre sœurs.

Il dispose d'un peu d'argent remis par sa mère et par la mère de Jenny – qui pleurait tant à leur départ –, auquel s'ajoutent les 1 000 thalers d'indemnité versés par les commanditaires de la revue de Cologne, Dagobert Oppenheim, Moses Hess et Georg Jung. Arnold Ruge, qui tient les finances de leur revue commune, lui a promis un salaire mensuel de 550 thalers, plus 250 thalers de royalties par numéro. Ce qui, à Paris, constitue un revenu plus qu'honorable. Mais surtout il y a Jenny, la femme de sa vie, dont il n'osait rêver qu'elle l'épouserait, et qui est là, avec lui, déjà enceinte. Rien de fâcheux ne peut plus lui arriver.

Comme tous les Allemands débarquant au même moment à Paris, il espère que l'exil sera de courte durée, même s'il y retrouve des compatriotes installés depuis plus de vingt ans. Comme prévu, les Marx emménagent d'abord avec les Ruge chez les Herwegh, arrivés peu avant eux, dans une confortable maison. Si Georg Herwegh est un poète échevelé, sa femme, fille d'un riche banquier berlinois, a l'habitude d'avoir ses aises et veut même tenir son propre salon littéraire. Elle n'est pas transportée d'enthousiasme devant l'invasion des nouveaux venus : selon elle, « jamais cette petite Saxonne [Mme Ruge] et la très intelligente et très ambitieuse Mme Marx ne pourront vivre ensemble[123] ». Elle n'a pas tort : au bout de quelques mois, le couple Marx déménage et s'installe au 30, rue Vaneau, dans un appartement convenable. Ils prennent une servante à qui Jenny verse l'équivalent de 4 thalers par jour, ce qui est cher payé[248].

Karl commence à fréquenter les groupements de réfugiés allemands. Il s'entretient de nouveau avec Wilhelm Weitling, croisé à Berlin, premier travailleur manuel qu'il rencontre ; il assiste aux réunions de la Ligue des bannis, le groupe d'émigrés que le tailleur a fondé sept ans plus tôt. Il se lie d'amitié avec le poète Heinrich Heine, son aîné de vingt et un ans, lointain cousin par la branche maternelle de sa famille – ce qu'ils ignorent alors l'un et l'autre. Le poète est fasciné par l'intelligence de ce jeune philosophe tombé du ciel, et vient presque tous les jours rue Vaneau pour discuter politique et littérature. Ils partagent un même goût pour les utopistes français. Heine parle de Saint-Simon à Karl, qui l'exhorte à mettre son génie poétique au service de la liberté : « Laissez donc, dit Karl, ces éternelles sérénades amoureuses, et montrez aux poètes comment il faut s'y prendre avec le fouet[123]. » Heine sollicite les remarques du jeune homme sur une grande satire politique et sociale à laquelle il travaille *(Allemagne : conte d'hiver*[132]*)*, quoiqu'il déteste d'ordinaire les critiques ; il se plaint d'ailleurs souvent auprès de Karl des attaques de journalistes contre son œuvre. Eleanor, une des filles de Karl, se souviendra, longtemps après, d'avoir entendu ses parents raconter : « C'est Jenny qui ramenait à la raison le poète désespéré, grâce à son charme et à son esprit. Jenny l'a ensorcelé ; elle a tant de grâce, d'humour, d'élégance, un esprit si pénétrant et fin[253]... » Paul Lafargue, qui deviendra le mari de Laura, une sœur d'Eleanor, confirme le fait sans avoir été davantage le témoin des relations parisiennes entre les deux hommes : « Heine, l'impitoyable satiriste, craignait l'ironie de Marx, mais il avait une grande admiration pour l'intelligence fine et pénétrante de sa femme[161]. »

Karl découvre alors les idées du monde ouvrier français ; non pas en visitant des ateliers – qui ne se visitent pas –, mais en fréquentant le communiste Étienne Cabet, qui vient de publier son *Voyage en Icarie*, et le socialiste Louis Blanc, dont il apprécie l'idée d'utiliser un État puissant, pour préparer l'avènement d'une société sans classes et sans appareil répressif. Il estime leur intelligence politique et leur culture théorique, mais s'irrite de leurs constantes références religieuses. Il cherche alors à rencontrer Proudhon : il admire en lui, depuis qu'il l'a lu à Berlin, l'enfant prodige, né d'un père ouvrier brasseur et d'une mère cuisinière, placé comme bouvier à six ans avant d'entrer à dix, comme boursier, au collège royal de Besançon où ses brillantes études ont été interrompues faute d'argent. Mais l'auteur de *Qu'est-ce que la propriété ?* vit à Lyon, et la rencontre tarde à se produire.

Karl visite Paris avec enthousiasme. Il est ébloui par l'Exposition industrielle qui vient de s'ouvrir et par l'éclairage par arc électrique de la place de la Concorde. L'électricité, qui surgit à peine, le fascine : il y voit le symbole de l'avènement d'une société nouvelle où tout sera abondant, accessible et différent. Il fréquente le salon de la comtesse d'Agoult, y croise Ingres, Liszt, Chopin, George Sand et Sainte-Beuve. Rien n'indique qu'il se soit lié particulièrement avec l'un d'eux. Il dévore les romans de Balzac, de Hugo et de Sand. Balzac reste son préféré. Il lit aussi le *Frankenstein*[249] de Mary Shelley, paru beaucoup plus tôt, qui l'impressionne fort[277] et dont il tirera une métaphore de la monstruosité du capital, « suceur de sang ». Il lit avec passion *Le Juif errant* d'Eugène Sue, prend des notes sur tout volume qui lui tombe sous la main et songe à écrire à son tour, mais n'arrive pas à choisir un sujet. Quelques mois plus tard, Ruge, qu'il côtoie quotidiennement, note à ce propos[230] : « Marx voulait critiquer le droit naturel de Hegel du point de vue communiste, puis écrire une histoire de la Convention, enfin une critique de tous les socialistes. Il aspire toujours à écrire sur ce qu'il a lu en dernier lieu, mais poursuit sans arrêt ses lectures et en reproduit de nouveaux extraits. » Cette remarque, déjà faite à propos de ses premières œuvres, sera l'une de ses constantes : ne jamais lâcher les textes. On verra qu'il en fera même inconsciemment l'un des axes de son analyse du travail et de l'aliénation.

Sa personnalité s'est encore affirmée sans changer. Conscient de sa valeur, travailleur, entier, volontiers violent, bagarreur, il fume toujours beaucoup et il lui arrive aussi souvent, témoignent certains des visiteurs de la rue Vaneau, de trop boire de vin – qu'il aime bon.

Ruge et lui travaillent fébrilement à leur revue, mais se rendent vite compte qu'ils sont partis sur un malentendu : Arnold veut en faire le point de ralliement des libéraux d'Allemagne et de France, alors que Karl entend au contraire en faire un instrument révolutionnaire pour diffuser une « critique implacable de tout ce qui existe[10] » et faire valoir « la conscience de classe contre la conscience politique[10] ». Arnold croit à l'existence d'une « conscience politique et morale universelle », indépendante des conditions matérielles où elle se constitue, alors que Karl pense qu'il n'existe pas de morale absolue et que les intérêts des groupes sociaux sont nécessairement antagoniques. De jour en jour, les débats entre les deux hommes se font plus âpres.

Un autre souci vient s'ajouter à ces dissensions : tous les auteurs français sollicités pour écrire dans la revue s'esquivent. Cabet, Leroux, Considérant et les fouriéristes ne veulent pas associer leurs noms à ceux de ces deux Allemands qui se disent ouvertement athées ; ils craignent en outre que ce nouveau périodique n'en appelle à la lutte armée. Louis Blanc, Lamennais et Lamartine acceptent, puis se rétractent pour les mêmes raisons. Marx présente Ruge à Heine, qui veut bien écrire dans leur revue, même s'il n'aime pas l'associé de Karl dont il dénonce le conformisme en usant de cette curieuse formule typique du style du poète[248] : « Quel que soit son enthousiasme pour la nudité hellénique, il ne peut se résoudre à renoncer au barbare pantalon moderne, ou même au caleçon germano-chrétien de la moralité ! »

Karl reçoit alors de Moses Hess les épreuves d'un livre que celui-ci compte bientôt publier et qui va beaucoup le marquer : *De l'essence de l'argent*. Hess y applique les notions hégéliennes d'aliénation et d'inversion à la relation entre développement social et développement économique. Il écrit : « L'argent est la richesse aliénée des hommes. » Il prédit la fin de la spéculation philosophique et religieuse, la fin de la spéculation commerciale, et même la fin du règne de l'argent, remplacé par des « échanges immédiats et humains entre individus[136] ».

À la fin de décembre 1843, c'est l'échec : Arnold et Karl n'ont obtenu de contributions à leur revue qu'émanant d'Allemands de Paris, ainsi que d'Engels qui envoie depuis Barmen une « contribution à la critique de l'économie politique », court texte dont Karl dira plus tard qu'il l'a beaucoup marqué[248]. Engels y fustige l'hypocrisie et l'immoralité d'un système économique qui découle de l'intérêt privé et du commerce libre. Il pose que « la valeur est le rapport entre les coûts de production et l'utilité tel qu'il s'exprime dans la concurrence[110] ». Il dénonce les économistes qui ne parlent pas de la valeur des choses « de peur que l'immoralité du commerce ne devienne par trop visible[110] », et qui font donc reposer l'économie sur sa tête et non sur ses pieds. Grâce à ces deux textes de Hess et d'Engels, Marx commence à entrevoir qu'un pont peut être jeté entre la philosophie et l'économie[248].

Faute d'articles français, le projet de revue est dénaturé. Son titre même *(Annales franco-allemandes)* perd tout son sens. Ruge est déçu et tarde à payer son salaire à Marx.

En février 1844 paraît néanmoins le premier numéro. Karl y écrit en ouverture : « L'existence de l'humanité souffrante qui pense et de l'humanité pensante qui est opprimée deviendra nécessairement insupportable et indigeste au monde animal des philistins qui jouit passivement, incapable de penser. Et plus les événements permettront à l'humanité pensante de devenir consciente, et à l'humanité souffrante de s'assembler, plus parfait naîtra le fruit que le présent porte dans ses flancs. » L'émancipation de l'homme n'est possible à ses yeux que si sont transformées radicalement les bases de la société civile par une révolution dont l'instrument ne peut qu'être le prolétariat.

Heinrich Heine y signe une ode satirique à Louis II de Bavière. Dans le même numéro sont publiés les deux textes de Karl rédigés au cours de l'été précédent : *Sur la question juive* et *Contribution à la critique de la philosophie du droit de Hegel.* Karl a hésité à donner ces deux textes : il ne les sent pas parfaits ; comme dans son enfance et son adolescence, comme durant toute sa vie, il a beaucoup de mal à considérer un texte comme achevé et à le lâcher. Il ajoute encore un passage à celui sur les Juifs[25] : il y distingue la simple émancipation politique de ce qu'il nomme l'« émancipation humaine » et souligne le rôle positif joué par les Juifs dans l'histoire moderne. Là où Bauer identifiait les Juifs à la « masse » par opposition à lui-même, censé incarner l'Esprit, Marx revendique son appartenance aux Juifs « de masse » et fait la différence entre « un socialisme absolu », idéaliste et illusoire, et « un socialisme et un communisme de masse, profanes[248] ».

Presque entièrement rédigées en allemand, les *Annales franco-allemandes* ne reçoivent pas beaucoup d'écho dans Paris. Elles n'ont guère de lecteurs français et sont très mal accueillies dans les pays germanophones[277]. À Vienne, Metternich promet de lourdes sanctions aux libraires qui tenteraient de vendre ce « document répugnant et dégoûtant[74] ». À Berlin, le gouvernement prussien fait saisir les exemplaires passés outre-Rhin et donne même l'ordre d'arrêter les fondateurs de la revue s'ils viennent à se présenter sur le sol allemand[277].

Voilà que Karl, parti de Prusse de son plein gré, ne peut plus y revenir. Mais les deux amis ne renoncent pas et travaillent au deuxième numéro.

L'heure est même à l'allégresse, car le 1er mai 1844, rue Vaneau, Jenny donne naissance à une fille que Karl prénomme comme elle, et qu'ils surnommeront tout de suite « Jennychen ». Quelques jours plus tard, l'enfant est prise de violentes convulsions. Karl et sa femme s'affolent, d'autant plus qu'à cette époque trois enfants sur quatre meurent encore au cours de leur première année. La légende familiale veut que Heinrich Heine soit là et que, voyant Jennychen trembler, il s'écrie : « Il faut la baigner, cette petite ! », puis prépare lui-même le bain et y plonge l'enfant, lui sauvant la vie[277].

Arnold s'éloigne de la revue et, en ce même mois de mai, publie dans le journal des Allemands de Paris, le *Vorwärts*, un article très dur contre la Prusse qui vient de lui fermer ses portes, intitulé « Le roi de Prusse et la réforme sociale ». Karl, de son côté, travaille beaucoup à un autre texte dont il n'a pas encore décidé s'il le publiera ; il entend tirer les conclusions de ce qu'il pense de la philosophie allemande, en particulier du concept qui est au centre de la pensée de Hegel, l'*aliénation*, et le relier à sa façon à l'économie. S'il voit encore en Feuerbach « le seul penseur qui ait accompli une véritable révolution théorique[14] », c'est à Hegel qu'il revient. Il relit certains passages oubliés du maître de sa jeunesse et approfondit deux termes clés de sa philosophie, laissés jusque-là en friche : « aliénation » et « inversion ». Il reprend à son compte l'idée que l'« aliénation » est un processus par lequel l'esprit se détache de lui-même pour tenter de se trouver et revenir sur lui-même, agissant contre soi pour prendre conscience de soi. Par ailleurs, comme Hegel, il pense que la philosophie se définit comme l'« inversion » du sens commun et qu'elle établit donc la proximité entre la raison et son contraire, la folie[248]. L'unité véritable est donc inséparable d'un processus de mise en pièces : la folie est la condition de la vérité de l'être. C'est ce que vit Karl à ce moment. Et, comme l'avait fait Hegel alors qu'il travaillait à *La Phénoménologie de l'Esprit*, Karl se plonge dans *Le Neveu de Rameau* de Diderot, dans la traduction de Goethe ; il se retrouve dans cet être original, excentrique, aux marges sociales et intellectuelles des Lumières françaises, bouleversant la morale ordinaire et les valeurs du sens commun. Bien plus tard, Marx enverra à Engels un exemplaire du *Neveu* en en soulignant maints passages[248].

Dans une lettre à Feuerbach du 15 mai 1844, Arnold s'inquiète à nouveau du comportement de Karl : « Il lit beaucoup. Il travaille d'une manière extraordinairement intensive. Il a un talent critique qui dégénère parfois en un pur jeu dialectique, mais il n'achève rien, interrompt chaque recherche pour se plonger dans un nouvel océan de livres. Il est plus énervé et violent que jamais, surtout quand il s'est rendu malade à force de travail et ne s'est pas couché de trois ou quatre nuits. » Il ajoute : « De par ses dispositions savantes, il appartient complètement au monde germanique ; mais, de par sa façon de penser révolutionnaire, il s'en exclut. »

Karl s'intéresse à tout, en particulier et de plus en plus au progrès technique. Passionné par les premiers usages de l'électricité (servant à l'éclairage de quelques rues), il est tout aussi fasciné d'apprendre que, le 24 mai 1844, Samuel Morse a expérimenté une ligne télégraphique entre Washington et Baltimore. Il y voit l'annonce d'une mutation du capitalisme qui accélérera les communications et augmentera la productivité du travail.

Comme nombre de ses contemporains, il est choqué, le 6 juin de cette même année 1844, par le massacre de tisserands silésiens révoltés contre leurs employeurs. À lui comme à beaucoup en Europe, l'événement fait comprendre que les ouvriers peuvent se soulever par eux-mêmes sans nul besoin d'inspirateur ni de guide. Balzac parle[248] de « ces modernes barbares qu'un nouveau Spartacus, moitié Marat, moitié Calvin, mènerait à l'assaut de l'ignoble bourgeoisie à qui le pouvoir est échu ». Au même moment, Engels clame son admiration pour les ouvriers irlandais, ajoutant : « Avec quelques centaines de gaillards de leur trempe, on pourrait révolutionner l'Europe ! » À Ruge qui nie l'importance de l'épisode, Karl répète : « Sans révolution, le socialisme ne peut pas devenir réalité[248]. »

Au début de l'été 1844, Karl envoie sa femme présenter leur fille à sa mère à Trèves. Elle y retrouve Edgar, son cher frère, qui vient de prendre dans la ville un modeste emploi de fonctionnaire après avoir obtenu un diplôme de droit à Bonn. Karl, resté seul à Paris, lit, écrit, prend des notes sans se décider encore à choisir un sujet de livre. Après les événements de Silésie, il entend relier les luttes sociales et politiques locales aux enjeux économiques mondiaux. Il s'éloigne donc peu à peu du matérialisme « critique » de Feuerbach et s'applique à mieux comprendre la condition ouvrière. Mais, pour cela, il se rend compte que sa culture philosophique ne suffit pas, que les concepts hégéliens ne lui sont d'aucune utilité et que ce qu'il a lu en économie pour rédiger son article sur les voleurs de bois dans les forêts de Prusse est par trop sommaire. Il se lance alors dans une étude systématique de ceux des grands théoriciens de l'économie classique qu'il n'a pas encore étudiés.

Il lit William Godwin, qui considère que nos sociétés sont malades de la propriété privée[67] : « Les vices qui sont inséparables du système actuel de la propriété disparaîtraient dans une société où tous partageraient également les dons de la nature. » Il lit Thomas Spencer et William Ogilvy, pour qui la propriété privée foncière[67] « a, pendant des siècles, porté atteinte et constitué un obstacle au bonheur de l'humanité bien davantage que, tout à la fois, la tyrannie des rois, l'imposture des prêtres et les chicanes des hommes de loi ». Il découvre François Quesnay qui, dans son *Tableau économique*, développe une théorie de la division de la société en classes en fonction des sources de revenus et de leur rôle dans l'accroissement du « produit net » : « La nation est réduite à trois classes de citoyens : la classe productive, la classe des propriétaires et la classe stérile. » Il lit Oray, qui voit dans le profit industriel une part de la valeur volée aux travailleurs : « Le travail est le seul fondement de la propriété et, en fait, toute propriété n'est rien de plus que du travail accumulé[229]. » Il lit John Stuart Mill, qui considère lui aussi que la répartition des richesses est injuste, même si, à ses yeux, « l'explication de cette injustice se trouve dans un accident historique et non pas dans la nature même du capitalisme[207] ». Il lit surtout David Ricardo, qui démontre que le travail du salarié de l'industrie est la véritable source de la richesse et que les propriétaires fonciers et les financiers s'enrichissent sans travail au détriment des capitalistes et des salariés[67]. Il s'intéresse en particulier à son idée – reprise de Smith – de *valeur travail*, qui définit le salaire comme le *prix naturel du travail*, c'est-à-dire comme la somme, variable dans le temps et l'espace, des biens et des richesses « permettant aux travailleurs de perpétuer leur espèce ». Il relit Saint-Simon pour qui, si l'histoire des sociétés est celle de la lutte des classes, c'est des lumières de la seule Raison et des progrès techniques permis par elle que l'humanité doit attendre son salut. Une technocratie vertueuse suffirait à la libérer[242]. Saint-Simon, aristocrate terrien ruiné par la Révolution, qui comprend et énonce la nécessité de la suppression de sa classe, fait ainsi maintenant figure de prophète de la bourgeoisie progressiste.

Karl étudie encore l'économiste suisse Sismondi, le premier à percevoir une spécificité décisive du capitalisme par rapport aux modes de production antérieurs[67]. Le développement spectaculaire des moyens mécaniques de production met les capitalistes dans la nécessité de trouver des débouchés pour écouler une production toujours croissante. Ils se livrent donc une lutte à mort pour conquérir les marchés et pour diminuer le coût de la production en réduisant les salaires et en augmentant le temps de travail afin de rattraper des concurrents plus compétitifs ou de conforter leur avance sur des rivaux qui le sont moins[250]. La pauvreté s'accroît donc à mesure que s'accroît la production, ce qui conduit à des crises aiguës et au chaos social. Pour prévenir ce chaos et protéger les classes laborieuses de la misère, Sismondi s'en remet à un État régulateur qui serait chargé de contrôler l'accumulation du capital[250].

Enfin, Marx relit Proudhon – qu'il n'a toujours pas rencontré –, pour qui l'homme se réalise grâce au travail social, à la justice sociale et au pluralisme social[74], et qui rêve d'« une science de la société méthodiquement découverte et rigoureusement appliquée[226] ». Proudhon revendique à la fois l'anticapitalisme (« négation de l'exploitation de l'homme par l'homme »), l'anti-étatisme (« négation du gouvernement de l'homme par l'homme ») et l'antithéisme (« négation de l'adoration de l'homme par l'homme »). Pour Proudhon l'anarchiste, deux forces s'opposent à la justice : l'accumulation du capital, qui accroît continûment les inégalités, et l'État qui, sous couvert d'institutions démocratiques, légalise et légitime l'appropriation des richesses par les seuls capitalistes ; ce qu'il reproche à l'État, c'est d'organiser la dépossession des individus les plus fragiles de leur droit naturel à la propriété[226]. Il est donc contre le capital et contre l'État. Karl estime alors que c'est « le penseur le plus hardi du socialisme français[74] ».

Il lit aussi l'ouvrage de Lorenz von Stein, *Socialisme et communisme dans la France d'aujourd'hui*, paru en Prusse en 1842 et qui a répandu en Allemagne les idées des grands utopistes français. Il étudie les premières tentatives – qui ont échoué – de sociétés communistes aux États-Unis sous forme de modestes établissements agraires où le travail des champs est organisé collectivement sans que l'argent circule à l'intérieur de la communauté. Dans les livres de Thomas Hamilton, il découvre également l'existence, à New York, d'un groupe de radicaux, les *Workies*, pour qui la démocratie parlementaire finira dans le chaos et qui réclament une redistribution périodique des fortunes et des terres[67] : « La démocratie débouche nécessairement sur l'anarchie et la confiscation ; la longueur du chemin qui mène à une société autre n'a aucune importance. »

Karl commence alors à travailler à son propre projet : une théorie globale de la société. Son ambition est désormais illimitée. Il se pense comme un analyste global, un esprit du monde. Il esquisse une répartition des individus en deux classes sociales selon la nature des biens qu'ils possèdent : travail ou capital. Les relations de propriété entre les classes constituent l'infrastructure de la société, note-t-il, « sur laquelle s'élève une superstructure juridique et politique, et à laquelle correspondent des formes définies de conscience sociale[14] ». Autrement dit, l'individu n'existe et ne survit qu'à travers la classe à laquelle il appartient, et c'est cette classe qui agit. Contre Hobbes et Hegel, mais à l'instar des Carnot père et fils dont il vient de découvrir les travaux sur l'énergie, Marx parle la langue du progrès, de l'évolution au fil du temps, de l'Histoire. Il décrit d'ailleurs déjà le conflit de classes comme le « moteur » de l'Histoire[14].

Il travaille encore avec Arnold au deuxième numéro de leur revue encore difficile à boucler quand, en juillet 1844, le gouvernement prussien fait pression sur Paris pour que les autorités françaises interdisent ce périodique scandaleux. Guizot hésite : il a bien d'autres difficultés à affronter et préfère attendre que ce périodique tout juste né, qui ne se mêle pas de politique française, s'éteigne de lui-même faute de lecteurs et de subsides. Et il est vrai que l'entreprise se porte mal, que le journal s'est très mal vendu et que Ruge songe à l'arrêter.

Le 31 juillet 1844, Karl est encore seul à Paris quand il reçoit de Berlin un exemplaire du nouveau numéro de la nouvelle revue mensuelle de Bruno Bauer, *La Gazette générale littéraire*, devenue l'organe des jeunes hégéliens berlinois. Lisant que Bauer y nie l'importance de la révolte des tisserands de Silésie, Karl laisse éclater son indignation dans un courrier à ses amis de Cologne. L'un d'eux, Georg Jung, lui suggère de développer et publier ses griefs[248] : « Il serait bon que vous transformiez vos remarques sur Bruno Bauer en une critique pour un journal, en sorte d'amener Bauer à sortir de sa réserve énigmatique. Jusqu'ici, il n'a exprimé aucune opinion franche et nette sur un sujet quelconque ; Bauer est si entiché de la manie de tout critiquer lui-même qu'il m'a écrit récemment que l'on ne devrait pas critiquer simplement la société, les privilèges, les propriétaires, mais aussi – chose dont nul ne s'était avisé jusqu'alors – les prolétaires ; comme si la critique des riches, de la propriété, de la société, ne résultait pas de la critique de la condition inhumaine et indigne du prolétariat. »

Cette suggestion de Jung ne débouchera pas sur un article dirigé contre Bauer, son ancien professeur, mais constituera la trame de toute l'œuvre à venir de Karl Marx, et il essaiera d'y répondre en particulier dans *Le Capital*, vingt-trois ans plus tard.

Il s'y attelle tout de suite. Durant cet été où il se trouve seul à Paris, il rassemble, pour clarifier ses concepts, dans un manuscrit[23] qu'il ne destine pas à la publication (et qui ne sera publié qu'en 1932, en Union soviétique stalinienne, sous le titre *Manuscrits de 1844*), ses premières idées sur la philosophie et l'économie. Il s'agit d'un essai à usage personnel, dont l'auteur n'entend pas se séparer. D'aucuns voudront y voir ultérieurement le « vrai Marx » et l'utiliseront pour établir qu'il n'est pour rien dans les monstruosités commises plus tard en son nom. D'autres critiqueront ce texte « dépassé et contredit », selon eux, par ses œuvres ultérieures, reprochant à ceux qui y voient la pensée authentique de Marx d'y chercher le « crâne de Voltaire enfant[56] ». Ce texte majeur constitue en fait une étape essentielle dans la formation d'une pensée qui évoluera sans cesse sans jamais se contredire, et qui gardera toujours pour base le double principe ici posé : l'homme doit être au centre de toute réflexion et de l'action politique ; aucune révolution ne vaut la vie d'un homme, puisque sa finalité est de le libérer.

Dans ce travail, Marx souhaite se situer par rapport à la philosophie de Hegel, et en particulier à réfléchir sur l'aliénation. Il entend ainsi, dit-il, « dépasser le subjectivisme et l'objectivisme, le spiritualisme et le matérialisme, l'idéalisme et le matérialisme[23] ». Pas moins ! Pour lui, l'aliénation n'est pas un concept abstrait, comme elle l'est pour Hegel, mais une production de la société : l'homme est aliéné par le travail, et par rien d'autre.

Dans le même temps, sans le vouloir, il parle de lui-même dans ce texte : lui qui refuse désormais tout emploi salarié concentre son analyse sur l'aliénation par le travail ; lui qui a déjà fort mal vécu la condition de salarié comme rédacteur en chef de deux revues soumises au caprice de leurs commanditaires va faire de son propre rapport à l'argent la base d'une théorie universelle ; lui qui a le plus grand mal à abandonner un manuscrit à un éditeur voit justement le fondement de l'aliénation dans la séparation de l'homme d'avec son œuvre ; lui qui n'a d'autre métier que d'écrire pense qu'une société idéale serait celle où tout un chacun pourrait s'adonner gratuitement à tous les métiers qu'il se sentirait capable d'exercer.

Marx commence par adresser un reproche fondamental aux économistes qu'il vient de lire : tous, pense-t-il, considèrent la propriété privée comme une donnée de la condition humaine et aucun n'explique historiquement son apparition. Or, pour lui, tout est travail et tout produit du travail, à commencer par l'homme lui-même : « Le travail est l'acte d'engendrement de l'homme par lui-même[23] », et c'est dans « le travail que [...] l'homme se réalise ». Tout objet n'est que du travail (ou presque) : « La valeur des choses leur vient en quasi-totalité du travail. » Le capital n'est que du « travail cristallisé », du « travail accumulé », du « travail mort qui, semblable au vampire, ne s'anime qu'en suçant le travail vivant[23] », écrit-il, en se référant implicitement au vampire du *Frankenstein* de Mary Shelley qu'il vient de lire[277]. Et l'Histoire elle-même, comme les diverses formes de société et de religion tout comme les régimes de propriété, n'est que le produit du travail.

Marx fait ensuite l'éloge de Feuerbach « avec qui commence un discours critique positif, humaniste et naturaliste[23] ». D'après lui, la théorie économique n'est d'aucune utilité pour comprendre le développement humain sous un angle philosophique. C'est pour pallier cette lacune qu'il développe alors une analyse du « travail aliéné » : « Plus le travailleur produit de richesse, plus sa production augmente en pouvoir et en volume, plus le travailleur devient pauvre[23]. » Mais, selon lui, ce n'est pas la propriété privée qui est à la source du travail aliéné : à l'inverse, elle en est la conséquence. L'aliénation est, à ses yeux, intimement liée au travail lui-même. À la différence de Hegel qui la définit comme l'extériorité de l'homme à lui-même, puis de Feuerbach qui l'identifie aux religions, Marx situe l'aliénation dans le rapport de l'homme à la réalité par le travail dont découlent les organisations sociales et les religions.

Il distingue dès lors trois niveaux d'aliénation, qu'il relie tous trois au travail :

• L'« objectivation » : le fait que l'homme produit par son travail une réalité extérieure à lui-même sous forme d'objets qui ont ensuite une existence propre. « Son travail devient un être séparé, extérieur, qui existe en dehors de lui, indépendamment de lui, étranger à lui, et devient une puissance autonome vis-à-vis de lui ; la vie qu'il a prêtée à l'objet s'oppose à lui, hostile et étrangère[23]. » Le travail est une peine, une souffrance qui « ruine son esprit et meurtrit son corps », « son activité lui apparaît comme un tourment [...], sa vie est le sacrifice de sa vie[23] ». Marx avance ainsi déjà l'idée que tout travail est souffrance, parce que tout travail crée quelque chose qui est voué à se séparer de son auteur. Sans doute faut-il voir là aussi une notation autobiographique poignante, une explication de la difficulté qu'il éprouvera, tout au long de sa vie, à se détacher du moindre texte et à le considérer comme achevé. Comme pour mieux souligner que, pour lui, mettre le mot « fin » au bas d'un manuscrit constitue un déchirement, il décrit cet arrachement, à l'aube de son propre travail, par une réflexion sur la nature même de tout travail et sur la relation intime entre un individu et toute œuvre.

• Le « dessaisissement » : le fait que, dans la société capitaliste, le salarié est dépossédé par le capitaliste du fruit de son travail. « L'ouvrier consacre sa vie à produire des objets qu'il ne possède ni ne contrôle[23] », « il ne s'appartient pas lui-même, mais appartient à un autre[23] ». Là encore, il s'agit d'une évocation de ce qu'il a lui-même vécu dans son rapport aux éditeurs dont il fut naguère le salarié – en tant que rédacteur en chef de revue à Cologne – et qui l'ont amené à produire un objet – un journal – « qu'il n'a ni possédé ni contrôlé ».

• Enfin, l'« asservissement » : le fait que le salarié ne peut échapper à l'engrenage qui le conduit à acheter lui aussi, pour survivre, des biens marchands fabriqués par d'autres salariés, et qu'il finit par n'accorder aux choses aucune autre valeur que l'argent qu'elles coûtent ou qu'elles rapportent. L'économie de marché pousse à l'individualisme du consommateur, dirait-on aujourd'hui. « Le mobile de celui qui pratique l'échange n'est pas l'humanité, mais l'égoïsme[23] », écrit Marx. « À la place de tous les sens physiques et intellectuels est [...] apparue la simple aliénation de tous ces sens, le sens de l'avoir[23]. » Là encore, il y a comme une allusion à son propre rapport à l'argent qu'il aime à dépenser et dont il analyse fort bien comment on en devient dépendant : « La propriété privée nous a rendus si stupides et si bornés qu'un objet n'est le nôtre que lorsque nous le possédons, qu'il existe donc pour nous comme capital ou qu'il est immédiatement possédé, mangé, bu, porté sur notre corps, habité par nous, qu'il est utilisé par nous[23]. » Même le capitaliste se trouve incité par la compétition et la rationalisation du travail à cultiver un idéal absurde, fait de privation : « Son véritable idéal est l'avare ascétique mais usurier, et l'esclave ascétique mais producteur [...]. Moins tu manges, tu bois, tu achètes de livres, moins tu vas au théâtre, au bal, au cabaret, moins tu penses, tu aimes, tu fais de la théorie, moins tu chantes, tu parles, tu fais de l'escrime, etc., plus tu épargnes, plus tu augmentes ton trésor[23]. » Ne faut-il pas voir là aussi un écho de sa propre attirance pour la dépense, en même temps qu'une expression de son aversion pour ceux qui prônent l'épargne et la frugalité ? Sans doute faut-il également lire cette phrase comme une réminiscence de ce qu'il a tant entendu pendant toute son enfance de la bouche de ses parents qui lui reprochaient de trop parler, trop aimer, trop boire, trop disserter, d'acheter trop de livres et d'être enclin à trop se battre.

Le salarié devient alors une marchandise comme une autre, produit lui aussi par le travail, et il entre donc dans le jeu général de l'asservissement. Le statut et la vie du salarié sont ainsi déterminés par la même loi qui régit le prix des choses : « La demande d'hommes règle nécessairement la production des hommes comme de toute autre marchandise. Si l'offre est plus grande que la demande, une partie des ouvriers tombe dans la mendicité ou la mort par inanition. L'existence de l'ouvrier est donc réduite à la condition d'existence de toute autre marchandise[23]. » La nourriture de l'ouvrier est l'équivalent de l'entretien de la machine, car « le salaire a [...] tout à fait la même signification [...] que l'huile que l'on met sur les rouages pour les maintenir en mouvement ». Le capitaliste est tout-puissant, car il peut choisir de surseoir à la mise en valeur de son capital, alors que l'ouvrier doit absolument vendre sa force de travail pour survivre : « Le capitaliste peut vivre plus longtemps sans l'ouvrier que l'ouvrier sans le capitaliste[23]. »

Dans cette description radicalement neuve du rapport de l'homme au travail et au marché, issue d'une confession/réflexion personnelle sur son propre rapport à l'argent, Marx passe ainsi du concept, philosophique, d'aliénation à celui, économique, d'exploitation. Une part importante de la révolution qu'apportera plus tard sa théorie économique est déjà en place. Reste à élaborer les lois qui permettront de mesurer cette exploitation et d'en suivre l'évolution. Ce qui passe par la mise au point du concept de « plus-value », lequel verra le jour onze ans plus tard.

Avec sa théorie de l'aliénation, Marx pense avoir prouvé la supériorité de la philosophie sur la théorie des économistes. En même temps, il fait de la philosophie une science sociale influencée par l'environnement du philosophe : « L'activité et l'Esprit, chacun selon son contenu et son mode d'existence propres, sont sociaux : l'activité sociale et l'Esprit social[23]. »

Marx continue à réfléchir à la société qui pourrait en finir avec cette aliénation, et définit le « communisme » comme un système social permettant la désaliénation, la réappropriation des choses, la libération de la jouissance et du travail par une libre association des producteurs. « Le communisme est [...] appropriation réelle de l'essence humaine par l'homme[23] » ; il se résume à « l'abolition de la propriété privée et [à] la libération totale de tous les sens [...] ; il est cette émancipation précisément parce que ces sens [...] sont devenus humains [...]. Le besoin ou la jouissance ont perdu, de ce fait, leur nature égoïste, et la nature a perdu sa pure et simple utilité, car l'utilité est devenue l'utilité humaine[23] ». Le travailleur aliéné trouve alors, selon Marx, son plaisir dans le travail, tout en produisant ce qui est utile à d'autres, et chacun devient pleinement humain : « C'est seulement grâce à la richesse déployée objectivement de l'essence humaine [...] qu'une oreille devient musicienne, qu'un œil perçoit la beauté de la forme [...]. L'œil humain jouit autrement que l'œil grossier non humain, l'oreille humaine autrement que l'oreille grossière, etc. [...] ; les sens de l'homme social sont autres que ceux de l'homme non social[23]. » Individualité et collectivité peuvent dès lors se confondre dans une nature humaine transcendée : « L'essence ontologique de la passion humaine atteint et sa totalité et son humanité[23]. » C'est aussi la fin de la solitude, et même la victoire sur la mort : « La mort apparaît comme une dure victoire du genre sur l'individu déterminé », alors que « le communisme est la vraie solution de l'antagonisme entre l'homme et la nature[23] ».

Ce communisme messianique se réalisera par le jeu de l'Histoire, non par celui de la seule politique. Il ne saurait être instauré qu'à la fin de l'Histoire, non à sa place. « Le communisme [...] est l'énigme résolue de l'Histoire [...]. Le mouvement entier de l'Histoire est [...] l'acte de procréation de ce communisme[23]. »

Cet été-là, pendant qu'il prend ces notes qui constitueront le matériau de base de toute son œuvre, Marx fait plusieurs rencontres déterminantes.

Au début de juillet, il rencontre le jeune révolutionnaire russe Bakounine, poursuivi par une demande d'extradition du gouvernement tsariste et qui vient d'arriver à Paris pour y retrouver Arnold Ruge, lequel a déjà publié, on l'a vu, un de ses articles sous pseudonyme dans son journal allemand. Ruge lui demande un texte pour les *Annales franco-allemandes* et le présente à Marx. La rencontre se passe bien : contrairement à ce qu'on en dira ultérieurement, Marx n'éprouve pas d'aversion, à l'époque, pour celui qui deviendra vingt-cinq ans plus tard son pire ennemi.

À la fin de juillet, c'est enfin la rencontre à Paris avec Proudhon, que Karl cherche à connaître depuis son arrivée en France et sa lecture de *Qu'est-ce que la propriété ?* Karl tente – vainement, selon le propre aveu de Proudhon[248] – de lui expliquer Hegel ; il terrifie le plus célèbre des socialistes français en lui exposant qu'il faut conquérir le pouvoir d'État, par la violence là où la démocratie n'existe pas, pour en faire l'instrument d'une transformation économique et sociale. Proudhon lui répond qu'il est possible de réaliser une redistribution équitable des richesses par voie de réforme. Il ne veut pas d'une « Saint-Barthélemy des propriétaires », qui en ferait des martyrs. Les deux hommes se revoient souvent, cet été-là, pour des discussions qui se prolongent parfois toute la nuit. Leur influence réciproque sera néanmoins limitée, sauf à prétendre[248] – ce qui est peu plausible – que la notion de « plus-value » telle que Marx la concevra onze ans plus tard ait trouvé son origine dans le concept flou d'« erreur de comptes » par lequel Proudhon reprochait au capitaliste de ne pas payer « la force immense qui résulte de l'union et de l'harmonie des travailleurs, de la convergence et de la simultanéité de leurs efforts[226] ».

Après cette rencontre, Marx écrit à Feuerbach pour lui redire son admiration pour les ouvriers français, admiration qu'il a héritée de son père et dont il ne se départira jamais. Il commence par ailleurs à s'intéresser au matérialisme en tant que tel. Empruntant à Feuerbach et à Hegel, il fait du prolétariat humilié et indigné le protagoniste de l'émancipation future et de la révolution.

Karl écrit aussi sans cesse à Jenny, encore à Trèves chez sa mère. Elle lui répond, autour du 15 août, pour lui transmettre un peu du climat de leur ville natale qui lui est interdite depuis que le roi a interdit aux éditeurs de séjourner en Prusse :

« Mon très cher, j'ai reçu ta lettre au moment où toutes les cloches sonnaient, où les canons tonnaient, et où la foule pieuse se pressait dans les églises pour envoyer des alléluias au Dieu du Ciel pour avoir sauvé si miraculeusement leur Dieu terrestre. Tu peux imaginer avec quel sentiment particulier je lus les poèmes de Heine durant cette cérémonie où carillonnaient les hosannas[47]. »

Tombe alors une mauvaise nouvelle : l'éditeur Julius Fröbel, dont Ruge est un des financiers, suspend sa participation aux *Annales franco-allemandes.* Ruge se retire alors en refusant toujours de verser à Marx les salaires promis et en abandonnant les invendus à son associé. Celui-ci demande de l'aide à un ami de Cologne, Georg Jung, qui lui envoie encore 250 thalers en signe de soutien, mais c'est la fin des *Annales* : Karl n'a pas assez d'argent pour faire paraître d'autres numéros. Il n'a ni soutien financier, ni contributeurs français, ni surtout lectorat suffisant.

Son installation à Paris n'a plus de raison d'être. Mais il ne peut pas non plus rentrer chez lui puisque, à cause même de ce périodique éphémère, il est désormais interdit de séjour en Prusse.

Comme les *Annales* s'arrêtent, il écrit dans le journal des Allemands de Paris, le *Vorwärts.* Le 10 août 1844, il donne un article sur Weitling, réfugié comme lui à Paris. Il qualifie un petit texte prétentieux de ce tailleur (intitulé

« Les garanties de l'harmonie et de la liberté ») « d'immenses et brillants débuts littéraires des ouvriers allemands[10] ».

Le 28 août, événement majeur : Friedrich Engels, croisé deux ans plus tôt à Cologne, débarque rue Vaneau en provenance de Barmen, près de Wuppertal, où il travaille dans l'usine de son père ; il vient proposer un nouvel article aux *Annales*, pensant que la revue est toujours vivante. Il entend y retracer le développement du capitalisme, depuis le mercantilisme jusqu'au système industriel anglais. Karl est ébloui par la connaissance du monde ouvrier du jeune autodidacte qui, plus tard, pourra se targuer de savoir lire et écrire vingt-quatre langues (l'un des tours de force dont il se vantera sera d'avoir appris le persan en l'espace de trois semaines)[215]. Du 28 août au 6 septembre 1844, les deux jeunes gens ne se quittent pas et passent, selon une légende qu'ils entretiendront, dix jours en beuveries et discussions interminables.

Karl explique à Friedrich comment il compte s'arracher à la philosophie allemande à laquelle il a consacré tant d'années d'études, parce qu'elle néglige le rôle des rapports de force sociaux dans l'analyse des concepts ; il lui expose comment il entend expliquer l'histoire des hommes et des États par leur rapport à l'économie et à la propriété. Friedrich relate à Karl ses contacts avec le chartisme anglais et lui fait part de son projet d'écrire une histoire de la condition de la classe ouvrière – thème de l'article qu'il est venu proposer – en mêlant ses propres observations dans les manufactures familiales et les informations qu'il a tirées des commissions parlementaires et des rapports de fonctionnaires de la Santé dont il apprend l'existence à Karl. « Je trouve mon bonheur dans le témoignage de mes adversaires ! » explique-t-il à son compagnon ébloui. Voilà enfin, se dit Karl, quelqu'un qui connaît le monde du travail, qui a mis les pieds dans une usine et qui peut, avec des mots d'autodidacte, parler aussi bien de philosophie que de la vie concrète des hommes !

Karl ne vivra jamais comme la classe ouvrière – même quand il en partagera le pire dénuement – et il ne mettra jamais les pieds dans une usine ; il usera donc du même matériau que Friedrich pour la comprendre : les rapports, la presse, le témoignage d'autrui.

Bien plus tard, Friedrich décrira ainsi leur rencontre : « Lorsque je rendis visite à Marx à Paris pendant l'été 1844, il apparut que nous étions en complet accord dans tous les domaines de la théorie, et c'est de là que date notre collaboration. Marx n'était pas seulement arrivé à la même opinion que moi, il l'avait aussi déjà généralisée dans les *Annales franco-allemandes* : ce n'est pas, somme toute, l'État qui conditionne et régit la société bourgeoise, mais la société bourgeoise qui conditionne et régit l'État ; il faut donc expliquer la politique et son histoire en partant des conditions économiques et de leur développement, et non l'inverse[112]. »

De fait, les deux jeunes gens se ressemblent et se complètent. L'un et l'autre ont besoin pour écrire d'une cible, d'un adversaire qui leur permette, au détour d'une phrase, de procéder à des avancées théoriques. L'un et l'autre ont besoin de s'appuyer sur des faits : ils sont journalistes dans l'âme. Mais ils sont aussi notablement différents. L'un est pauvre, porté sur la théorie, et a coupé les ponts avec sa mère après la mort d'un père vénéré ; l'autre est riche, d'esprit pratique, et très lié à sa mère dans sa haine du père. L'un est docteur en philosophie ; l'autre a arrêté, contraint et forcé, ses études avant d'entrer à l'université. L'un est marié ; l'autre ne tient pas à s'embarrasser d'une famille (il vivra plus tard avec une ouvrière, Mary Burns, mais connaîtra aussi de nombreuses liaisons passagères, y compris avec la propre sœur de sa compagne). Et

Karl retrouve en Friedrich le frère trop tôt disparu et qui avait le même âge.

Dans la vie comme dans la réflexion et l'action, Friedrich et Karl seront désormais inséparables. Un témoin privilégié de leur relation, Paul Lafargue, notera : « Marx et Engels ont réalisé dans notre siècle l'idéal de l'amitié que les poètes de l'Antiquité ont dépeint[161]. »

Ils découvrent surtout qu'ils ont en commun beaucoup d'ennemis. L'essentiel de leurs conversations, pendant les dix jours de leurs retrouvailles à Paris, a d'ailleurs dû consister à dire du mal des philosophes allemands qu'ils détestent ou qui les ont déçus : Hegel, Bauer, d'autres aujourd'hui moins connus. Karl vient en particulier de lire *L'Unique et sa propriété*[259], d'un certain Max Stirner, pseudonyme de Johann Kaspar Schmidt, jeune philosophe qui enseigne à Berlin et qui se prétend « hégélien anarchiste », oxymoron qui en dit long sur l'audace de sa pensée ! La prétention de Stirner est sans bornes ; il écrit entre autres : « Je suis Unique », « Il n'y a rien au-dessus de Moi », « J'ai fondé Ma cause sur rien ». Il soutient que toute institution est une abstraction, que seule est réelle la conscience individuelle qui détermine librement ses besoins. Marx pressent que derrière la logorrhée de Stirner va surgir un mouvement politique majeur : l'anarchisme. Il faut à tout prix le combattre, car il n'est fondé, pense-t-il, sur aucune réalité sociale. Sans compter que Karl est furieux d'être présenté dans le livre, au détour d'une phrase, comme un « disciple » de Feuerbach[259]. Lui, disciple de qui que ce soit ? Jamais !

Au moment même où se déroule cette rencontre, le 29 août 1844, Arnold Ruge, qui vient de rompre avec Karl, écrit de façon prophétique[105] : « Je crois encore possible que Karl Marx écrive un très grand livre pas trop abstrait dans lequel il fourrera tout ce qu'il a accumulé. »

Au bout de dix jours, Engels doit repartir en Allemagne pour l'usine familiale de Wuppertal. Les deux hommes décident de rester en contact et de travailler ensemble, à distance, à des articles communs. Et d'abord à un projet commun contre les philosophes allemands de leur temps.

En octobre 1844, à Barmen, Friedrich rédige vingt pages en allemand qu'il expédie à Karl – dont il reçoit quelques semaines plus tard, à sa grande stupeur, trois cents pages également en allemand qui reprennent et précisent les brouillons de l'été précédent sur l'aliénation. Le livre est vite prêt ; ils songent à l'intituler *Critique de la Critique*, mais il s'appellera *La Sainte Famille*[43]. En le relisant treize ans plus tard, Marx écrira à Engels : « J'ai été agréablement surpris de voir que nous n'avons pas à rougir de cette œuvre, bien que le culte qui y est rendu à Feuerbach fasse maintenant très drôle[46]. »

C'est un texte virulent et parfois comique. Les deux auteurs y rendent hommage à Diderot, à Helvétius, à Fourier (pour l'émancipation des femmes) et à Proudhon (qu'ils créditent d'« un progrès scientifique révolutionnant l'économie politique[43] »). D'après eux, une large part du prolétariat anglais et français est consciente de la tâche historique qui lui incombe. Ils soulignent les limites de la position de Proudhon qui, selon eux, critique l'économie politique « du point de vue de l'économie politique[43] », et qui, étant ouvrier, ne peut exprimer son opinion que de l'intérieur même des conditions de l'aliénation, sans parvenir à la dépasser. Faisant référence au matérialisme de Fourier, Owen et Cabet, ils concluent que « le matérialisme français conduit directement au socialisme et au communisme[43] ». Des passages entiers des brouillons de Karl datant de l'été se trouvent repris presque au mot près dans l'ouvrage : « La classe possédante et la classe prolétarienne représentent la même aliénation humaine de soi [même si] la première se sent satisfaite [...] par cette aliénation de soi qu'elle prend pour le témoignage de sa propre puissance et qui lui donne l'apparence d'une existence humaine[43]. »

En novembre 1844, Karl propose le livre au « Comptoir littéraire », la maison d'édition que dirige Fröbel, l'éditeur de sa défunte revue ; mais Ruge, coactionnaire avec les gens de Cologne de cet éditeur, s'oppose au projet[249] : « Tant que je serai intéressé au Comptoir littéraire, vous devez vous interdire d'éditer tout livre de Marx. » Karl demande alors à Börnstein, directeur du *Vorwärts*, de soumettre le manuscrit à l'éditeur de ce journal : sans succès. Marx s'adresse ensuite au docteur Löwenthal, codirecteur de la Maison d'éditions littéraires de Francfort, qui accepte de le publier et qui, dans une lettre du 27 décembre 1844, lui suggère un autre titre[230] : « Je vous prie de me permettre de donner à votre livre le titre plus court et plus frappant de *La Sainte Famille* [à la place de *Critique de la Critique*]. Il est plus à même de faire sensation et il faut espérer que le contenu souvent très humoristique du livre le justifiera. »

Le titre est retenu, mais le livre n'obtient aucun succès : nul ne s'intéresse en Allemagne à ces polémiques philosophiques menées par des inconnus.

À l'orée de 1845, partout en Europe le capitalisme est triomphant et les révoltes matées. À Paris, Enfantin, Laffitte et Rothschild Associés fondent une compagnie destinée à construire une ligne de chemin de fer Paris-Lyon. En Corrèze, des paysans s'opposent au démembrement et à la vente de terres communales. En Prusse, les révoltes ouvrières sont écrasées.

Quand, à Paris, le *Vorwärts* applaudit à un attentat perpétré contre Frédéric-Guillaume IV, c'en est trop. Le 7 janvier 1845, le roi de Prusse envoie Alexander von Humboldt en mission spéciale auprès de Louis-Philippe. Il est porteur d'un cadeau et d'une longue missive à propos des articles « régicides » du journal parisien des émigrés allemands. Le *Vorwärts* est suspendu le 25 janvier. Guizot promet même de réfléchir à l'expulsion de ses responsables.

Marx ne se sent pas menacé : même s'il y écrit, il n'a rien à voir avec la direction du *Vorwärts*. Il cherche maintenant à rassembler ses brouillons de l'année écoulée pour confectionner à partir d'eux une histoire critique de l'économie politique, et il fait à cette fin, avant d'écrire, le tour des éditeurs allemands. Le 1er février 1845, il signe avec Karl Leske, de Darmstadt, un contrat pour la publication d'une *Critique de la politique et de l'économie politique* qu'il s'engage à lui livrer avant la fin de l'été. Le premier versement, prévu à la remise du manuscrit, sera de 1 500 francs (soit 420 thalers), ce qui correspond à peu près à trois mois de salaire ouvrier ; il percevra autant au terme de l'impression. Marx touche en réalité le premier acompte dès la signature du contrat, mais les événements l'empêcheront de remettre le manuscrit à temps ; en fait, il ne le remettra jamais et ne remboursera jamais l'éditeur. Pourtant, de ce livre il publiera quelques chapitres, mais bien plus tard. L'un d'eux verra même le jour vingt-deux ans après : ce sera *Le Capital*.

Quarante-huit heures se sont à peine écoulées quand Guizot ordonne l'expulsion de tous les rédacteurs et collaborateurs du *Vorwärts* : Börnstein, Bernays, Bürgers, Ruge, Bakounine, Heine et… Marx. Au même moment arrive de Russie un ordre sommant Bakounine de rentrer dans son pays. L'étau se resserre autour des réfugiés.

Quand on lui annonce qu'il doit quitter sur-le-champ la France, Karl tombe des nues. Une mobilisation s'organise. Devant les protestations émanant des libéraux français et des milieux journalistiques, la portée du décret est limitée : les collaborateurs du journal ne sont pas expulsés. Seul Marx l'est, parce que le plus violent, le plus polémique, le meilleur d'entre tous, et parce que déjà visé par le courroux prussien du mois de juillet précédent.

Où aller ? Karl hésite. Il ne peut rentrer en Prusse, où il fait l'objet d'un mandat d'amener depuis l'interdiction de sa propre revue. Il pourrait se rendre dans d'autres régions d'Allemagne, mais la pression policière y est tout aussi forte. À Londres ? Il n'en manie pas bien la langue. Restent la Suisse et la Belgique : la Suisse est hostile ; la Belgique, écartelée entre des Pays-Bas et une France qui convoitent tout autant son territoire, l'intéresse. Gouvernée par un prince d'origine allemande, Léopold Ier, elle accueille bien les réfugiés à condition qu'ils s'engagent à renoncer à toute activité militante. Or Karl ne veut qu'écrire, pas militer. Il en parle à Jenny, qui se montre décidée à le suivre où il voudra avec leur fille qui a maintenant deux ans. Ce sera donc Bruxelles.

Pour couvrir les frais de voyage et d'installation, Engels envoie à Marx, de Barmen, 50 thalers, bientôt complétés par 750 autres dont il a organisé la collecte auprès d'amis et de sympathisants de Cologne. C'est la première contribution connue de Friedrich à la vie matérielle de Karl.

Avant de quitter la rue Vaneau, celui-ci écrit à Heine[248] : « De tous ceux que je quitte ici, c'est vous que je laisse avec le plus de regrets. Je voudrais bien vous emporter dans mes bagages. » Ils ne se reverront plus.

Le 3 février 1845, Karl arrive à Bruxelles accompagné de Jenny, enceinte de deux mois, et de la petite Jennychen, malade. Il n'obtient l'autorisation définitive de s'installer en Belgique qu'après avoir signé, le 22 mars, l'engagement, exigé de tous les émigrés, de ne point faire de politique. Comme il ne s'imagine pas chercher un emploi salarié – statut qu'il abhorre –, il projette de ne vivre que de sa plume. En attendant, l'argent de la collecte finance une maison spacieuse et confortable.

À la surprise générale, Edgar, le jeune frère de Jenny, lui aussi maintenant démocrate déclaré, rejoint les Marx dans leur exil bruxellois. C'est un garçon instable et indécis.

Après ses études à Bonn et des années d'insouciance, il a passé une licence en droit et obtenu un poste de stagiaire au tribunal de grande instance de Trèves. Flanqué de sa fiancée, une certaine Lina Schöler[248], il débarque dans la capitale belge où il décroche un petit emploi dans une agence de presse dirigée par un émigré, Sebastian Seiler. Jenny le loge, ainsi qu'un jeune officier d'artillerie prussien, Joseph Weydemeyer, que Karl a croisé à Cologne au temps de la première revue ; Joseph venait de quitter l'armée pour se conformer à ses convictions communistes.

La mère de Jenny leur envoie, en mars, une servante, Hélène Demuth, alors âgée de vingt-cinq ans, dont il est convenu qu'elle paiera les gages. Hélène (ou Lenchen, ou Nim) a deux ans de moins que Karl et six ans de moins que Jenny. Elle est sarroise et parle français. Elle est au service des Westphalen depuis 1837, et Jenny la connaît fort bien. Elle partagera toute leur vie. Paul Lafargue, qui la connut plus tard, écrira : « Mme Marx considérait Hélène comme une amie très proche, et Marx lui témoignait une amitié toute particulière : il jouait aux échecs avec elle et il lui arrivait souvent de perdre la partie. L'amour d'Hélène pour la famille Marx était aveugle : tout ce que les Marx faisaient était bien et ne pouvait être que bien. Quiconque critiquait Marx avait affaire à elle. Elle prenait sous sa protection maternelle quiconque était admis dans l'intimité de la famille. [...] Elle s'entendait à tout : elle faisait la cuisine, s'occupait du ménage, habillait les enfants, coupait les vêtements qu'elle cousait avec l'aide de Mme Marx. Elle était à la fois l'économe et le majordome de la maison, qu'elle conduisait [...]. C'est grâce à son esprit d'ordre et d'économie, à son ingéniosité que la famille ne manqua jamais du strict nécessaire[161]. »

À Bruxelles, Karl retrouve d'autres réfugiés qui viennent de fuir l'Allemagne, dont Moses Hess, son ami de Cologne, et d'autres contraints, pour d'autres raisons, de quitter Paris au même moment, tel le tailleur Wilhelm Weitling.

Le 15 mars 1845, Engels publie à Barmen son premier ouvrage, dont il s'est entretenu six mois plus tôt avec Marx : *La Situation de la classe laborieuse en Angleterre*[110]. C'est un formidable reportage reprenant (pillant, diront certains) les rapports de la Factory Enquiry Commission de 1833, de l'Enquiry into the Sanitary Condition of the Labouring Population de 1842, de la Children's Employment Commission de 1842-1843 et de la Commission for Inquiring into the State of the Large Towns de 1844. Engels a lui-même visité le Lancashire industriel, la région de Manchester et les principales villes industrielles du Yorkshire : Leeds, Bradford, Sheffield[110].

Nouveau geste de Friedrich : il abandonne les droits d'auteur de son livre à Karl, avec qui il rêve de venir travailler. Trois mois après l'installation des Marx à Bruxelles, n'y tenant plus, excédé par l'ambiance qui règne à Barmen et par le métier qu'on le contraint à exercer – qu'il qualifie de « philistin » (l'une des insultes préférées de Friedrich, que Karl fera bientôt sienne) –, il ose enfin braver sa famille. Il quitte l'usine, négocie une petite rente et part s'établir à Bruxelles, en avril 1845, comme écrivain et journaliste à plein temps. Engels décrira ainsi cette troisième rencontre : « Lorsque nous nous retrouvâmes à Bruxelles, au printemps 1845, Marx avait déjà tiré de ces bases une théorie matérialiste de l'Histoire qui était achevée dans ses grandes lignes, et nous nous mîmes en devoir d'élaborer dans le détail et dans les directions les plus diverses notre manière de voir nouvellement acquise[112]. »

Marx déménage alors au 5, rue de l'Alliance, dans le faubourg de Saint-Josse ten Noode, dans la maison voisine de celle d'Engels, avec l'argent d'Engels. Jenny – qui se trouvait à Trèves quand Karl a rencontré Friedrich d'abord à Cologne, puis à Paris – fait enfin la connaissance de celui dont elle a tant entendu parler. Elle en devient l'amie, même si elle conservera toujours une certaine prévention à son endroit, un peu par jalousie, un peu parce qu'elle est choquée de le voir vivre sans être marié avec des femmes qui se succèdent sans cesse.

Les deux amis parlent tout de suite de l'ouvrage que leur ancienne idole, Feuerbach, vient de publier à Berlin, *Essai sur la religion*, dans lequel il abandonne l'humanisme pour s'orienter vers un naturalisme de plus en plus appauvri où Dieu n'est plus qu'un reflet de la nature. Comme Karl ne sait pas résister à l'appel de la polémique, dès le mois de mai 1845 il décide de retarder la rédaction du livre d'économie promis à son éditeur pour écrire avec Friedrich, sans intention de le publier (encore pour éviter un arrachement), un texte visant à « régler leurs comptes avec leur conscience philosophique d'autrefois[16] », cette fois uniquement avec Feuerbach.

Karl et Friedrich piétinent alors la critique de la religion de Feuerbach, qu'ils rejettent en ce qu'elle n'est fondée que sur une conception individualiste de l'homme : « L'essence de l'homme n'est pas une abstraction inhérente à l'individu isolé. Dans sa réalité, elle est l'ensemble des rapports sociaux [...]. Toute vie sociale est essentiellement pratique. Tous les mystères qui portent la théorie vers le mysticisme trouvent leur solution rationnelle dans la pratique humaine et dans la compréhension de cette pratique[16]. » Ils critiquent l'« ancien matérialisme » de Feuerbach, un « matérialisme intuitif » : « Le plus haut point auquel arrive le matérialisme intuitif, c'est-à-dire le matérialisme qui ne conçoit pas le sensible comme activité pratique, c'est l'intuition des individus isolés et de la société bourgeoise [...]. L'objet, la réalité, le monde sensible ne doivent pas être saisis sous la forme d'objet ou d'intuition, [mais] en tant qu'activité humaine concrète, de façon objective[16]. » Ils résument tout cela en une série de onze thèses à l'énoncé très ramassé, dont la plus connue et la plus importante est la dernière : « Jusqu'à présent, les philosophes n'ont fait qu'interpréter le monde de diverses manières ; ce qui importe, c'est de le transformer[16] » – ce qui définit l'agenda de tout leur travail à venir.

Une fois ce texte au point, les deux amis le mettent de côté : il n'a été pour eux qu'une façon de mettre leurs idées au clair. Karl en est heureux : il a enfin trouvé quelqu'un qui, comme lui, n'aime point se séparer de son œuvre et vit, comme lui, l'aliénation du travail, sous ses trois formes, comme une intolérable souffrance.

En juillet 1845, Marx accompagne son ami en Angleterre. Ils y passent six semaines. Jenny, qui doit accoucher en septembre, aurait sans doute préféré que son époux demeure auprès d'elle. Mais ce voyage est pour Karl un éblouissement : il a la révélation de la liberté qui règne dans la monarchie britannique et de la puissance du capitalisme anglais. À Londres, ils rencontrent nombre de réfugiés allemands, dont Ferdinand Freiligrath, poète assez réputé, qui s'est retourné contre Frédéric-Guillaume IV et qui travaille maintenant dans une banque de la City ; il deviendra l'un de leurs plus proches compagnons. Engels présente Marx à divers dirigeants ouvriers, dont George Julian Harney, leader d'une Ligue des justes qui se veut « révolutionnaire et internationale » ; l'organisation, décimée naguère à Paris, s'est reconstituée à Londres en 1840 avec divers rescapés : l'horloger Moll, le tailleur Eccarius, Schapper et Heinrich Bauer. Elle est composée de quelques artisans londoniens et d'un groupe de socialistes allemands exilés à Londres ; elle dispose de relais clandestins dans une dizaine de villes allemandes, sous couvert d'une respectable Association éducative des ouvriers allemands qui se dévoue à l'éducation populaire[277]. Harney propose aux deux amis d'écrire pour le journal des chartistes, le *Northern Star*, ce qu'ils acceptent, mais pour plus tard. Ils se rendent aussi à Manchester où la famille d'Engels possède une usine. Il explique à Karl comment puiser dans les ressources insoupçonnées de la bibliothèque de la ville. De retour à Londres, ils sont associés aux discussions préparatoires à la création d'une Société des démocrates fraternels qui sera fondée juste après leur départ, le 22 septembre 1845, entre des membres de la Ligue des justes et des émigrés de toutes les nationalités.

Marx et Engels trouvent que l'idée d'une organisation internationale rassemblant tous les révolutionnaires européens est intéressante en soi, mais que sa concrétisation dans la Ligue des justes, l'Association éducative des ouvriers allemands ou la Société des démocrates fraternels reste par trop médiocre. Au cours de leurs soirées bien arrosées, ils rêvent de réunir autour d'eux l'ensemble des révolutionnaires, ouvriers et intellectuels, de France, d'Allemagne, d'Angleterre, de Russie et d'Italie. Ils imaginent une Société des démocrates de toutes les nations qui organiserait un échange d'informations entre les acteurs des mouvements démocratiques et révolutionnaires de tous les pays et œuvrerait à l'élargissement des droits politiques et sociaux des travailleurs.

Ils regagnent Bruxelles à la veille de la naissance de la deuxième fille de Karl, Laura, le 26 septembre 1845, au moment où paraissent une critique de *L'Unique* de Stirner par Feuerbach et la réplique de Stirner.

Avec deux enfants, la situation matérielle des Marx se dégrade. Karl ne dispose d'aucune source de revenu ; ses maigres réserves s'épuisent. Sa mère ne peut toujours pas lui verser sa part de l'héritage paternel qu'elle a confirmé lui devoir. Quant à Engels, qui l'aide comme il peut, il n'a pas accès aux richesses de sa famille et demande des comptes à son ami chaque fois que celui-ci veut lui emprunter quelque somme.

Comme beaucoup d'autres Allemands de l'époque, Karl envisage alors de s'exiler aux États-Unis, où l'économie est prospère et où la colonisation progresse, en particulier avec l'annexion du Texas qui provoque alors une guerre avec le Mexique.

Le 17 octobre 1845, Karl adresse au bourgmestre de Trèves une demande de passeport prussien pour pouvoir émigrer outre-Atlantique[213]. Toujours sous le coup d'un mandat d'amener, il se le voit refuser. Dans une lettre du 10 novembre 1845, il renonce alors à sa nationalité. Le voilà désormais apatride. Il décide de ne pas quitter Bruxelles

Sa vie sera donc ancrée en Europe. Il se remet à travailler à la *Critique de la politique et de l'économie politique*, le livre commandé par Karl Leske, l'éditeur de Darmstadt, juste avant son départ de Paris quatre mois plus tôt.

Mais, encore une fois, incapable de laisser une œuvre achevée se détacher de lui, il ne s'y attelle pas vraiment et décide d'en finir au préalable avec la philosophie allemande – avec son propre passé. Longtemps encore, il trouvera d'autres prétextes pour ne pas finir cet ouvrage qui ne paraîtra qu'en plusieurs épisodes, le premier douze ans plus tard, et qu'il laissera inachevé à sa mort. Ses proches le lui reprocheront : « Jamais Marx n'était satisfait de son travail, toujours il y apportait des changements, et toujours il trouvait que l'expression était inférieure à la conception...[161] »

Ses biographes omettent souvent de signaler que Marx publie, au début de 1846, un essai sur le suicide[248] dans une revue dirigée par Moses Hess, *Miroir de la société*. Quand, après la Seconde Guerre mondiale, on publiera en Allemagne de l'Est les Œuvres complètes de Marx, ce texte-là sera oublié[248]. Peut-être la raison en est-elle qu'elle démarque la traduction d'un livre du Français Jacques Peuchet, archiviste de la police, mort en 1830 ? En fait,

Marx transforme ce texte en le traduisant et en le citant. Peuchet évoque des suicides consécutifs à des faillites provoquées par des conflits individuels ou des passions incontrôlées, d'une façon qui n'est pas sans rappeler l'écrivain français que Karl préfère : Honoré de Balzac. Marx a probablement lu Peuchet en 1844, alors qu'il projetait d'écrire sur la Révolution française. Il biffe dans le texte de Peuchet les développements religieux et y substitue des éléments de sa propre analyse sociale[248]. Il donne aussi une tournure beaucoup plus révolutionnaire à l'original. En revanche, il ne minimise pas l'importance que Peuchet accorde à l'expérience familiale dans la qualité de vie d'un individu. Il en profite pour ajouter une remarque sur l'« autorité paternelle absolue », qu'il compare à la subordination et à la dépendance qui prévalent dans la société civile[248]. Pour autant, rien de tout cela ne permet d'inférer le moins du monde que Marx ait lui-même envisagé le suicide, même s'il succombera plusieurs fois à la dépression. Dans la préface de cet essai, Marx le présente « comme un exemple de la façon dont la critique sociale moderne en France révèle les contradictions et les monstruosités présentes dans tous les aspects de la vie moderne[248] ».

De septembre 1845 à août 1846, Karl et Friedrich rédigent un nouveau texte contre Feuerbach et Stirner. Plus dur que *La Sainte Famille*, plus précis : ce sera *L'Idéologie allemande*[14], un de leurs ouvrages les plus importants mais qui ne trouvera pas d'éditeur. Karl expliquera un peu plus tard, avec beaucoup de lucidité, les motivations de ce travail : « Nous résolûmes de travailler en commun à dégager l'antagonisme existant entre notre manière de voir et la conception idéologique de la philosophie allemande : en fait, de régler nos comptes avec notre conscience philosophique d'autrefois [...]. Friedrich Engels était arrivé par une autre voie que moi (cf. *La Situation de la classe laborieuse en Angleterre*) au même résultat que moi, et lorsqu'il vint également s'établir à Bruxelles au printemps 1845, nous décidâmes d'exposer la différence fondamentale qui séparait nos conceptions des conceptions de la philosophie allemande, c'est-à-dire, en fait, de rompre avec notre propre passé philosophique. Ce projet trouva à se concrétiser sous la forme d'une critique de la philosophie post-hégélienne[15]. »

En fait de critique de l'idéologie allemande, leur livre s'en prend encore principalement à Stirner (à qui sont consacrées 499 pages sur les 596 de l'édition originale !). Marx et Engels lui reprochent de se contenter de dénoncer les institutions sans étudier leur genèse dans des situations sociales précises. Ils proposent d'évaluer les idées et les institutions à l'aune des intérêts matériels qu'elles expriment. Ils font grief aux socialistes allemands – leurs anciens amis de Berlin, réunis autour de Bauer, et qu'ils désignent sous le nom de « socialistes vrais » – d'ignorer « tout des conditions réelles de la production et de la consommation[14] », de penser le communisme comme un système abstrait, indépendant des besoins d'une époque déterminée. Les communistes, disent-ils dans un raccourci saisissant, « pensent et agissent pour le temps, les Allemands pour l'éternité[14] ». Comme l'Histoire obéit à une logique qui en constitue la « force motrice[14] », le communisme ne sera possible que lorsque la conscience des travailleurs, dans des circonstances historiques déterminées, leur permettra de devenir révolutionnaires. « Les prolétaires [...] se trouvent [...] en opposition directe avec la forme que les individus de la société ont jusqu'à présent choisie comme expression d'ensemble, c'est-à-dire en opposition avec l'État ; et il leur faut renverser l'État pour réaliser leur personnalité » (1A).

L'Idéologie allemande constitue un bouleversement majeur de la pensée politique et sociale européenne. Pour cinq raisons :

D'abord, on y trouve pour la première fois une formalisation du concept d'idéologie et l'énoncé des conditions sociales et intellectuelles nécessaires à une révolution : les facteurs économiques sont les facteurs explicatifs « en dernière analyse », et toute idée doit être expliquée par le contexte historique dans lequel elle a été formulée. « Dans toute l'idéologie, les hommes et leurs rapports nous apparaissent placés la tête en bas comme dans une *camera oscura*[14]. » Marx et Engels utilisent encore le concept d'aliénation – pour, disent-ils, « que notre exposé reste intelligible aux philosophes[14] » – et ils en font la base de leur analyse des idéologies : la « superstructure » de la société (la religion, l'art, les idées) vise à justifier son « infrastructure »(l'économie, le réel). Autrement dit, la superstructure organise l'aliénation que détermine l'infrastructure[14]. Karl et Friedrich ajoutent à ce point quatre autres conclusions essentielles qui reviendront souvent dans l'œuvre de Marx, mais que la plupart de ses épigones ont plus ou moins négligées.

D'abord, même si l'idéologie dominante est celle de la classe dirigeante, des maîtres de l'économie, l'action et la pensée humaines ne sont pas pour autant prisonnières des facteurs économiques ou sociaux ; les opprimés peuvent se rebeller en s'ouvrant à une « conscience de classe ». De même, il peut y avoir des œuvres d'art libres, sans relation avec le rapport de forces économique, même s'« il n'y a pas d'histoire de la politique, du droit, de la science, etc., de l'art, de la religion, etc.[14] », qui soit indépendante de l'histoire de la production.

Ensuite, le capitalisme est un préalable obligé au communisme : « Le capitalisme est une condition préalable [au communisme] absolument indispensable, car, sans lui, c'est la pénurie qui deviendrait générale et, avec le besoin, c'est aussi la lutte pour le nécessaire qui recommencerait, et l'on retomberait fatalement dans la vieille gadoue[14]. »

Ensuite, le communisme n'est pas une société idéale aux contours figés une fois pour toutes, mais un « mouvement » vers la liberté individuelle sans cesse à conquérir et à inventer : « Le communisme n'est pas pour nous un état qui doit être créé, ni un idéal sur lequel la réalité devra se régler. Nous appelons communisme le mouvement réel qui abolit l'état actuel. [...] Dans la société communiste où chacun n'a pas une sphère d'activité exclusive, mais peut se perfectionner dans la branche qui lui plaît, la société réglemente la production générale, ce qui crée pour moi la possibilité de faire aujourd'hui telle chose, demain telle autre, de chasser le matin, de pêcher l'après-midi, de pratiquer l'élevage le soir, de faire de la critique après le repas, selon mon bon plaisir, sans jamais devenir chasseur, pêcheur ou critique. » C'est pourquoi, par exemple, « dans une société communiste, il n'y aura plus de peintres, mais tout au plus des gens qui, entre autres choses, feront de la peinture. [...] Par la révolution communiste [...] et par l'abolition de la propriété privée qui ne fait qu'un avec elle [...], chaque individu [...] sera [...] mis en état d'acquérir la capacité de jouir de la production du monde entier dans tous les domaines[14] ». (On retrouve là une recommandation de Heinrich Marx exhortant son fils à ne pas cultiver seulement ses capacités intellectuelles, mais aussi ses aptitudes physiques, morales, artistiques et politiques.)

Enfin, le communisme ne peut être que mondial : « Empiriquement, le communisme n'est réalisable qu'à travers l'action immédiate et simultanée des populations majoritaires, ce qui présuppose le développement universel des forces de production et des relations internationales qui y sont rattachées [...]. Le prolétariat ne peut ainsi exister qu'au sein de l'histoire mondiale ; comme le communisme, ses activités ne peuvent avoir qu'une existence "historico-mondiale"[14]. »

En résumé, pour Marx et Engels, le capitalisme mondial est un préalable nécessaire au communisme, et celui-ci ne saurait s'instaurer que comme système planétaire ; il sera sans cesse en changement vers plus de liberté individuelle, et ne pourra résulter que d'une révolte contre l'idéologie dominante dans la phase d'achèvement du capitalisme devenu mondial.

On devine, dans l'écriture de ce texte, la jubilation de la découverte, la joie d'avoir trouvé une façon d'affronter le géant Hegel et de se débarrasser une bonne fois de tous ses disciples, de Feuerbach à Stirner.

Pourtant, ce livre fondamental, qui marque un tournant sans précédent dans la réflexion de l'homme sur lui-même, n'est pas publié, faute d'éditeur.

Les deux amis ne le regrettent pas. Marx écrira plus tard avec sérénité : « Le manuscrit, deux forts volumes in-octavo, était depuis longtemps entre les mains de l'éditeur, en Westphalie, lorsque nous apprîmes que des circonstances nouvelles n'en permettaient plus l'impression. Nous abandonnâmes d'autant plus volontiers le manuscrit à la critique rongeuse des souris que nous avions atteint notre but principal : voir clair en nous-mêmes[15]. »

Encore une fois le refus de l'arrachement. Friedrich, qui n'est pas de la même trempe, semble plus déçu que Karl de voir leur commun travail rester sans débouché.

L'action vient les distraire de cet échec. Le moment est venu pour eux, comme ils en ont rêvé depuis leur séjour à Londres, de passer à l'action politique, de se placer au cœur du réseau révolutionnaire européen, et même, pourquoi pas – ils ne doutent de rien –, d'en prendre le contrôle. Après ce qu'ils ont vu à Londres, plus question de se contenter de théorie, pas même d'une théorie de l'action. Il faut agir. Et ne pas craindre la concurrence des groupuscules londoniens.

À la fin de mars 1846, Marx assiste à un congrès de journalistes communistes à Bruxelles[248]. Il y soutient l'idée que, avant l'avènement de la révolution communiste, la société devra passer par une phase au cours de laquelle c'est la bourgeoisie qui détiendra le pouvoir. Il entend procéder à une « purification » du communisme en combattant à la fois les « artisans » et les « philosophes ». D'après Wilhelm Weitling, qui représente un de ces deux courants et qui participe au meeting, Marx s'y montre aussi excité que véhément. Le congrès se termine dans un grand tumulte, Marx et d'autres hurlant et gesticulant dans la salle[248].

Au début du printemps de cette même année, alors qu'ils parachèvent la rédaction de leur ouvrage, les deux amis fondent à Bruxelles une institution copiée sur la Ligue des justes de Londres et la Ligue des bannis de Weitling dissoute à Paris qu'ils nomment « Comité de correspondance communiste ». Si l'objectif officiel du nouveau groupuscule (qui compte quatorze membres !) n'est que de « maintenir un échange continuel entre la Ligue des justes et toutes les organisations socialistes d'Europe », leur ambition est en réalité de remplacer la Ligue londonienne pour se placer au centre de l'action révolutionnaire en Europe. Karl et Friedrich proposent alors aux principaux réfugiés de Bruxelles de figurer parmi les membres fondateurs de leur groupe. Il y en a de toutes sortes : un tailleur allemand, Wilhelm Weitling ; un bourgeois juif de Cologne, Moses Hess ; un ex-officier d'artillerie prussien, Hermann Kriege ; un écrivain russe, Pavel Annenkov ; un noble prussien, le frère de Jenny, Edgar von Westphalen. Tel est le premier noyau de ce qui deviendra l'organisation communiste internationale. S'y ajoute un journaliste allemand, installé à New York, Karl Grün.

Vite expert dans l'art d'organiser des machines de pouvoir, Karl dote ce Comité de correspondance communiste de règles qui lui permettent d'exclure quiconque transgresserait la ligne qu'il aura lui-même fixée. Les exclusions ne vont pas tarder.

Le premier à partir est Weitling, qui excède maintenant Marx par sa suffisance. Dès la première réunion, Karl exige en effet des membres de son Comité de réfuter le « socialisme vrai », c'est-à-dire l'idée d'un bien commun à tous les hommes. Weitling et Grün ne sont pas d'accord : à l'instar de Proudhon, ils pensent qu'il existe quelque chose comme un « bien de l'humanité », que la victoire de la bourgeoisie et de la démocratie parlementaire constituerait en soi un formidable progrès dont les ouvriers bénéficieraient. Weitling ajoute que les ouvriers doivent lire la brochure qu'il vient de faire publier en Suisse et où il se compare à Jésus-Christ ! Selon Annenkov, chargé de dresser le procès-verbal détaillé de la soirée, Marx se déchaîne alors : « Dites-nous, Weitling, vous qui avez fait tant de bruit en Allemagne avec vos prêches communistes, quels sont les fondements théoriques de vos activités social-révolutionnaires ? Sur quelle théorie espérez-vous les fonder à l'avenir ? Sans une doctrine claire, le peuple ne peut rien faire, sinon du bruit et des révoltes vouées à l'échec, qui sapent notre cause ! » Et quand Weitling explique que les ouvriers n'ont qu'à lire ses propres textes, Karl explose, tapant du poing sur la table et vociférant : « L'ignorance n'a jamais aidé personne ! » Weitling claque alors la porte, suivi de Grün par solidarité.

Un mois plus tard, dans une lettre à Hess qui a assisté à la réunion, Weitling donne sa propre version de sa rupture avec Marx[230] : « Je suis arrivé à la conclusion qu'il ne peut être question actuellement de la réalisation du communisme en Allemagne ; c'est d'abord à la bourgeoisie de s'emparer du pouvoir. »

Après Weitling et Grün, c'est Hess qui quitte le Comité, effrayé par la tournure que prend l'affaire et attiré par d'autres aventures : après avoir inspiré à Marx, dans son premier texte sur Hegel, la formule dénonçant la religion comme l'« opium du peuple », il deviendra bientôt le premier partisan du nationalisme juif et l'inventeur du sionisme.

Marx cherche alors à donner une dimension internationale à son Comité. Le 2 mai 1846, il écrit à Proudhon, qui vient de publier une *Philosophie de la misère*[227], pour lui proposer d'être son correspondant à Paris. Dans son nouveau livre, Proudhon écrit que l'Histoire est un « travail de nivellement » qui traverse quatre âges : l'âge du langage, l'âge psychique, l'âge révolutionnaire – « où le genre humain cherche la théorie de ses lois morales et économiques et s'efforce de la réaliser par la politique et la religion[227] » –, enfin l'âge social où le principe économique s'appuie « sur les deux grands principes antérieurs de religion et de gouvernement[27] ». Il distingue la « propriété » de la « possession » pour garantir la liberté individuelle contre la contrainte sociale : « Supprimez la propriété en conservant la possession, et, par cette seule modification dans le principe, vous changerez tout dans les lois, le gouvernement, l'économie, les institutions[227]. »

Dans sa lettre au plus célèbre des socialistes français, Karl ne peut s'empêcher, en post-scriptum, de le mettre en garde contre Grün qui vient d'emboîter le pas à Weitling. Or Grün est un ami de Proudhon.

Le quatrième exclu, le 11 mai 1846, est l'officier Kriege, que Marx exclut dans le même temps qu'il accepte la démission de Grün sous prétexte d'un désaccord sur le financement du Comité.

L'histoire de cette exclusion vaut d'être contée. Hermann Kriege, installé à New York, y a fondé la *Volks-Tribune*. Karl l'a nommé pompeusement « correspondant » de la moribonde Ligue communiste ; Kriege a l'idée malencontreuse de proposer le partage du territoire américain en lots égaux, cédés en toute propriété à des paysans. Sacrilège ! Karl convoque une réunion de l'autorité de la Ligue afin de dénoncer Kriege pour apologie de la propriété privée ; il rédige une *Circulaire contre Kriege*, où les présents décident l'exclusion du journaliste et le font savoir à la terre entière. Le 17 mai, Proudhon refuse de rallier le Comité – à moins, expliquera-t-il plus tard, que Marx ne consente, par « une bonne et loyale polémique, à donner au monde l'exemple d'une tolérance savante et prévoyante[225] ». Il ajoute : « Par Dieu ! Après avoir démoli tous les dogmatismes *a priori*, ne songeons point à notre tour à endoctriner le peuple[225] ! » Les positions des deux hommes semblent inconciliables.

Karl trouve ainsi une nouvelle cible pour ses sarcasmes. Après *L'Idéologie allemande*, au lieu de se remettre au livre d'économie promis à son éditeur pour le mois de juillet de l'année précédente, il se lance dans la rédaction d'une réponse à la *Philosophie de la misère* de Proudhon. Dans un texte ironiquement intitulé *Misère de la philosophie*[24], il commence par une analyse de la démocratie sans classes à venir : « Est-ce à dire qu'après la chute de l'ancienne société, il y aura une nouvelle domination de classe se résumant dans un nouveau pouvoir politique ? Non ! [...] La classe laborieuse substituera, dans le cours de son développement, à l'ancienne société civile une association qui exclura les classes et leur antagonisme, et il n'y aura plus de pouvoir politique proprement dit, puisque le pouvoir politique est précisément le résumé officiel de l'antagonisme dans la société civile [...]. Ne dites pas que le mouvement social exclut le mouvement politique. Il n'y a jamais de mouvement politique qui ne soit social en même temps. Ce n'est que dans un ordre des choses où il n'y aura plus de classes et d'antagonismes de classes que les évolutions sociales cesseront d'être des révolutions politiques[24]... » Puis Marx démolit celui qu'il admirait encore quelques jours auparavant, faisant montre d'une extrême cruauté et d'une infinie mauvaise foi : « En France, il [Proudhon] a le droit d'être mauvais économiste, parce qu'il passe pour un bon philosophe allemand. En Allemagne, il a le droit d'être mauvais philosophe, parce qu'il passe pour être un économiste des plus forts. Nous, en notre qualité d'Allemand et d'économiste, nous avons voulu protester contre cette double erreur. » Un peu plus tard, Marx déclarera même, plus férocement encore : « Il veut planer en homme de science au-dessus des bourgeois et des prolétaires ; il n'est qu'un petit bourgeois ballotté constamment entre le capital et le travail, entre l'économie politique et le communisme[24]... »

Marx ne reniera jamais ce texte, déclarant en 1880, que « la lecture de la *Misère de la philosophie* et du *Manifeste du Parti communiste* pourra servir d'introduction à la lecture du *Capital*. [...] *Misère de la philosophie* contient les germes de la théorie développée, après vingt ans de travail, dans *Le Capital* ».

En juin de cette même année 1846, alors que le Parlement anglais abolit les *Corn Laws* qui taxait les importations de blé étranger, annonçant ainsi les débuts du libre échange, Karl s'emploie à remplacer les exclus du Comité. Il rencontre Wilhelm Wolff, personnage pathétique qui deviendra son plus fidèle soutien. Fils d'ouvriers agricoles silésiens, Wolff a grandi dans la misère et la peur, en butte aux moqueries des rejetons de châtelains ; avec l'aide d'un ecclésiastique, il a réussi à entrer au lycée, puis à l'université, à faire des études de philologie et à devenir l'animateur de la corporation étudiante de Breslau. Après quatre ans de prison pour propagande communiste, il a pu s'exiler à Bruxelles. « Un homme rare sous une apparence insignifiante », juge Engels dès leur première rencontre. Wolff, que Karl surnomme « Lupus » – traduction latine de son nom allemand –, entre d'emblée au Comité de correspondance communiste bruxellois. Plus tard, Marx dédiera *Le Capital* à ce fidèle compagnon.

À vingt-huit ans, Marx se veut désormais un homme d'action autant qu'un écrivain. Selon un visiteur de cette époque[248], il « est le type d'homme qui est fait d'énergie et d'une conviction inébranlable [...]. Il parlait toujours d'une façon péremptoire qui ne souffrait aucune contradiction. Son ton brutal, sans appel, définitif, exprimait la certitude que sa mission était de dominer tous les esprits et de leur fournir des lois. Je voyais devant moi l'incarnation d'un "dictateur démocratique" ».

En octobre 1846, Marx perd l'avant-dernier des membres fondateurs de son groupe : Edgar, le frère de Jenny, décide de partir pour l'Amérique. Ayant rassemblé quelque argent qu'il a emprunté en partie à son demi-frère Ferdinand (qui réussit on ne peut mieux à Berlin dans les milieux les plus réactionnaires), il s'en va pour le Texas, abandonnant sa fiancée à Bruxelles. Jenny est très peinée par le départ de son frère. Karl est plutôt soulagé du départ de celui qu'il n'appelle plus que « ce fainéant d'Edgar ».

À la fin de novembre, des ouvriers de Cracovie se révoltent contre leurs patrons et déclenchent des émeutes, ce qui entraîne une intervention de l'Autriche qui annexe la ville. Grosse émotion en Europe. À Paris, Frédéric Chopin, malade, compose alors sa plus belle barcarolle en hommage à ses compatriotes. Marx écrit plusieurs articles soutenant la cause des ouvriers polonais écartelés entre les occupants russes et autrichiens et leurs patrons polonais. Nombre de dirigeants socialistes évoquent alors la nécessité de créer une véritable solidarité internationale ouvrière pour faire face à de telles situations. Karl pense plus que jamais que son Comité de correspondance doit assumer ce rôle. Pour cela, il lui faut tisser un réseau international et prendre le pouvoir au sein de la Ligue de Londres.

À la fin de l'année, il envoie Engels à Paris pour former avec les militants français et les réfugiés allemands un Comité parisien rattaché au sien. Sous prétexte de les soustraire à l'influence du « communisme artisanal et philosophique » de Grün et Proudhon, Engels crée à Paris un groupuscule, se fait désigner comme son chef et s'en retourne à Bruxelles.

En janvier 1847, à Londres, l'Autorité centrale de la Ligue des justes commence à s'intéresser à ce Comité bruxellois, si dynamique ; elle dépêche un de ses membres en Belgique pour proposer au Comité de se rattacher à elle. Marx et Engels acceptent, convaincus qu'ils pourront prendre le pouvoir dans la Ligue du jour où ils y seront admis. En mars, le Comité bruxellois s'affilie donc officiellement à l'Autorité centrale de la Ligue des justes et change son appellation en « Commune de Bruxelles ». Au même moment, Karl se met à écrire pour un journal allemand édité à Bruxelles, la *Deutsche-Brüsseler Zeitung*. Du coup, lui qui s'était engagé, pour s'établir en Belgique, à s'abstenir de faire de la politique, commence à être surveillé par les autorités policières.

Cette année-là, la situation économique générale se dégrade. Les mauvaises récoltes, en partie dues à une maladie de la pomme de terre et à de mauvaises conditions météorologiques, entraînent une hausse des prix des produits agricoles ; les famines font en Europe plus d'un demi-million de morts. Cette nouvelle crise ne ressemble plus tout à fait aux crises agricoles du passé, car s'y ajoutent une surproduction des produits industriels, des faillites de fabriques, l'aggravation du chômage ouvrier. En Angleterre, l'industrie du coton et les compagnies ferroviaires sont en crise. Des troubles à caractère social éclatent partout sur le continent : attentats contre les transporteurs de grain en France, émeutes de la faim en Wurtemberg, révoltes du pain à Gênes, pillage des boulangeries viennoises...

À Paris, alors qu'Abel Niépce de Saint-Victor, neveu de Nicéphore, réalise la première photographie sur plaque de verre, la gauche manifeste. Marx publie dans le *Vorwärts*, autorisé à reparaître, un article à l'occasion du troisième anniversaire de la révolte des tisserands silésiens, qui voisine avec un poème de Heine sur le même sujet :

Dans leurs yeux sombres, pas une larme.
Assis au métier, ils serrent les dents.
Allemagne, nous tissons ton linceul.
Nous mêlons à la trame la triple malédiction.
Nous tissons, nous tissons.

Le 1er juin 1847, le congrès de la Ligue des justes ratifie à Londres l'affiliation du Comité belge et absorbe la Société des démocrates fraternels. Engels participe à ce congrès en tant que délégué de la section parisienne de la Commune de Bruxelles ; Wolff y représente cette dernière. Faute d'argent, Marx est resté en Belgique, mais son influence est devenue considérable, car ses hommes sont en situation de force au sein de la Ligue et il a aidé Joseph Moll à préparer la réunion. Il s'agit de « remplacer le mélange de communisme franco-anglais et de philosophie allemande, qui constituait la doctrine secrète de la Ligue[248] », par une vision scientifique qui puisse servir le combat de l'avant-garde ouvrière. La Ligue des justes doit abandonner sa forme de société secrète de conspirateurs[248]. À l'initiative de Marx, elle change de nom et devient le Bund der Kommunisten (Ligue des communistes) afin de se démarquer des socialistes « vrais » ou « faux ». Elle change aussi de devise : au lieu du « Tous les hommes sont frères » du poète Robert Burns, ce sera désormais : « Prolétaires de tous les pays, unissez-vous ! », slogan surgi des révoltes ouvrières parisiennes. Engels est chargé de rédiger la profession de foi de la nouvelle organisation.

Pour expliquer l'ascendant de Karl, un de ses collaborateurs ultérieurs, qui ne le connaît pas encore, rapporte avoir entendu dire par ses vieux compagnons : « Les membres de la Ligue des communistes l'appelaient le "père Marx", bien qu'il n'eût pas encore atteint la trentaine [...]. Marx était en effet solidement bâti : d'une taille au-dessus de la moyenne, les épaules larges, la poitrine bien développée, il avait le corps bien proportionné, quoique le tronc fût un peu trop long par rapport aux jambes, ce qui est fréquent chez les Juifs. S'il avait fait de la gymnastique dans sa jeunesse, il serait devenu extrêmement fort. Le seul exercice physique qu'il pratiquait régulièrement était la marche ; il pouvait marcher ou gravir des collines pendant des heures, en bavardant et en fumant, sans ressentir la moindre fatigue [...]. On peut affirmer que, dans son cabinet, il travaillait en marchant, ne s'asseyant que pour de courts moments afin d'écrire ce que son cerveau avait élaboré tandis qu'il allait et venait dans la pièce. Même en conversant, il aimait marcher, s'arrêtant de temps en temps quand la discussion s'animait ou que l'entretien prenait de l'importance[161]. »

Pour grossir les rangs de ses partisans et acquérir une position de force à l'intérieur de la nouvelle Ligue des communistes, Marx fonde à Bruxelles, en août 1847, une Association des ouvriers allemands sur le modèle de celle qu'il a vue fonctionner à Londres, et à laquelle il songe depuis deux ans. C'est une organisation de masse qui propose aux travailleurs allemands non politisés établis en Belgique des loisirs allant de l'instruction générale et civique aux jeux, au chant et à des formes d'initiation à l'art dramatique. Présidée par Moses Hess qui conserve encore ce lien avec Marx, avec Wilhelm Wolff comme trésorier, elle organise, le mercredi, un débat sur les questions ouvrières et, le dimanche, une discussion politique (les femmes peuvent y assister). L'Association des ouvriers allemands se met en relation avec des sociétés ouvrières flamandes et wallonnes, et détache ses membres les plus actifs et les plus politiquement motivés à la Commune bruxelloise de la Ligue.

Au début de septembre 1847, quand paraît à Bruxelles *Misère de la philosophie*, son livre contre Proudhon rédigé directement en français, la rupture de Marx avec les pères français du socialisme est consommée. L'ouvrage est remarqué, mais ne rapporte rien à son auteur. Karl emprunte alors de droite et de gauche pour survivre et écrit – en s'en plaignant à Pavel Annenkov, qui lui sert alors de secrétaire – que « le revenu de ma femme ne suffit pas », ce qui sous-entend qu'elle reçoit encore quelque subside de Trèves.

À Paris, les aspirations républicaines semblent retrouver de la vigueur après dix-sept ans de sommeil. À Paris, le 9 juillet 1847, une « campagne des banquets » rassemble en France toute l'opposition républicaine autour d'une revendication unique : la réforme électorale. Le banquet est un moyen de déjouer l'interdiction policière de se livrer à la propagande.

En septembre 1847, au moment même où, à Londres, la Ligue fait paraître le premier numéro de sa revue avec, en exergue, la devise « Prolétaires de tous les pays, unissez-vous ! », Karl participe à Bruxelles à un banquet pour célébrer la fraternisation universelle des travailleurs. On compte cent vingt invités : Belges, Allemands, Suisses, Français, Polonais, un Italien et un Russe. À cette occasion est décidée la création d'une Association démocratique pour l'union de tous les pays. Parmi les Allemands : Karl Marx, Moses Hess, Georg Weerth, les deux Wolff, Stephan Born, Bornstaedt. La première manifestation importante de cette société est la commémoration de l'insurrection polonaise du 29 novembre. Marx affilie l'Association démocratique, structure belge, à la Ligue, et entend en faire un parti politique belge où se retrouveraient les « révolutionnaires prolétariens ».

Lui arrive alors la meilleure nouvelle qu'il pouvait espérer : un fils lui est né, que Jenny décide de prénommer Edgar en l'honneur de son frère parti en Amérique. Karl espérait depuis longtemps un fils avec lequel il pourrait avoir les mêmes relations que lui avec son père.

En octobre, dans un très important article publié par le journal allemand de Bruxelles, la *Deutsche-Brüsseler Zeitung*, sous le titre « La critique moralisante », Marx expose une idée qu'il a déjà développée sans l'avoir encore publiée : la révolution socialiste n'adviendra que bien après la révolution bourgeoise. Si « le prolétariat renverse la domination politique de la bourgeoisie, sa victoire constituera seulement une étape dans le processus de la révolution bourgeoise elle-même, et servira la cause de celle-ci ». Le prolétariat ne pourra remporter une véritable victoire sur la bourgeoisie que lorsque « la marche de l'Histoire aura élaboré les facteurs matériels qui créeront la nécessité de mettre fin aux méthodes bourgeoises de la production et, en conséquence, à la domination politique de la bourgeoisie[28] ». Prenant parti contre la Terreur, Marx écrit magnifiquement : « Le règne de la Terreur en France a seulement servi à effacer, comme par miracle, sous ses terribles coups de massue, toutes les ruines de la féodalité de la surface de la France. Avec sa circonspection timorée, la bourgeoisie n'aurait pas pu venir à bout de ce travail en plusieurs décennies. Par conséquent, les actes sanglants du peuple ont servi seulement à niveler la route de la bourgeoisie[28]. » C'est dans le cadre de la démocratie parlementaire que naîtra le débat politique nécessaire à l'émergence de la conscience politique du prolétariat : « Tout comme en Angleterre les ouvriers constituent un parti politique sous le nom de *chartistes*, ils constituent en Amérique du Nord un parti politique sous le nom de *réformateurs nationaux* ; leur cri de guerre n'est nullement "monarchie ou république", mais "domination de la classe ouvrière ou domination de la classe bourgeoise". C'est précisément dans la société bourgeoise moderne, avec ses formes politiques correspondantes – État représentatif, constitutionnel ou républicain –, que la "question de la propriété" est devenue la "question sociale" la plus importante[28]. »

On est loin, dans ce texte, de l'usage qui sera fait de sa pensée : Marx est contre la Terreur, qui n'a servi à ses yeux que la bourgeoisie ; il est hostile à toute révolution dans les pays où capitalisme et démocratie ne sont pas encore suffisamment développés ; il pense que c'est seulement dans le cadre de la démocratie parlementaire que pourra naître la conscience révolutionnaire de la classe ouvrière. On peut comprendre, à lire ce texte, pourquoi il ne croira jamais à la réussite d'une révolution communiste dans la seule Russie.

En octobre 1847, Karl, par le truchement de son beau-frère Schmalhausen, de Maastricht, négocie avec sa mère la restitution de sa part de l'héritage paternel[101]. En vain.

Le 15 novembre 1847, il accepte d'être porté à la vice-présidence de l'Association démocratique, dont le président est le Belge Lucien Jottrand et dont l'objectif est désormais ouvertement de créer « progressivement un parti démocratique fort, uni et organisé en Belgique ». Marx est alors en rupture complète avec l'engagement qu'il a pris, à son arrivée à Bruxelles, de ne pas se mêler de politique. Le pouvoir belge ne le lui reproche pourtant pas encore, mais la surveillance dont il fait l'objet se resserre.

Le 29 novembre, à Paris, au cours d'un banquet commémoratif célébrant à la fois le premier anniversaire de l'écrasement de l'insurrection de Cracovie et la révolte polonaise de 1830, Bakounine, qui se trouve encore dans la capitale française, exhorte Polonais et Russes « à s'unir contre le joug étranger ». Il est expulsé de France, à la requête de l'ambassadeur russe Kisselev, et se réfugie en Suisse.

Le même jour s'ouvre à Londres le IIe congrès de la Ligue des communistes. Un meeting est organisé pour commémorer la révolte polonaise de 1830. Marx et Engels y sont tous deux présents, celui-ci au nom de la Commune de Paris, celui-là au nom de l'Association démocratique de Bruxelles (mais pas au nom de la Commune de Bruxelles). Karl déclare : « Comparée à d'autres pays, l'Angleterre est le pays où l'antagonisme a atteint le plus haut niveau de développement. C'est pourquoi la victoire des prolétaires anglais sur la bourgeoisie anglaise a une importance décisive pour la victoire de tous les opprimés sur les oppresseurs. C'est pourquoi il faut libérer la Pologne en Angleterre, et non pas en Pologne[4] ! » À l'issue de longs débats, il est décidé, sur proposition d'Engels, de remplacer la « profession de foi » prévue au précédent congrès par un « manifeste communiste » que Karl est chargé de rédiger sur la base du brouillon de profession de foi ébauché par Friedrich, qui n'était pas parvenu à aller plus loin qu'une liste de douze points.

En décembre, Engels se trouve encore à Londres, où il assiste à la réunion du comité central de la Ligue. Il y est stipulé que l'objectif de l'organisation est « de renverser la bourgeoisie, d'établir la domination du prolétariat, d'abolir la vieille société bourgeoise fondée sur l'antagonisme de classe, et d'instaurer une nouvelle société sans classe et sans propriété privée ».

Engels vient à Paris en janvier 1848 et ne discerne chez les camarades de la Ligue que démoralisation, rivalités internes et mesquineries. Il a constaté la persistance de l'influence de Proudhon et Weitling sur les milieux ouvriers français. Il retourne à Bruxelles le 31 janvier, découragé.

Entre-temps, Marx, rentré à Bruxelles, n'a pas commencé à rédiger le manifeste que lui réclame non sans impatience la Ligue. C'est qu'il est occupé à préparer deux importants discours qu'il prononcera au début de janvier 1848 et qui marquent l'un comme l'autre un tournant dans sa pensée.

L'un porte sur le libre échange. Alors qu'on débat encore de l'abolition des *Corn Laws* qui protègent l'agriculture anglaise, Karl entend expliquer aux ouvriers pourquoi le libre échange et l'universalisation des marchés sont souhaitables : en accélérant le développement du capitalisme, la mondialisation ouvrira la voie au socialisme. Le 9 janvier 1848, à Bruxelles, devant l'Association démocratique, il prononce cette allocution capitale sur le libre échange, si éloignée, encore une fois, de ce que beaucoup, même aujourd'hui, lui font dire : « La situation la plus favorable pour le travailleur est celle de la croissance du capital, il faut l'admettre [...]. En général, le système protectionniste d'aujourd'hui est conservateur, alors que le libre échange est destructeur. Il rompt les vieilles nations et pousse à l'extrême l'antagonisme entre le prolétariat et la bourgeoisie. En un mot, le libre échange accélère la révolution, et c'est dans une direction révolutionnaire, messieurs, que je vote en faveur du libre échange[31] ! » L'esprit du monde conçoit le socialisme comme aboutissement de l'universalisation du marché.

L'autre discours porte sur l'exploitation : dans ce texte prononcé à la même époque, à Bruxelles cette fois, mais toujours devant l'Association des ouvriers allemands, et qui sera plus tard connu sous le titre *Travail salarié et capital*, Karl trace pour la première fois les grandes lignes de sa théorie de la plus-value. Dans cette sorte de cours inaugural d'économie dispensé à des ouvriers, on trouve en effet esquissées ses idées sur la façon dont les capitalistes s'approprient la valeur créée par les ouvriers en ne les rémunérant que pour ce qu'ils coûtent à reproduire, et non pour ce qu'ils produisent : « Le salaire n'est donc pas une part de l'ouvrier à la marchandise qu'il produit. Le salaire est la partie des marchandises déjà existantes avec laquelle le capitaliste achète une quantité déterminée de force de travail productive. La force de travail est donc une marchandise que son possesseur, le salarié, vend au capital. Pourquoi la vend-il ? Pour vivre[35]. »

Cependant, un peu partout en Europe, les autocraties commencent à se lézarder. Le 12 janvier 1848, à Palerme et à Naples, une émeute contraint Ferdinand II à accorder une constitution. L'événement marque le début des révolutions de 1848.

Le 26 janvier 1848, le comité central de la Ligue des communistes se fâche : il communique de Londres au comité régional de Bruxelles une décision du 24 janvier enjoignant à Marx de remettre son manuscrit du *Manifeste* pour impression avant le 1er février ou de restituer les documents mis à sa disposition pour l'écrire. Karl se décide et rédige en une semaine, la dernière de ce mois de janvier 1848, le *Manifeste du Parti communiste*[41].

Pour lui, il s'agit d'un texte de circonstance, non d'une œuvre personnelle. Aussi l'écrit-il au fil de la plume, sans même se relire, et le lâche-t-il facilement, à la différence de ce qu'il aurait fait pour un texte signé de lui.

Extraordinaire mois de janvier 1848 où il aura ainsi produit trois de ses textes majeurs ! Trois textes qu'il accepte de laisser divulguer, les deux premiers parce qu'il s'agit de discours, le dernier parce qu'il ne le signe pas.

Marx reprend donc les douze points énumérés l'année précédente par Engels, les condense en dix et rédige le premier exposé complet du matérialisme historique, le premier texte aussi où le prolétariat apparaît comme une classe condamnée à se « paupériser », comme on dit à l'époque, une classe « radicalement dénuée d'illusions » : le *Manifeste du Parti communiste*. Ce texte, émanant d'un jeune philosophe allemand inconnu, de moins de trente ans, réfugié à Bruxelles, deviendra le texte non religieux le plus diffusé jusqu'à nos jours.

Pour de nombreux biographes de Marx, le *Manifeste* marquerait une rupture avec ses précédents écrits dans la mesure où il y renoncerait à l'individualisme des *Manuscrits de 1844* et de *L'Idéologie allemande*. Certains parlent même à son propos d'un « anti-humanisme théorique[56] ». Il n'en est rien : dans la continuité des textes précédents, le *Manifeste* avance vers une conception plus complète du matérialisme dans lequel la lutte des classes est le moteur principal de l'Histoire, et le prolétariat le créateur en marche d'une société nouvelle. C'est le début du socialisme scientifique, c'est le passage à l'action politique, pour la conquête du pouvoir.

Le *Manifeste* s'ouvre par un appel que des centaines de millions de gens à travers le monde ont, un siècle durant, lu et même, pour beaucoup d'entre eux, appris par cœur :

« Un spectre hante l'Europe : le spectre du communisme. Toutes les puissances de la vieille Europe se sont unies en une Sainte Alliance pour traquer ce spectre : le pape et le tsar, Metternich et Guizot, les radicaux de France et les policiers d'Allemagne. Quelle est l'opposition qui n'a pas été accusée de communisme par ses adversaires au pouvoir ? Quelle est l'opposition qui, à son tour, n'a pas renvoyé à ses adversaires de droite ou de gauche l'épithète infamante de communiste ? Il en résulte un double enseignement. Déjà, le communisme est reconnu comme une puissance par toutes les puissances d'Europe. Il est grand temps que les communistes exposent, à la face du monde entier, leurs conceptions, leurs buts et leurs tendances ; qu'ils opposent au conte du spectre communiste un manifeste du Parti lui-même. C'est à cette fin que des communistes de diverses nationalités se sont réunis à Londres et ont rédigé le manifeste suivant, qui sera publié en anglais, français, allemand, italien, flamand et danois[41]. »

Il continue ainsi :

« L'histoire de toute société, jusqu'à nos jours, n'a été que l'histoire de luttes de classes. Homme libre et esclave, patricien et plébéien, baron et serf, maître de jurande et compagnon, en un mot oppresseurs et opprimés, en opposition constante, ont mené une guerre ininterrompue, tantôt ouverte, tantôt dissimulée, une guerre qui finissait toujours soit par une transformation révolutionnaire de la société tout entière, soit par la destruction des deux classes en lutte [...]. La société bourgeoise moderne, élevée sur les ruines de la société féodale, n'a pas aboli les antagonismes de classes. Elle n'a fait que substituer de nouvelles classes, de nouvelles conditions d'oppression, de nouvelles formes de lutte à celles d'autrefois. Cependant, le caractère distinctif de notre époque, de l'époque de la bourgeoisie, est d'avoir simplifié les antagonismes de classes. La société se divise de plus en plus en deux vastes camps ennemis, en deux grandes classes diamétralement opposées : la bourgeoisie et le prolétariat[41]... »

Une lutte entre dominants et dominés, exploitants et exploités. À l'origine, dit Marx, la société primitive permettait à chacun de rester libre en exécutant le travail nécessaire à sa survie. La division du travail a entraîné l'enrichissement de l'humanité et l'apparition de classes sociales. Aujourd'hui, le capitalisme simplifie les antagonismes entre celles-ci : au lieu des strates multiples de castes et de classes qui ont marqué les sociétés antérieures, le capitalisme se caractérise par une situation on ne peut plus simple : « Deux classes ennemies, la bourgeoisie et le prolétariat. » Tout, y compris la nature de l'État, s'explique dès lors en termes de luttes de classes : « Le pouvoir politique à proprement parler est le pouvoir organisé d'une classe pour l'oppression d'une autre[41]. »

Dans le capitalisme, la bourgeoisie même joue un rôle révolutionnaire en bouleversant le potentiel productif de l'humanité, en brisant l'isolement national, en créant de vastes métropoles et en annihilant la féodalité. Aux yeux de Marx, il s'agit là d'un rôle positif. Il écrit ainsi les plus belles pages jamais publiées à la gloire de la bourgeoisie, qu'il convient aujourd'hui encore de lire et relire :

« La bourgeoisie ne peut exister sans révolutionner constamment les instruments de production ; ce qui veut dire aussi les conditions de production, c'est-à-dire tous les rapports sociaux [...]. Ce constant ébranlement de tout le système social, cette agitation et cette insécurité perpétuelles distinguent l'époque bourgeoise de toutes les précédentes. Tous les rapports sociaux, traditionnels et figés, avec leur cortège de conceptions et d'idées antiques et vénérables, se dissolvent ; ceux qui les remplacent vieillissent avant d'avoir pu s'ossifier. Tout ce qui avait solidité et permanence s'en va en fumée [...]. Et la libre concurrence abat toutes les frontières. Le bon marché de ses produits est la grosse artillerie qui bat en brèche toutes les murailles de Chine et fait capituler les barbares les plus opiniâtrement hostiles aux étrangers [...]. Elle entraîne la migration rurale vers les villes, ce qui constitue un formidable progrès, car, par là, elle a préservé une grande partie de la population de l'idiotisme de la vie des champs[41]... »

Marx continue par le plus bel éloge prophétique de la mondialisation à venir :

« Par l'exploitation du marché mondial, la bourgeoisie a donné un caractère cosmopolite à la production et à la consommation de tous les pays. À la place des anciens besoins satisfaits par les produits nationaux naissent de nouveaux besoins réclamant pour leur satisfaction les produits des pays et des climats les plus lointains. Et ce qui est vrai de la production matérielle ne l'est pas moins des productions de l'esprit [...]. Les idées de liberté de conscience, de liberté religieuse ne firent que proclamer le règne de la libre concurrence dans le domaine du savoir

[...]. Par le rapide fonctionnement des instruments de production et l'amélioration infinie des moyens de communication, la bourgeoisie entraîne dans le courant de la civilisation jusqu'aux nations les plus barbares[41]. »

Aucun retour en arrière n'est possible, car « on ne peut faire tourner à l'envers la roue de l'Histoire[41] ! »

Mais, dans le même temps, le *Manifeste* constitue une féroce dénonciation de l'exploitation de la classe ouvrière :

« L'ouvrier ne vit que pour accroître le capital et ne vit qu'autant que l'exigent les intérêts de la classe dominante [...]. L'industrie moderne a transformé le petit atelier de l'artisan patriarcal en la grande fabrique du capitaliste industriel. Des masses d'ouvriers s'entassent dans les usines et y sont organisés comme des soldats. Simples soldats de l'industrie, ils sont placés sous la surveillance de toute une hiérarchie de sous-officiers et d'officiers. Ils ne sont pas seulement les esclaves de la classe bourgeoise, de l'État bourgeois. Jour après jour, heure par heure, ils subissent le joug de la machine, du contremaître et, avant tout, des fabricants bourgeois eux-mêmes. Despotisme d'autant plus mesquin, odieux, exaspérant que son but, hautement avoué, c'est le profit... « De toutes les classes qui, à l'heure présente, s'opposent à la bourgeoisie, le prolétariat seul est une classe vraiment révolutionnaire. Les autres classes périclitent et périssent avec la grande industrie ; le prolétariat, au contraire, en est le produit le plus authentique. Les classes moyennes, petits fabricants, détaillants, artisans, paysans, tous combattent la bourgeoisie parce qu'elle est une menace pour leur existence en tant que classes moyennes. Elles ne sont donc pas révolutionnaires, mais conservatrices ; bien plus, elles sont réactionnaires : elles cherchent à faire tourner à l'envers la roue de l'Histoire. Si elles sont révolutionnaires, c'est en considération de leur passage imminent au prolétariat :

elles défendent alors leurs intérêts futurs, et non leurs intérêts actuels ; elles abandonnent leur propre point de vue pour se placer à celui du prolétariat[41]. »

La réponse à l'exploitation ne réside pas dans le « socialisme vrai » des proudhoniens, qui n'est qu'« une spéculation oiseuse sur la réalisation de la nature humaine » et qui, parlant d'« aliénation de la nature humaine » pour critiquer le régime de l'argent, profère une « insanité philosophique[41] ». Non, il convient d'appeler le prolétariat international à ne considérer que ses propres intérêts et à renverser les régimes autoritaires comme les régimes « bourgeois », c'est-à-dire parlementaires. Mais non pas pour « prendre » le pouvoir : alors que, jusque-là, chaque classe opprimée qui s'est emparée du pouvoir a imposé « ses » propres formes de propriété et d'exploitation à toute la société, la classe ouvrière, elle, n'a pas de propriété : sa tâche historique est donc d'abolir à la fois les classes, la propriété privée et l'exploitation. « Le prolétariat doit tout d'abord s'emparer du pouvoir politique, s'ériger en classe nationale, se constituer lui-même en tant que nation. Par cet acte, il est sans doute encore national, mais nullement au sens de la bourgeoisie[41]. »

Dans le communisme, les biens nécessaires à la satisfaction des besoins élémentaires de la vie seront produits et distribués gratuitement. Devenu propriété collective de tous, le capital ne fabriquera plus un nouvel antagonisme de classes, mais une société sans classes dans laquelle tous les hommes seront réellement égaux.

Marx évacue alors la question de l'exercice du pouvoir dans la société communiste et celle du rôle de l'État dans la période de transition entre capitalisme et communisme :

« Lorsque, dans le cours du développement, les antagonismes de classes auront disparu et que toute la production sera concentrée entre les mains des individus associés, le pouvoir public perdra son caractère politique. Le pouvoir politique à proprement parler est le pouvoir organisé d'une classe pour l'oppression d'une autre. Si, dans sa lutte contre la bourgeoisie, le prolétariat est forcé de s'unir en une classe ; si, par une révolution, il se constitue en classe dominante et, comme tel, abolit violemment les anciens rapports de production – c'est alors qu'il abolit les classes en général et, par là même, sa propre domination en tant que classe[41]. »

Au même moment, à Paris, le 28 janvier 1848, à la tribune du Palais-Bourbon, un député libéral, Alexis de Tocqueville, annonce l'imminence d'une révolution qu'il redoute. Selon lui, elle résultera de l'usure du régime, du conservatisme des tenants de l'ordre, de la colère des partisans du suffrage universel, de la misère populaire et du retour de l'idée de révolution dans les sociétés ouvrières.

Quelques jours plus tard éclate en effet cette révolution, alors même que le texte du *Manifeste* est au brochage, à Londres, prêt pour publication, en allemand, sur les presses de l'imprimerie Burghard, au moyen de caractères gothiques achetés outre-Rhin. La brochure paraît sans mention d'auteur ; elle est attribuée à la Ligue des communistes.

Simultanément est signé en Amérique le traité de Guadalupe Hidalgo, le 2 février 1848, aux termes duquel le Mexique abandonne aux États-Unis le Texas – où se trouve Edgar, le frère de Jenny –, la Californie et divers autres territoires.

Le 10 février 1848, à Bruxelles, Marx reçoit enfin de sa mère une partie de l'héritage paternel, soit la somme assez considérable de 6 000 francs-or (1 700 thalers). Intriguée par l'importance de cette somme, la police belge demande aux autorités de Trèves d'interroger la vieille dame ; celle-ci confirme qu'il s'agit bien d'un versement que son fils avait réclamé depuis longtemps pour subvenir à l'entretien de sa famille[230].

À Paris, le 12 février, Guizot et la majorité de la Chambre rejettent un modeste amendement parlementaire appelant le gouvernement à initier des réformes « sages et modérées[163] ». Le 14, Guizot interdit la tenue de banquets républicains, puis mobilise la troupe et ordonne à la Garde nationale parisienne de réprimer les troubles, ce que celle-ci refuse de faire. Ensemble, étudiants et ouvriers – l'« Infini d'en bas » dont parle Hugo et la « vile multitude » dont parle Thiers – se révoltent[163]. Au soir du 23 février, la Garde nationale passe dans le camp des insurgés qui prennent l'Hôtel de Ville et le palais des Tuileries. Seize d'entre eux tombent sous les balles de la troupe. Louis-Philippe doit abdiquer. Un gouvernement républicain provisoire est formé ; y figurent Ferdinand Flocon, rédacteur en chef d'un journal libéral, *La Réforme*, et deux démocrates socialistes, Louis Blanc et l'« ouvrier » Albert que la rumeur présente comme le chef de file d'une société secrète[163]. Ce gouvernement proclame la Seconde République, le droit au travail, et abolit la peine de mort en matière politique.

Le 26 février se produit l'événement que Marx attend depuis deux ans : à Londres, sur la suggestion d'Engels, les dirigeants de la Ligue des communistes, pariant sur une extension de l'insurrection à la Belgique, décident de transférer l'Autorité centrale de Londres à Bruxelles, ce qui revient à remettre à Marx les clés de l'organisation. Il est d'ailleurs élu immédiatement président d'un nouveau comité directeur de la Ligue, composé pour l'essentiel de ses amis : Friedrich Engels, Wilhelm Wolff, Heinrich Bauer, Joseph Moll et Karl Wallau ; Karl Schapper en est le secrétaire. Inquiet de voir ce mouvement on ne peut plus prussien rapprocher son siège de ses frontières, le gouvernement de Berlin presse les autorités belges d'expulser ces excités.

À Paris, le 2 mars, le gouvernement limite la journée de travail à dix heures ; il affirme le principe du suffrage universel, la liberté totale de la presse et le droit de réunion. Pour donner un contenu au droit au travail qui vient d'être proclamé, on crée des ateliers nationaux censés employer tous ceux qui aspirent à travailler.

Le 3 mars, le roi des Belges, inquiet devant une telle agitation et cédant aux pressions prussiennes, décide de chasser du royaume les réfugiés allemands qui ont enfreint leur promesse de neutralité. Marx, en particulier, est expulsé de Belgique, tout comme Engels qui raconte l'épisode dans son style déjà stéréotypé : « Les autorités belges s'en prirent aux éléments les plus révolutionnaires de l'Association et, comme il fallait s'y attendre, les démocrates petit-bourgeois belges ne surent pas se mettre à la tête des masses belges. Dans ces conditions, l'activité de l'Association démocratique s'éteignit progressivement et cessa entièrement dès 1849[112]. »

Le même jour, le journaliste Ferdinand Flocon, membre du gouvernement provisoire de la Seconde République, rapporte l'interdiction de séjour qui frappe Marx en 1845 et invite son collègue à venir se réinstaller à Paris. Le comité central de la Ligue donne les pleins pouvoirs à Marx pour recréer celle-ci à Paris. Elle n'aura passé qu'un mois à Bruxelles...

Karl y arrive le 5 mars avec Jenny, Hélène et les trois enfants, après un voyage pénible, les rails du chemin de fer ayant été arrachés en plusieurs endroits. Engels, Freiligrath et quelques autres les accompagnent. Bakounine revient lui aussi à Paris depuis Genève où il s'était exilé. Les signes de la Révolution sont partout : barricades dressées, boutiques pillées, Palais-Royal et Tuileries mis à sac. Les idées bouillonnent et circulent : deux cents journaux paraissent chaque jour dans la capitale ! Dans *Le Peuple constituant*, Lamennais propose la création de mutuelles : « Pour que le travail futur devienne un gage réel, il faut donc qu'il devienne certain, et il le devient par l'association[67]. » Louis Blanc suggère de « détruire le monstre hideux de la concurrence[67] » et de généraliser les « ateliers spéciaux dont les profits serviront à l'entretien des vieillards, des malades, des infirmes, et à l'allégement des crises ». Proudhon prône l'ouverture d'une Banque du Peuple, sans capital et sans bénéfices, faisant circuler des bons d'échange gagés sur le produit du travail de chaque membre, par laquelle l'argent serait prêté sans intérêt aux petits propriétaires et aux ouvriers[67]. Il suggère aussi la création d'une Banque foncière, « instrument de révolution à l'égard des dettes et des usures, pour permettre au paysan de se libérer de l'exploitation ». La nationalisation devient alors un des thèmes les plus fréquemment évoqués. Cabet propose que « les moyens de production et les matières premières soient centralisés, que les professions soient attribuées par concours, et les salaires selon les besoins[67] ». Laponneraye, Lahutière, Pillot, Dézamy, héritiers de Babeuf, prônent la « communauté des propriétés, du travail et de l'éducation ».

Le désordre s'installe dans Paris. Bakounine s'agite beaucoup. Selon un témoin, il « ne quitte plus les postes des Montagnards ; il y passe ses nuits, mange avec eux et ne se lasse pas de leur prêcher le communisme et l'égalité de salaire, le nivellement au nom de l'Égalité, l'émancipation de tous les Slaves, l'abolition de tous les États analogues à l'Autriche, la révolution en permanence et la lutte implacable jusqu'à l'extermination du dernier ennemi[230] ».

Dès son arrivée à Paris au début de février 1848, Marx est abordé par un journaliste américain, Charles Dana, correspondant du *New York Tribune*, alors le plus grand quotidien du monde, qui possède la meilleure équipe rédactionnelle et peut se targuer d'un niveau politique et littéraire élevé. Dana cherche à savoir ce qu'il prépare. Les deux hommes sympathisent. Ils promettent de se revoir. C'est le début d'une longue collaboration.

Karl, lui, s'intéresse à ce qui se passe en Allemagne et tente d'organiser les ouvriers allemands présents à Paris pour les intégrer à la Ligue dont il installe les organes dirigeants chez lui.

C'est que tout bouge très vite dans le reste de l'Europe. Partout les ouvriers se mettent en grève pour de meilleurs salaires, les paysans réclament davantage de terres et une réduction des taxes. Une insurrection éclate à Vienne, le 13 mars. En Prusse, le 17, les manifestations se multiplient, notamment à Berlin, pour empêcher la tenue d'élections très limitées prévues pour le mois suivant. Reculant devant l'émeute, Frédéric-Guillaume IV retire la troupe de Berlin et accepte la levée d'une armée de citoyens. Nombre de princes allemands suivent son exemple, nomment des ministres libéraux, promettent la liberté de la presse et le droit de réunion, se disent favorables à un parlement national allemand. À Francfort, en particulier, s'auto-constitue un « parlement » issu des mouvements révolutionnaires, qu'une majorité libérale empêche de se transformer en « comité exécutif révolutionnaire permanent ».

À Paris, les émigrés allemands piaffent ; beaucoup aspirent à regagner leur pays pour se battre ou entrer en politique. Celui qui avait accueilli les Marx à Paris à la fin de 1843, le poète Georg Herwegh, forme une « Légion démocratique », sorte de brigade internationale de presque quinze mille hommes qui se met en route, le 18 mars, en direction de l'Allemagne. Karl y est très hostile : il ne croit pas que les mouvements sociaux en Allemagne puissent déboucher sur beaucoup plus qu'une république parlementaire, car l'opinion n'est pas prête pour une révolution communiste. Les émissaires qu'il envoie apprécier l'audience des thèses communistes auprès des ouvriers allemands le lui confirment : le communisme suscite partout indifférence ou aversion. L'heure est donc davantage à la propagande politique qu'à l'action militaire. « La Révolution, pense Karl, est une affaire trop sérieuse pour qu'on l'affaiblisse par des gestes héroïco-romantiques qui servent l'ennemi[210]. » Il fait donc tout son possible pour convaincre Herwegh de ne pas faire partir sa Légion et pour empêcher Engels, qui adore la guerre, de s'y joindre. Le projet d'Herwegh obtient le soutien d'une majorité au gouvernement français qui accepte de financer le projet à part égale avec la souscription. Comme la plupart des petits artisans allemands réfugiés à Paris ont subi de plein fouet la crise et ont été licenciés sans ménagements, financer le départ des immigrés pour la reconquête de leurs pays d'origine est une solution bien moins onéreuse que de les aider à trouver du travail[248]. Lors d'un immense meeting réunissant les exilés, Marx prend la parole. « Cette équipée permettra, dit-il, aux armées prussiennes d'écraser la révolution et aux bourgeois libéraux français de se débarrasser à peu de frais d'une grande partie des révolutionnaires authentiques. C'est donc une ineptie[248]. » Friedrich renonce, comme tous les communistes, mais la Légion se met en branle. Ses membres traitent Marx de « lâche » et de « traître », avant d'être arrêtés et massacrés, le 10 avril, sitôt franchie la frontière du grand-duché de Bade. Herwegh, lui, en réchappera.

Marx part lui aussi au même moment pour Cologne en compagnie d'Engels et de Freiligrath, non pour s'y battre, mais pour préparer les élections dont la tenue vient d'être annoncée pour la fin d'avril dans toute l'Allemagne. Tous trois s'installent le 11 avril à Cologne, alors régie par un Comité de salut public qui leur délivre un permis de séjour. Karl rencontre les dirigeants de la gauche locale, animée par un chef très populaire Andreas Gottschalk. Ils commencent à débattre de ce qu'il convient de faire pour les élections. Marx est favorable à une alliance avec la bourgeoisie, même s'il pense qu'elle ne conduira qu'à l'instauration d'une démocratie parlementaire. Gottschalk, lui, s'y montre défavorable : la démocratie n'est pas son objectif. Les premiers exemplaires du *Manifeste* parviennent en Allemagne ; des journaux en diffusent des extraits. Les uns et les autres se mobilisent pour convaincre les électeurs : Bakounine débarque à Francfort, puis se rend à Cologne, Berlin et Leipzig ; Marx fait lui aussi le tour des villes de Rhénanie pour rameuter des partisans.

À Düsseldorf, il rencontre un jeune homme de vingt-trois ans issu d'une grande famille de Wroclaw, Ferdinand Lassalle, qui se propose pour l'assister en Allemagne[74]. Ils ont nombre de points communs : Lassalle est juif, né dans une famille bourgeoise ; il se rêve socialiste, philosophe, et travaille sur... Héraclite ! Marx lui explique que les Allemands, à la différence des Français, ne sont révolutionnaires qu'en esprit, dans la sphère de la pure pensée. En conséquence, ils n'ont pas su subvertir l'ordre aristocratique prussien pour lui substituer des institutions démocratiques bourgeoises[74]. N'en déplaise à Gottschalk, une révolution purement prolétarienne en Prusse, explique Marx, n'a pas la moindre signification historique ni la moindre chance de succès. La nécessité du devenir historique n'autorise pas qu'on puisse allégrement en brûler les étapes. Mieux vaut donc soutenir les revendications bourgeoises pour tenter de s'imposer, à terme, comme l'avant-garde du mouvement. Lassalle approuve.

En quelques jours, Marx rédige alors avec Engels son premier programme politique concret en vue de définir ce qui pourrait constituer une plate-forme commune avec la bourgeoisie : *Les demandes du Parti communiste en Allemagne*[45]. L'article premier proclame : « L'Allemagne entière est déclarée république une et indivisible », ce que la bourgeoisie accepte de reprendre à son compte, tout comme l'indemnité versée aux députés. Mais, ainsi que

Marx l'avait prévu, elle ne veut pas entendre parler de ses autres propositions : un impôt progressif sur le revenu, la gratuité de l'éducation, la nationalisation des moyens de transport et la création d'une banque centrale. Là encore, contrairement à ce qui se dira par la suite, Marx n'est pas favorable à une nationalisation totale des moyens de production, surtout dans un pays où le capitalisme ne s'est pas pleinement développé.

À la fin d'avril, comme il l'avait prévu, le centre libéral remporte les élections. Le 18 mai 1848, le Parlement ouvre solennellement ses travaux dans l'église Saint-Paul de Francfort. Sa double tâche : rédiger une Constitution et mettre en place un gouvernement.

Au même moment, comme il l'a déjà fait à deux reprises, Marx fonde à Cologne, ville de ses débuts de journaliste, un journal – un quotidien, cette fois : la *Nouvelle Gazette rhénane*[45]. À ce journal, écrit Karl, « on ne pouvait donner qu'un drapeau, celui de la démocratie, mais celui d'une démocratie qui mettrait en évidence en toute occasion le caractère spécifiquement prolétarien qu'elle ne pouvait encore arborer[45] ». Fidèle à son idée d'une alliance entre démocrates libéraux et socialistes contre les dictatures, il cherche des financiers parmi les libéraux – et il y réussit fort bien : Ludolf Camphausen, riche industriel, et David Justus Hansemann, président de la Chambre de commerce de la ville, deviennent ses commanditaires.

Le 31 mai sort le premier numéro de la *Nouvelle Gazette rhénane*. Karl s'y occupe de tout, de la rédaction aux commandes de papier. Il choisit les titres et assure le bouclage en fin d'après-midi. Engels décrira la rédaction comme « une pure dictature de Marx ». Au début, le journal concentre ses attaques contre la monarchie. Mais, bien vite, il doit assumer des intérêts contradictoires, car ses commanditaires entrent au gouvernement.

En effet, au début de juin, un premier gouvernement impérial est constitué sous la tutelle de l'archiduc autrichien Johann ; Camphausen et Hansemann, tous deux actionnaires de la *Nouvelle Gazette*, y deviennent respectivement Premier ministre et ministre des Finances ! Le ministère des Affaires étrangères est confié à un Prussien. Camphausen propose à Marx de rejoindre son cabinet. Karl décline l'offre et se concentre sur son journal, qui ne tarde pas à critiquer le gouvernement – lequel, remontre-t-il, « laisse le champ libre à une contre-attaque des aristocrates et des grands bourgeois[45] ». De fait, la bourgeoisie allemande choisit l'alliance avec les grands propriétaires fonciers et avec l'État prussien contre le libéralisme politique. Le gouvernement est également paralysé par le refus autrichien d'abandonner sa souveraineté, récemment renforcée, sur des territoires non germanophones.

Pendant ce temps, du 2 au 9 juin 1848, se tient à Londres le IIIe congrès de la Ligue des communistes. Faute d'argent, Marx, qui en est toujours le leader, est resté à Cologne pour s'occuper de son journal. Wilhelm (« Lupus ») Wolff représente la Commune de Bruxelles, Engels celle de Paris. Pour maintenir l'unité de l'organisation dans cette période de troubles, deux modifications sont apportées aux statuts de la Ligue, préfigurant l'« entrisme » des organisations révolutionnaires ultérieures : « Nous tenons pour une erreur politique d'interdire aux membres de la Ligue d'appartenir à une association politique ou nationale, car on se prive par là de toute possibilité d'action sur ces associations. » De même est biffé l'article 21 des statuts, qui stipulait démocratiquement que « toutes les décisions du Congrès, ayant force de lois, sont présentées à l'approbation ou au rejet des communes », sous prétexte que « dans une période révolutionnaire, cette restriction enlèverait toute énergie au Congrès. Souvenons-nous qu'en 1794 les aristocrates exigèrent la même chose pour paralyser toute action… ».

Au même moment, à Paris, se dessine une évolution parallèle à celle d'outre-Rhin : une Assemblée constituante élue en avril, où siège une forte majorité de notables provinciaux, proclame la Seconde République. Le gouvernement provisoire est remplacé par une Commission exécutive. Le 21 juin, prétextant qu'ils ne fournissent pas assez de travail, ou seulement des travaux de terrassement sans rapport avec la formation des ouvriers, la Commission ferme les ateliers nationaux, espérant ainsi étouffer l'agitation ouvrière. La réaction est violente : sur 120 000 ouvriers licenciés par les ateliers nationaux, 20 000 descendent dans la rue le 23 juin. Quatre cents barricades sont érigées dans l'Est parisien[163]. Les insurgés crient : « Du travail ou du pain ! Du pain ou du plomb ! »

Le gouvernement se ressaisit, fait arrêter les meneurs et confie les pleins pouvoirs au général Cavaignac qui, du 23 au 26 juin 1848, mate le soulèvement. La répression fait 5 000 morts ; 11 000 ouvriers sont arrêtés, 4 000 déportés en Algérie[163]. Le 3 juillet, les ateliers nationaux sont définitivement fermés. Proudhon s'exile. « Je ne crois plus à une République qui commence par égorger ses prolétaires[96] », écrira George Sand.

À Cologne, Marx sollicite sa réintégration dans la nationalité prussienne, perdue en 1845 lorsqu'il avait demandé à partir pour l'Amérique. Le gouvernement prussien la lui refuse le 3 août. Karl fait appel de cette décision le 22. En vain.

À Paris, Louis Blanc rédige un avant-projet de Constitution qui proclame explicitement le droit au travail : « La République a le devoir de protéger le citoyen dans sa personne, sa famille, son domicile, sa propriété, de fournir l'assistance ou le travail à ceux qui ne peuvent se procurer les moyens de vivre, de répandre l'instruction gratuite de manière à donner à chacun les connaissances indispensables à tous les hommes et à féconder l'intelligence. »

Alexis de Tocqueville dénonce ce qu'il appelle une « guerre sociale, une sorte de guerre civile » et s'oppose, le 12 septembre 1848, à l'inscription de ce droit au travail dans la nouvelle Constitution. Son *Discours sur le droit au travail*[267] est le premier texte majeur contre le socialisme : « Le premier trait caractéristique de tous les systèmes qui portent le nom de socialisme est un appel énergique, continu, immodéré, aux passions matérielles de l'homme [...]. La prospérité matérielle est d'un grand danger, notamment parce qu'elle conduirait à une désaffection démocratique ; la passion du bien-être matériel devient obsédante et empêche de se consacrer à ses devoirs de citoyen. » Aux yeux de Tocqueville, la recherche d'une égalité universelle entraîne la négation de la liberté, et le socialisme est « une nouvelle forme de la servitude ». L'égalité doit, selon lui, se combiner avec la liberté : « La démocratie et le socialisme ne se tiennent que par un mot, l'égalité, mais remarquez la différence : la démocratie veut l'égalité dans la liberté, le socialisme veut l'égalité dans la gêne et la servitude. » Il rejette aussi l'idée d'un État protecteur, car, dit-il, il suffit d'« accroître, consacrer, régulariser la charité publique[267] ».

Le même jour, à Cologne, Marx constate que l'alliance avec les démocrates libéraux est impossible. Il doit changer de stratégie. De fait, les échecs des coopératives d'Owen, des phalanstères de Fourier comme des ateliers nationaux de Louis Blanc, la quasi-disparition des coopératives de production constituées au début du siècle et la déroute des révolutions nationales laissent le champ presque libre à son nouveau projet : la guerre absolue contre le capital.

Il esquisse alors, pour la première fois, le concept de « dictature provisoire », qui deviendra bientôt celui de « dictature du prolétariat ». Il écrit le 16 septembre dans la *Nouvelle Gazette rhénane* : « Toute situation provisoire de l'État après une révolution réclame une dictature, et même une dictature énergique. Dès le début, nous avons reproché à Camphausen de ne pas agir avec des moyens dictatoriaux, de ne pas avoir immédiatement détruit et réprimé les restes des anciennes constitutions. Alors même que M. Camphausen se laissait bercer par des rêveries constitutionnelles, le parti vaincu renforçait ses positions dans l'administration et dans l'armée[45]. »

Devant de telles attaques, les commanditaires libéraux de la *Nouvelle Gazette rhénane* se retirent. Le gouvernement et l'Assemblée sont tous deux sans pouvoir face à la monarchie. Pour défendre l'espérance démocratique, le 19 septembre, des émeutes se déclenchent un peu partout dans le pays, en particulier à Francfort. Fou de stratégie militaire, Engels est tout à son affaire pour la décrire :

« Le soulèvement le plus sanglant qui soit a éclaté à Francfort ; l'honneur de l'Allemagne, vendu par l'Assemblée nationale à un ministère prussien congédié dans la honte et l'infamie, sera défendu, au prix de leur vie, par les travailleurs de Francfort, d'Offenbach et de Hanau, et par les paysans de la région. La lutte est encore incertaine. Les soldats semblent n'avoir pas beaucoup progressé depuis hier soir. Le peuple, la plupart du temps désarmé, doit non seulement lutter contre le pouvoir, repris par la bourgeoisie, de l'État organisé des militaires et des fonctionnaires, mais il a aussi à lutter contre la bourgeoisie armée elle-même. Le peuple non organisé et mal armé a en face de lui toutes les autres classes de la société, bien organisées et bien armées. Et voilà pourquoi, jusqu'à présent, le peuple a succombé et succombera, jusqu'à ce que ses adversaires soient affaiblis soit parce que leurs troupes seront occupées à la guerre, soit parce qu'ils se désuniront, ou jusqu'à ce que quelque grand événement pousse le peuple à un combat désespéré et démoralise ses adversaires[45]. »

Le lendemain, Engels fait plus que décrire : il se prépare à passer dans la clandestinité.

Marx durcit son opposition au fur et à mesure que la bourgeoisie recule face à la réaction. Le 25 septembre 1848, à Cologne, la loi martiale est décrétée, et la publication de la *Nouvelle Gazette rhénane* suspendue. Le 27, le Parlement de Francfort, de plus en plus isolé face au pouvoir monarchique, trouve encore le ressort de promulguer les « droits fondamentaux du peuple allemand [...] qui expriment la volonté d'abolir les privilèges et d'instaurer l'égalité des droits de chaque citoyen, à l'instar des révolutions française et américaine ».

Le 12 octobre reparaît la *Nouvelle Gazette*, cependant que s'enlise la révolution et que les révolutionnaires s'entre-déchirent. Le journal de Marx accuse Bakounine d'être un agent tsariste en se fondant, dit-il, sur un témoignage de George Sand[244]. Mais l'écrivain français nie avoir mis en doute la loyauté du révolutionnaire russe, et Marx publie son démenti[45]. Une lettre du 18 octobre de Georg Jung à Arnold Ruge décrit l'impression produite par Marx : « Un révolutionnaire absolument désespéré[248]. »

C'est bientôt la débandade. Le 22 novembre, le jeune Ferdinand Lassalle, qui s'est jeté à corps perdu dans la révolution, est arrêté, avec d'autres, à Düsseldorf pour avoir appelé à la résistance armée contre l'État. Engels, qui s'est lui aussi engagé dans la lutte armée, est recherché par la police et s'enfuit en France, puis en Suisse, tandis que ses camarades sont harcelés de procès.

À Paris, l'évolution est exactement parallèle : le pouvoir réactionnaire sorti des urnes met en place, comme à Berlin, les instruments du retour à la dictature. Le 10 décembre 1848, Louis-Napoléon Bonaparte est élu premier président de la République française face au général Cavaignac, discrédité par les massacres de juin. Adolphe Thiers, leader monarchiste, a convaincu ses collègues de soutenir le futur Napoléon III – « C'est un crétin que l'on mènera » –, d'autant plus que la Constitution de la

Seconde République interdit au président en exercice de solliciter un nouveau mandat, et que les nouvelles élections sont pour dans deux ans. Louis-Napoléon Bonaparte prête serment devant la tribune et jure, « en présence de Dieu et du peuple français, représenté par l'Assemblée nationale, de rester fidèle à la République démocratique, une et indivisible, et de remplir tous les devoirs que [lui] impose la Constitution ».

Le 15 décembre, Marx enrage contre la bourgeoisie européenne qui « n'a pas levé le petit doigt : elle a juste permis au peuple de se battre pour elle[45] ». Il l'avait prévu sans pour autant souhaiter que cela advienne – c'était beaucoup trop tôt –, mais il fallait à présent en tirer les leçons : au prolétariat de s'organiser par lui-même et pour lui-même !

Dans le tumulte de ces événements se produit une découverte dont Marx va d'emblée prendre toute la mesure : l'Allemand Gustav Kirchoff démontre que les phénomènes associés aux courants électriques sont de même nature que les phénomènes électrostatiques, il ouvre ainsi la voie à la constitution de circuits électriques. Karl y voit l'annonce d'une révolution encore plus importante que celle de la machine à vapeur et, *a fortiori*, plus déterminante que la révolution politique dans laquelle il s'enlise.

En janvier 1849, Engels est toujours réfugié en Suisse, cependant que Marx continue de diriger et publier contre vents et marées son journal. Il écrit contre le roi, contre le gouvernement, contre l'armée, contre les juges, contre les fonctionnaires du fisc, contre les diplomates. Poursuivi pour outrage à magistrat et pour incitation au refus de payer l'impôt, il assure lui-même sa défense, les 7 et 8 février, soutenant que le gouvernement a violé les lois sur lesquelles le tribunal entend s'appuyer. Le jury prononce son acquittement et le président du tribunal le félicite pour la qualité de sa défense.

Le 10 février, il publie le premier d'une série d'articles dénonçant les illégalités commises à l'encontre de son nouvel ami Ferdinand Lassalle, toujours incarcéré : « Voilà maintenant onze semaines que Lassalle moisit à la prison de Düsseldorf, et c'est maintenant seulement que se clôt l'enquête sur des faits simples, que personne n'a jamais niés[45]. » Le 3 mars, Marx et Engels vont trouver le procureur général de la ville, Nicolovius, pour protester contre le report du procès à une date ultérieure.

Le 28 mars 1849, les 568 membres de l'Assemblée de Francfort élèvent à une petite minorité le roi de Prusse Frédéric-Guillaume IV à la dignité impériale aux termes d'une Constitution qui est adoptée par vingt-huit des trente États allemands. Quand l'empereur d'Autriche proteste contre cette remise en cause de sa prééminence traditionnelle, le roi de Prusse, ne voulant pas d'une « couronne ramassée dans la rue », refuse et le titre et la Constitution. Le Parlement, que quittent les libéraux, déménage alors à Stuttgart, d'où il est bientôt chassé par l'armée du Wurtemberg.

Les troubles reprennent pour imposer la Constitution. Ils sont réprimés dans le sang. À la fin d'avril 1849, à Dresde, pendant les émeutes, un jeune musicien, Richard Wagner, rencontre Bakounine qui y réside en secret depuis la mi-avril. Quand, le 6 mai, l'armée prussienne vient y rétablir l'ordre, Wagner guide à travers les rues de la ville des détachements de gardes communaux et renseigne le gouvernement provisoire sur l'avancée des troupes prussiennes. Sitôt que l'armée réussit à pénétrer dans la ville, Bakounine est capturé et Wagner s'enfuit. Le premier inspirera au second, dit-on, le personnage de Siegfried.

Engels rejoint les troupes insurgées dans le Bade et le Palatinat sous la conduite de Willich. Inquiet à l'idée de voir ses amis partir les mains nues, Marx consacre la quasi-totalité de sa part de l'héritage paternel (5 000 des

6 000 francs-or) à acquérir pour eux des armes[201]. Les combats sont sévères et Moll, l'un des fondateurs de la Ligue à Londres, devenu l'un des fidèles de Marx, y laisse la vie. Engels disparaît sans laisser de trace ; nul ne sait s'il est vivant ou mort. La chape de plomb monarchiste s'abat sur le royaume de Prusse.

En France, le 13 mai, les élections législatives donnent 490 sièges au parti de l'ordre, contre 180 aux Montagnards et 80 aux républicains modérés. La chape de plomb bonapartiste s'abat sur la République française.

À Cologne, le 16, Karl reçoit l'ordre de quitter le territoire prussien « pour avoir honteusement violé le droit d'hospitalité », spécifie l'arrêté d'expulsion[213]. Le 18, il publie le dernier numéro de la *Nouvelle Gazette rhénane*, imprimé en caractères rouges, avec en première page un poème d'adieux de Ferdinand Freiligrath qui s'enfuit à Londres :

Adieu donc, adieu tonnerre des combats
Adieu donc compagnons de bataille
Et vous, les champs salis de poudre
Adieu les glaives et les lances
Adieu donc mais non pas à jamais.
Ils ne tueront pas nos idées, oh mes frères.
L'heure viendra et je renaîtrai
Toujours et encore vivante :
Sur le Danube et le Rhin, par les mots, par le glaive
Partout je serai du peuple insurgé
La compagne fidèle sur les champs de bataille
Révoltée, pourchassée, vivante.

Au total, le journal aura coûté 7 000 thalers à Karl, qui aura gagé à la fois le reste de son héritage et tous les biens familiaux, y compris l'ensemble des livres qu'il a gardés en Allemagne. Jenny, qui trouve refuge à Trèves chez Mme von Westphalen, sa mère, présente ses enfants à la mère et aux sœurs de Karl, horrifiées de savoir que leur fils et frère est devenu un dirigeant révolutionnaire.

Quant à Karl, il part pour Francfort, puis pour Mannheim, Ludwigshafen, Karlsruhe, Spire et Kaiserslautern où il mène campagne. Il ne se sent pas chassé. Il déclare à un journaliste de *La Presse* : « Après la défense qui m'a été faite de séjourner en Prusse, je me suis d'abord retiré dans le grand-duché de Hesse, où il ne m'était nullement interdit de résider, pas plus que dans le reste de l'Allemagne. » Mais il est de nouveau arrêté puis élargi à Hambourg, où il reçoit un passeport valable exclusivement pour Paris. Il doit quitter l'Allemagne, pour de bon cette fois, avec une destination imposée.

Marx arrive dans la capitale française le 3 juin 1849. Il s'y montre confiant dans son avenir. Il écrit, le 7 juin, qu'il espère avoir maintenant à sa disposition l'ensemble de la presse révolutionnaire française. Il ne voit pas qu'elle est en passe d'être étouffée par la censure.

Paris est alors en proie à une épidémie de choléra. Le révolutionnaire russe Alexandre Herzen écrit : « L'air était oppressant. Une chaleur sans soleil accablait les hommes. L'épidémie faisait d'innombrables victimes[213]. » Le climat politique devient lui aussi suffocant. Le président Louis-Napoléon Bonaparte ayant envoyé en Italie un corps expéditionnaire pour aider le pape à combattre les républicains, le 11 juin, le chef de la Montagne, Ledru-Rollin, demande à la Chambre de le mettre en accusation pour violation de la Constitution, celle-ci stipulant que « la République française n'emploie jamais ses forces contre la liberté d'aucun peuple ». Le discours de Ledru-Rollin, écrira Marx, est « nu, sans fard, basé sur des faits, concentré, vigoureux[21] » ; mais la Chambre ajourne la discussion sur sa proposition.

Le 13 juin, une manifestation de protestation organisée par les Montagnards échoue. Le 19, la liberté d'association est suspendue pour un an ; la liberté de la presse est supprimée. Tous les journaux sur lesquels comptait Marx sont fermés. Ledru-Rollin s'enfuit en Angleterre, tout comme Louis Blanc. D'autres sont arrêtés. Le même jour, Bakounine est livré par l'Allemagne à l'Autriche, puis extradé en Russie où il passera huit ans en prison avant d'être déporté en Sibérie et de disparaître dans la nuit des geôles russes.

Le 19 juillet, le prince-président assigne Marx à résidence dans le département du Morbihan, « marais Pontins de la Bretagne ». Karl hésite à s'y rendre. Au cours du terrible mois d'août 1849, Cabet, chassé lui aussi, quitte la France et part pour le Texas rejoindre une communauté d'Icariens, avant de mourir l'année suivante à Saint Louis.

Chacun sent que tourne court le rêve d'une démocratie européenne rassemblée. Pourtant, ce rêve est encore magnifiquement raconté, le 21 août, par Victor Hugo, député de Paris à l'Assemblée nationale, dans son discours d'ouverture, à Paris, d'un Congrès international de la paix : « Un jour viendra où vous, France, vous, Russie, vous, Italie, vous, Angleterre, vous, Allemagne, vous toutes, nations du continent, sans perdre vos qualités distinctes et votre glorieuse individualité, vous vous fondrez étroitement dans une unité supérieure, et vous constituerez la fraternité européenne ! »

Marx hésite : où aller ? En Suisse ? En Amérique ? Se remémorant son voyage de 1845, il décide : ce sera Londres. Le 27 août, il quitte la France et s'embarque pour l'Angleterre, pays dont il parle mal la langue et où personne ne l'attend. Il a trente et un ans. Il n'a plus un sou vaillant, plus un allié, plus un soutien, plus de métier. Il est sans nouvelles de sa femme et de ses trois enfants ; son meilleur ami est peut-être mort dans les ultimes soubresauts d'une révolution manquée. Le poids du néant s'abat sur lui.

CHAPITRE III

L'économiste anglais

(août 1849-mars 1856)

La Grande-Bretagne, où Karl Marx débarque le 26 août 1849, observe avec dédain les soubresauts du continent. Dans la crise qui sévit alors en Europe, elle reste le pays le plus riche, le plus avancé, le plus prometteur. Amorcée chez elle à la fin du XVIIIe siècle en mettant le charbon au service de la machine, la révolution industrielle continue de modifier en profondeur l'économie. L'industrie, d'abord textile, trouve maintenant un nouvel essor avec le chemin de fer. Celui-ci devient le principal consommateur de charbon, de fer, et donc d'acier dont l'invention du convertisseur par Bessemer, puis du fourneau à foyer ouvert, va bientôt bouleverser la production. Avec 6 000 miles de voies ferrées, le réseau de base du pays est en place ; marchands et marchandises peuvent circuler d'une ville à l'autre. Des patrons d'un genre nouveau apparaissent, pour la plupart originaires de la classe moyenne. Si Lord Elcho produit le charbon et le fer, c'est Thomas Brassey qui construit viaducs et chemins de fer, ce sont les frères Bass qui produisent la bière, c'est un certain Samuel

Morley qui devient le roi de la bonneterie. Des bourses s'ouvrent à Manchester, Liverpool et Glasgow, complétant celle de la City et favorisant l'émergence, dans tout le pays, d'une nouvelle catégorie d'actionnaires, rentiers ou commerçants ; leur épargne, trop importante pour être tout entière mobilisée à l'intérieur, est exportée, notamment vers l'Amérique du Nord et l'Europe continentale, pour y financer la construction de voies ferrées avec des matériaux et des équipements britanniques. Thomas Brassey, par exemple, édifie en un quart de siècle 7 000 kilomètres de lignes et de viaducs à travers quatre continents, dont la moitié des lignes françaises. Il comptera jusqu'à 10 000 salariés et bâtira une fortune personnelle de plus de 3 millions de livres. Premier grand capitaliste.

La Grande-Bretagne se mêle alors peu des affaires politiques du monde, préférant laisser aux autres gouvernements du continent le soin d'y maintenir l'ordre sans presque jamais intervenir dans les guerres qui s'y livrent, réservant ses soldats pour les conquêtes coloniales et la protection de ses lignes commerciales. En Inde, notamment, grâce à sa puissance militaire et à la corruption des princes locaux, l'Empire britannique annexe le Pendjab.

Si le prestige social de l'aristocratie britannique reste entier, cette bourgeoisie britannique installe une nouvelle idéologie, caractéristique du règne de Victoria commencé dix ans plus tôt : répression de la sexualité, sens du devoir, apologie de la famille, glorification de l'épargne et du travail.

Quand Marx y arrive, Londres abrite 2,4 millions d'habitants. C'est à la fois la ville la plus luxueuse du monde et un enfer pour les pauvres, dont les conditions de logement et d'hygiène restent épouvantables. Dans les quartiers ouvriers, on ne compte qu'un sanitaire pour 125 habitants ; moins d'un enfant sur deux y survit plus de cinq ans.

Contrairement aux États du continent qui sont tous, l'un après l'autre, en train de retomber dans la dictature, l'Angleterre reste un pays relativement peu autoritaire. Deux grands partis se constituent au sein de la bourgeoisie, l'un libéral, l'autre conservateur, héritiers des *whigs* et des *tories*. Les hommes riches, seuls électeurs, élisent des parlementaires aux pouvoirs très larges malgré les velléités autoritaires de Victoria et de son époux, le prince Albert, d'origine allemande. Le droit de vote est progressivement étendu à quelques ouvriers, les femmes et les pauvres en étant toujours écartés. Dans le monde ouvrier, le mouvement chartiste – sur lequel Marx avait fondé tant d'espoirs lors de son premier séjour à Londres en 1845 – s'essouffle, concurrencé par le mouvement syndical, partisan, lui, du libre échange, du dialogue avec les patrons et du réformisme.

Ces premiers syndicats obtiennent de certains industriels la satisfaction de deux de leurs principales revendications : la *semaine anglaise* – c'est-à-dire l'arrêt du travail ouvrier le samedi à 14 heures – et la mise en place (au moins théorique) d'un contrôle des conditions de travail en usine par des inspecteurs nommés par l'État. Les conditions de vie des ouvriers n'en demeurent pas moins épouvantables : la durée hebdomadaire moyenne du travail reste de soixante-quatre heures, moyennant une rémunération à peine suffisante pour assurer la survie du travailleur et des siens.

La presse britannique est bien plus libre que ses homologues du continent. En Grande-Bretagne – c'est même le seul pays au monde dans ce cas avec les États-Unis –, les journaux se vendent au grand jour, à la criée et au numéro. À Londres, le plus grand organe de presse, le *Times*, est à peu près indépendant des partis ; en province existent même des journaux ouverts aux idées socialistes, comme le *Manchester Advertiser.* Partout paraissent de nombreuses feuilles plus radicales, qui ne sont poursuivies qu'en cas de propos diffamatoires à l'égard du roi ou des ministres anglais. Signe d'échec des socialistes : le journal des chartistes, le *Northern Star*, fondé en 1837, qui tirait à 42 000 exemplaires en 1839, est retombé à 6 000 exemplaires en 1849.

Quand se referme cette année-là sur le continent la parenthèse libérale entrouverte douze mois plus tôt, de très nombreux militants démocrates, français, allemands, polonais, autrichiens et italiens, chassés par les polices et les princes, se réfugient en Angleterre par vagues successives. Ces proscrits y sont accueillis sans difficulté, pourvu qu'ils ne menacent pas la Couronne. Mais les conditions de vie qui leur sont faites sont exorbitantes : ils paient plus cher leur loyer que les Anglais et peuvent être expulsés sans préavis[215]. Ceux qui ne sont pas arrivés avec suffisamment d'argent doivent prendre des emplois de misère et vivre dans des taudis, des meublés, souvent très éloignés du centre de Londres.

Les plus célèbres leaders libéraux du continent débarquent souvent dans le plus grand dénuement. Parmi eux, l'Italien Mazzini, le Français Louis Blanc, l'Allemand Kinkel – spectaculairement évadé, on va le voir, de la prison prussienne de Spandau –, le Hongrois Kossuth, bête noire des Autrichiens. Avec eux affluent des milliers d'autres, inconnus, venus rejoindre ceux qui sont installés là parfois depuis 1830 et qui y ont fondé, on l'a vu, la Ligue des justes, parmi une myriade d'autres organisations. Dans toutes les tavernes se réunissent des comités révolutionnaires, se constituent des gouvernements en exil ; les coups d'État les plus sophistiqués se fomentent et se déroulent d'un immeuble à l'autre. On y débat de démocratie, de socialisme, de communisme – mot qui, depuis le *Manifeste du Parti communiste* de l'année précédente, n'est plus seulement utilisé pour désigner de petites communautés utopiques, mais implique aussi une prise du pouvoir d'État par une classe ouvrière.

Quand, le 26 août 1849, Karl arrive à Londres, il a dévalé tous les échelons de la déchéance matérielle. Il n'a presque plus un sou ; ses derniers biens, ses livres même, ont été gagés pour financer son journal à Cologne. Sa femme et leurs trois enfants – Jenny, Laura, Edgar – qu'il a réussi à prévenir à Trèves doivent bientôt le rejoindre avec Hélène Demuth, sans qu'il ait les moyens de louer pour eux un logement décent. Engels, dont l'aide était si généreuse, est encore englué – à moins qu'il ne soit mort ? – dans les ultimes combats de Souabe.

Pas un instant, Karl ne songe pourtant à renoncer à écrire, à agir ; pas un instant non plus, il ne songe à chercher un emploi salarié. De plus, s'il parle correctement l'anglais, il l'écrit à peine et ne peut envisager de travailler dans cette langue – sauf comme ouvrier, et encore. Docteur en philosophie, il ne saurait l'imaginer. Et même s'il l'imaginait il ne trouverait pas d'emploi.

Il va donc continuer à publier depuis Londres, en langue allemande, son journal, la *Nouvelle Gazette rhénane*, à destination de lecteurs allemands. Il va aussi reprendre ses activités politiques avec la Ligue des communistes, s'il peut du moins en reconstituer quelque chose depuis qu'il l'a déplacée et oubliée à Paris, un an plus tôt.

Il croit encore en l'imminence de la révolution du fait de la crise économique et d'une prochaine intervention russe, qu'il prévoit dans les affaires allemandes. Mais il ne l'espère pas, car les masses ouvrières n'ont pas encore, pense-t-il, une conscience révolutionnaire suffisante, ainsi qu'il vient d'en faire lui-même l'amère expérience. En particulier, il ne place plus aucun espoir dans la classe ouvrière anglaise : la chute des ventes du journal des chartistes et le peu de monde que rassemblent leurs réunions le convainquent que, malgré le chômage, les travailleurs britanniques sont en fait ralliés au capitalisme et à la bourgeoisie ; il pressent même qu'à Londres l'antagonisme entre forces protectionnistes et tenants du libre marché, entre paysans et marchands, fera bientôt revenir au pouvoir la droite anglaise, pour l'heure dans l'opposition à un gouvernement libéral. Il note alors : « Tout cela créera un conflit considérable, et les *tories* vont revenir au pouvoir à la place des *whigs.* » Il ne croit qu'en la France et pense même qu'il se réinstallera bientôt rue Vaneau. Il sait qu'à Paris le président de la République, Louis-Napoléon Bonaparte, tout juste élu, devra bientôt céder la place, puisque son mandat non reconductible n'est que de deux ans. Quand ce « plon-plon » (ainsi l'appelle-t-il) aura quitté le pouvoir, les proscrits pourront rentrer. Karl reste convaincu que c'est de la capitale française que partira la révolution européenne qui rétablira d'abord la démocratie, puis instaurera le communisme. Engels écrira plus tard : « Marx non seulement étudiait avec une prédilection spéciale l'histoire du passé français, mais encore suivait dans tous ses détails l'histoire courante, rassemblait les matériaux destinés à être utilisés plus tard, et ne fut par conséquent jamais surpris par les événements [...]. La France est le pays où les luttes de classes ont été menées chaque fois, plus que partout ailleurs, jusqu'à la décision complète, et où, par conséquent, les formes politiques changeantes à l'intérieur desquelles elles se meuvent et dans lesquelles se résument leurs résultats, prennent les contours les plus nets[112]. »

Karl a trente et un ans, il ne se sent fait ni pour cet exil britannique ni pour cette misère prolétaire. Tout comme le socialisme ne peut que réussir, lui-même ne saurait échouer. Sans cesse, pour le meilleur et pour le pire, il lie sa propre situation à celle de son environnement.

Le 17 septembre, aidée par Hélène Demuth, Jenny le rejoint, épuisée et malade, flanquée de leurs trois enfants et enceinte, lui annonce-t-elle, d'un quatrième. À Trèves, elle a pu obtenir un peu d'argent de sa mère, récupérer encore une faible partie de l'héritage de son père et reprendre sa merveilleuse ménagère en argent, hérité de sa famille écossaise, qu'il n'est pas question de vendre mais qu'on pourra, à l'occasion, gager. Cela leur permet de s'installer à six dans une seule pièce d'une maison du quartier de Chelsea, au 4, Anderson Street, près de King's Road. Le quartier choisi est aisé, mais le logement est exigu. Comme le loyer est exorbitant, Karl sait déjà qu'il ne pourra le payer très longtemps. Mais il ne s'inquiète pas outre mesure : tout cela ne peut durer, donc ne durera pas.

Dès son arrivée, pour avoir une base de travail même provisoire, il rapatrie de Bruxelles, dans un seul local, au 20, Great Widmill, le siège de son journal, celui de la Ligue des communistes et celui de l'Association éducative des travailleurs allemands, qui avaient quitté Londres pour Bruxelles deux ans plus tôt. La rédaction du journal se réduit à lui-même ; quant aux deux organisations, elles sont devenues fantomatiques. Aussi Karl tente-t-il de se rapprocher de ceux qui veulent bien de lui : le poète-banquier Freiligrath et l'ouvrier Wolff, dit « Lupus », qui l'ont naguère suivi à Bruxelles ou à Cologne et sont revenus à Londres avec lui, partageant les mêmes avanies. Ils rencontrent ensemble quelques réfugiés français, blanquistes pour la plupart, et les membres d'un Comité d'aide aux réfugiés allemands que Marx rapproche du sien ; il y dispense des cours gratuits de philosophie, de langue allemande et d'économie politique, ce qui l'aide à tisser quelques réseaux personnels.

Comme il le redoutait, sa vie matérielle devient vite difficile et Jenny doit accomplir des prodiges pour calmer les fournisseurs. Mais en octobre, alors que Karl n'a même plus les moyens de payer ni le loyer, ni la nourriture de ses enfants, ni le médecin pour sa femme qui va accoucher, Friedrich Engels réapparaît.

Le jeune homme – il a vingt-neuf ans – a pu quitter l'Allemagne, y laissant beaucoup de ses compagnons morts dans les combats, dont l'un des tout premiers membres du comité directeur de la Ligue rencontré à Londres lors de leur premier séjour en 1845 : l'horloger prussien Joseph Moll. Friedrich est flanqué de plusieurs camarades de lutte, dont Wilhelm Rotheker, Conrad Schramm et August von Willich – un officier qu'il présente à Karl comme son commandant durant la campagne de Bade, sorte de baderne qui se prend pour un grand stratège militaire et politique.

Friedrich s'installe à Londres afin de travailler avec Karl à la relance de la *Nouvelle Gazette rhénane*, au grand dam de sa famille qui le voudrait à Manchester, dans l'usine textile paternelle, puisqu'il est désormais interdit de séjour en Prusse. Pourtant, bien qu'il refuse la cage dorée de Manchester, ses parents lui versent régulièrement de petites sommes, ce qui lui permet de réduire quelque peu les dettes de Karl. Les deux hommes se rencontrent tous les jours, soit au bureau du journal, soit chez Karl ou chez Friedrich, lequel vit de façon confortable et invite souvent la famille Marx à dîner. Beaucoup plus tard, l'écrivain Paul Lafargue – qui deviendra le gendre de Karl – écrira qu'alors « les filles de Marx l'appelaient leur second père. Il était l'*alter ego* de Marx[161] ».

Le 5 novembre 1849, Jenny accouche d'un second garçon prénommé Henry (anglicisation de Heinrich, le prénom du père de Karl), Edward, Guy. On lui cherche un surnom. C'est le jeu préféré de la famille. Chaque membre est doté d'un sobriquet : Jennychen est « Qui-Qui », empereur de Chine, du fait de sa fascination pour l'Orient ; Laura est « Hottentot » ou « Kakadou »[248]. Quant à Karl, ses filles « l'appelaient non pas "Père", mais "Maure", surnom qu'on lui avait donné à cause de son teint foncé, de sa barbe et de ses cheveux d'un noir d'ébène[161] ». D'après un autre témoin, qui arrivera bientôt, Wilhelm Liebknecht, Jenny appelle aussi parfois Karl « Mon grand bébé ». Le nouveau-né, lui, est vite surnommé, à partir de son troisième prénom, « Guido », ou encore « Fox » (renard) par suite d'un jeu de mots sur Guy Fawkes, le révolté exécuté en 1605 pour avoir voulu faire exploser le Parlement anglais lors d'une visite du roi Jacques Ier. Les Marx vivent désormais à sept dans une seule pièce.

Karl parvient à faire financer par Friedrich son journal, la *Nouvelle Gazette rhénane*, mais à un rythme de parution seulement mensuel ; il le fera distribuer à Francfort par la *Neue Deutsche Zeitung*, la revue de son ami Joseph Weydemeyer qui a pu rester en Prusse, harcelé en permanence par la police, dans des conditions de plus en plus précaires.

La crise économique sévit toujours. Marx craint qu'une révolution n'éclate trop tôt. Dans une lettre à Weydemeyer, cet ancien officier réfugié chez lui à Bruxelles et devenu éditeur à Cologne, il écrit en décembre 1849 : « Une crise industrielle, commerciale et agricole commence. Si le continent retarde sa révolution jusqu'à cette crise, l'Angleterre peut devenir une alliée du continent révolutionnaire. Si la révolution éclate plus tôt – sauf si elle est motivée par une intervention russe –, ce sera un désastre, car le commerce est en pleine expansion et la masse des travailleurs de France, d'Allemagne, etc., ne sont révolutionnaires qu'en paroles[4]. » Pourtant, en son for intérieur, il est convaincu qu'il va lui falloir retourner bientôt à l'action politique : « Je pense qu'avant que le troisième numéro mensuel [de ma revue] soit paru, une déflagration mondiale aura lieu, et je n'aurai plus le temps de travailler à l'économie politique[4]... » Il ne supporte pas ce silence, cette misère, cette inaction. Il a trente et un ans et refuse d'être emmuré dans l'exil.

Pourtant, à ce moment, l'Histoire choisit pour lui : commencée deux ans plus tôt, la crise économique tourne court. Après avoir atteint leur point le plus bas en 1849, les prix se remettent à monter, favorisés par la découverte de mines d'or en Californie et en Australie, et par le développement des réseaux ferroviaires. Avec les prix s'envolent la production et l'emploi. Les conflits sociaux s'apaisent. Les dictatures s'installent avec le marché. La révolution n'est pas pour demain.

Karl se rend alors compte que la démocratie va se faire attendre, en France comme ailleurs. Il comprend qu'il aura tout le temps de travailler à l'économie politique, à Londres, s'il veut bien s'y mettre et si ses conditions matérielles lui en laissent le loisir. Mais où et comment mener ses recherches alors qu'il vit sans le sou, avec six personnes à charge, dans une seule pièce ?

Dans un texte hagiographique, qui marquera la fondation du « marxisme-léninisme », Lénine écrira beaucoup plus tard – en 1914 – pour résumer cette phase de la vie de Marx : « Lorsque l'époque des révolutions de 1848-1849 fut close, Marx se dressa contre toute tentative de jouer à la révolution, exigeant que l'on sût travailler dans la nouvelle époque qui préparait, sous une "paix" apparente, de nouvelles révolutions[169]. » Enfin, il ne donne d'ordres et d'instructions qu'à lui-même.

Reprenant avec courage son rôle de rédacteur en chef d'un périodique dont il ignore si quiconque le lira jamais, Marx demande à Weydemeyer de bien vouloir « décrire, pour notre revue, brièvement, dans ses grands traits, les conditions de l'Allemagne du Sud[204] ». Lui aussi décide d'écrire, pour les y publier, quelques articles – et d'abord une histoire de la Seconde République de la chute de Louis-Philippe jusqu'à l'accession de Louis-Napoléon Bonaparte à la présidence. Il entend appliquer pour la première fois sa théorie de la lutte des classes à un événement historique récent et concret.

Curieusement, il n'écrit pas sur l'année extraordinaire qu'il vient de vivre en Allemagne, mais sur ce qu'il n'a vécu que fugitivement à Paris. Parce qu'il persiste à croire que tout, en Europe, se jouera en France et non pas en Prusse. Et parce qu'il pense qu'il est encore possible de voir restaurer les libertés de la Seconde République, pourtant il n'attend rien de la situation outre-Rhin.

Entre janvier et octobre 1850, alors qu'il survit dans l'extrême misère grâce aux libéralités d'Engels, Marx réussit à rédiger et à publier quatre numéros de sa *Nouvelle Gazette rhénane*[45]. Ceux-ci contiennent principalement quatre articles de Karl consacrés à la révolution de 1848 en France : « La défaite de juin 1848 », « Le 13 juin 1849 », « Conséquences du 13 juin » et « Napoléon et Fould ». Une fois de plus, Jenny discute, commente, retranscrit ses manuscrits illisibles, et les envoie à Francfort à l'éditeur contre un peu d'argent. Ces articles ne seront publiés en livre que bien après la mort de Marx, sous le titre[21] *Les Luttes de classes en France, 1845-1850*.

Ils constituent une grande première : c'est la première fois qu'est appliquée à des faits historiques la théorie de la lutte des classes exposée dans le *Manifeste*. C'est la première fois qu'est ainsi analysée une tentative de prise de pouvoir[210]. Ce qui permet à Marx de donner des explications économiques et sociales à la révolution de 1848 et à l'élection de Louis-Napoléon Bonaparte, en particulier au vote massif des campagnes en sa faveur. Karl en déduit que le pouvoir autoritaire se renforcera partout en Europe et notamment que Louis-Napoléon Bonaparte cherchera à rester au pouvoir après la fin de son mandat, dans dix-huit mois. Pour l'éviter, il faudrait que se noue une alliance entre la classe ouvrière, encore si réduite, et les paysans, si nombreux, donc entre villes et campagnes ; et non plus – comme Marx l'avait souhaité en 1848 à Cologne – entre la bourgeoisie et les ouvriers aux intérêts si contradictoires.

Ce rapprochement lui semble toutefois peu probable, les paysans bonapartistes ne se rendant pas compte qu'ils sont eux aussi victimes de l'exploitation capitaliste, que « leur exploitation ne se distingue que par la forme de l'exploitation du prolétariat industriel. L'exploiteur est le même : le capital. Les capitalistes pris isolément exploitent les paysans pris isolément par les hypothèques et l'usure. La classe capitaliste exploite la classe paysanne par l'impôt d'État[21] ».

Toute sa vie, désormais, Marx sera hanté par cette question paysanne, alors si importante du fait du nombre d'habitants des campagnes, et si difficile à intégrer à son modèle du capitalisme en raison de son idéologie et de la nature même du travail qui y est effectué. Pour lui, cependant, sans une telle alliance de classes, Louis-Napoléon Bonaparte cherchera sûrement à prolonger son séjour à l'Élysée, où il vient de s'installer et d'où il gouverne de façon de plus en plus autoritaire.

Dans les deuxième et troisième articles, Karl donne alors un nouveau nom à cette alliance, qu'il appelle de ses vœux, entre toutes les victimes du capital. Ce nom, il l'utilise pour la première fois : c'est la « dictature du prolétariat[21] ». Jusqu'ici, il n'a fait qu'évoquer une seule fois, on l'a vu, dans une lettre de l'année précédente, la « dictature provisoire », transition nécessaire vers la démocratie. Cette dictature est d'un genre particulier puisque, dans son esprit, elle s'accommode parfaitement du maintien des institutions de la démocratie parlementaire, l'alliance de classes qu'il souhaite voir prendre le pouvoir y étant majoritaire. Le mot « dictature » qu'il emploie, et qui prêtera, on le verra, tant à contresens, veut simplement dire que cette vaste majorité ne devra pas hésiter à gouverner selon ses intérêts, sans compromis. Il le reprécisera plus tard dans des circonstances dramatiques.

Les quatre numéros de la *Nouvelle Gazette rhénane* ne suscitent aucun écho. La revue se vend très mal. En Allemagne, sa distribution n'est assurée que par quelques rares libraires (évidemment surveillés par la police), et par souscription à un prix élevé. À Londres, peu de gens l'achètent, car, comme à son habitude, Karl, en s'en prenant à d'autres proscrits, dissuade bon nombre d'entre eux de la lire. Ce n'est pas ainsi qu'il va trouver de quoi subvenir aux besoins de sa famille et faire mieux connaître ses idées.

Il reprend aussi les thèmes de ces articles dans quelques discours prononcés devant les derniers survivants de la Ligue des communistes, puis, en mars 1850, dans un texte pompeusement intitulé *Adresse à l'Autorité centrale de la Ligue des communistes*. Il y évoque pour la première fois l'idée d'une « évolution-révolution », « révolution permanente » qui serait mondiale, conduite par des « partis » représentant les ouvriers et qu'il décrit comme distincts des partis bourgeois. Et, pour la première fois, il insiste sur la nécessité de constituer un parti autonome, propre à la classe ouvrière, pour gagner des élections : « Le parti du prolétariat doit se différencier des démocrates petit-bourgeois qui veulent terminer la révolution au plus vite [...], et il doit rendre la révolution permanente jusqu'à ce que toutes les classes plus ou moins possédantes aient été chassées du pouvoir [...] dans tous les pays principaux du monde [...]. Au lieu de se ravaler une fois encore à servir de soutien aux démocrates bourgeois, les ouvriers et surtout la Ligue devraient travailler à constituer une organisation distincte, secrète et publique, le parti ouvrier, et faire de chaque "Commune" le centre et le noyau des groupements ouvriers où la position et les intérêts du prolétariat seraient discutés indépendamment des influences bourgeoises. »

Marx parlera désormais sans cesse de ce « parti » comme d'une entité, même s'il n'existe pas encore. Un parti universel, présent partout, rassemblant tous les combattants de la liberté : le parti-monde d'un esprit du monde. Marx dira ultérieurement pourquoi il a besoin de brandir ce concept pour cristalliser les aspirations et l'action de tous, pour faire en sorte qu'il devienne réalité vingt-cinq ans plus tard. Comme s'il avait voulu créer du réel en usant de mots : par la force de l'esprit. D'autres le verront comme un mythomane s'inventant un pouvoir, des disciples, des organisations à son service. Elles deviendront, en fait, pour la plupart, des réalités très éloignées de celles qu'il imagine et décrit.

Sa stratégie – son rêve, plutôt ? – est ainsi en place : faire partout surgir des partis représentant les ouvriers, mais des partis ouverts, non clandestins, et s'inscrire là où c'est possible dans le jeu démocratique. Sa réflexion est clairement planétaire et peu importe si lui-même est contraint de résider à Londres : « Je suis un citoyen du monde et je travaille là où je me trouve[161] », dira-t-il.

Reste à élaborer le corps de doctrine permettant de convaincre les ouvriers, où qu'ils soient, de la validité de cette stratégie, et de les empêcher de se rallier à la classe moyenne, comme les Anglais. C'est à quoi Marx va s'employer pendant le reste de sa vie.

Coïncidence extraordinaire : exactement au même moment, en mars 1850, alors que, révolutionnaire parmi les plus recherchés en Europe, il vit à Londres en misérable proscrit, à Berlin son beau-frère, le demi-frère de Jenny, Ferdinand von Westphalen, devient ministre de l'Intérieur d'un gouvernement particulièrement réactionnaire nommé à la suite d'une nouvelle tentative d'assassinat visant Frédéric-Guillaume IV, le « romantique sur le trône », qui l'a pris en amitié[213]. Karl avait prévu cette nomination quand, par le passé, il avait à plusieurs reprises taquiné sa femme en lui disant que « son frère était assez bête pour devenir ministre de Prusse[213] ».

De fait, Ferdinand n'a jamais relâché sa haine envers son beau-frère qu'il connaît pourtant à peine, mais qu'il a tout fait pour éloigner de Jenny avant que celle-ci ne l'épouse. Une des premières décisions du nouveau ministre est d'ailleurs d'envoyer ses meilleurs agents surveiller les ressortissants allemands à l'étranger, tout particulièrement les proscrits de Londres. Ferdinand écrit même à son homologue britannique, Sir George Grey, ministre de l'Intérieur de Sa Gracieuse Majesté, pour le mettre en garde spécifiquement contre son propre beau-frère, « un homme dangereux et menaçant pour la vie de la reine ». Le ministre britannique lui répond par une lettre pleine d'un humour narquois : « Sous nos lois, une simple discussion sur le régicide, tant qu'elle ne concerne pas la reine d'Angleterre et tant qu'il n'y a pas de projet précis, ne constitue pas une raison suffisante pour l'arrestation de conspirateurs[277]. »

À observer le durcissement de la situation en Prusse comme en France, Marx comprend qu'il est sans doute pour longtemps à Londres. Bien que, chez lui comme à la Ligue, il ne pratique pour l'essentiel que l'allemand, il cherche à améliorer son anglais pour pouvoir l'écrire, voire un jour l'employer dans des journaux anglais : le métier de journaliste reste le seul qu'il imagine exercer dès que son anglais le lui permettra. « Il rechercha et classa toutes les expressions propres à Shakespeare ; il en fit autant pour une partie de l'œuvre polémique de William Cobbett, qu'il avait en très haute estime[161]. » (Cobbett est alors un journaliste engagé qui sillonne à cheval les campagnes anglaises pour en dénoncer la misère dans des textes publiés le plus souvent à compte d'auteur.) L'Écossais Robert Burns devient un de ses poètes favoris. Il lit aussi le *Tom Jones* de Henry Fielding et l'*Old Mortality* de Walter Scott[161]. Comme Jenny est bilingue par sa mère écossaise (restée à Trèves), il est décidé qu'on parlera désormais anglais, à la maison, avec les enfants auxquels on fait apprendre par cœur du Shakespeare dès l'âge de quatre ou cinq ans.

Tout en y attachant de moins en moins d'importance, Karl se rend encore à des réunions clairsemées de proscrits où prospèrent polémiques et illusions. En avril 1850, il participe ainsi à la fondation d'une fantomatique « Société universelle des communistes révolutionnaires », évanouie dès septembre sans que son existence véritable ait été attestée.

Il voudrait aussi pouvoir s'occuper sérieusement de sa revue, et s'atteler enfin au grand livre d'économie qu'il rumine depuis huit ans et pour lequel il a signé un contrat et empoché une avance, trois ans plus tôt. Il lui faudrait, pour cela, décortiquer la dynamique de l'investissement, du travail, de l'innovation, en particulier l'impact de cette étrange découverte qui, il en est certain, révolutionnera bientôt le monde et qu'il nomme l'« étincelle électrique ». Pour y travailler, il lui faudrait un minimum de confort. Or il n'en a aucun dans le studio minuscule où sept personnes s'entassent. Il ne peut même pas faire face aux dépenses courantes d'une famille si nombreuse ; ne pas avoir les moyens d'assurer à ses enfants une vie décente le met à la torture. Il emprunte pour payer de la nourriture, des vêtements, des jouets, un berceau, des médicaments, du papier, des livres, du tabac. Les dettes s'accumulent, assorties d'intérêts exorbitants. Les créanciers viennent de plus en plus souvent sonner à la porte du réduit de Chelsea ; Marx doit alors inventer des excuses, des prétextes, promettre, verser un acompte, chercher à emprunter à Engels, à son éditeur, à sa mère – à laquelle il écrit plusieurs fois à ce sujet – ou à ses amis. En vain, la plupart du temps.

Comme il fallait s'y attendre, le 15 mai 1850, dix mois seulement après y avoir emménagé, les Marx, incapables d'acquitter leur loyer, sont expulsés de la pièce exiguë qu'ils occupent à Chelsea. Lits, linge, vêtements, jouets et même le berceau du petit Guido, qui n'a que six mois et ne se porte pas bien, sont placés sous séquestre puis vendus « à la hâte afin de régler pharmacien, boulanger, boucher et laitier qui, leurs craintes ayant été éveillées par le tapage des huissiers, nous avaient soudain assaillis de leurs factures[47] », écrit Jenny à Joseph Weydemeyer, le 20 mai, en lui demandant avec beaucoup de flegme et de dignité de lui envoyer au plus vite le produit des ventes de la revue, s'il y en a.

Engels couvre les dettes les plus criantes et la famille emménage dans un taudis d'un des quartiers les plus mal famés de la ville, Soho, sur Dean Street, qu'un biographe de Jenny surnommera la « rue de la Mort[221] ». Karl écrira lui-même plus tard que c'est dans cette rue que « sa vie s'est brisée[46] ». On comprendra bientôt pourquoi.

Quelques jours après cet emménagement, Jenny écrit de nouveau à Weydemeyer pour réclamer derechef les recettes de la revue. Elle le supplie d'envoyer, sans passer par aucun intermédiaire, « tout, ici, ne fût-ce que le plus petit montant [...]. Les conditions ici ne sont pas celles de l'Allemagne ; nous vivons à six (elle ne compte pas Hélène qui est pourtant là avec eux) dans une petite pièce et un petit cagibi pour lesquels nous payons plus que pour une grande maison en Allemagne, et il faut payer chaque semaine. Donc, vous pouvez vous imaginer dans quelle position on se trouve si un seul thaler arrive avec un jour de retard. Pour nous tous, ici, c'est une question de pain quotidien[47] ». Elle le prie aussi de parler de la revue et des articles de son mari dans son propre journal, « même pour les critiquer[47] », car cela permettra de le faire connaître et peut-être de faire vendre quelques numéros.

Karl s'endurcit ; il sait qu'il va désormais endurer et faire subir à sa famille la condition de la classe ouvrière, alors même qu'il n'en fait pas partie. Et, comme pour se prémunir contre les conséquences de la misère, il cherche à éloigner tout sentimentalisme de sa vie et de son travail. Ne jamais se plaindre. Mais aussi ne jamais plaindre. Étudier objectivement. Rester autant que possible indifférent à sa propre indigence comme à celle des autres. L'un de ses proches note : « "Travailler pour l'humanité" était une de ses expressions favorites. Il n'était pas venu au communisme pour des considérations sentimentales, quoiqu'il fût profondément sensible aux souffrances de la classe ouvrière, mais par l'étude de l'histoire et de l'économie politique. Il affirmait que tout esprit impartial que n'influençaient pas des intérêts privés ou que n'aveuglaient pas des préjugés de classe devait nécessairement arriver aux mêmes conclusions que lui[161]. »

Karl sort alors de moins en moins de chez lui, sauf pour gagner le minuscule bureau du journal ou se rendre à une des réunions de l'Association d'éducation ouvrière allemande. C'est là, à la mi-1850, à l'occasion d'une fête d'été de ce qu'il reste de cette association, qu'il fait la connaissance d'un nouveau réfugié allemand de vingt-cinq ans tout juste arrivé, Wilhelm Liebknecht, sorti d'une prison suisse. Comme à tout nouveau venu, Karl lui fait subir un examen de passage, le détaillant de la tête aux pieds d'un air sévère, craignant d'avoir affaire à un espion comme il en pullule en ville. « Je soutins le regard de cet homme à la tête de lion et au regard noir comme du charbon », se souviendra Liebknecht[253]. Le jeune homme l'intéresse, mais Karl – qui n'est pas beaucoup plus âgé que lui – se demande s'il peut lui faire confiance. Alors, comme très souvent, il souhaite recueillir l'avis de Friedrich. Au lendemain de cette première rencontre, Marx convoque donc le nouvel immigré à leur bureau. Liebknecht y retrouve Engels, croisé à Genève l'année précédente quand celui-ci s'y était brièvement réfugié avant de prendre les armes. Liebknecht doit alors se défendre devant les deux jeunes gens d'une accusation d'espionnage, puis de « démocratisme petit-bourgeois », enfin de « sentimentalité sud-allemande ». Une fois l'examen passé, la conversation dévie sur les progrès techniques. Marx s'enflamme et l'on devine, à la lecture de ce qu'en dira plus tard Liebknecht, comment il séduisait par la parole tous ceux qui l'approchaient : « Il se moqua de la réaction triomphante en Europe, qui s'imagine être venue à bout de la révolution et ne se rend pas compte que les sciences en préparent une nouvelle. Le règne de Sa Majesté la Vapeur a pris fin et va être remplacé par un révolutionnaire encore plus puissant, l'Étincelle électrique ! Quand Marx parlait de ce progrès dans les sciences et dans la mécanique, sa vision du monde (notamment ce qu'on a appelé plus tard la conception matérialiste de l'Histoire) ressortait si clairement que les quelques doutes qui subsistaient encore en moi fondirent comme neige au soleil printanier[253]. »

Au même moment, à Berlin, Clausius énonce le second principe de la thermodynamique qui fonde toute la théorie des machines utilisant de l'énergie et fournit une base théorique à l'idée que toute réalité organisée est condamnée à se dégrader. Marx, qui n'en a pas encore connaissance, travaille déjà sur ce qui deviendra la théorie parallèle du déclin inéluctable du capitalisme. L'idée d'une dégradation irréversible des sociétés apparaît ainsi en même temps que celle de la dégradation irréversible de la matière.

L'« examen » s'est si bien passé que Wilhelm Liebknecht, privilège rare, est convié à faire la connaissance de la femme, des deux filles et des deux fils de Karl dans leur taudis de Soho. « Dès lors, je fus pour ainsi dire de la famille[253] », écrira-t-il, servant même à l'occasion de *baby-sitter* aux enfants, qui l'adorent : « Mme Marx a eu sur moi une influence peut-être aussi forte que Marx lui-même. Ma mère était morte quand j'avais trois ans [...], et voici que je rencontrais une femme belle, de grand sens et de haute intelligence, qui fut pour moi à la fois une mère et une sœur[253]. »

À la mi-août 1850, Jenny part avec les quatre enfants chez sa mère, à Trèves, pour leur faire prendre un peu l'air, mais aussi pour y chercher encore de l'argent qu'elle a laissé là-bas et qu'elle n'a pu récupérer en dépit de tous ses efforts. Son demi-frère, le ministre de l'Intérieur de Prusse, lui obtient un visa et la protège. Ferdinand gardera d'ailleurs toujours un œil protecteur sur sa demi-sœur. On ne peut exclure qu'elle s'arrête au passage chez l'une de ses sœurs qui vit près de Maastricht avec son mari, le banquier hollandais Lion Philips. Athée comme Karl, socialiste comme Karl, prête à tout pour l'aider à poursuivre son combat, Jenny est alors absolument déterminée à continuer de vivre à Londres.

Karl y reste alors seul avec Hélène Demuth. Jenny ne revient qu'en septembre, nantie d'un peu d'argent. Elle raconte qu'elle a vu à Trèves la mère et les sœurs de Karl, et que tout un chacun, en Prusse, pressent qu'une guerre s'annonce entre l'Autriche et la Prusse. De fait, Frédéric-Guillaume IV et le nouvel empereur d'Autriche, le jeune François-Joseph Ier, veulent chacun en attendant unifier l'Allemagne à leur profit, et se sont résignés à rétablir la fantomatique Confédération germanique, présidée symboliquement par l'Autriche. Il devient clair qu'il n'y aura de réelle unification des principautés allemandes que lorsque la rivalité entre Berlin et Vienne aura été purgée par une guerre.

En même temps qu'il rédige ses articles sur la révolution de 1848 en France et qu'il bataille pour faire publier et diffuser sa revue, Karl passe encore un peu de son temps, impatient et rageur, aux réunions hebdomadaires de l'Autorité centrale de la Ligue, dans le taudis éclairé de modestes bougies. Il y retrouve entre autres Schramm, Wolff, Freiligrath et Engels. Celui-ci est toujours flanqué d'August von Willich, son ancien commandant militaire dans la campagne de Bade. Karl enrage en particulier de devoir supporter ce faux révolté, vrai matamore qui incite les émigrés allemands à rentrer en contrebande en Prusse et fomente des complots imaginaires, ce qui permet à la police prussienne, qui a infiltré des espions au sein de la Ligue, de faire arrêter à Cologne des amis de Karl que Willich a présenté comme ses « contacts ». Marx s'en prend à lui dans un article de sa *Nouvelle Gazette rhénane*, et, le 1er septembre 1850, au cours d'une de ces réunions enfumées, il traite l'officier de « crétin illettré et quatre fois cocu[277] ». Willich bondit et le provoque en duel, Engels s'interpose. Karl refuse de se battre. Conrad Schramm prend sa place et est grièvement blessé à la tête par Willich[277].

Dans le numéro d'octobre 1850 de la *Nouvelle Gazette rhénane* – qui publie son quatrième article consacré à la révolution de 1848 –, il répète, comme en riposte à Willich, qu'il est stupide de se presser de partir à l'assaut de l'Europe, car la révolution ne pourra y avoir lieu que lorsque la crise économique y sera de retour. Or elle reviendra : « [La révolution] n'est possible que dans des périodes où les forces de production modernes et les formes de production bourgeoises entrent en conflit [...]. Une nouvelle révolution ne sera possible qu'à la suite d'une nouvelle crise. L'une est aussi certaine que l'autre[45]. »

Au même moment, à la fin de l'été 1850, le poète Kinkel, qui avait combattu sous les ordres de Willich, capturé et condamné à la prison à vie par une cour martiale, s'évade de prison, parvient à quitter le territoire prussien et rejoint l'Angleterre (où il devient un fervent partisan de Willich contre Marx). Le pouvoir prussien réagit en durcissant la répression contre les milieux libéraux et progressistes. Dans une lettre du 11 novembre 1850, Frédéric-Guillaume IV lui-même exige du chancelier qu'un procès public, exemplaire et retentissant punisse des conspirateurs[248]. Policiers et magistrats du royaume sont donc sommés de découvrir un complot, et, s'ils n'en détectent aucun, d'en inventer un[248].

Lors de la perquisition effectuée au domicile d'un certain Nothjung, sont découverts un exemplaire du *Manifeste du Parti communiste* (dont la détention ne constituait pas un délit et que l'on pouvait se procurer fort légalement chez un libraire) et une liste de gens qui sont aussitôt mis aux arrêts et poursuivis pour conspiration[248]. En dépit d'une enquête de grande envergure, aucun document compromettant n'est trouvé, d'autant que le but poursuivi par la Ligue des communistes est la constitution d'un mouvement politique licite et public.

Deux ans plus tard, on le verra, Karl tentera d'intervenir dans le procès fait à ses amis de Cologne ainsi arrêtés.

En novembre 1850, la seule bonne nouvelle est la parution à New York de la première traduction anglaise du *Manifeste du Parti communiste* ; elle occupe plusieurs pages d'un modeste journal socialiste new-yorkais, le *Red Republican*, et porte le nom de deux auteurs : Karl Marx et Friedrich Engels. C'est la première traduction étrangère de Marx. Aucune autre ne paraîtra avant vingt ans. Les co-auteurs ne touchent sur elle aucun droit.

Comme quelques années plus tôt, Marx songe alors à nouveau à émigrer en Amérique et à y transporter son périodique. Un ami d'Engels, Rotheker – un de ceux qui ont pris part avec lui à l'insurrection badoise, et qui sont revenus à Londres avec lui –, part préparer le terrain à New York.

Puis, comme Karl et Jenny le redoutaient, la misère fait son œuvre : malgré tous leurs efforts, le 19 novembre 1850, dans leur taudis insalubre et glacé de Soho, leur second fils, Henry, dit « Guido », succombe à une pneumonie, à moins d'un an. C'est le premier enfant qu'ils perdent. Il y en aura d'autres, dans cette même rue. De nouveau enceinte, Jenny parle d'un « malheur qui m'attendait, face auquel tout a sombré dans le néant[123] ». Karl reporte alors toute son affection sur Edgar, âgé d'un peu plus de deux ans. Il s'imagine retrouver bientôt avec lui la relation intense qu'il avait avec son propre père. Tout comme il se rend compte qu'il est en train de reconstituer avec Friedrich la relation qu'il aurait pu avoir avec Hermann, son frère mort, lequel aurait eu exactement le même âge que Friedrich.

Quelques jours après le décès de Guido, encore au comble de la douleur, Karl reçoit la réponse de Rotheker : la situation matérielle des réfugiés est encore pire à New York qu'à Londres. Pas question d'y fonder un journal en allemand, à moins de débarquer avec beaucoup d'argent. Il leur faut donc rester à Londres et attendre, là, que quelque chose se passe en France ou en Allemagne.

Bouleversé par la misère de son ami et, surtout, par la mort de Guido, Engels consent alors un sacrifice énorme : il renonce à vivre à Londres pour aller travailler dans l'usine familiale de Manchester. Friedrich pense sans doute que la vie à Londres est trop difficile et la révolution trop lointaine. Mais il se rend sans doute aussi déjà compte qu'il ne sera jamais l'égal intellectuel de Karl, et décide lucidement de se mettre à son service : il va ainsi gagner un peu plus d'argent et faire profiter Karl d'une partie de son salaire et de ses défraiements. Cette décision exercera une influence majeure sur la vie de l'un et de l'autre. Même si ses épigones, plus tard, chercheront à les mettre à égalité, Friedrich mesure qu'il n'est pas doté des monstrueuses capacités intellectuelles de son ami. En quittant Londres en allant occuper une fonction de patron, qu'il déteste, Engels renonce à être un auteur parmi d'autres pour en financer un qu'il sait être unique. Devenu un « cheval de Troie dans la citadelle capitaliste[277] », il fournira de surcroît à Karl des informations majeures pour son travail théorique, et reviendra très souvent discuter avec lui à Londres. Les deux hommes vont désormais s'écrire presque tous les jours, et ce pendant vingt ans. Il n'y a aucun autre exemple, dans l'histoire des idées, d'un tel sacrifice. Friedrich ne le remettra jamais en cause, même s'il a dû lui en coûter.

À partir de décembre, depuis Manchester où il vit beaucoup mieux qu'à Londres, Friedrich assure à Karl en moyenne 15 livres par mois, soit nettement plus que le salaire moyen d'un ouvrier manuel, ce qui permet aux membres de la famille Marx et à Hélène Demuth de survivre[204]. C'est un changement de condition notable en ce qu'il garantit à la famille une certaine stabilité ; l'expulsion n'est plus à craindre, la nourriture est assurée. De fait, le poète Freiligrath, qui a quitté Cologne au même moment que Karl et qui, dans une situation familiale comparable à la sienne, gagne comme employé de banque moins de 200 livres par an, affirme n'avoir alors « jamais manqué du minimum nécessaire[204] ». Mais Karl n'entend plus que ses enfants se contentent du « minimum nécessaire ». Aussi, en janvier 1851, grâce à ce que lui expédie maintenant régulièrement Friedrich – sous la forme de billets coupés en deux glissés dans des enveloppes différentes[248] – et à ce que Jenny a rapporté de Trèves, les Marx déménagent dans deux pièces un peu plus confortables au 64 de la même Dean Street. Karl n'en qualifie pas moins cette situation de *« horrifying enough »*[47] (« encore assez horrible »).

D'autant que, si Jenny est à nouveau enceinte, Hélène Demuth l'est aussi ! Et personne n'est en mesure de lui faire avouer le nom du père ! Karl, lui, continue de travailler et d'écrire sans penser à rien d'autre. Un de ses visiteurs de janvier 1851 écrit à Engels : « Lorsqu'on lui rend visite, on est accueilli non par des salutations, mais par des catégories économiques[204] ! »

Afin de mieux travailler à son livre d'économie pour lequel il a passé un contrat près de six ans auparavant, Marx, sur le conseil d'Engels, découvre la bibliothèque du British Museum. Il y bénéficie du calme et de la chaleur dont est dépourvu son minuscule domicile, où les relations entre les deux femmes enceintes connaissent quelques frictions. Il y retrouve d'autres proscrits, eux aussi en quête de sources permettant d'écrire ce que chacun croit être « le livre qui changera le sort du monde ».

Karl y étudie la monnaie, le salaire, le capital, l'investissement, les conditions de vie ouvrière : « Il s'y rend tôt le matin, y reste jusqu'à 19 heures, rentre chez lui, dîne, travaille à son bureau tout en fumant[161]. » Jamais Jenny ne se plaindra de ne pas le voir prendre un emploi de salarié quelque part. Il est de plus en plus passionné d'économie, de moins en moins intéressé par l'action politique. Aussi, quand il reçoit, au siège de la Ligue, de plus en plus désert, la visite de Jones, le leader chartiste, venu lui parler des Démocrates fraternels dont il souhaite faire une Association internationale sociale-démocrate, il ne lui témoigne guère d'attention. Il est beaucoup plus captivé par la lecture, dans le *Times*, de la description du voyage du *Blazer*, navire à vapeur qui pose le premier câble télégraphique sous-marin entre Douvres et Calais. Là est la vraie révolution ! pense-t-il. Ah ! s'il pouvait, lui, converser par télégraphe avec Engels, que de temps gagné !

Le 28 mars 1851, dans le nouveau petit logement naît Franziska, cinquième enfant du couple. D'après le recensement du 30 mars, y vivent alors quatre adultes (Karl, Jenny, Hélène et sa sœur Marianne, qui vient d'arriver pour les aider, elle aussi rémunérée par la mère de Jenny) et quatre enfants (les trois filles et le fils survivant des Marx) ; ils paient 22 livres par an en tant que sous-locataires. Hélène n'a toujours pas dévoilé le nom du père de l'enfant qu'elle attend.

Le lendemain, soit trois jours après la naissance de sa fille, Karl, en guise de faire-part, écrit à Friedrich pour lui annoncer qu'il a fini de lire tout ce qu'il pouvait y avoir à lire en matière d'économie, et qu'il en a assez d'y travailler : « J'en suis au point que, dans cinq semaines, j'en aurai fini avec toute cette merde d'économie. Et, cela fait, j'élaborerai mon livre d'économie à la maison. Au Museum, je me mettrai à étudier une autre science. L'économie commence à m'ennuyer. Au fond, cette science n'a plus progressé depuis Adam Smith et David Ricardo, malgré tout ce qui a été fait dans des études isolées, souvent ultra-délicates[46]. » Dans cette lettre, il mentionne un « mystère » dans lequel, dit-il, Engels joue un rôle. Il n'y revient pas dans sa lettre suivante, mais dit à Friedrich qu'il lui en parlera de vive voix quand son ami viendra lui rendre visite, en avril[248]. On verra bientôt de quel mystère il s'agit.

Engels lui répond avec ironie, mais aussi avec beaucoup de tendresse et de lucidité : « Tant que tu as encore à lire un livre tenu pour important, tu ne pourras pas te mettre à écrire[46]. » Car il le connaît bien ! De fait, Karl continue de lire et ne s'attelle toujours pas à l'écriture.

Le 1er mai de cette année 1851, à Londres, Karl, accompagné de Jenny et de leurs deux aînées, au milieu d'innombrables badauds, aperçoit à distance la reine Victoria et le prince Albert venus inaugurer la première Exposition universelle sous les majestueuses verrières du Palais de Cristal, construit spécialement dans Hyde Park. Karl y découvre les énormes presses hydrauliques, la presse à imprimer capable de tirer en une heure 5 000 exemplaires de l'*Illustrated London*, la locomotive pouvant rouler à plus de 100 kilomètres à l'heure, et l'appareil photographique de Daguerre. Cet été-là, six millions de visiteurs s'y pressent. Un groupe de New-Yorkais y vient même en voyage organisé par la première « agence de tourisme » créée cette année-là à Leicester par un inconnu, Thomas Cook[65].

Profitant de la foule drainée par l'Exposition, le demi-frère de Jenny envoie à Londres son meilleur agent, Wilhelm Stieber, futur chef des services secrets de Bismarck, policier austère qui, on le verra, pourchassera Marx de sa haine pendant tout le quart de siècle suivant. L'homme est là pour infiltrer les réunions de la Ligue des communistes ; il débarque au 20, Great Windmill, et se fait passer pour un sympathisant. Il déjoue si habilement les contrôles qu'il réussit même à se faire inviter chez Marx, dans le misérable deux-pièces de Soho où ne sont admis que les fidèles.

Karl se sait pourtant épié car, dans une lettre ouverte adressée à ce moment au directeur du *Spectator*, il dénonce la surveillance des « espions prussiens à Londres[248] ». Mais il se fait abuser par Stieber et l'accueille chez lui comme un militant. L'espion livre alors dans ses rapports secrets envoyés à Berlin une description détaillée de la vie des Marx à cette époque. Description très critique visant peut-être à complaire à son commanditaire : « Dans la vie privée, [Marx] est très désordonné, cynique, c'est un hôte détestable. Il mène une vie de bohème. Rarement il se lave et change de sous-vêtements. Il est facilement soûl. Il traîne souvent toute la journée ; mais, s'il a du travail, il s'y adonne jour et nuit. Il n'a pas d'horaires pour dormir et se lever. Souvent il reste debout toute la nuit et la matinée, puis se couche vers midi sur un canapé, tout habillé, et dort jusqu'au soir sans tenir compte des allées et venues autour de lui. Dans son appartement, il n'y a pas un seul meuble. Tout est cassé, couvert de poussière, en grand désordre. Au milieu du salon, une grande table couverte d'une sorte de nappe. Dessus, des manuscrits, des livres, des journaux, des bouts de tissu déchirés provenant de la couture de sa femme, des tasses à thé ébréchées, des cuillères sales, des couteaux, des fourchettes, des bougies, des encriers, des verres, des pipes, des cendres de tabac ; tout cela en vrac sur la même table. » Il ajoute : « Quand on pénètre chez les Marx, les yeux sont assaillis par la fumée du charbon et du tabac comme dans une cave, jusqu'à ce qu'on s'habitue à l'obscurité et qu'on commence à discerner les objets à travers la fumée [...]. Le visiteur est invité à s'asseoir, mais la chaise des enfants n'a pas été nettoyée et on y risque son pantalon. Tout cela ne cause aucune gêne à Marx non plus qu'à sa femme. » L'espion en conclut que l'homme reste dangereux et qu'il est entouré de compagnons prêts à tout pour le servir ; il cite parmi eux Friedrich Engels, qui vit à Manchester et vient souvent voir Karl, et Lupus Wolff.

Une tout autre image de l'hospitalité des Marx sera donnée plus tard par celui qui deviendra l'un de leurs gendres : « Un grand nombre d'ouvriers de tous pays ont joui de son aimable hospitalité et je suis convaincu qu'aucun d'eux ne s'est jamais douté que celle qui les recevait avec une si simple et si franche cordialité descendait, par les femmes, de la famille des ducs d'Argyll, et que son frère avait été ministre du roi de Prusse[161]... »

À ce moment, la situation empire pour les derniers démocrates prussiens : beaucoup sont arrêtés, ils végètent souvent en prison pendant des années sans être jugés. Joseph Weydemeyer, ami de Bruxelles, son éditeur de Francfort, menacé du même sort, renonce alors à sa revue, quitte l'Allemagne et s'installe à New York pour y créer un nouveau périodique qu'il veut intituler *La Révolution*. Voilà qui met fin à la distribution des exemplaires restants de la *Nouvelle Gazette rhénane*. C'est la mort de cette revue créée à Francfort en pleine bataille, trois ans plus tôt. Karl n'a plus de périodique où s'exprimer.

Le 23 juin 1851, Hélène Demuth met au monde un garçon. Surprise ! Friedrich Engels reconnaît l'enfant, qui est prénommé Frédéric Lewis et placé en nourrice à ses frais. Bien des années après, Louise Freyberger-Kautsky (dernière gouvernante d'Engels, qui jouera, on le verra, un rôle considérable dans la dispute pour le contrôle posthume des manuscrits de Marx), soutiendra qu'Engels lui aurait avoué sur son lit de mort que le père de l'enfant n'était autre que Karl Marx. Hélène gardera toute sa vie le silence à ce sujet. Marx ne fera jamais rien pour l'enfant, qu'Engels refusera toujours de voir et que les enfants de Karl finiront, après la mort de leur père, par considérer comme leur demi-frère, même si lui-même, devenu ouvrier et militant socialiste, ne saura jamais rien de son origine. Dans ses brèves notes autobiographiques, Jenny se borne à écrire : « Au début de l'été 1851, il s'est passé un événement sur lequel je ne m'étendrai pas[201]. » De fait, Jenny ne dira jamais rien. Si l'enfant a été conçu à la fin de septembre 1850, cela plaide pour qu'il soit de Marx, Jenny se trouvant alors à Trèves. Engels ne pourrait en être le père que s'il s'était agi d'un prématuré conçu à la fin d'octobre, puisque lui-même était alors à Londres. Hélène reprend son service dès l'enfant sevré.

Les rumeurs sur une naissance illégitime font à grande vitesse le tour du petit monde des proscrits. « Indescriptibles infamies ! » écrit Marx, à peine un mois plus tard, à Weydemeyer, installé à New York, qui est déjà au courant. Karl dénonce en même temps toutes les calomnies colportées par « mes ennemis au sein de la gauche démocratique. Elles ne doivent même pas être mentionnées[248] ! ». Car cette rumeur n'est qu'un des innombrables ragots qui l'accablent à l'époque[248] : il est accusé de mépriser le prolétariat, d'admirer l'aristocratie, d'ourdir toutes sortes de complots abracadabrantesques, de détourner des fonds pour mener une vie bourgeoise. Nombre de ces accusations revêtent une tonalité antisémite et plusieurs reprennent même le surnom dont l'ont affublé ses amis et ses enfants,

« le Maure », pour en faire une façon de le désigner comme juif[248]. On va jusqu'à l'accuser de collaborer à la *Nouvelle Gazette prussienne*, journal conservateur de Berlin dont Ferdinand von Westphalen, toujours ministre de l'Intérieur, est membre du comité de rédaction[248]. D'autres le disent même agent prussien infiltré dans les milieux révolutionnaires ! Ces affabulations sont reprises par les journaux allemands de Londres, qui se répandent aussi régulièrement en allusions sur les excellentes relations que Karl entretiendrait avec son beau-frère. Sitôt qu'il les entend, Marx réagit avec violence[277] et provoque en duel, cette année-là, sans avoir le moindre entraînement au maniement des armes, trois de ses détracteurs, dont l'éditeur d'un journal qui l'a critiqué. Tous trois font amende honorable et les duels n'ont pas lieu.

Partout en Europe, les événements de la fin de 1851 confirment la prédiction de Karl dans ses articles sur 1848 : la révolution a perdu pour longtemps.

En Prusse, la Constitution libérale est abrogée ; les opposants, assignés à résidence ; les libertés de la presse et d'association, annulées ; les droits fondamentaux accordés en 1848, supprimés. Plus question d'espérer une amnistie qui permettrait à Marx de rentrer au pays.

Le dernier espoir de retour sur le continent s'évanouit quand à Paris, dans la nuit du 1er au 2 décembre 1851, Louis-Napoléon Bonaparte dissout l'Assemblée nationale, « foyer de complots », parce qu'elle refuse de réviser la Constitution pour l'autoriser à se représenter à la présidence de la République[163]. Le 3 décembre, des barricades sont dressées dans la capitale française ; un député de l'Ain est tué faubourg Saint-Antoine en criant : « Vous allez voir comment on meurt pour 25 francs[163] ! », somme qui correspond au montant de l'indemnité journalière des parlementaires. La troupe tire sur une foule de manifestants : environ 200 morts sur les Grands Boulevards. Des émeutes éclatent aussi dans la Nièvre, l'Hérault, le Var et les Basses-Alpes[163], mais elles restent marginales, les paysans demeurant acquis au souvenir napoléonien.

Karl suit ces événements avec passion. Il y voit la confirmation de ce qu'il a écrit : sans une alliance solide entre ouvriers et paysans, toute révolution ne peut qu'échouer. Et celle-ci échoue comme la précédente.

La plupart des députés républicains, dont Victor Hugo, sont arrêtés et bannis au milieu de 27 000 autres personnes arrêtées, dont 4 000 sont déportées. Hugo quitte la France. Le 20 décembre 1851, le peuple des campagnes approuve massivement le coup d'État et délègue à Louis-Napoléon le pouvoir de rédiger une nouvelle Constitution, qui lui confie le pouvoir pour dix ans.

Karl voit là une ultime confirmation de ce qu'il avait prévu dans sa série d'articles sur la révolution de 1848 : en France comme en Prusse, les ouvriers n'ayant pas su s'allier avec les paysans, un pouvoir autoritaire met un terme aux ultimes velléités libérales. Sa jubilation intellectuelle ne l'empêche pas de comprendre qu'il est maintenant bloqué pour une durée indéterminée dans un pays dont il parle encore mal la langue et où il meurt littéralement de faim.

De Joseph Weydemeyer, installé à New York, il reçoit en janvier 1852 la proposition d'écrire, pour l'hebdomadaire politique que celui-ci compte bientôt lancer sous le titre *La Révolution*, le récit de ce coup d'État de 1851, comme il a fait naguère celui de la révolution de 1848 dans le journal que distribuait Weydemeyer. Une très faible rémunération est fixée. Karl accepte. Chaque semaine, jusqu'au début de mars 1852, il fait parvenir à New York un article ; les sept seront en fait rassemblés pour publication par Weydemeyer en un seul, sous le titre *Le 18 Brumaire de Louis-Napoléon Bonaparte*[20]. Comme toujours, Jenny s'est occupée de les expédier – aux frais de l'éditeur – après les avoir recopiés et en avoir discuté. Sous couvert d'articles de presse, c'est encore une fois un texte théorique majeur.

Comme dans sa précédente série d'articles, Karl entend expliquer le coup d'État par la lutte des classes. Il commence par cette phrase si célèbre : « Hegel note dans un passage de ses œuvres que tous les grands événements et les grands personnages de l'histoire universelle se présentent pour ainsi dire deux fois. Il a oublié d'ajouter : la première fois comme tragédie, la seconde comme farce[20]. » Il montre ensuite que, tout comme la crise mondiale de 1847 avait affaibli la bourgeoisie, la prospérité recouvrée en 1849 l'a renforcée ; que la façon dont a échoué la révolution prouve encore, si besoin était, que l'État n'est pas, comme le pensaient Hegel et les « socialistes vrais » allemands – ses premiers compagnons –, le détenteur et le garant d'un « intérêt général », mais l'instrument des classes dominantes ; que les paysans dont la défection avait assuré la défaite de la République seront un jour déçus par celui-là même qu'ils ont porté au pouvoir ; qu'ils comprendront qu'ils ont les mêmes intérêts que les ouvriers, qu'ils sont les adversaires des notables ruraux alliés à ceux du capital : « Les intérêts des paysans ne se confondent plus avec ceux de la bourgeoisie et du capital, comme c'était le cas sous Napoléon Ier ; au contraire, ils s'y opposent [...]. C'est pourquoi les paysans trouvent un allié naturel et un guide dans le prolétariat des villes, dont la destinée est de renverser l'ordre bourgeois[20]. »

« Un allié et un guide » : voilà annoncé le rôle de dirigeant dévolu à la classe ouvrière, classe minoritaire, alors à la pointe de l'intelligence industrielle mais exploitée au premier chef. C'est à cette minorité que Marx pensera toujours que doit revenir la direction de la révolution, même s'il ne le dira plus. Et même s'il ne pensera jamais que la classe ouvrière, et encore moins le parti qui la représente doit monopoliser le pouvoir. Plus tard, Engels puis Lénine feront ce choix.

S'il prévoit que l'Empire sera un jour renversé, il redoute que le prolétariat ouvrier ne se fasse confisquer sa victoire parce qu'il n'aura pas su s'allier aux paysans. Plus précisément, il explique que quand l'Empire tombera, s'installera d'abord une république parlementaire qui récupérera l'État et le mettra au service de la bourgeoisie ; et qu'une révolution ouvrière ne pourra l'emporter ensuite que si les ouvriers des villes s'allient aux petits propriétaires des campagnes, aux paysans et aux commerçants pour « concentrer contre l'État toutes ces forces de destruction[20] » et « briser la machine d'État que toutes ces révolutions politiques n'ont fait que perfectionner[20] ». La tâche du dirigeant prolétarien consiste donc à faire naître chez les ouvriers la conscience de leur destin par la création de partis de masse en vue de la constitution d'une vaste alliance, d'une majorité de gouvernement englobant les autres fractions exploitées de la population.

Marx procède ainsi à l'analyse, lumineuse et prémonitoire, de ce qui se passera effectivement dans vingt ans en France : la chute du Second Empire, l'avènement d'une république bourgeoise, le soulèvement des ouvriers parisiens et l'échec de leur révolution, faute d'avoir pu rallier à temps les paysans et les élites de province. Ce sera la Commune.

Il écrit prophétiquement : « Le jour où le manteau impérial tombera enfin sur les épaules de Louis Bonaparte, la statue d'airain de Napoléon s'écroulera du haut de la colonne Vendôme[20]. » Il faudra en effet vingt ans pour que s'accomplisse très exactement cette prédiction, et pour qu'ensuite naissent, exactement comme il l'avait prédit, les premiers partis de masse, encore inconcevables en 1852.

Et puis il y a cette phrase belle et mystérieuse, immense même par ce qu'elle annonce : « Ce n'est pas dans le passé, mais uniquement dans l'avenir que la révolution sociale du XIXe siècle pourra trouver la source de sa poésie[20]. »

Karl est conscient de la valeur de ce qu'il écrit là. Dans la dernière de ses livraisons, le 5 mars 1852, il décrit ce qu'il sait apporter de nouveau à l'analyse sociale : « Ce n'est pas à moi que revient le mérite d'avoir découvert ni l'existence des classes dans la société moderne, ni leur lutte entre elles. Longtemps avant moi, des historiens bourgeois avaient décrit le développement historique de cette lutte des classes, et des économistes bourgeois en avaient exprimé l'anatomie économique. Ce que je fis de nouveau, ce fut : 1° de démontrer que l'existence des classes n'est liée qu'à des phases de développement historique déterminé de la production ; 2° que la lutte des classes conduit nécessairement à la dictature du prolétariat ; 3° que cette dictature elle-même ne constitue que la transition à l'abolition de toutes les classes et à une société sans classes[20]... »

L'intégralité du *18 Brumaire* paraît le 20 mai 1852 en allemand, à New York, dans le premier numéro de *La Révolution* que Weydemeyer réussit à publier grâce à un mécène demeuré anonyme[248]. Pas un seul journal au monde n'en mentionne alors la publication.

Dix-sept ans plus tard – soit un an avant la Commune –, Marx racontera, dans la préface à une deuxième édition de ce texte, l'histoire de l'échec de ces articles ; il en profitera pour critiquer Hugo et Proudhon qui avaient écrit, avec beaucoup plus de succès que lui, sur le même sujet : « Quelques centaines d'exemplaires en furent alors envoyés en Allemagne, mais sans pouvoir cependant être placés en librairie. Un libraire allemand qui se donnait comme radical avancé, et auquel j'en proposai la diffusion, répondit en manifestant son effroi vertueux d'une proposition aussi "inopportune" [...]. Parmi les ouvrages qui, à peu près à la même époque, traitaient le même sujet, deux seulement méritent d'être mentionnés : *Napoléon le Petit*, de Victor Hugo, et *Le Coup d'État*, de Proudhon. Victor Hugo se contente d'invectives amères et spirituelles contre l'auteur responsable du coup d'État ; l'événement lui-même lui apparaît comme un éclair dans un ciel serein ; il n'y voit que le coup de force d'un individu. Il ne se rend pas compte qu'il le grandit ainsi au lieu de le diminuer [...]. Proudhon transforme la construction historique du coup d'État en une apologie du héros du coup d'État [...]. Quant à moi, je montre par contre comment la lutte des classes en France créa des circonstances et une situation telles qu'elle permit à un personnage médiocre et grotesque de faire figure de héros[20]. »

Juste après la mort de Marx, à propos de ce texte, Engels écrira avec une emphase pour une fois parfaitement justifiée : « C'était un travail génial. Immédiatement après l'événement qui surprit tout le monde politique comme un éclair dans le ciel serein [la phrase de Marx à propos de Hugo], qui fut maudit par les uns avec des cris d'indignation vertueuse et accueilli par les autres comme l'acte apportant le salut hors de la Révolution et comme le châtiment du trouble provoqué par elle, et qui fut un objet d'étonnement et d'incompréhension pour tous, Marx en fit un exposé court, épigrammatique [...]. Pour cela, il fallait la connaissance profonde de l'histoire de France qu'avait Marx[112]. » Lafargue ajoutera : « Il n'écrivait que [...] avec la ferme volonté de donner une base scientifique au mouvement socialiste qui, jusque-là, errait dans les brumes de l'utopie[161]. »

Karl sait que son exil prendra désormais beaucoup de temps. Il en parle longuement avec Jenny : il leur faut se préparer à rester à Londres dans la misère, dans ce pays où tout leur est étranger, avec quatre enfants qui n'ont pas mérité de vivre si mal et en courant le risque que l'un d'entre eux subisse le sort de Guido. Y est-elle prête ? Ne préfère-t-elle pas retourner chez sa mère, à Trèves, avec les enfants ? Ils bénéficieraient du confort d'un environnement familial sûr avec un frère ministre. Elle refuse, furieuse qu'il ait même envisagé cette solution. Il n'a qu'à écrire plus, publier plus, et continuer le combat. C'est désormais son combat à elle aussi. Elle y est disposée. Il ne doit pas renoncer. Elle est là, près de lui. Il a besoin d'elle ? Elle n'en demande pas plus.

Quelques jours plus tard, il fait si froid, ils sont si pauvres que Marx écrit à Engels qu'il ne peut plus sortir de chez lui, car son manteau est en gage[248], et qu'il ne peut plus acheter de viande pour les enfants, le boucher ne lui faisant plus crédit[46]. Il ne peut même plus envoyer ses deux aînées à l'école, ni recevoir une aide quelconque pour garder les deux plus petits, ni acheter des livres, pas même un berceau, des langes et des médicaments pour Franziska, la dernière-née, malade tout comme l'est Edgar, âgé maintenant de près de cinq ans et à qui Karl a commencé à apprendre des vers en grec, en allemand et en anglais. Il invente sans cesse des expédients pour éloigner les créanciers, se servant même de ses enfants comme de leurres, tentant sans répit d'obtenir un secours de sa mère ou de ses amis. Seul Engels est là, régulier mais peu généreux au vu de sa fortune.

En ces moments terribles, pas question d'écrire, de lire ni de réfléchir. La Ligue ne l'intéresse plus. Seul importe de survivre et d'assurer la survie de ses enfants.

Cette année-là – 1852 –, comme l'a prévu Karl, Louis-Napoléon Bonaparte, devenu Napoléon III, a de la chance : l'économie se développe ; les patrons donnent du travail aux ouvriers ; les commerçants s'enrichissent ; les paysans se calment. Le pouvoir tient la presse ; les saint-simoniens se rallient au régime et créent le Crédit foncier de France ; Boucicaut fonde Le Bon Marché. Les républicains sont si mal vus que Napoléon III interdit le port d'une barbe non taillée, signe de ralliement des révolutionnaires.

La misère est si grande, le froid si vif que, le 14 avril 1852, Franziska meurt à treize mois : c'est le second enfant des Marx à décéder dans cette rue, dix-huit mois après Guido. Karl n'a pas même les moyens de lui offrir un cercueil et doit recourir, après beaucoup de temps et d'efforts, à la générosité d'un voisin français demeuré anonyme. Dans ses brefs souvenirs, toujours digne et sobre, Jenny note : « [Franziska] n'a pas eu de berceau quand elle est venue au monde, et même sa dernière demeure lui a été refusée pendant longtemps[201]. »

Dans sa lettre de condoléances du 20 avril, Engels s'afflige de l'indigence de la famille Marx, des conditions d'hygiène déplorables qui ont entraîné la mort de l'enfant, tout en regrettant de ne pouvoir faire plus pour eux[46].

Karl n'en peut plus et tombe malade, pour la première fois sérieusement. « Les crises de furonculose, de foie, les rages de dents, les infections oculaires puis pulmonaires se multiplient[161]. » Puis il se ressaisit, renforce la carapace dont il a su se doter et prend un soin infini des enfants qui lui restent, en particulier de son dernier fils avec lequel il reproduit la relation qu'il avait nouée jadis avec son père : « Il s'occupe de ses deux filles et de son fils qui a cinq ans et qu'il adore. Il le surnomme *colonel Musch* (“mouche”, en allemand) en hommage à sa petite taille et à son grand sens tactique pour dérouter les créanciers[161]. » Jenny reste confiante ; quand Karl va mal, c'est elle qui tient la maison. Elle ne retourne à sa dépression, à ses vomissements et à ses angoisses que quand Karl va bien[248].

Au fond de sa misère, Marx reçoit alors une proposition mirifique : devenir le correspondant à Londres du premier quotidien des États-Unis, le *New York Daily Tribune*, qui est même, avec 200 000 exemplaires vendus, le journal le plus vendu au monde. Charles Dana – brièvement rencontré à Paris trois ans plus tôt alors qu'il était le correspondant en France du même journal – vient d'être nommé son rédacteur en chef à New York ; il a décidé de s'intéresser à la clientèle des Allemands qui, pense-t-il, vont bientôt immigrer en masse aux États-Unis en raison de la répression politique et du marasme économique de la Prusse. Aussi, se souvenant de la très forte impression que lui avait laissée Marx à Paris, il lui propose de devenir son correspondant à Londres : Karl pourra écrire sur ce qu'il voudra, quand il voudra, tout en étant rémunéré pour au moins un article par semaine ; et davantage si ces textes sont publiés. Dana lui explique que les honoraires que le *New York Daily Tribune* lui verseront ne correspondent pas à l'estime que le journal témoigne à son *« most highly valued contributor »*, mais qu'il recevra néanmoins une livre pour chacun de ses premiers articles, puis deux, puis peut-être même trois livres.

Marx est évidemment séduit : voilà enfin un revenu régulier – il double ce que lui verse Engels – pour un vrai travail de journaliste, en anglais. Jamais il n'aurait cru cela possible, même si c'est ce que Jenny lui avait toujours demandé de chercher à faire. De surcroît, le *New York Daily Tribune* est l'organe de presse le plus libéral d'Amérique, et il n'est pas déshonorant pour lui d'y écrire. Le journal a été fondé dix ans plus tôt par un ancien typographe devenu journaliste, Horace Greeley, adepte de Fourier, de Hawthorne et d'Emerson, qui a soutenu la brève expérience du phalanstère de Brook Farm, près de Boston. Dans ce quotidien travaille la meilleure équipe de journalistes aux États-Unis, d'un niveau politique et littéraire très élevé, avec d'excellents correspondants en Europe. Karl hésite un peu, toutefois : il ne parle pas encore assez bien l'anglais pour écrire directement dans cette langue. Engels – encore lui – lui propose de réviser ses articles et d'en corriger gratuitement la forme. L'ami de Manchester est si enthousiaste qu'il supplie même Karl de le laisser écrire, sous le nom de Marx, des articles de stratégie militaire – sa marotte – sans se faire payer. Karl accepte, et se met au travail, même s'il maugrée contre le caractère superficiel et alimentaire de ce qu'on lui demande, espérant secrètement – outre l'argent que cela va lui rapporter – intéresser à sa cause une partie des Allemands d'Amérique.

De fait, en un an (de l'été 1851 au printemps 1852), comme prévu par Charles Dana, un demi-million d'Allemands traversent l'Atlantique, poussés par la misère et la répression politique.

Les déboires qu'il a connus (surtout la mort en quelques mois de deux de ses enfants) ont durci encore le caractère de Karl. Il n'est plus le jeune homme gai, ambitieux et optimiste de Berlin, de Paris ou même encore de Bruxelles. Il n'est plus le patron combatif et sombre du premier journal de gauche d'Allemagne. Il s'aigrit, s'impatiente, flaire des espions partout – souvent à juste titre ! – et a le sentiment – justifié, lui aussi – de perdre son temps avec des imbéciles. Il passe ainsi plusieurs mois avec Engels à déverser un tombereau d'injures sur les exilés allemands à Londres, et sur l'un d'eux en particulier : Kinkel, le célèbre évadé de Spandau. Cela donne *Les Grands Hommes de l'exil* dont le manuscrit, envoyé à un éditeur allemand, tombe entre les mains de la police prussienne et n'est pas publié. Encore des mois de travail pour rien !

En août 1852, le *New York Daily Tribune* publie le premier article de Marx, qui touche sa première livre de revenu. C'est une fête à la maison. Étant rémunéré à l'article, il ne cessera dès lors d'écrire sur tous les sujets : la vie politique anglaise, le chartisme et les grèves, l'Espagne, la Russie, la question d'Orient, l'Inde, la Chine, l'Algérie. Ce seront souvent, on le verra, des textes très importants, beaucoup plus lisibles que ses livres. Et comme, à l'égard de ses articles, il ne nourrit pas les mêmes réserves que pour ses textes philosophiques ou économiques, il s'en séparera sans difficulté, sans les retravailler indéfiniment.

En novembre 1852, Karl en a assez de perdre son temps en politique. Il décide alors de faire ce à quoi il pense depuis longtemps : dissoudre les derniers restes de la Ligue des communistes et se consacrer exclusivement à son œuvre théorique. La Ligue des communistes est à ce point inexistante que sa dissolution passe inaperçue.

Il reprend alors le projet de livre d'économie promis depuis huit ans à un éditeur de Darmstadt. Il a maintenant en tête une œuvre monumentale, à la fois critique de l'économie politique et analyse scientifique du mode de production capitaliste. Il entend ainsi rassembler, pour les publier enfin, toutes les réflexions qu'il a menées, depuis son arrivée à Paris en 1843, sur l'aliénation, l'exploitation, la nature du capitalisme, ses crises et la façon dont les mouvements de l'Histoire peuvent s'expliquer par les rapports de propriété. Il se sert pour cela des notes qu'il a accumulées depuis des années sur la « propriété bourgeoise », qu'il définit maintenant comme « le pouvoir d'assujettir, en se l'appropriant, le travail d'autrui[1] ».

Il veut surtout expliquer pourquoi le capitalisme est à son avis condamné à s'effondrer, une fois qu'il sera devenu mondial ; et pourquoi la révolution ne saurait tenir si elle reste confinée dans un seul pays. Ce qu'il a lu chez les économistes – il a tout lu, pense-t-il – ne lui sert finalement presque à rien, car il n'y trouve aucune explication de la nature profonde de la production de richesses ni du lien entre économie et politique.

Il réfléchit à ce que sera, une fois le capitalisme disparu, la société « communiste ». Il la définit par l'« abolition de la propriété bourgeoise » pour constituer une société d'« êtres libres et égaux », « hommes nouveaux », « libres », « riches en besoins ». Le travail y sera « non seulement un moyen d'existence, mais le premier besoin vital [...], rendu créateur par la réduction de sa durée et son libre choix[38] ». Marx reprend là une idée déjà présente dans son *Idéologie allemande* de 1844 : « Le communiste sera libre de faire une chose aujourd'hui et autre chose demain, chasseur le matin, pêcheur l'après-midi, éleveur le soir, sans jamais devenir un chasseur, un pêcheur ou un pâtre[38]. »

Les conditions de la transition du capitalisme au communisme ne lui semblent pas en soi un sujet d'étude urgent ; pour lui, elles dépendront des circonstances économiques et politiques, donc du moment et du lieu. Elles ne peuvent faire l'objet d'une théorie générale. Marx dit seulement qu'on accédera à cette société idéale par un « saut » du « règne de la nécessité » au « règne de la liberté » qu'il nomme maintenant « dictature révolutionnaire du prolétariat », sans en préciser le contenu, si ce n'est en affirmant, comme il le fit dans ses articles sur la révolution de 1848, qu'il faudra, là où c'est possible, utiliser les institutions de la démocratie pour asseoir le pouvoir de la majorité par le jeu des partis. Sur ce point comme sur beaucoup d'autres, il ne changera jamais d'avis, malgré les tragédies politiques et personnelles qu'il aura eu à traverser : journaliste avant tout, la liberté de pensée lui paraît le plus sacré des droits ; pour lui, la démocratie parlementaire doit être protégée quoi qu'il arrive, même si la majorité sociale n'a pas la majorité politique.

Au même moment, d'ailleurs, il se fait publiquement l'avocat de deux dimensions essentielles de la démocratie libérale : la liberté de la presse et l'indépendance de la justice. En particulier, le 12 novembre de cette année 1852, il proteste lorsque plusieurs de ses amis communistes allemands, compagnons de l'aventure de 1848 arrêtés à la fin de l'année suivante – certains sur la dénonciation involontaire de Willich – avant d'avoir pu fuir, passent en jugement à Cologne en tant que « communistes » pour avoir été ses amis en 1849 et avoir ensuite correspondu avec lui. L'un des prévenus, Ferdinand Freiligrath, a évité de justesse l'arrestation en fuyant à Londres et est jugé par contumace ; les autres n'ont pas eu cette chance et risquent gros. Le 20 novembre, Karl envoie à plusieurs journaux britanniques et américains, en anglais et en allemand, un long article qui paraît le 29 novembre dans le *Morning Advertiser*, puis, dans sa version finale, le 10 décembre dans la *New Yorker Criminal-Zeitung*, pour protester contre les violations des droits de la défense qui entachent ce procès : « Dix-huit mois ont été gaspillés à essayer d'obtenir des preuves dans ce procès. Pendant ce temps, nos amis ont été séquestrés, sans livres ni traitement médical, et sans condition pour en bénéficier. Ils n'ont pas eu le droit de voir leurs avocats, en violation de la loi.[...] On composa un jury fait de six nobles réactionnaires, quatre membres de la haute finance et deux membres de l'administration. On leur apportait des preuves, en particulier une preuve venue de Londres, procès-verbal des réunions d'une société secrète présidée par le docteur Marx avec lequel les accusés étaient en correspondance [...] ; ce procès-verbal se révéla être un faux. L'écriture de Marx avait été imitée. Et pourtant, ils furent considérés comme coupables de haute trahison en application rétroactive d'une loi pénale nouvelle[1] ! »

La condamnation tombe, lourde : les amis de Marx passeront de longues années en prison. Karl enrage et décide alors de tirer une brochure de cet épisode sous le titre *Révélations sur le procès des communistes*, et de la faire circuler en Allemagne. Pour que ce texte ne soit pas considéré comme un appel à la révolution immédiate, dans une préface Engels met en garde leurs amis contre le danger de précipiter l'action, d'être « contraints de se livrer à des expériences communistes et de faire des bonds en avant dont nous savons mieux que personne à quel point ils ne viennent pas à leur heure. Dans ces affaires-là, on perd la tête – espérons que ce ne sera pas physiquement parlant – et [...] on passe non seulement pour des bêtes féroces [...], mais, en plus, pour stupides, ce qui est bien pire[112] ».

Une fois de plus, la brochure, imprimée à Bâle, sera intégralement saisie par la police dès son arrivée en Allemagne, en décembre 1852. Personne n'en aura connaissance.

Le 10 janvier 1853, alors qu'est inaugurée à Londres la première ligne du métropolitain, Karl est de nouveau malade et toujours à court d'argent. Il ne peut même plus payer l'envoi de ses lettres. Pour fournir le minimum à sa famille, il doit « tartiner », comme il dit, pour la presse. Des articles de circonstance, souvent visionnaires, dans le *New York Daily Tribune*, qui lui rapportent désormais quelque 150 livres par an. Des articles que Jenny discute pied à pied avec lui avant de les recopier et de les envoyer.

Karl ferraille aussi dans la presse de gauche, souvent anonymement et gratuitement. Par exemple, il répond à Ruge, son ami et associé de Paris, autorisé, lui, à revenir à Berlin, et qui lui reproche de ne pas soutenir la mémoire de Bakounine dont nul ne sait ce qu'il est devenu depuis qu'il a été arrêté, trois ans plus tôt, en Prusse et transféré en Autriche, puis en Russie. Karl écrit aussi dans les organes les plus divers : le *People's Paper* des chartistes, des journaux en langue allemande (le *Volk*, la *Neue Oder Zeitung*, l'*Allgemeine Augsburg Zeitung*, la *Reform*) ; il contribue à une encyclopédie (la *New American Encyclopaedia* que dirige Dana) ; et même à un journal sud-africain, le *Zuid-Africaan*, que lance un journaliste hollandais, Jan Karl Juta, qui vient d'épouser sa sœur Louise avec laquelle il vient le voir cette année-là à Londres, en route pour Le Cap. Un participant à un dîner avec Louise et Karl rapporte[277] qu'« elle ne pouvait supporter que son frère fût le chef des socialistes et insistait en ma présence sur le fait qu'ils appartenaient à la famille d'un avocat respecté et apprécié de tous à Trèves ».

En écrivant ainsi pour tant de journaux différents, Marx se rend compte qu'il aurait pu gagner de l'argent en créant une agence de presse s'il y avait songé plus tôt ; mais, pense-t-il, les places sont prises. Il le déplore et l'écrit à Engels : « Si on l'avait fait au bon moment, tu ne serais pas coincé à Manchester, torturé par ton bureau, et moi ici, torturé par mes dettes[46] ! » On verra qu'il a tort et qu'un autre Juif allemand, Julius Reuter, se lancera bientôt dans cette aventure, de Londres, avec succès.

Au même moment, le 20 janvier 1853, Napoléon III épouse Eugénie de Montijo qui, en catholique fervente, le pousse aussitôt à envoyer des troupes assurer la protection des Lieux saints, alors sous protection ottomane[163]. Le tsar Nicolas Ier, qui entend lui aussi s'en charger, propose une alliance à l'Angleterre pour se partager l'Empire ottoman, l'« homme malade de l'Europe », selon la formule du diplomate russe Alexandre Gortchakov. Alors dirigé par le conservateur Aberdeen, puis par Palmerston, le gouvernement britannique hésite. Karl est pour sa part hostile à cette alliance anglo-russe, comme il l'est depuis toujours à tout ce qui peut renforcer le pouvoir tsariste, qu'il considère comme le premier soutien des dictatures allemandes. Il ne croit pas à une alliance anglo-française contre la Russie, car ni le « faux Napoléon » ni le nouveau ministre anglais des Affaires étrangères, Palmerston, n'ont, pense-t-il, vraiment l'intention de frapper au cœur le colosse russe. Il tire d'un examen minutieux des documents du Foreign Office, des procès-verbaux du Parlement anglais édités depuis le XVIIIe siècle, et des rapports diplomatiques qu'il est allé consulter au British Museum, la conviction que, depuis l'époque de Pierre le Grand, Anglais et Russes n'ont cessé de s'entendre en secret[161].

En avril de cette année 1853, Marx signe sur ce sujet un article pour le *New York Daily Tribune* rédigé encore en partie avec Engels : « Si la Russie entre en possession de la Turquie, sa force en sera augmentée de moitié, et elle l'emportera sur toute l'Europe coalisée. Un tel événement serait un malheur indescriptible pour la cause révolutionnaire[11]. » Ce sera l'un des tout derniers articles que les deux amis corédigeront. Car, à partir de juin 1853, Karl pratique assez bien l'anglais pour écrire directement ses articles dans cette langue, et Friedrich ne fait plus que les relire. Lafargue notera que, pour Karl, « une langue étrangère est une arme dans les luttes pour la vie[161] ». Il lit alors en anglais la terrible description de la vie de la classe ouvrière anglaise que Charles Dickens vient de donner dans *Les Temps difficiles*, en particulier celle de Coketown, archétype de la ville ouvrière, où il retrouve ses propres conditions de misère[161].

Tandis que la tension entre la Russie et la Turquie s'aggrave, Marx se documente – toujours à la bibliothèque du British Museum – sur la colonisation de l'Inde pour des articles destinés au *New York Daily Tribune*. C'est aussi pour lui une façon de mieux comprendre l'esprit des paysans, qui le désoriente, et d'approcher des sociétés anciennes pour appréhender la dynamique de la naissance du capitalisme. Il écrit ainsi le 25 juin un premier article sur la colonisation, intitulé « La domination britannique en Inde », texte très important sur les sociétés précapitalistes : « Depuis des temps immémoriaux, il n'existait en Asie que trois départements administratifs : celui des Finances, ou pillage de l'intérieur ; celui de la Guerre, ou pillage de l'extérieur ; enfin celui des Travaux publics [...]. En Égypte et en Inde comme en Mésopotamie et en Perse, les inondations servent à fertiliser le sol ; on profite du haut niveau de l'eau pour alimenter les canaux d'irrigation. Cette nécessité première d'utiliser l'eau avec économie et en commun (qui, en Occident, entraîna les entrepreneurs privés à s'unir en associations bénévoles, comme en Flandre et en Italie) imposa en Orient, où le niveau de civilisation était trop bas et les territoires trop vastes pour que puissent apparaître des associations de ce genre, l'intervention centralisatrice du gouvernement. De là une fonction économique incombant à tous les gouvernements asiatiques : la fonction d'assurer les travaux publics. »

Il y a là, déjà, la description de ce qui deviendra plus tard sous la plume de Marx le « mode de production asiatique », où les travailleurs se voient extorquer leur force de travail par l'État. L'article continue par une critique en règle – unique à son époque – de la colonisation britannique : « L'Angleterre a détruit les fondements du régime social de l'Inde sans manifester jusqu'à présent la moindre velléité de construire quoi que ce soit. » Et ce passage si célèbre : « Le métier à tisser à bras et le rouet, qui produisaient des myriades de tisserands et de fileurs, étaient le pivot de la structure de cette société. Depuis des temps immémoriaux, l'Europe recevait les admirables tissus de fabrication indienne, envoyant en échange ses métaux précieux et fournissant ainsi la matière première aux orfèvres, ces membres indispensables de la société indienne [...]. Les envahisseurs anglais ont brisé les métiers à tisser des Indiens et détruit leurs rouets. L'Angleterre commença par évincer les cotonnades indiennes du marché européen, puis elle se mit à exporter en Hindoustan le filé, et enfin inonda de cotonnades la patrie des cotonnades. De 1818 à 1836, les exportations de filé de Grande-Bretagne en Inde augmentèrent dans la proportion de 1 à 5 200[29]. »

Puis, visionnaire, Marx repart vers l'avenir et explique un mois plus tard, dans un autre article daté du 22 juillet 1853, qu'en Inde le capitalisme sera un jour un bien meilleur système social que l'actuelle société archaïque. Rédigé dans la misère absolue, ce texte majeur, émanant d'un citoyen du monde, montre encore une fois que, pour lui, le communisme ne peut venir qu'*après* le capitalisme, et non à sa place, car le capitalisme libère les hommes de la superstition et de l'esclavage :

« Aussi triste qu'il soit, du point de vue des sentiments humains, de voir ces myriades d'organisations sociales patriarcales, inoffensives et laborieuses se dissoudre, se désagréger en leurs éléments constitutifs et être réduites à la détresse, et leurs membres perdre en même temps leur ancienne forme de civilisation et leurs moyens de subsistance traditionnels, nous ne devons pas oublier que ces communautés villageoises idylliques, malgré leur aspect inoffensif, ont toujours été un fondement solide du despotisme oriental, qu'elles enfermaient la raison humaine dans un cadre extrêmement étroit en en faisant un instrument docile de la superstition et l'esclave des règles admises, en la dépouillant de toute grandeur et de toute force historique. Nous ne devons pas oublier l'exemple des barbares qui, accrochés égoïstement à leur misérable lopin de terre, observaient avec calme la ruine des empires, les cruautés sans nom, le massacre de la population des grandes villes, n'y prêtant pas plus attention qu'aux phénomènes naturels, eux-mêmes victimes de tout agresseur qui daignait les remarquer [...]. Nous ne devons pas oublier que ces petites communautés portaient la marque infamante des castes et de l'esclavage, qu'elles soumettaient l'homme aux circonstances extérieures au lieu d'en faire le roi des circonstances, qu'elles faisaient d'un état social en développement spontané une fatalité toute-puissante, origine d'un culte grossier de la nature dont le caractère dégradant se traduisait dans le fait que l'homme, maître de la nature, tombait à genoux et adorait Hanumân, le singe, et Sabbala, la vache[30]... »

Puis cette phrase prophétique : « Il s'agit de savoir si l'humanité peut accomplir sa destinée sans une révolution fondamentale dans l'état social de l'Asie ; sinon, quels qu'aient été les crimes de l'Angleterre, elle fut un instrument inconscient de l'Histoire en provoquant cette révolution[30]. » Et cette autre encore : « Le jour n'est pas bien loin où, par une combinaison de chemins de fer et de bateaux à vapeur, la distance entre l'Angleterre et l'Inde, mesurée par le temps, sera réduite à huit jours, et où cette contrée jadis fabuleuse sera pratiquement annexée au monde occidental[30]. » L'esprit du monde, une fois de plus, pense la mondialisation et amorce l'entrée de l'Asie au sein de celle-ci, en faisant du capitalisme une libération des peuples.

En novembre 1853, la Russie envahit l'Empire ottoman pour s'emparer des provinces danubiennes en tablant sur l'alliance avec la Grande-Bretagne et la neutralité des autres puissances européennes. Craignant un soutien de Londres au gouvernement du tsar, Karl revient dans le *New York Daily Tribune* sur l'existence des « liens secrets[11] » qu'il aurait découverts entre les grandes bourgeoisies anglaise et russe, il dénonce Palmerston, alors ministre des Affaires étrangères, comme « vendu » à Pétersbourg. Il critique un de ses amis oubliés, Ferdinand Lassalle, ce jeune professeur de philosophie rencontré à Düsseldorf en 1849, qu'il a aidé à sortir de prison et qui vient de publier un long article vantant les mérites du même Palmerston. Karl enverra en tout huit articles contre ce dernier au *New York Daily Tribune,* qui n'en fera paraître que quatre. Il publiera les huit dans le *People's Paper* du 22 octobre au 24 décembre 1853, qu'il réunira ensuite dans une brochure intitulée *The Life of Lord Palmerston*, laquelle se vendra très bien mais dont il ne retirera aucun profit financier, ayant mal négocié son contrat[248]. Rien n'établira jamais historiquement le sérieux de ses soupçons que ne corroborent pas les archives qu'il a consultées.

Tandis que l'Angleterre hésite encore à choisir son camp, Karl fait une étrange rencontre : David Urquhart, un aristocrate écossais, parlementaire tory, devenu partisan des Turcs et ennemi des Russes après avoir combattu du côté grec[277]. Cet Urquhart est l'auteur de *La Turquie et ses ressources*, apologie de l'Empire ottoman, où il s'en prend violemment à la fois à Palmerston et au tsar, tout en demandant instamment à la Grande-Bretagne de s'engager aux côtés des Turcs. Marx signale à l'attention d'Engels un ouvrage de ce « Celte écossais qui tient Palmerston pour vendu aux Russes[46] ». Il écrit même à Friedrich, le 2 novembre 1853 : « Si curieux que cela puisse te paraître, en suivant exactement les traces du noble vicomte (Palmerston, troisième du nom) au cours des vingt dernières années, je suis parvenu aux mêmes conclusions que ce monomane d'Urquhart : Palmerston est vendu à la Russie depuis des dizaines d'années[46]. »

Heureux de pouvoir compter pour une fois sur l'appui d'un parlementaire, Marx s'affiche avec lui. Jusqu'à ce qu'en janvier 1854 Urquhart croie faire plaisir à Karl en lui affirmant que ses articles du *New York Daily Tribune* sont « presque aussi bons que s'ils avaient été écrits par des Turcs[277] » ! Il ajoute qu'il sera, lui, Urquhart, bientôt Premier ministre britannique, et qu'il réussira à chasser les Russes des terres ottomanes, car il a « une superfluidité spécifique du cerveau[277] ». Marx comprend qu'il a affaire à un fou, s'affole de voir leurs noms associés, et écrit le 6 février 1854 à Ferdinand Lassalle, auquel il vient de reprocher d'avoir pris parti pour Palmerston[248] : « Je ne veux pas qu'on me prenne pour un partisan de ce fou ! Je n'ai avec lui en commun que mon point de vue sur

Palmerston. » Pour convaincre Lassalle du bien-fondé de son point de vue, il ajoute dans cette lettre de nouvelles « preuves » de la trahison de Palmerston, qu'il a découvertes au British Museum et qui établissent son extraordinaire sens du détail policier : « Palmerston est un agent russe. La princesse Lieven a payé ses dettes en 1827, le prince Lieven l'a fait entrer au Foreign Office en 1830, et sur son lit de mort Canning a mis en garde contre lui. Je suis arrivé à ce résultat après avoir examiné très consciencieusement et avec beaucoup de soin toute sa carrière, et cela dans les *Livres bleus*, dans les débats parlementaires et les déclarations de ses propres agents diplomatiques. [...] Son tour de force n'est pas tant de servir la Russie que de savoir s'affirmer dans son rôle de “ministre authentiquement anglais” tout en la servant. Sa seule différence avec Aberdeen [Premier ministre à l'époque] est qu'Aberdeen sert la Russie parce qu'il ne la comprend pas, et que Palmerston la sert bien qu'il la comprenne. C'est pourquoi le premier est un partisan avoué, et le second un agent secret de la Russie ; le premier la sert gratis, le second contre rétribution. »

Le 27 mars, alors que *Les Baigneuses* de Courbet font scandale au Salon à Paris, que le baron Haussmann est nommé préfet de la Seine, que Victor Hugo publie en exil *Les Châtiments* et que Nadar installe son premier atelier photographique, l'empereur des Français obtient le soutien de l'Angleterre et du Piémont pour aller défendre l'Empire ottoman et les Lieux saints contre la Russie. La flotte française, que dirigera bientôt Mac-Mahon, appareille pour les Dardanelles avec l'armada anglaise de l'amiral Raglan. Contrairement à ce qu'avait prévu Marx, Londres s'engage donc militairement contre la Russie. Dans un article du *New York Daily Tribune* du 15 avril 1854, il attire l'attention sur les conditions misérables des 8 000 Juifs de Jérusalem alors occupée par les Turcs[11].

En juin, le médecin rechigne à se déplacer pour soigner Jenny, à nouveau enceinte, pour la raison que les Marx lui doivent 26 livres, soit l'équivalent d'un an de loyer. Friedrich leur vient une nouvelle fois en aide. En juillet, Jenny repart passer l'été à Trèves avec ses trois enfants survivants : Jennychen, Laura et Edgar, dont la tuberculose s'aggrave. Avant son départ, elle dépense 8 livres – soit le tiers du loyer annuel de l'appartement de Dean Street – pour l'achat de « tout un équipement neuf, car elle ne pouvait évidemment se rendre à Trèves en haillons[46] », écrit Marx à Engels, le 23 juillet, pour justifier la dépense auprès de son mécène. Le ministre de l'Intérieur à Berlin, son demi-frère, fait une nouvelle fois délivrer à Jenny un passeport sans lequel la femme d'un chef communiste expulsé de Prusse et surveillé par toutes les polices n'aurait pu voyager.

Le 26 septembre – au moment où, à Paris, un jeune employé de l'emballeur de la cour impériale, fraîchement débarqué de son Jura natal, Louis Vuitton, fonde sa propre maison[80] –, 185 000 soldats franco-anglais mettent le siège devant Sébastopol autour de la citadelle occupée par les troupes russes du colonel Franz Todleben.

À la fin de 1854, Marx écrit à Engels qu'il devra recourir à des « moyens extraordinaires » pour payer les dépenses liées à l'accouchement de Jenny et aux soins qu'exige Edgar, de plus en plus malade[46]. Il ne précise pas quels moyens.

Le 16 janvier 1855 naît Eleanor, quatrième fille et sixième enfant des Marx – mais le quatrième alors vivant. Eleanor, qui manifestera le même intérêt que sa sœur Jenny pour la Chine, deviendra « Quo Quo », successeur de l'empereur de Chine ; on la surnommera aussi « Gnome Alberich », du nom d'un de ses héros mythologiques, puis « Tussy ». La joie familiale est de très courte durée, car survient alors le pire drame qu'ait connu Karl Marx.

En avril 1855, moins de trois mois après la naissance d'Eleanor, Edgar, son fils adoré, celui qu'il surnomme « colonel Musch », succombe à la tuberculose à l'âge de huit ans. Karl qui ne manifeste jamais ses sentiments, au point de paraître à beaucoup insensible, est à la dérive. Il avait tant investi dans sa relation avec cet enfant, y reconstruisant celle qu'il avait nouée avec son propre père ; il avait tant d'amour à donner à cet enfant fragile et drôle, à qui il venait d'apprendre de longs passages de *Hamlet* pour le distraire de son mal ! Il écrit alors à Engels : « J'ai déjà passé par toutes sortes de guignes, mais c'est à cette heure seulement que je sais ce que c'est qu'un malheur réel. Je me sens tout brisé[46]. » Il écrit aussi à Ferdinand Lassalle, à Berlin, en réponse à ses condoléances : « Bacon a dit que les hommes véritablement importants ont tant de relations avec la nature et le monde qu'ils se rétablissent facilement de toute perte. Je ne suis pas de ces hommes véritablement importants. La mort de mon enfant a si durement affecté mon cœur et mon cerveau que sa perte me fait souffrir autant qu'au premier jour. Ma pauvre femme est complètement effondrée[47]. » Dix ans plus tard, Jenny écrira qu'ils auraient peut-être pu sauver leur fils en quittant Londres pour vivre en bord de mer. La culpabilité ne les quittera plus.

Karl n'a alors que trente-sept ans, mais, brusquement, il en paraît beaucoup plus. Sa barbe blanchit. Outre ses crises d'hémorroïdes, il est frappé maintenant de violentes douleurs au foie, de furonculose, de rages de dents, d'affections respiratoires, de rhumatismes, de fortes migraines et de conjonctivite. Il est sans ressources et a perdu son second et dernier fils. Personne ne lit ses textes. Il n'a plus d'organisation politique. Tout lui échappe. Il n'a plus l'énergie pour écrire ni pour agir.

En outre, il voit avec amertume le mouvement socialiste reculer là où il devrait être le plus fort : en Grande-Bretagne. En juin 1855, deux mois après la mort d'Edgar, les dirigeants des syndicats passent des accords avec les partis libéraux, et Marx désespère du prolétariat britannique qui, pense-t-il, aspire en fin de compte davantage à ressembler aux bourgeois qu'à renverser leur pouvoir. Au surplus, il constate que le siège franco-britannique de Sébastopol, si difficile et meurtrier, renforce l'alliance des monarchies européennes : pendant qu'une Exposition universelle sur les Champs-Élysées marque un triomphe pour l'Empire en recevant 5 millions de visiteurs – dont la reine Victoria –, le général de Mac-Mahon et l'amiral Raglan s'emparent, le 8 septembre 1855, de la tour Malakoff qui surplombe la citadelle de Sébastopol. La Russie est battue, l'Empire ottoman sauvé. Le siège aura duré un an et fait des centaines de milliers de morts. L'Europe a pris le goût du grand large : la conquête militaire peut se donner libre cours en Afrique.

La misère des Marx est si grande que Karl doit écrire, pour survivre, dans tous les journaux qui veulent bien accepter ses articles, y compris la *Sheffield Free Press* que dirige Urquhart avec lequel il partage toujours la même hantise d'une alliance anglo-russe[277]. Comme pour justifier *a posteriori* ses craintes antérieures[277], Karl révèle dans ce journal avoir découvert au British Museum – où il passe de plus en plus de temps – des documents du XVIIIe siècle démontrant une collaboration secrète entre Londres et Pétersbourg en vue d'une « expansion universelle ». « C'est, encore aujourd'hui, la politique russe », écrit Marx qui ne peut affirmer que c'est encore la politique de la Couronne, puisque les soldats britanniques viennent de mourir en masse face aux troupes du tsar !

Marx est alors entièrement absorbé par son deuil et ses soucis financiers. Et quand, au même moment, quelques réfugiés politiques français, allemands, polonais, belges, ainsi que quelques militants anglais fondent à Londres une Association internationale ouvrière pour prendre le relais de la défunte Ligue des communistes qu'il a liquidée trois ans plus tôt, il est, lui, caché chez Engels, à Manchester, pour échapper à la prison pour dettes dont il n'est sauvé que par un providentiel héritage, celui d'un oncle écossais de Jenny.

Avant de rentrer à Londres, Karl, selon sa fille cadette, écrit de Manchester à son épouse une lettre passionnée[200]. Comme si les décès successifs renforçaient la solidarité des vivants, il passe alors de plus en plus de temps avec les trois filles qui lui restent, jouant avec elles des heures durant, leur fabriquant, dira un témoin, des « flottes entières de bateaux en papier qu'il livre ensuite aux flammes, pour leur plus grande joie, dans un cuvier [...]. C'était un père doux, tendre et indulgent. "Les enfants doivent faire l'éducation de leurs parents", avait-il coutume de dire. Jamais il n'a fait sentir à ses filles, qui l'aimaient follement, le poids de l'autorité paternelle[61]. Un autre témoin raconte aussi les pique-niques traditionnels du dimanche : toute la famille se met en route vers onze heures afin d'être à Hampstead, à une heure et demie de marche, pour l'heure du déjeuner. Le menu, quand on a un peu d'argent : rôti de veau, thé, sucre et parfois des fruits[248]. Après le repas, on parle, on lit le journal, on court et, quand on a de l'argent, on fait des promenades à dos d'âne.

En ces moments, les douleurs s'apaisent et les chagrins s'éloignent quelque peu, même si la vie matérielle reste misérable. Pour ne pas y penser, Karl retourne s'installer au British Museum, prend des notes et travaille à ce qu'il veut encore être son grand livre d'économie.

C'est au cœur de son désespoir, qu'il fait cette année-là – 1855 – sa découverte majeure. Celle qui va relier son analyse de l'aliénation par le travail, qui remonte à 1848, à son analyse de l'Histoire par la lutte des classes, faite en 1850. Celle qui va lui assurer toute sa place dans l'histoire des idées. Celle qui va permettre à des dizaines de millions de salariés d'éclairer leurs luttes et qui se résume très simplement : *le salarié produit plus de valeur qu'il n'en gagne.*

Au plus profond du chagrin causé par la mort d'Edgar, Karl construit ainsi sa théorie de la *plus-value*, laquelle sous-tend et entraîne la dynamique des pouvoirs et des luttes. Il distingue entre une « forme absolue » et une « forme relative » de cette plus-value ; entre un « capital constant » et un « capital variable ». Des concepts qui, sous d'autres noms, forment aujourd'hui encore une partie de l'armature de la pensée économique moderne, même chez ses tenants les plus libéraux.

Karl devine qu'il tient là un concept majeur qui relie la théorie économique, jusque-là si statique, au mouvement de l'Histoire. Mais il n'ignore pas que ce n'est encore là qu'une intuition : tant de choses sont encore à préciser !

Nouveau chagrin, le 17 février 1856 : il apprend la mort de Heinrich Heine, revenu à la foi. Les deux hommes ne se sont pas revus depuis que Karl a été expulsé de Paris, onze ans plus tôt. Ils se sont souvent écrit depuis lors. Heine est même l'un des rares, avec Engels, avec qui Karl ne se soit jamais fâché. Comme si ce dernier avait vu en lui l'oncle rabbin trop tôt perdu, et comme s'il voyait désormais en Engels son jeune frère trop tôt disparu.

La situation politique ne l'incite pas non plus à l'optimisme. Après le traité de Paris du 30 mars 1856 qui ratifie la défaite russe, un nouveau tsar, Alexandre II, entreprend de vastes réformes : il émancipe 50 millions de serfs, humanise la justice, ouvre des universités à la petite bourgeoisie[163]. Mais cela ne calme en rien la révolte. Poètes et romanciers en renvoient les cris ou en expriment les aspirations, tels Léon Tolstoï, Fédor Dostoïevski ou Ivan Tourgueniev. Pour désigner le mouvement révolutionnaire qui voit le jour, à la fois populiste, nationaliste et suicidaire, Tourgueniev invente le terme de « nihilisme ».

L'Angleterre se retire dans un « splendide isolement » pour conduire son extraordinaire essor économique et consolider ses amples conquêtes coloniales. Les industries textiles se développent grâce au coton venu du sud des États-Unis, où des esclaves en nombre croissant le récoltent à très bas prix ; grâce aussi aux nouveaux marchés ouverts dans les colonies par la destruction des industries textiles locales, et, surtout, grâce aux innovations techniques.

C'est aussi l'époque où, à Paris, Gustave Flaubert est poursuivi pour immoralité pour avoir écrit *Madame Bovary.*

Karl retombe dans la dépression et pense à nouveau : « À quoi bon ? » La révolution est impossible ; lui, dans son taudis d'exilé, loin de chez lui, vient de voir mourir trois de ses enfants en trois ans. Il s'en estime responsable. Il n'a plus d'espoir, plus de raison d'écrire ni de faire de la politique. Il presse encore une fois Jenny de le quitter et de repartir avec les enfants en Allemagne. Elle refuse. Il n'a donc plus qu'à attendre la mort de ses derniers enfants, celle de Jenny et la sienne.

Il ne sait pas encore que tout va bientôt changer pour lui.

CHAPITRE IV

Le maître de l'Internationale

(avril 1856-décembre 1864)

En l'espace de quelques mois, entre 1856 et 1857, alors que Marx est isolé de tout, à court d'argent et d'énergie, submergé par le chagrin et la misère, son destin se retourne : l'argent arrive, ses conditions de vie changent, la révolution redevient envisageable, il se retrouve au centre de l'action mondiale, ses concepts s'épanouissent, sa théorie se développe. À trente-huit ans, la vie pour lui va reprendre un sens.

Au printemps 1856, apprenant que sa mère est mourante, Jenny se précipite à Trèves ; son demi-frère, encore ministre de l'Intérieur, lui fait à nouveau obtenir un titre de séjour[248]. Avec une fierté évidente, Marx écrit à Engels, le 10 avril 1856 : « Ma femme a reçu un passeport de Berlin par ordre spécial et suprême de Sa Majesté. Elle partira pour Trèves au mois de mai avec toute la famille, et y restera trois ou quatre mois[46]. »

Karl ne dit pas – mais sans doute le pense-t-il très fort – qu'un héritage les sortirait de la misère. Il se sent mieux. Comme si, une fois de plus, une mort – ou son annonce – venait l'aider à se libérer d'une contrainte.

Le 14 avril, quatre jours seulement après avoir écrit à Engels pour lui faire part du voyage de Jenny, il réapparaît pour la première fois depuis quatre ans dans la vie officielle de la gauche et de l'émigration en prononçant un discours au banquet annuel du journal des chartistes, le *People's Paper*. Le texte de cette intervention est empreint d'un grand lyrisme, d'une énergie qu'il ne manifestait plus depuis longtemps, comme s'il revoyait poindre la possibilité de l'action pour lui comme pour la classe ouvrière tout entière[173]. Comme s'il prévoyait la fin tout à la fois de son propre confinement et de l'inertie du prolétariat. Il retrouve le ton des années de jeunesse. L'amertume s'est éloignée. Sans doute pense-t-il, en s'exprimant ce soir-là, à Guido, à Franziska, à Edgar : ils n'assisteront pas aux bouleversements qui s'annoncent et qui, dit-il, n'ont rien à voir avec la politique : « Cette révolution n'est pas une découverte de 1848. La vapeur, l'électricité et les inventions diverses ont un caractère révolutionnaire autrement plus dangereux que les bourgeois Barbès, Raspail et Blanqui ! » Il continue par un hommage rendu à la classe ouvrière anglaise dont il est ce soir-là l'invité : « Les ouvriers anglais sont les premiers-nés de l'industrie moderne. Ils ne seront sûrement pas les derniers à aspirer à la révolution sociale, elle aussi fille de cette même industrie ; cette révolution sera la libération de toute leur classe, dans le monde entier ; elle sera aussi internationale que le sont aujourd'hui la domination du capital et l'esclavage du salariat. » Puis il enchaîne sur une sorte de prophétie politique d'une grande force poétique : « Au Moyen Âge, il y avait en Allemagne un tribunal secret, la “Sainte Vehme”, qui vengeait tous les méfaits commis par des puissants. Quand on voyait une croix rouge sur une maison, on savait que son propriétaire aurait affaire à la Sainte Vehme. Aujourd'hui, la mystérieuse croix rouge marque toutes les maisons d'Europe. L'Histoire elle-même rend la justice, et le prolétariat exécutera la sentence[4]. »

Texte magnifique, prononcé d'une voix monocorde, avec un fort accent rhénan, et qui déchaîne les ovations.

Le maître de la défunte Ligue des communistes est de retour. Jusqu'à sa mort, et bien au-delà, plus rien ne se fera plus sans lui au sein de la gauche mondiale.

Au moment où Jenny, avec ses trois filles, arrive à Trèves au chevet de sa mère, un jeune inconnu, le prince Otto von Bismarck, expose à Berlin des idées dont il ne se départira plus : il n'y a pas place en Allemagne pour deux grandes puissances ; tôt ou tard, la Prusse affrontera l'Autriche ; elle doit s'y préparer en s'armant et en recherchant des alliances, et d'abord celle de la France. « En politique extérieure, écrit-il le 21 mai 1856, je suis libre de tout préjugé [...]. La France ne m'intéresse que par son incidence sur la situation de ma patrie. »

Cet homme-là va jouer les premiers rôles dans l'histoire de l'Europe ; il exercera en particulier une influence décisive sur le destin de Marx et sur ce qui deviendra, après Marx, contre Marx, le « marxisme ». En construisant l'État prussien, il en fera le recours de ceux qui entendent opposer un socialisme nationaliste au socialisme internationaliste de Marx. C'est par lui que passera la bifurcation qui conduira aux deux grandes perversions du siècle suivant.

Jenny arrive juste à temps à Trèves : à la fin de mai 1856 meurt Mme von Westphalen. Craignant que son union avec un révolutionnaire ne lui vaille privation de ses droits à la succession, Jenny écrit à son demi-frère à Berlin, lequel lui répond affectueusement du ministère d'où il règne sur le pays : « Il ne fait pas de doute que toi et Edgar vous êtes les héritiers ; au cas où il y aurait des problèmes financiers momentanés, écris-moi vite, je t'enverrai le nécessaire[50]. » Cette lettre établit que leurs liens n'ont jamais été rompus et elle corrobore le fait que Jenny aurait peut-être pu recevoir, si elle en avait fait la demande à sa famille, une aide qui lui fit tant défaut aux pires moments des cinq années précédentes.

En juin, Jenny repart de Trèves avec un héritage de 120 livres et une fraction de celui de son père, déposée chez un banquier de Trèves et qui était restée bloquée là-bas depuis son départ, treize ans auparavant. Personne ne sait où joindre Edgar, toujours en Amérique, pour lui remettre sa propre part. Jenny pense que son frère est mort.

Mis au courant de cet héritage par une lettre de Jenny, Karl la prie de récupérer les dizaines de livres qu'il avait laissés en gage à Cologne en juillet 1849, lorsqu'il manquait d'argent pour financer son journal.

La famille aura désormais de quoi vivre : en cumulant les revenus de son travail de journaliste, ceux qu'il pourra tirer de cet héritage et ce que lui verse Engels, Karl calcule qu'il gagnera maintenant par an entre 150 livres (soit le revenu de la classe moyenne inférieure) et 500 livres (soit celui de l'*upper middle class*) ; et, de fait, le montant sera souvent plus proche du second que du premier. Karl lui-même écrit d'ailleurs à ce moment-là qu'avec 300 livres par an, on peut vivre correctement à Londres. Il n'empêche que, pour atteindre ce chiffre, il devra encore et sans relâche quémander auprès de Friedrich – en sus de ce qu'il obtient de lui régulièrement –, expliquant chaque fois ses besoins dans un grand luxe de détails.

Karl ne peut plus supporter Dean Street. La mort y est omniprésente. Surtout, il ne peut plus se résoudre à l'idée que ses enfants survivants habitent plus longtemps sous ce toit. Il décide donc de déménager au plus vite. Sans même attendre le retour de Jenny avec l'argent de l'héritage, le 22 septembre 1856 il emprunte à Engels de quoi s'installer dans une maison meublée de quatre étages, pour un loyer annuel de 36 livres – soit moitié plus que le logement précédent –, au 9, Grafton Terrace, sur Maitland Park, Haverstock Hill, près de Hampstead Road, quartier de

Londres où commence à s'établir la classe moyenne, là même où il se rend le dimanche en promenade. Avec son mobilier rococo d'occasion, la maison lui semble un palace après les taudis qu'il a connus.

Et puisque lui-même peut sortir de la misère, la révolution, pense-t-il encore, va pouvoir sortir de son hibernation[173] . Non seulement il se trouve à même de réfléchir à autre chose qu'à la subsistance des siens, mais c'est la gauche tout entière qui doit s'éveiller avec lui. Karl fait de nouveau le lien entre sa situation personnelle et celle du monde en général ; il écrit en ce sens à Engels, le 26 septembre : « Le simple fait que je sois enfin à même de réinstaller ma maison et de faire venir mes livres me prouve que la mobilisation de nos personnes est à portée de main[46] » – et, plus loin : « Je ne crois pas que la grande crise financière se produise après 1857[46]. » Leurs idées sont si proches que Friedrich, dans une lettre du 27 septembre qui croise celle de Karl, parie lui aussi sur le retour de la gauche dans le paysage politique européen : « Quand j'ai appris que tu étais dans tes meubles, j'ai déclaré que l'affaire était entendue, et j'ai offert de parier à ce sujet[46]. » Autrement dit : la révolution ne pouvait commencer sans Marx ; il suffit du retour en scène de Marx pour qu'elle commence. Il est, pense-t-il, l'esprit du monde…

À la fin de septembre 1856, Jenny et les trois filles reviennent de Trèves. Elles sont passées par Paris, où elles ont admiré les Grands Boulevards qui viennent d'être éclairés au gaz. Jenny approuve le déménagement tout en regrettant que Karl ne l'ait pas attendue pour choisir leur nouvelle résidence. L'argent qu'elle rapporte représente cinq ans de leur nouveau loyer, même s'il sert surtout à éponger des dettes. La vie de la famille va s'en trouver changée.

Le 29 septembre, les Marx quitte donc Dean Street, la « rue de la Mort », qui en six ans a vu naître deux de leurs enfants et en mourir trois autres. Hélène Demuth les suit, de plus en plus indispensable ; l'énigme de son fils est oubliée.

Deux mois plus tard, et bien qu'aucun événement, en Angleterre pas plus qu'ailleurs en Europe, n'en donne le signal et qu'aucune crise financière ou économique ne semble s'annoncer – sinon quelques difficultés dans les chemins de fer –, Friedrich écrit encore à Karl pour dire sa foi en la révolution : « Il ne sera pas si facile à la révolution de retrouver une table rase aussi belle [qu'en 1848] [...]. Heureusement [...], ce n'est qu'en ayant du cœur au ventre et la détermination la plus résolue qu'on pourra faire quelque chose, car on n'aura plus à craindre un reflux aussi rapide qu'en 1848[46]. »

Karl, lui, redoute de voir la révolution se déclencher avant qu'il ait terminé son grand livre. Il se remet alors d'autant plus sérieusement au travail.

Il ne se livre lui-même à aucun reportage, à aucune enquête directe sur la misère ouvrière. La misère, il vient à peine d'en sortir et la connaît mieux qu'aucun de ceux qui ont écrit avant lui à son propos. Il n'a nul besoin d'aller se rendre compte sur place des conditions de vie des ouvriers des usines de Manchester. Il travaille d'après ses souvenirs personnels et les observations d'autrui. Chez un bouquiniste de Long Acre où il se rend de temps à autre pour fouiller parmi bouquins et paperasses, il débusque en particulier toute une bibliothèque composée de rapports des commissions d'enquête et des inspecteurs de fabriques d'Angleterre et d'Écosse[161]. « Beaucoup de membres de la Chambre des communes comme de la Chambre des lords à qui ils étaient distribués n'utilisaient [ces rapports] que comme des cibles sur lesquelles on tire pour mesurer, au nombre de pages que la balle a traversées, la force de percussion de l'arme. D'autres les vendaient au poids. [...] Karl les lut du commencement à la fin, comme le montrent les nombreux coups de crayon qu'il y donna. Il les mettait au nombre des documents les plus importants, les plus considérables pour l'étude du régime de production capitaliste, et il avait une si haute opinion de ceux qui les avaient rédigés qu'il doutait qu'on pût trouver alors dans un autre pays d'Europe des hommes aussi compétents, aussi impartiaux et aussi nets que les inspecteurs de fabriques d'Angleterre[161]. »

Hors ces trouvailles, il passe de plus en plus de temps à la bibliothèque du British Museum, avec d'autant plus de plaisir qu'une nouvelle salle vient d'y être inaugurée. Éclairée par de vastes verrières, surmontée d'une coupole plus imposante que celle de la cathédrale Saint-Paul – la plus grande au monde –, sa construction a coûté 150 000 livres. Pourtant, les architectes ont oublié de prévoir des rayonnages et il faut les installer à la hâte juste avant que le public y soit admis !

La création de cet espace magnifique, coïncidant avec son propre déménagement, est pour Karl comme un signe de plus. Comme si l'amélioration de ses conditions d'habitation devait nécessairement s'accompagner de conditions de travail plus favorables. Comme si tout devait aller mieux en même temps.

Karl s'y rend maintenant presque chaque jour et s'y installe pratiquement toujours à la même place. Il y croise Louis Blanc, qui travaille à sa monumentale *Histoire de la Révolution française*[77]. Il y étudie surtout les rapports sur les conditions de vie des ouvriers, mais pas seulement en Grande-Bretagne. Il tombe alors en particulier sur des rapports officiels belges sur lesquels il prend des notes très détaillées qu'on retrouvera telles quelles dans *Le Capital* douze ans plus tard – pages qui révèlent chez lui un étrange mélange d'élan romanesque, de rigueur scientifique et de militantisme politique :

« Il est de mode, parmi les capitalistes anglais, de dépeindre la Belgique comme le "paradis des travailleurs" parce que la "liberté du travail" ou, ce qui revient au même, la "liberté du capital" y est exceptionnelle ; il n'y a là ni "despotisme ignominieux" de trade-unions, ni "curatelle oppressive" d'inspecteurs de fabriques. S'il y eut quelqu'un de bien initié à tous les mystères de bonheur du "libre" travailleur belge, ce fut sans doute feu M. Ducpétiaux, inspecteur général des prisons et des établissements de bienfaisance belges, et en même temps membre de la Commission centrale de statistique belge. Ouvrons son ouvrage *Budgets économiques des classes ouvrières en Belgique*, Bruxelles, 1855. Nous y trouvons, entre autres, une famille ouvrière belge, employée normale, dont l'auteur calcule d'abord les dépenses annuelles de même que les recettes d'après des données très exactes, et dont il compare ensuite le régime alimentaire à celui du soldat, du marin de l'État, et du prisonnier [...]. On voit que peu de familles ouvrières peuvent atteindre, nous ne dirons pas à l'ordinaire du marin ou du soldat, mais même à celui du prisonnier[12]. »

Dans les articles qu'il rédige à l'époque pour les journaux auxquels il collabore encore, Marx évoque les sujets les plus variés, y compris ceux auxquels il est parfaitement étranger. Ainsi parle-t-il cette année-là de l'Afghanistan, « terme purement poétique pour désigner diverses tribus et États, comme s'il s'agissait d'un pays réel. L'État afghan n'existe pas[11] ». Qui, aujourd'hui encore, dirait mieux de ce pays en si peu de mots ?

Cette année-là aussi, son ancien maître, sa première idole et son premier adversaire, Feuerbach, publie son dernier grand ouvrage, *La Théogonie d'après les sources de l'Antiquité classique hébraïque et chrétienne*, dans lequel il se propose de concilier l'humanisme de son *Essence du christianisme* et le naturalisme de son *Essence de la religion*. « Ce que l'homme n'est pas réellement, mais ce qu'il désire être, il en fait son Dieu, ou cela est son Dieu. »

Le livre ne remporte aucun succès. Pauvre Feuerbach ! Son heure est passée sans avoir jamais sonné.

Karl continue de prendre des notes aussi vite qu'il peut, car le temps presse : la crise, il le sait, il l'écrit, est imminente...

De fait, au printemps 1857, cette crise qu'il attend, qu'il espère, qu'il vient d'annoncer, qui va relancer la machine révolutionnaire, advient enfin : l'explosion de la bulle spéculative sur les actions des compagnies ferroviaires et l'insuffisante production mondiale d'or entraînent un effondrement de toutes les valeurs boursières à New York, puis à Londres, Paris et Vienne. D'où de graves difficultés de trésorerie dans de nombreuses entreprises aux États-Unis comme en Europe. À Paris, le Crédit mobilier, œuvre de saint-simoniens ralliés à l'Empire, est en grand péril. En Angleterre, dans le secteur du textile, beaucoup d'entreprises vont mal, notamment celle de la famille Engels. De surcroît, aux Indes, une révolte des cipayes, soldats indiens servant dans l'armée britannique, menace de priver l'Empire de débouchés essentiels.

Karl jubile : tout se passe exactement comme il l'a prévu.

Puis une autre bonne nouvelle, comme si tout devait toujours aller ensemble, pour le pire ou pour le meilleur : Jenny est de nouveau enceinte.

Le 11 juillet 1857, dans une première lettre euphorique à Engels, Marx note : « La révolution s'approche, ainsi que le montrent la marche du Crédit mobilier et les finances de Bonaparte en général. [...] Le capitalisme aura beaucoup plus de peine à rétablir la situation qu'il y a dix ans, car, dans le camp socialiste, bien des illusions ont disparu, ce qui permettra une action plus énergique et plus claire[46]. » Toujours son obsession que ne soit pas commise à nouveau l'erreur de 1848, son souci de ne s'allier qu'aux paysans et non pas aux bourgeois, même démocrates.

Croyant advenue la dernière heure du capitalisme, Friedrich Engels renoue avec son tropisme guerrier et se lance depuis Manchester dans des préparatifs militaires pour venger les morts de 1849. Karl tempère sa fougue : l'heure est à la propagande, pas aux armes !

De fait, tout s'inverse de nouveau et les mauvaises nouvelles vont s'accumuler pendant quelque temps. Par suite de la crise, le rédacteur en chef du *New York Daily Tribune*, Charles Dana, décide de ne plus payer à Karl que les articles publiés, sans lui garantir un article par semaine. Cette décision entraîne une baisse notable de ses revenus – il perd au moins 60 livres par an. Et voilà qu'en juillet 1857 Jenny fait une fausse couche. Décidément, peut penser Karl, les avanies aussi arrivent toujours par paires, alliant vicissitudes privées et frustrations publiques.

Marx n'est pas pour autant désespéré ; il croit encore en l'imminence de l'effondrement du système capitaliste. Le 23 août, il se remet à la rédaction de son livre d'économie. Entre l'Histoire et lui, estime-t-il, c'est une course contre la montre. En octobre, il écrit à Engels : « Je travaille comme un fou pour finir mon livre sur l'économie politique parce que, sinon, le système va s'écrouler avant que j'aie fini mon livre[46] ! »

Il envisage désormais de l'intituler *Introduction à la critique de l'économie politique*. Le contrat signé avec l'éditeur allemand de Darmstadt treize ans plus tôt est oublié. Ce dernier existe-t-il même encore ? Karl l'ignore. Le moment venu, il en choisira un autre. Il définit sa propre méthode, rédige un résumé introductif, rature : « Je supprime une introduction générale que j'avais ébauchée, parce que, réflexion faite, il me paraît qu'anticiper sur des résultats qu'il faut d'abord démontrer ne peut être que fâcheux ; et le lecteur qui voudra bien me suivre devra se décider à s'élever du singulier au général[46]. »

Autrement dit, pas de résumé de ses conclusions en tête du livre : le lecteur devra faire un effort. Curieuse exigence pour quelqu'un qui passe son temps à écrire des articles synthétiques sur tous les sujets. En fait, il continue de concevoir ses livres tout autrement que ses articles : ceux-ci, alimentaires, peuvent être des simplifications ; ceux-là l'engagent et doivent donc receler toutes les nuances possibles, quitte à verser parfois dans l'illisibilité.

D'octobre 1857 à mars 1858, travaillant le plus souvent de nuit dans sa nouvelle demeure enfin vivable, il remplit sept cahiers en obéissant à un plan en deux grandes parties : l'Argent et le Capital. Tous les jours, Jenny recopie ses feuillets indéchiffrables par qui que ce soit d'autre. Pensant avoir élucidé depuis deux ans le problème central, celui de la plus-value, c'est-à-dire le lien entre le capital et le travail, entre l'économie et l'histoire, entre le politique et le social, entre l'aliénation philosophique – qui l'a occupé dix ans durant – et l'exploitation économique – qui l'occupe aussi depuis dix ans –, Karl tente maintenant d'ordonner et de clarifier l'ensemble de ce qui forme – il le discerne désormais en toute clarté – une théorie du capitalisme. Du capitalisme mondial.

Il part d'une analyse de la monnaie, marchandise particulière, à la fois mesure de la valeur et moyen d'échange, et met au net ses notes sur la propriété du sol, le commerce extérieur, le marché mondial. Tout cela forme déjà un manuscrit de 800 pages.

Et puis non, décidément : la crise ne semble pas s'approfondir aussi vite que prévu. Elle a même tôt fait de tourner court sans avoir écorné le capitalisme, qui rebondit plus haut encore. La révolution n'est plus pour demain. Le livre de Karl peut donc attendre. Plus rien ne presse.

Au reste, comme à chaque fois qu'un de ses manuscrits est en passe de s'achever, tous les prétextes lui sont bons pour ne pas y mettre le mot « fin ». Une grave crise de furonculose le contraint à s'arrêter de nouveau pendant trois mois. Un obstacle paraît devoir surgir chaque fois qu'il est sur le point de lâcher un texte, comme si la peur de publier le rendait malade. Un psychiatre dirait aujourd'hui que la conscience de l'aliénation provoque chez lui la somatisation. Il avait tout dit là-dessus dans *L'Idéologie allemande*, dans ce passage si important, cité plus haut, sur le drame suscité par l'arrachement de toute production à son auteur, sans se rendre compte, à l'époque, qu'il parlait avant tout de lui-même.

Pourtant, ce manuscrit – qui ne sera édité que bien après la mort de Marx sous le titre de *Grundrisse* ou *Fondements* – aurait mérité d'être rendu public dès sa rédaction, en 1857. On y trouve l'essentiel de sa théorie du marché et de la valeur, une différenciation des sociétés primitives en trois types (asiatique, antique et germanique) telle qu'esquissée dans ses articles du *New York Daily Tribune* sur l'Inde, une explication de la disparition de la féodalité également inspirée de son analyse des sociétés coloniales et justifiée par le rôle joué par « l'industrie moderne, le commerce et l'agriculture modernes, et certaines inventions telles que la poudre et l'imprimerie[19] ». On y trouve aussi une première analyse de la chute inéluctable du capitalisme : tout comme l'aristocratie féodale a fini par succomber sous les coups du capitalisme, ce dernier représentera bientôt un obstacle au développement économique et ne pourra se maintenir qu'au prix de crises, de guerres et d'un appauvrissement de la grande majorité de la population mondiale. Cela fera naître chez les ouvriers une conscience politique qui les incitera à la révolution, laquelle débouchera, après une période de transition, sur une société communiste où l'individualité sera « universelle dans sa production[19] ».

Sur tout cela, Marx reviendra longuement et beaucoup plus précisément dans deux livres qu'il finira par se résoudre à publier.

Au début de 1858, alors que son beau-frère quitte le gouvernement prussien, Karl va de nouveau mal physiquement et moralement. La révolution n'est plus au coin de la rue. La diaspora socialiste, dont il s'est éloigné, reste un milieu où bouillonnent ragots et calomnies ; il a perdu une part importante de ses piges au *New York Daily Tribune*. Trop occupé à Manchester par son travail et sa vie de patron, Engels ne vient plus que rarement le voir, et ce qu'il lui verse n'est pas suffisant pour lui assurer un train de vie correct ; il craint de ne plus pouvoir acquitter son loyer, d'avoir déménagé bien imprudemment et de devoir retourner dans Soho.

Son art de médire de tout un chacun, son complexe de supériorité tournent alors au délire paranoïaque[215]. Il traite de « fumier » son ami Ferdinand Freiligrath, le poète qui l'accompagne depuis leur première rencontre à Londres en 1845 ; il insulte Wilhelm Liebknecht, si proche de ses enfants, le qualifiant de « crétin notoire » et d'« incompétent ». Il rompt enfin définitivement avec Urquhart. Comme à chaque fois, la férocité se nourrit chez lui d'humour noir ; il écrit ainsi à Engels à propos de « ce fou [d'Urquhart] », qui est si amoureux de la Turquie, qu'il « a plongé son bébé de treize mois dans un bain “turc”, ce qui a contribué à sa congestion et à sa mort[46]... ».

La raison de cette crise morale est en fait ailleurs, bien plus profonde : ses recherches s'enlisent. Il ne réussit pas à relier sa théorie de la valeur du travail avec les données de l'économie. Car, pour lui, la principale variable de l'économie est le travail – et non, comme le pensent les économistes de son temps, les prix. Mais comme ce ne sont pas des quantités de travail qui s'échangent sur les marchés, mais des marchandises avec des prix libellés en monnaie, il lui faudrait pouvoir relier les quantités de travail nécessaires à la fabrication des objets avec leur valeur en monnaie, leur prix, seule grandeur qu'on mesure. Il griffonne, ne trouve rien, devine qu'il y faudrait de longs calculs qu'il ne sait comment mener. Il se met alors à l'étude de l'algèbre qui lui est totalement étrangère. Engels confirmera d'ailleurs plus tard qu'il en a mis lui-même au point le texte (sur le plan littéraire) en recourant à un cahier de mathématiques laissé par Marx et sans doute entamé dès 1858.

Le 22 janvier de cette année-là, Ferdinand Lassalle – le jeune homme que Karl a à peine croisé à Düsseldorf, un jour de campagne électorale, dix ans plus tôt, en 1849, qu'il a soutenu quand il était en prison et avec qui il vient de polémiquer à propos de Palmerston – sollicite son avis sur un livre qu'il vient de consacrer à Héraclite. Au sortir de quelques mois de prison, le jeune avocat fait maintenant partie du meilleur milieu grâce à sa nouvelle compagne, la comtesse Hatzfeld, une femme mariée, beaucoup plus âgée que lui, qu'il a aidée à divorcer et qui vit seule, et riche, au grand scandale de la bonne société berlinoise.

Karl, qui considère Lassalle comme un de ses « correspondants » en Allemagne, membre de ce « parti » abstrait qui regroupe, dans son imagination, les révolutionnaires du monde entier, où qu'ils soient, lit son livre, qu'il juge détestable, mais se retient de le dire à son auteur qu'il complimente dans une lettre du 2 février tout en lui demandant de l'aider à trouver un éditeur en Prusse pour son propre livre intitulé : *Contribution à la critique de l'économie politique*. Défi difficile : comment trouver dans la Prusse autocratique un éditeur assez courageux pour publier un livre de théorie économique dû à l'auteur du *Manifeste du Parti communiste*, interdit de séjour dans ce pays, même s'il s'est fait oublier depuis 1850 ? Mais, puisqu'il lui faut décrire ce livre pour lequel il cherche un éditeur, Karl, pour la première fois, dans cette première lettre à Lassalle, expose le plan de son futur ouvrage comme s'il était déjà écrit[81] : « Le tout est divisé en six livres : 1. *Du capital* (avec quelques chapitres préliminaires) ; 2. *De la propriété foncière* ; 3. *Du salariat* ; 4. *De l'État* ; 5. *Le commerce international* ; 6. *Le marché mondial.* [...] Dans l'ensemble, la critique et l'histoire de l'économie politique et du socialisme devraient faire l'objet d'un autre travail. Enfin, une brève esquisse historique du développement des catégories et des rapports économiques devrait faire l'objet d'un troisième. »

Le « avec quelques chapitres préliminaires » masque le fait que ce que Karl a décidé en réalité de publier, sans le dire, n'est qu'une petite fraction du livre annoncé : le seul chapitre sur la monnaie. La rédaction des autres chapitres n'a pas même commencé. C'est aussi que la monnaie, c'est-à-dire les prix, coiffe tout le reste. Et que, là-dessus, il se sent prêt. En revanche, sur les relations entre prix et travail, et sur tout ce qui figure en outre dans son plan, il est loin de l'être. Ce sera pour un autre livre : *Le Capital.* Et la suite, qui rejoint son obsession de raconter l'histoire des sciences, n'est même pas esquissée.

Bref, aucun des livres projetés n'est encore écrit. Mais, comme il doit fournir une date approximative d'achèvement du manuscrit qu'il souhaite faire publier, Karl est bien obligé d'évoquer ses difficultés. L'enlisement de sa recherche transpire dans cette même lettre à Lassalle du 2 février, même s'il ne s'en ouvre pas en termes précis. Il parle ainsi du livre supposé en cours d'achèvement[81] : « La chose n'avance que très lentement ; dès que l'on veut en finir avec des sujets dont on a fait depuis des années l'objet principal de ses recherches, ils ne cessent d'apparaître sous de nouveaux aspects et de vous donner des scrupules [...]. Je n'ai pas la moindre idée du nombre de feuillets d'imprimerie qu'il faudra pour le tout. Si j'avais le temps, le loisir et les moyens de mettre au point l'ensemble avant de le soumettre au public, je le condenserais beaucoup... » Toujours ce refus de lâcher un texte, ce désir contradictoire de ramasser une idée et de livrer tout un luxe de détails. Toujours, comme il l'écrivit en 1844, la même peur de laisser une œuvre lui échapper, exister hors de lui.

Lassalle lui répond qu'il le remercie de ses compliments, qu'il serait ravi de l'aider à trouver un éditeur, et qu'il pense d'ailleurs à son propre éditeur berlinois, Franz Duncker, qui vient justement de publier son *Héraclite*. Qu'en pense Marx ?

Le 11 mars, ce dernier, enthousiaste, informe Lassalle que le premier fascicule pourrait être prêt à la fin de mai, et le charge de négocier pour lui son contrat avec Duncker.

Le 26 mars, soit moins de deux mois après que Karl le lui a demandé, Lassalle lui annonce qu'il lui a obtenu un beau contrat : Duncker paiera 3 friedrichs d'or (soit 17 thalers) par feuille d'imprimerie, ce qui est considérable, explique-t-il, car les professeurs d'université n'en perçoivent que deux.

Marx est fou de joie ; il écrit le 2 avril 1858 à Engels pour lui annoncer la nouvelle et lui parler non pas de ce livre qu'il va, dit-il, bientôt publier, mais... du suivant ! Cet ouvrage-ci – qui deviendra *Le Capital* – sera lui-même, prévoit-il, divisé en quatre chapitres : « A. le capital en général ; B. la concurrence ; C. le crédit ; D. le capital par actions. Le premier chapitre se subdivisera lui-même en : 1. la valeur ; 2. l'argent : *a*) l'argent comme mesure, *b*) l'argent comme moyen d'échange ou la circulation simple, *c*) l'argent comme monnaie ; 3. le capital[46]. »

Tel est, en fait, le plan de tout ce qu'il écrira au fil des quelque vingt ans qui lui restent à vivre. Et qu'il laissera pour l'essentiel à l'état de manuscrits.

Quelques jours plus tard, les nuits sans sommeil, les tracas financiers, son travail de correspondant du *New York Daily Tribune*, l'angoisse d'écrire et surtout de publier provoquent à nouveau chez lui une grave crise hépatique.

Le 9 avril, il va si mal que c'est Jenny qui écrit à Berlin à Lassalle – qu'elle ne connaît pas – pour l'informer que si son mari ne peut lui-même prendre la plume, c'est qu'il « souffre du foie comme chaque printemps[47] », qu'il est très agité, qu'il doit consacrer du temps à gagner leur pain quotidien (c'est-à-dire à écrire des articles), mais qu'il espère achever à temps le manuscrit promis. Elle le remercie d'avoir aidé à la signature du contrat avec Duncker et le félicite d'être un si « habile agent »[47]. En fait, Jenny est fort inquiète : Karl ne parvient plus à écrire, et les revenus que laissaient escompter les articles et ce livre s'éloignent. Elle le sait mieux que personne : elle recopie chaque page qu'il écrit.

Et puis, comme un signe de plus que le capitalisme triomphe partout, le mouvement de révolte en Inde est anéanti cette année-là au terme de terribles représailles.

Du 6 au 20 mai, Marx est néanmoins suffisamment remis pour partir en convalescence chez Engels à Manchester. Il va bientôt si bien qu'il mange et boit beaucoup, et même, pour la première fois semble-t-il, monte à cheval[81]. Naturellement, il n'écrit pas, mais il en profite pour demander de l'argent à son ami qui accepte de lui en prêter, mais qui, ne pouvant le débloquer que six mois plus tard, lui remet un billet à ordre. Le 31 mai, de retour à Londres, Karl écrit à Friedrich qu'il se sent « en forme » et qu'il va se remettre au travail. Il ajoute : « Tu me donneras l'absolution pour les éloges que j'ai dû accorder à Héraclite l'obscur[46] » – c'est-à-dire à Lassalle.

Le même jour, Marx écrit à Lassalle d'aviser son éditeur qu'en raison d'une hépatite il n'a pu encore achever le premier cahier du livre promis.

Puis la maladie de foie est bel et bien de retour avec les chaleurs, et sa situation financière reste précaire. Quelques articles au *New York Daily Tribune*, diverses piges et l'encyclopédie de Dana sont désormais ses seules et uniques sources de revenu avec ce que lui verse Engels. Cet été-là, Karl consacre beaucoup de temps à rechercher des banques qui accepteraient d'escompter le prêt d'Engels. Il n'écrit toujours pas. Ce n'est qu'en septembre qu'il y parvient et se remet à travailler au manuscrit promis à Duncker[81]. Il pense alors l'achever « dans deux semaines ». Il le confirme même à Engels, le 21 septembre 1858 : « Mon manuscrit ne partira que maintenant (dans deux semaines), mais deux fascicules d'un seul coup. Bien que je n'aie eu rien d'autre à faire que de remettre en bon style des choses déjà écrites, il m'arrive de rester des heures avant de pouvoir faire tenir debout quelques phrases[46]. »

En fait, quinze jours passent et toujours rien. Lassalle, qui s'est engagé auprès de l'éditeur, s'inquiète et vient aux nouvelles[81]. En vain.

Près de deux mois plus tard, le 12 novembre, Karl lui écrit une lettre d'excuses pathétique qui doit être longuement citée[81] :

« J'avais la matière devant moi, il ne s'agissait plus que de la forme. Or, dans tout ce que j'écrivais, je sentais à travers le style la maladie de foie. Et j'ai deux raisons de ne pas permettre à cette œuvre d'être gâchée par des causes relevant de la médecine : 1° elle est le résultat de quinze années d'étude, donc du meilleur temps de ma vie ; 2° elle représente pour la première fois d'une façon scientifique une importante manière de voir les rapports sociaux. C'est donc mon devoir à l'égard du parti que la chose ne soit pas défigurée par cette manière d'écrire maussade et raide qui est le propre d'un foie malade. Je n'aspire pas à l'élégance de l'exposé, mais seulement à écrire à ma manière ordinaire, ce qui, pendant ces mois de souffrance, m'a été impossible [...] sur ce sujet du moins [...]. Je pense que si cet état de choses est présenté à

M. Duncker, même par quelqu'un de moins habile que toi, il ne pourra qu'approuver mes procédés qui, en ce qui le concerne en tant qu'éditeur, se ramènent tout simplement au fait que je cherche à lui donner pour son argent la meilleure marchandise possible. [...] Il est vraisemblable que la première section (le capital en général) prendra tout de suite deux fascicules ; à la mise au net, je trouve en effet qu'ici, où il s'agit d'exposer la partie la plus abstraite de l'économie politique, trop de concision rendrait la chose indigeste pour le lecteur. Mais, d'autre part, la deuxième section doit paraître en même temps. L'enchaînement interne l'exige, et tout l'effet en dépend. »

Les excuses que Marx invente pour justifier son retard sont fascinantes : il ne veut pas que « la chose soit défigurée par cette manière d'écrire maussade et raide qui est le propre d'un foie malade » ; et il se veut irréprochable à l'égard d'un « parti » qui n'existe pas !... Comme si lui, observateur si lucide des autres, vivait dans une autre sphère : le « parti » et la « plus-value », concepts abstraits, ne deviennent réalités que dans sa façon de lire le monde, de même son livre n'existe que par sa façon d'en parler aux autres...

Nouveau signe d'une mondialisation déjà en marche : exactement au même moment, un autre Juif allemand, converti au christianisme, réfugié à Londres depuis 1848, Paul-Julius Reuter, fait ce que Marx vient de regretter de ne pas avoir fait : il crée son agence de presse quinze ans après celle fondée à Paris par un autre Juif, Charles Havas[65]. Étrangement, Marx et Reuter, deux journalistes juifs allemands vivant à Londres, ne se rencontreront jamais.

Une nouvelle fois, la crise économique est résorbée. Une nouvelle fois, ce n'était donc pas la « crise finale », même si ç'a été la première d'un genre nouveau et si l'industrie des villes a été touchée aussi sévèrement que l'agriculture.

Quelques semaines plus tard encore, dans une nouvelle lettre à Engels, Marx montre qu'il ne croit plus à un déclin rapide du capitalisme, mais qu'il sent venir une longue période de mondialisation, porteuse certes de révolution, mais d'une révolution trop faible pour tenir face au reste du monde si elle demeure localisée dans un seul pays. Relevons dans cette lettre ces phrases magnifiques : « La bourgeoisie connaît une nouvelle Renaissance. Maintenant, vraiment, le marché mondial existe. Avec l'ouverture de la Californie et du Japon au marché mondial, ça y est, nous avons la mondialisation. Donc, la révolution est imminente ; elle aura immédiatement un caractère socialiste. Le seul problème, et je te demande ton avis, ce que tu en penses, c'est comment la révolution pourra-t-elle résister dans un si petit coin du monde comme l'Europe[46] ? »

Cette dernière interrogation – « comment la révolution pourra-t-elle résister dans un si petit coin du monde comme l'Europe ? » –, si éloignée, comme beaucoup d'autres, de l'usage qu'on fera ultérieurement de son œuvre, confirme le scepticisme de Marx à la perspective d'une révolution qui resterait confinée à un seul pays. Il le redira sans cesse, à toute occasion.

Karl se remet à la tâche, vite et intensément. Le livre se termine pour de bon. Tout l'argent qu'il peut gagner, comme tous ses dimanches continuent d'être consacrés à ses enfants. Il reporte sur Eleanor, maintenant âgée de trois ans, toute la passion qu'il vouait à Edgar. Comme il l'avait fait avec ce dernier, il lui apprend les mêmes extraits de Shakespeare. Mais il ne délaisse pas pour autant les deux aînées, et rien n'est trop beau pour elles : elles vont désormais à l'école privée – d'où des frais de garde-robe – et prennent des cours de musique et de théâtre[248]. Au début de janvier 1859, Marx achète même un piano d'occasion qui a du mal à entrer dans l'appartement.

Le 15 janvier, Karl annonce à Friedrich que son ouvrage sur la monnaie est enfin achevé et qu'il paraîtra bien avant son livre sur le travail et le capital. Il sent que sa théorie de la valeur du travail n'est pas encore au point. Il se décide donc à lâcher celle sur la monnaie, plus classique. La confusion avec le livre suivant est encore totale[81] : « Le manuscrit fait à peu près 12 feuilles d'imprimerie (trois fascicules) et – tiens-toi bien –, quoiqu'il ait pour titre *Le Capital* en général, ces fascicules ne comportent encore rien sur le capital, mais seulement les deux chapitres : 1. La marchandise, 2. L'argent ou la circulation simple. Tu vois donc que la partie élaborée dans le détail (en mai, lorsque je suis allé te voir) ne paraît pas encore. Mais cela est bon à deux points de vue. Si la chose marche, le troisième chapitre, "Du capital", pourra suivre rapidement[46]. »

« Si la chose marche » : c'est-à-dire à la fois si Marx écrit et si le premier livre est bien reçu. Avec une vision incroyablement cynique des critiques de presse, il poursuit[81] : « De par la nature des choses, ces sagouins ne pourront pas réduire leurs critiques, pour la partie publiée en premier, à de simples injures tendancieuses ; comme, de plus, le tout a l'air extrêmement sérieux et scientifique, cela obligera ces canailles à prendre ensuite plutôt au sérieux mes conceptions du capital[46]... »

Comme prévu, reprenant ce qui se trouve dans les brouillons précédents (les *Grundrisse*[19]), il y traite de la monnaie, à peine de la marchandise, et y annonce en passant, comme pour prendre date, sa découverte majeure d'où découlera bientôt sa théorie de la plus-value, de la crise et du fonctionnement du capitalisme : l'ouvrier ne vend pas son *temps* de travail, mais sa *force* de travail. Le moteur de l'Histoire, c'est le développement des forces productives, et donc la science. Marx précise au passage la distinction qu'il fait entre les quatre modes de production esquissés dans les brouillons précédents et dans les deux articles de 1853 destinés au *New York Daily Tribune* : l'asiatique, défini par la subordination de tous les travailleurs à l'État (comme en Chine) ; l'antique, par la subordination de l'esclave au patricien (comme dans l'Empire romain) ; le féodal, par la subordination du paysan au seigneur par le servage (comme au Moyen Âge en Europe) ; enfin le bourgeois, par la subordination du salarié au propriétaire du capital. Karl l'écrit dans ce style compliqué, assorti de nuances et de précautions, qui caractérise ses livres mais dont ses articles sont exempts : « Les rapports de production bourgeois sont la dernière forme antagonique du processus de production sociale, non pas dans le sens d'un antagonisme individuel, mais d'un antagonisme qui naît des conditions d'existence sociale des individus [...]. Avec cette formation sociale s'achève donc la préhistoire de la société humaine[15]. »

Comme il l'avait fait déjà quinze ans plus tôt dans *L'Idéologie allemande*, Marx réaffirme que ce déterminisme historique ne concerne pas la création artistique, qui reste indépendante du développement économique et politique : « Les époques déterminées de floraison artistique ne sont nullement en rapport avec le développement général de la société, ni par conséquent avec celui de sa base matérielle qui en est l'ossature[15]. » Contrairement, là encore, aux idées qu'on lui prêtera plus tard, jamais il ne pensera que l'état de l'art exprime les rapports de force de l'époque où a vécu l'artiste.

Cette réflexion sur l'art l'amène aussi à parler musique[64]. C'est l'occasion pour lui de laisser affleurer sa principale inquiétude à propos de sa théorie de la valeur : la valeur des choses ne se réduit peut-être pas au temps de travail nécessaire pour les produire. Car il bute là sur une contradiction majeure : d'après son analyse (qu'il ne publie pas encore ici en détail), un travailleur n'est « productif » (c'est-à-dire produisant de la valeur d'échange) que s'il est salarié et s'il fabrique un objet matériel ou rend un service vendu avec profit par des capitalistes. Un interprète musical n'est donc « productif » que s'il est le salarié d'un entrepreneur capitaliste, et un compositeur ne l'est que s'il est le salarié d'un éditeur de partitions. Marx écrit : « On ne peut pas présenter le travail du pianiste comme indirectement productif soit parce qu'il stimule la production matérielle de pianos, par exemple, soit parce qu'il imprime plus d'énergie et d'entrain au travailleur qui écoute le récital de piano. Car seul le travail créateur de capital est productif, et donc tout autre travail, si utile ou si nuisible soit- il, n'est pas productif pour la capitalisation[15]. » Tout à fait honnêtement, il note : « L'interprète de musique est donc improductif. Par contre, le producteur de tabac est productif, bien que la consommation du tabac soit improductive. » Embarrassant !... Il ajoute : « Une chanteuse qui chante comme un oiseau est un travailleur improductif. Lorsqu'elle vend son chant, elle est salariée ou marchande. Chanteuse engagée pour donner des concerts et rapporter de l'argent, elle est un travailleur productif, car elle produit directement du capital[15]. » Un compositeur est, lui, improductif, sauf s'il est le salarié d'un éditeur[64].

Autrement dit, si l'on se fie à la théorie de Marx, alors que les interprètes, les facteurs d'instruments, les éditeurs de partitions et les organisateurs de concerts créent de la richesse, le compositeur, travailleur indépendant, rémunéré par exemple par des droits d'auteur perçus sur son œuvre imprimée et représentée, ne serait pas « producteur » d'une richesse qui n'existerait pourtant pas sans lui. C'est évidemment absurde ! Tout cela heurte le sens commun et n'est donc admissible que si l'on décrète que l'économie de la musique échappe à l'économie[64]. « [Les musiciens] n'entrent donc ni dans la catégorie des travailleurs productifs, ni dans celle des travailleurs improductifs, bien qu'ils soient producteurs de marchandises. Mais leur production n'est pas subsumée sous le mode de production capitaliste. » Marx, qui se rend compte de l'absurdité de ce qu'il écrit là, se rassure en considérant que la musique, l'art et l'information en général sont des productions marginales, sans influence sur la dynamique globale du capitalisme[64].

Enfin, il parle longuement dans ce livre de la technologie et de l'universalisation qu'elle accélère[81], et termine par une nouvelle ode au capitalisme : « D'une part, la production capitaliste crée l'industrie universelle, c'est-à-dire le surtravail, le travail créateur de valeur ; d'autre part, elle crée un système d'exploitation globale des ressources naturelles et humaines, un système d'utilité générale qui a pour fondement la science ainsi que toutes les autres qualités physiques et spirituelles [...] ; c'est ici la grande influence civilisatrice du capital : il hausse la société à un niveau en regard duquel tous les stades antérieurs font figure d'évolutions locales de l'humanité et d'idolâtrie de la nature[5]. »

Marx fait précéder l'ensemble d'une magnifique préface :

« Pas plus qu'on ne juge un individu sur l'idée qu'il se fait de lui-même, on ne saurait juger une telle époque de bouleversements sur sa conscience de soi ; il faut au contraire expliquer cette conscience par les contradictions de la vie matérielle, par le conflit qui existe entre les forces productives sociales et les rapports de production. Une formation sociale ne disparaît jamais avant que soient développées toutes les forces productives qu'elle est assez large pour contenir ; jamais des rapports de production nouveaux et supérieurs ne s'y substituent avant que les conditions d'existence matérielles de ces rapports soient écloses dans le sein même de la vieille société. C'est pourquoi l'humanité ne se propose jamais que des tâches qu'elle peut accomplir[15]. »

Le livre, *Contribution à la critique de l'économie politique*, est bouclé. Marx ne trouve plus maintenant le moindre prétexte pour le garder encore par-devers lui.

Sinon que, dépensant tout ce qu'il gagne pour ses filles et ses livres, Karl est si démuni qu'il n'a même pas de quoi expédier le manuscrit à Berlin, et encore moins de quoi l'assurer en cas de perte ! L'assurance ne couvrant évidemment que la perte des droits d'auteur. Il écrit donc de nouveau, six jours plus tard, à Engels pour lui demander encore une fois de l'argent, encore une fois pour un faible montant, tout en devant encore une fois se justifier en détail : « Le malheureux manuscrit est terminé mais ne peut être expédié, car je n'ai pas un *farthing* pour l'affranchir et l'assurer. C'est nécessaire, car je n'en possède aucune copie. Aussi me vois-je obligé de te prier de m'envoyer un peu d'argent d'ici à lundi[81]. » C'est là qu'il ajoute avec un humour glacé cette phrase qui deviendra célèbre : « Je ne pense pas qu'on ait jamais écrit sur l'argent tout en en manquant à ce point ! La plupart des auteurs qui en ont traité vivaient en bonne intelligence avec le sujet de leurs recherches[46]. »

Comme d'habitude, Engels avance les fonds nécessaires et le manuscrit part le 25 janvier. L'éditeur tarde à accuser réception du colis[81]. Karl s'affole – tant de paquets se perdent, que ce soit par mer, par fer ou sur les routes –, puis il envoie la préface datée de janvier 1859. Cette fois, Jenny a tout recopié pour que le texte soit lisible. La *Contribution à la critique de l'économie politique* tarde à paraître, l'éditeur étant occupé à promouvoir un nouvel ouvrage de Lassalle : un drame historique, *Franz von Sickingen*, dans lequel le jeune dandy socialiste célèbre l'unité allemande. Karl enrage.

Pour prendre patience, Karl écrit de nouveau dans le journal des chartistes, le *People's Paper*, et assure même la direction du *Volk*, bulletin très épisodique de l'Association culturelle des ouvriers allemands de Londres, qu'il avait délaissé depuis huit ans. Au même moment, il écrit à Lassalle pour s'inquiéter à la fois du retard pris par la publication de son livre et des positions de son correspondant sur le rapprochement qui se dessine entre la France et la Russie tsariste, son ennemie de toujours.

Toute l'Europe ne parle plus en effet que des mouvements qui tendent à présent à promouvoir les unités allemande et italienne : la Russie est prête à aider l'une et l'autre ; l'Autriche, à les entraver. Lassalle est à la fois pour l'unité allemande sous la bannière prussienne et pour l'unité italienne contre l'envahisseur autrichien ; il pense même qu'une alliance entre la Prusse et la Russie contre l'Autriche réglerait les deux problèmes. Pour Karl, au contraire, l'alliance entre la Prusse et la Russie ne ferait que renforcer le tsar et serait donc un désastre pour la classe ouvrière mondiale. Et cette considération doit passer, à son avis, avant toute question d'intérêt national. L'un, Lassalle, se place ainsi du point de vue de la Prusse, tandis que l'autre, Marx, se place du point de vue de la révolution mondiale. L'un comme l'autre spéculent sur l'attitude de Paris en cas de guerre en Italie : Lassalle souhaite que la France se joigne aux Piémontais pour accélérer l'indépendance italienne ; Marx redoute cette éventualité, car une défaite autrichienne ne ferait que renforcer la Russie. Ni l'un ni l'autre ne savent qu'au cours d'une entrevue secrète à Plombières le Premier ministre piémontais, Cavour, vient de convaincre Napoléon III d'envoyer des troupes à son secours en cas d'agression autrichienne.

Le 4 février 1859, Marx écrit encore à Lassalle pour s'enquérir de la publication de son livre[81] : « La Russie est derrière le parvenu des Tuileries et le presse [de faire la guerre en Italie]. [...] Si l'Autriche s'enlise dans une guerre en Italie, la Russie serait à peu près certaine de briser la résistance que l'Autriche continue à lui opposer. »

Aidé d'Engels, Marx résume même son point de vue à Lassalle, le 25 février, en entrant dans d'infimes détails tactiques et en les reliant à leur dispute majeure : « L'Autriche a fortement intérêt à tenir la ligne du Mincio [rivière qui traverse le lac de Garde], alors que l'Allemagne, elle, en tant que puissance unie, n'en a aucun[18]. »

En avril, le manuscrit de Marx, chez l'éditeur depuis quatre mois, n'est toujours pas imprimé et Karl n'a toujours pas reçu l'avance prévue par contrat à sa remise. Sa fureur s'exprime dans une lettre à Engels[81] : « Ce salaud de Duncker est ravi d'avoir un nouveau prétexte [la publication de la pièce de Lassalle, *Franz von Sickingen*] pour retarder le paiement de mes honoraires. Le petit Juif peut être sûr que je ne suis pas près d'oublier ce tour[46] ! » À partir de ce moment, dans ses lettres à Engels, il n'appellera plus Lassalle que « Itzig », « Ephraïm Gescheidt », « un vrai Juif », « le nègre », voire « le nègre germano-juif ». Ce n'est chez lui en fait qu'un trait d'humour grinçant. Plus tard, il appellera tendrement son futur gendre, Paul Lafargue, « notre petit nègre »[248].

C'est aussi une manifestation de la haine de soi qui parfois le saisit, image inversée de son complexe de supériorité ; car, à l'époque, lui-même subit des attaques antisémites sans nombre, étant considéré comme juif et basané par tous ceux – dont ses filles – qui le désignent, gentiment ou non, comme « le Maure ».

Entre-temps, invoquant une imaginaire agression autrichienne, les patriotes italiens de la « Société nationale pour l'indépendance » s'emparent de la Toscane, de la Romagne pontificale, de Modène et de Parme. Par suite de l'accord secret de Plombières, le 10 mai 1859, la France entre en guerre aux côtés du Piémont. Le jeu des alliances automatiques, qui déclenchera la Première Guerre mondiale, se rode ici.

Engels prend alors parti contre cette guerre dans des articles de stratégie militaire hautement techniques *(Le Pô et le Rhin* ; *La Savoie, Nice et le Rhin* ; *La Question de l'unité italienne)*, publiés anonymement. Lassalle, quant à lui, fait paraître – toujours chez Duncker – un pamphlet dans lequel il conseille à Bismarck de profiter de l'enlisement autrichien en Italie pour mettre la main sur le Schleswig-Holstein et réaliser l'unité allemande. Comme l'éditeur assure la promotion de ce pamphlet, il retarde encore d'autant la sortie du livre de Marx, qui n'est d'aucune actualité.

Le 18 mai 1859, dans une lettre à Engels, Marx s'enflamme contre ce pamphlet de Lassalle, qu'il présente encore comme le correspondant du « parti »[81] : « Le pamphlet de Lassalle est une énorme gaffe. [...] Si Lassalle prend la liberté de parler au nom du parti, ou bien il doit s'attendre à l'avenir à être ouvertement désavoué par nous dans la mesure où la situation est trop importante pour que nous prenions des gants, ou bien, au lieu de suivre ses inspirations moitié flamme moitié logique, il devra commencer par se renseigner sur l'opinion que d'autres ont en dehors de lui. Nous devons maintenant veiller à une discipline de parti, sinon tout va se casser la figure[46] ». Sa colère, en fait, est surtout motivée par la façon dont Lassalle le traite : après avoir promis de s'occuper de la publication de son livre, il l'a oublié pour s'occuper du sien.

À la fin de mai 1859, la *Contribution à la critique de l'économie politique* paraît enfin à Berlin, tirée à mille exemplaires.

À ce moment, un certain Carl Vogt, zoologiste allemand engagé dans le camp démocrate en 1848 et vivant depuis lors en Suisse, où il a accueilli Bakounine dix ans plus tôt, prend parti contre Marx. Karl prête foi aux rumeurs accusant Vogt d'être à la solde de Napoléon III. Il fait part de ses soupçons à Elard Biskamp, rédacteur en chef du *Volk*, lequel les publie. Vogt riposte dans un journal helvétique. Wilhelm Liebknecht, recevant un pamphlet anonyme qui étaie ces accusations, l'envoie à un journal allemand plus important, conservateur et pro-autrichien, l'*Augsburg Allgemeine Zeitung*, ce qui leur assure bien plus de retentissement[248]. Vogt jouera bientôt un rôle important dans l'évolution de Marx.

Peu après, le 4 juin, les alliés franco-piémontais l'emportent à Magenta, où Napoléon III manque d'être fait prisonnier. La bataille laisse 9 000 morts sur le terrain. Trois jours plus tard, l'armée française entre victorieuse dans Milan ; Mac-Mahon est fait maréchal et duc de Magenta. L'Autriche cède la Lombardie au Piémont, auquel Parme, Modène, la Toscane et la Romagne obtiennent leur rattachement. La France annexe Nice et la Savoie.

Pendant que se déroule cette guerre, Jean-François Millet peint *L'Angélus* et les premiers gisements de pétrole sont découverts en Pennsylvanie.

Annoncée par Marx lui-même comme un apport fondamental, sa *Contribution à la critique de l'économie politique* déçoit ses disciples les plus fidèles. À Londres, Wilhelm Liebknecht écrit à un ami que « jamais un livre ne l'avait autant déçu ». Aucune critique ne paraît dans la presse allemande et Lassalle ne fait rien pour en susciter. À Londres même, ne voient le jour que deux recensions, toutes deux dans le journal des réfugiés allemands, le *Volk*, et toutes deux signées de… Engels !

Carl Vogt, qui a identifié l'entourage de Marx comme étant à l'origine de la rumeur propagée contre lui, rédige alors un livre dans lequel il accuse alors Karl de fabrication de fausse monnaie, de tyrannie exercée sur ses disciples, de calomnies à l'encontre de ses adversaires politiques, d'extorsion de fonds auprès d'ex-communistes sous la menace de révéler leur passé[248]. Il le prétend à la tête d'organisations mystérieuses qu'il appelle *Schwefelband* ou encore *Bürstenheimer* (du nom péjoratif donné à un club de travailleurs suisses)[248]. L'ouvrage de Vogt fait l'objet de nombreux comptes rendus ; des extraits paraissent dans la *National Zeitung* de Berlin et jusque dans le *Daily Telegraph* de Londres, qui avance que Marx serait le chef d'une organisation secrète intitulée la « Bande de feu et de soufre » ! Marx réagit d'abord en haussant les épaules[248].

Cette année-là, Proudhon note : « Marx est le ténia du socialisme[225]. » « Le communisme doit avant tout se débarrasser de ce faux frère », écrit Marx à Weydemeyer.

La même année 1859 paraît *De l'origine des espèces et des moyens de la sélection naturelle*[97], de Charles Darwin, qu'Engels lit aussitôt, fasciné d'y découvrir un sens de l'évolution. Il en parle avec enthousiasme à Marx : Darwin est des leurs, lui dit-il, parce qu'il croit comme eux en une sorte d'histoire laïque de l'humanité, et parce qu'il décrit une bataille pour la vie *(struggle for life)* qui ressemble en tous points à la compétition qu'impose le marché. Il faudrait le rencontrer, suggère Friedrich : ils vivent à si faible distance les uns des autres. Marx essaiera plus tard, comme on le verra, d'approcher Darwin, lequel ne répondra jamais aux signaux de l'auteur du *Capital*.

Cet été-là, Jenny et Karl décident d'envoyer les filles « respirer le bon air » pendant plusieurs semaines au bord de la mer, comme cela commence à être la mode. Jenny pense que le petit Edgar aurait survécu s'ils avaient pu l'y emmener ; et, depuis la mort de trois de leurs enfants, rien n'est trop beau pour les trois survivantes. Toutefois, la dépense est si lourde et si peu mesurée à l'avance qu'à l'automne 1859 les Marx risquent de se voir à nouveau couper l'eau et le gaz, et Karl, à moins d'un miracle, ne voit pas comment il pourrait payer les factures en retard. Il faut encore emprunter, ce qui augmente d'autant les coûts, puisqu'il faudra acquitter des intérêts exorbitants.

À la fin de 1859, Karl est si malade, si désargenté, si déçu par l'accueil réservé à son livre, qu'il interrompt à nouveau ses recherches et se concentre sur les articles qui font vivre sa famille. Il en aura publié cette année-là trente-sept rien que dans le *New York Daily Tribune*, pour une pige d'environ 3 livres par article, soit 100 livres au total, ce qui correspond au tiers de son revenu annuel, le reste venant des versements d'Engels.

À partir de 1860, l'aide financière de ce dernier augmente quelque peu : convaincu des talents de gestionnaire de son fils, Engels père lui confère le statut d'associé. Friedrich – qui conserve une relation de méfiance et d'hostilité avec son père, alors qu'il vénère sa mère (à l'inverse de Karl) – envoie alors de plus en plus souvent à son ami des montants de deux à cinq livres, toujours en billets coupés en deux glissés dans deux enveloppes séparées. Une fois même, cette année-là, il lui envoie cent livres d'un coup pour le tirer d'un très mauvais pas : la ménagère en argent ornée d'armoiries que Jenny tient de ses ancêtres écossais et qu'elle vient une fois de plus de mettre au clou provoque l'emprisonnement de Karl, car le prêteur sur gages, à voir sa mise modeste, le soupçonne de l'avoir volée[248] !

En cette année-là – 1860 – s'ouvre aussi le complexe du Creusot qui, avec 10 000 ouvriers, devient le plus important site industriel au monde. C'est encore cette année-là que Baudelaire publie *Les Paradis artificiels*. En Italie, Garibaldi, républicain soutenu en secret par Cavour, s'empare du royaume des Deux-Siciles à la tête de mille volontaires ; sous prétexte de l'empêcher d'occuper Rome et d'y proclamer la république, l'armée piémontaise occupe les Marches et l'Ombrie, prises au pape, et parachève ainsi l'unité italienne autour du souverain milanais.

Karl aime à lire des romans. En 1860, il découvre *Le Chef-d'œuvre inconnu*, de Balzac, histoire d'un peintre qui, à force d'ajouts et de retouches à son tableau, n'arrive pas à finir sa toile ni à rendre lisible pour les autres sa propre vision intérieure[248]. Pour échapper à son dilemme, le peintre décide de voyager, à la recherche de modèles, afin de confronter son œuvre à la nature sous ses différentes formes. Ce livre touche infiniment Marx. Cette image lui rappelle le Démocrite auquel il a consacré en partie sa thèse, qui se jette lui aussi dans l'empirisme et l'apprentissage de toutes les disciplines, voyage pour résoudre le contraste entre son illumination et le pâle reflet que le monde offre de sa vision[248]. Si Karl ne voyage pas à travers le monde entier ; il apprend plusieurs langues et lit des centaines d'ouvrages. S'il ne se prive pas de la vue, comme Démocrite, il s'inflige de nombreuses maladies au terme d'une démarche nettement autodestructrice.

En janvier 1860, Lassalle le convainc que les accusations dévastatrices de Vogt risquent de trouver écho chez ceux qui ne le connaissent pas, et lui conseille d'y répondre[248]. Marx écrit alors à Engels qu'il est résolu à poursuivre la *National Zeitung*, qui a divulgué les calomnies de Vogt. Il a maintenant l'impression d'une conspiration fomentée contre lui ; Vogt, dit-il, « falsifie tout [mon] passé ». En février, il se lance dans la bataille, envoie des lettres, sollicite des témoignages de soutien et rédige un livre de 200 pages contre Vogt : *Herr Vogt*. Les exemplaires sont saisis par la police et Marx doit régler l'imprimeur[248]. Le 3 mars 1860, il expédie à Weber, l'avocat qui le défend contre Vogt, une lettre de douze pages dans laquelle il explique les sacrifices financiers qu'il a consentis pour publier la *Gazette rhénane* à Cologne. « Comme je suis moi-même le fils d'un juriste (feu l'avocat Heinrich Marx, de Trèves, qui fut pendant longtemps le bâtonnier de cette cour et qui se distingua par la pureté de son caractère et par son talent juridique), je sais l'importance pour un juriste consciencieux d'être complètement au clair sur le caractère de son client. » Extraordinaire souvenir de son père, toujours présent, toujours vénéré et qui révèle en Marx quelqu'un de très attaché aux valeurs les plus traditionnelles du respect des droits de la défense et du rôle des avocats. Engels lui apporte son appui, déclarant que *Herr Vogt* est sa meilleure œuvre polémique, même s'il aurait souhaité ne pas voir la querelle revêtir une telle ampleur.

Engels, en réalité, trouve que Karl perd son temps dans ces polémiques indignes de lui.

Dix ans plus tard, on le verra, les archives de la police française saisies par la Commune révéleront que ce Vogt était bien un agent de Napoléon III.

C'est à la même époque que le mouvement ouvrier européen frémit à nouveau. Le 18 mai 1860, un mouvement de grève des travailleurs du bâtiment entraîne à Londres la création d'une Union syndicale. Marx refuse de s'y associer, mais écrit alors à son vieil ami Freiligrath, le socialiste-banquier-poète, pour lui reparler – ainsi qu'à Lassalle – du « parti » comme entité abstraite idéale. Lettre importante dans laquelle il explique que son travail théorique constitue la meilleure contribution qu'il puisse fournir à la cause de la révolution[47] : « Je te fais remarquer que, depuis 1852, date à laquelle la Ligue a été dissoute sur ma proposition, je n'ai plus jamais appartenu ni n'appartiens à aucune association secrète ou ouverte, et, par conséquent, il y a déjà huit ans que, dans ce sens totalement éphémère du terme, le parti a cessé d'exister pour moi [...]. J'ai la conviction profonde que mon travail théorique est beaucoup plus utile à la classe ouvrière qu'une participation à des organisations qui ont fait leur temps sur le continent [...]. Si tu es poète, je suis critique, et, à vrai dire, l'expérience de 1850 à 1852 me suffit. La Ligue [...] n'a été qu'un épisode dans l'histoire du parti qui naît spontanément, partout, du sol de la société moderne [...], du parti au grand sens historique moderne. »

En effet, comme Marx l'écrit dans cette magnifique formule, le parti « naît spontanément, partout, du sol de la société moderne » : en France, des ouvriers proudhoniens, emmenés par un nommé Tolain, lancent le *Manifeste des Soixante* pour exiger la reconnaissance des droits syndicaux ; c'est aussi le cas en Allemagne, en Autriche, en Angleterre, en Espagne, en Italie.

À l'été 1860, Freidrich Engels adresse à Jenny une lettre exaspérée : « Il écrit les plus belles choses du monde, mais il prend soin qu'elles ne sortent pas au bon moment, et tout tombe à l'eau. »

Toujours au cours de cette même année 1860, l'une des quatre sœurs de Karl, Sophie, deuxième dans la fratrie, épouse à quarante-quatre ans un avocat hollandais du nom de Schmalhausen et s'installe à Maastricht. Elle rejoint là l'une de ses tantes, devenue Mme Lion Philips, dans le clan hollandais de sa mère, Henrietta, qui vit toujours à Trèves avec sa dernière fille, mariée, elle, à un ingénieur local. La quatrième, on l'a vu, est partie en Afrique du Sud.

En novembre 1860, une nouvelle épreuve accable les Marx[105] : Jenny est atteinte d'une forme sévère de variole dont elle manque de mourir et qui la défigure à jamais. C'est pour elle un immense traumatisme. Karl envoie alors leurs trois filles chez Liebknecht, qui lui sert encore de secrétaire, et il interrompt tout travail pour soigner sa femme. Une fois celle-ci guérie, il s'impose un isolement de dix jours pour préserver ses filles d'une contamination éventuelle[105].

Puis reprennent les loisirs avec ses enfants, notamment le pique-nique dominical.

En décembre, alors que Jenny se remet lentement et sombre dans la dépression en raison des marques sur son visage, Karl retrouve goût au travail. Il lit *De l'origine des espèces*, un an après sa parution. Il retrouve chez Darwin sa propre façon de travailler, de penser le monde comme une histoire. Il est frappé de l'analogie entre les lois de la concurrence, qu'il étudie, et celles de la sélection naturelle, que Darwin a mises au jour. Après un an d'interruption, il songe à se remettre à son grand livre.

À ce moment tombe une grande nouvelle : le 12 janvier 1861, à l'occasion de son accession au trône, Guillaume Ier de Prusse, régent depuis trois ans, promulgue une amnistie permettant aux proscrits de 1849 de rentrer au pays sous certaines conditions. Lassalle écrit à Marx pour le pousser à solliciter une amnistie et à le rejoindre en Allemagne pour développer ensemble le mouvement ouvrier ; il se fait fort d'obtenir la grâce du nouveau monarque, qu'il approche et rencontre même, laisse-t-il entendre. « Ensemble, écrit-il, nous ferons un journal, un parti, de grandes choses ! » Karl se méfie de Lassalle, mais est tenté ; Jenny l'est moins. Elle ne s'imagine pas transiger avec ses idées et s'étonne que son mari y songe. La profonde transformation de son visage lui ôte de surcroît toute envie de briller dans le monde. Karl dépose pourtant sa demande d'amnistie[215].

C'est alors que Lassalle publie une *Théorie systématique des droits acquis* qui suggère de renforcer l'État, seul à même, dit-il, de s'opposer à la bourgeoisie. Marx enrage de subodorer qu'en écrivant cela Lassalle propose, en fait, une alliance à la monarchie prussienne contre la modernisation capitaliste qu'il appelle, lui, de ses vœux. Décidément, ce Lassalle n'a rien compris !

Le 2 février 1861, onze des trente-quatre États américains du Sud font sécession et fondent les États confédérés d'Amérique, ils élisent président Jefferson Davis tandis qu'Abraham Lincoln occupe la Maison Blanche : c'est la guerre de Sécession. Karl craint de voir les Anglais entrer dans cette guerre aux côtés des Sudistes pour protéger leur accès au coton, matière première stratégique. Par quelques articles, il appuie les énormes manifestations pacifistes des syndicats britanniques.

Au même moment, le gouvernement prussien lui refuse l'amnistie : le souvenir de 1849 est encore trop brûlant et la police prétend détenir « trop de documents établissant qu'il est hostile à la monarchie ». Il s'agit sans doute du rapport de Stieber déjà cité... De surcroît, Marx a vécu plus de dix ans à l'étranger et est ainsi devenu juridiquement un « étranger ». Il obtient néanmoins un visa provisoire – d'aucuns allégueront qu'il s'agit d'un faux passeport – et il part en mars 1861 pour l'Allemagne. Il s'arrête en route aux Pays-Bas pour rencontrer à Maastricht sa sœur qui vient de convoler, et à Zalt-Bommel sa tante maternelle mariée au banquier Lion Philips qui gère la fortune de sa mère ; peut-être espère-t-il trouver là un peu d'argent.

Karl et Lion ne se connaissaient qu'épistolairement et par Jenny, qui est passée par là deux ans auparavant. Le banquier est intellectuellement fasciné par Karl et lui avance – sous forme d'un prêt accompagné d'une reconnaissance de dette à sa mère – 160 livres gagées sur sa part de l'héritage paternel encore bloquée par sa mère qui n'a toujours pas vendu la maison familiale[105]. Ce versement permet à Karl d'effacer la majeure partie de ses dettes de l'époque.

Marx s'intéresse au fils du banquier, un jeune homme dépressif, et tombe surtout sous le charme de la fille de la maison, Antoinette Philips (surnommée « Nanette »), jeune et jolie cousine de vingt-quatre ans. Lui-même en a maintenant quarante-trois. Il passe quatre semaines à Zalt-Bommel, pour l'essentiel dans la compagnie de Nanette, à qui il fait sans doute une cour platonique. Après son départ pour l'Allemagne, une correspondance s'engage entre « Mon cher pacha » (surnom donné à Karl par Nanette) et « Ma cruelle ensorceleuse » (ainsi l'appelle-t-il de son côté)[123]. Jenny, qui se débat à Londres dans les difficultés financières habituelles, en est réduite à demander à Engels s'il a des nouvelles de son mari. Elle écrit : « Les lettres envoyées par mon cher seigneur et maître souffrent cette fois d'un style particulièrement lapidaire[123]... »

En avril 1861, alors que le roi du Piémont, Victor-Emmanuel, devient roi d'Italie, Karl arrive à Berlin, la ville de sa jeunesse, quittée depuis près de vingt ans. Il y est reçu par un Ferdinand Lassalle en pleine forme, aussi ouvertement socialiste que passionnément mondain, vivant chez la comtesse Sophie von Hatzfeld, sa riche maîtresse arrachée dix ans plus tôt à son époux ; elle le présente à des aristocrates et à de « beaux esprits professionnels ». Dans une lettre à Jenny, Karl décrit cette comtesse « d'une grande intelligence, profondément intéressée par le mouvement révolutionnaire ». Jenny se révulse de jalousie (surtout après la maladie qui l'a défigurée) et refuse de venir le rejoindre à Berlin où elle pourrait se rendre sans problème, même si son frère n'y est plus ministre depuis trois ans. « Ma femme est particulièrement opposée à se rendre à Berlin, parce qu'elle ne veut pas que nos filles soient introduites dans le cercle Hatzfeld[46] », écrira-t-il peu après à Engels. Il rencontre les membres d'un petit « parti progressiste » dont Lassalle est maintenant l'un des dirigeants. Il croise aussi un délégué d'un groupe d'ouvriers de Düsseldorf – se présentant lui-même sous le nom de Lévy – qui accuse Lassalle d'utiliser l'organisation des travailleurs pour défendre ses propres intérêts ainsi que ceux de sa maîtresse. Karl doit ensuite quitter Berlin car, selon certains, la police manque alors de l'arrêter ; selon d'autres, c'est que son visa vient à expiration et qu'il a encore une autre visite à rendre.

Sur le chemin du retour, en effet, il s'arrête quelques jours à Trèves, chez sa mère qu'il n'a pas revue depuis quatorze ans ; il tombe dans ses bras, obtient sans difficulté qu'elle annule la reconnaissance de dette signée pardevant le banquier Philips, va se recueillir sur la tombe de son père et repasse quelques jours par les Pays-Bas pour faire soigner un nouvel anthrax par sa belle cousine Nanette.

Rentré à Londres, il écrit à Lion Philips pour le remercier de son accueil et évoquer la dépression de son jeune cousin, « maladie qui s'explique facilement par le fait que, à la différence de la grande majorité des hommes, il est critique sur lui-même et n'a pas encore bâti un solide point de vue politique qui le satisfasse ». Soit l'antithèse de ce qu'il voudrait être lui-même. Et ce qu'il est en réalité.

Au cours de cette année 1861, Marx s'occupe beaucoup de ses filles, comme pour se faire pardonner son absence. La cadette, Eleanor, racontera plus tard[253] qu'alors qu'elle n'a que six ans, son père consacre beaucoup de temps à faire son éducation littéraire, ainsi qu'il l'avait fait naguère pour ses deux sœurs et pour son frère disparu. Comme s'il voulait voir en elle la réincarnation d'Edgar, mort trois mois après sa naissance, Karl dit d'ailleurs à tout un chacun qu'Eleanor ressemble à un garçon et que sa femme s'est trompée en la mettant au monde[161] ! Eleanor lui fera d'ailleurs payer un jour le fait de n'être pas vraiment aimée pour elle-même. Là encore, ce récit familial en dit long sur la personnalité de Karl :

« Mon père me lisait Homère, les *Nibelungen*, *Gudrun*, *Don Quichotte*, les *Contes des Mille et Une Nuits*. Et comme Shakespeare était la Bible de notre maison, il était toujours dans nos mains ou nos bouches. Dès l'âge de six ans, je savais de nombreuses scènes de Shakespeare par cœur. Pour mon sixième anniversaire, le Maure [surnom qu'affectionnent ses enfants] m'a offert mon premier roman, *Peter Simple*, un roman d'aventures de l'écrivain anglais Frederick Marryat. Mon père m'a fait un cours sur Marryat et Cooper, puis il m'a lu tous les contes, et les a discutés avec moi. Quand je lui ai expliqué que je voulais devenir un "Post-Captain" (sans donner un sens à ce néologisme) et que je lui ai demandé si je pouvais m'habiller en garçon et m'engager dans l'armée, il m'assura que c'était tout à fait possible, mais qu'il fallait garder cela secret jusqu'à ce que nos plans soient au point[253]. »

Du printemps 1861 à l'année 1863, Marx noircit 1 500 pages serrées, redonnant vie à son projet premier de rédiger toute son œuvre avant de la publier : 750 pages sont consacrées à l'histoire et à la critique des théories économiques antérieures ; 500 pages, au capital en général (du point où Karl en est resté en 1859) ; les pages restantes, aux sujets qui composeront ensuite le troisième volume. Les thèmes du deuxième volume apparaissent donc d'une moindre importance à Marx[248].

Le 21 juillet 1861 commence la guerre de Sécession. Les Confédérés, qui bénéficient du ralliement d'excellents officiers, doivent faire face à la supériorité numérique de l'Union, qui s'appuie sur une population de 22 millions d'habitants, alors que le Sud n'en compte que 9 millions (dont 3,7 millions d'esclaves). L'Angleterre de Palmerston ne sait quelle attitude adopter : elle ne veut perdre ni les marchés du Nord, ni les matières premières du Sud. La question de l'esclavage lui est indifférente. Elle ne sait trop si elle doit faire la guerre, ni dans quel camp. Pourtant, elle semble aspirée dans le conflit quand, le 8 novembre, le *USS Jacinto*, navire de guerre du Nord, arraisonne un paquebot postal britannique, le *Trent*, reliant La Havane à l'Angleterre, et y découvre deux diplomates confédérés et leur secrétaire, en mission diplomatique. Le gouvernement fédéral les fait arrêter et emprisonner à Boston. Londres proteste, exige leur remise en liberté, puis expédie 14 000 soldats au Canada. Ce dominion redoute de se transformer en champ de bataille dans un conflit entre Londres et Washington, et d'être envahi à titre préventif par les troupes fédérales. Les syndicats protestent violemment contre cet engrenage militaire et de nombreuses manifestations ont lieu dans Londres, appuyées et attisées par des articles de Marx.

Le 7 décembre 1861, son article hebdomadaire dans le *New York Daily Tribune*, journal du Nord, Karl prend parti contre une alliance de l'Angleterre avec les Confédérés, et se livre à une analyse extrêmement fine de l'attitude britannique, qu'il faut citer largement pour ce qu'elle révèle de sa connaissance détaillée des réalités politiques de son temps[47] :

« Le souhait qui prévaut chez les esclavagistes et leurs instruments nord-américains est d'entraîner les États-Unis, le Nord, dans une guerre avec l'Angleterre, car, si cette guerre éclatait, la première démarche de l'Angleterre serait de reconnaître la Confédération du Sud, et la seconde de mettre fin au blocus qui enferme le Sud. [...] Dans toute autre circonstance, les milieux d'affaires de Grande-Bretagne eussent considéré avec effroi une telle guerre. Mais, depuis des mois, une importante et influente fraction du monde des affaires pousse le gouvernement à briser le blocus (imposé au Sud par le Nord) par la force, afin d'approvisionner la branche principale de l'industrie anglaise en matières premières indispensables (le coton). La crainte d'une diminution des exportations anglaises vers les États-Unis (en cas de guerre avec le Nord) a perdu de sa force du fait que ce commerce est en fait déjà limité. Ainsi l'*Economist* affirme que les États du Nord "sont de mauvais clients, peu intéressants". Le gigantesque crédit que le commerce anglais consentait d'habitude aux États-Unis, surtout en acceptant les traites tirées sur la Chine et l'Inde, a déjà été réduit à un cinquième de ce qu'il était en 1857. Qui plus est, la France bonapartiste, en banqueroute, paralysée à l'intérieur et harcelée de difficultés extérieures, se précipiterait sur une guerre anglo-américaine comme sur une manne céleste. N'est-elle pas toute disposée, pour acheter le soutien anglais sur le continent, à mobiliser toutes ses forces pour aider la "perfide Albion" outre-Atlantique ? Palmerston cherche un prétexte légal pour se lancer dans une guerre contre les États-Unis, mais il se heurte, au sein du cabinet, à l'opposition la plus ferme de Gladstone. Si le cabinet de Washington devait fournir le prétexte souhaité, l'actuel cabinet anglais sauterait et serait remplacé par un gouvernement de *tories*. Les premiers contacts en vue d'un tel changement de scène ont déjà eu lieu entre Palmerston et Disraeli. C'est ce qui explique les violents appels à la guerre du *Morning Herald* et du *Standard* – ces loups affamés qui hurlent dans l'attente de quelques miettes tombant de la charitable caisse de l'État[11]. »

Texte à la fois précis, simple et clair ; si différent, comme tous ses articles, de la rédaction souvent très opaque de ses textes théoriques.

Le 26 décembre 1861, Washington relâche les deux diplomates sudistes arraisonnés ; la tension avec Londres retombe. Karl y voit un succès des manifestations ouvrières auxquelles il a participé. C'est en effet la première fois qu'une action syndicale exerce une influence sensible sur la conduite de la politique étrangère d'un grand pays européen.

Le lendemain, énorme surprise ! Un dissident disparu depuis douze ans, dont le souvenir est encore dans toutes les mémoires, débarque à Londres : l'anarchiste russe Bakounine, le chef de la révolte de Düsseldorf, le Siegfried de Wagner, le protégé de Vogt arrêté en Allemagne en 1849, expédié en Autriche, transféré et emprisonné en

Russie, puis exilé en Sibérie, arrive à Londres au terme d'un ahurissant voyage : après huit ans de prison, puis cinq ans d'exil en Sibérie, il a réussi à s'évader, à rejoindre Yokohama, puis San Francisco et enfin les rives de la Tamise ! Il vient voir Karl pour lui exprimer son admiration et lui annoncer que sa priorité, après tant de tribulations, sera de traduire le *Manifeste du Parti communiste* en russe !

L'année suivante (1862), un autre vieil ami de Marx se manifeste à Bruxelles : Moses Hess, qui aurait pu former un trio avec Karl et Friedrich, publie un « appel au rassemblement des Juifs en Palestine » intitulé *Rome et Jérusalem*[135]. Cet acte de naissance du sionisme voit le jour au moment même où Italiens et Allemands s'attellent eux aussi à parachever l'unité de leur propre entité nationale. La Palestine n'est alors que le nom d'une partie de la « Grande Syrie » ottomane et il faut beaucoup d'imagination pour penser qu'une nation juive pourra un jour y exister à nouveau.

Cette année-là, Victor Hugo, alors à Guernesey après avoir quitté Waterloo, fait publier à Paris *Les Misérables*, et Flaubert, *Salammbô*. On dit que les correcteurs de Lacroix, l'éditeur des *Misérables*, pleurèrent en découvrant les épreuves des cinq tomes du livre.

Le 12 avril 1862, à Berlin, Lassalle, qui se croit tout permis, exhorte avec beaucoup de courage les membres de son « parti progressiste » à protester contre le manque de liberté qui a caractérisé les élections au Landtag. Le roi le fait arrêter pour avoir « compromis la paix sociale ».

La prolongation de la guerre de Sécession a des conséquences désastreuses pour Karl : si elle fait flamber le prix du coton, plongeant l'industrie textile britannique dans une grave crise, elle met aussi un terme définitif, en raison des difficultés financières du journal, à sa collaboration au *New York Daily Tribune*, le privant de son unique source professionnelle de revenus et le faisant une nouvelle fois basculer dans la gêne. Il ne vit plus que des subsides de Friedrich, alors que les charges qu'il doit assumer croissent avec l'âge de ses filles : cours privés, activités artistiques (elles adorent le théâtre). Le mois suivant, il plaint ses filles de ne pas être assez présentables pour suivre leurs cours et pour se rendre à l'Exposition internationale de l'industrie, pour laquelle il a obtenu une carte de presse permanente. Il est désespéré et sent même la panique le gagner : devra-t-il encore déménager ? La dépression le guette à nouveau.

Le 18 juin, il écrit à Engels pour mendier une fois de plus quelques livres, en énumérant ses besoins. Lettre pathétique : « L'idée de déverser ma misère sur toi me rend malade. Mais que faire ? Chaque jour, ma femme me dit qu'elle souhaite être dans la tombe avec nos enfants, et je ne peux l'en blâmer en raison des humiliations indescriptibles d'une telle situation. Comme tu sais, les 50 livres sont parties pour régler des dettes ; plus de la moitié reste encore à payer, avec 2 livres pour le gaz. [...] Je ne dirai rien de la situation d'être à Londres sans un penny pendant sept semaines, ce qui nous arrive souvent. [...] J'en suis surtout désolé pour mes enfants infortunés, parce que c'est la période des fêtes[46]. » Karl explique à Friedrich que s'il ne trouve pas de ressources, il devra se déclarer insolvable, laisser le propriétaire de leur logement vendre ses meubles, laisser Hélène Demuth trouver un autre employeur, déménager avec Jenny et Eleanor dans une pension à 3 shillings la semaine, et placer Laura et Jenny, respectivement âgées de dix-huit et dix-neuf ans, comme gouvernantes. Puis, dans la même lettre, il passe à tout autre chose et revient au débat d'idées ; comme il vient de lire Darwin, il note : « Je suis surpris de voir Darwin redécouvrir chez les bêtes et les plantes les caractères de la société anglaise, avec sa division du travail, sa concurrence, l'ouverture des marchés, l'innovation et la "lutte pour la vie"[46]. »

Engels le rassure et couvre ses charges. Une fois de plus, Karl réussit à ne pas franchir la frontière du meublé, le *model lodging house*, symbole de la prolétarisation.

Au même moment, Lassalle, gracié par le roi, décide de se rendre à Londres pour une « tournée diplomatique » en s'invitant chez les Marx. Impossible de refuser. Karl écrit alors à Friedrich : « Pour préserver une certaine façade, ma femme a dû engager chez les prêteurs sur gages tout ce qui pouvait l'être[46]. » De fait, Lassalle s'impose et s'incruste dans la maison des Marx pendant environ un mois. Il faut le sortir, le nourrir ; il leur coûte une fortune. C'est encore Engels qui couvre les frais, tout en exigeant d'en connaître le détail. Jenny est hors d'elle. Elle veut qu'il parte et le met dehors à la fin de juillet.

Le 5 août 1862, au British Museum – où Karl n'est pratiquement plus retourné depuis qu'il a rendu le manuscrit de son dernier livre, trois ans plut tôt –, Louis Blanc met le point final au douzième tome de sa monumentale *Histoire de la Révolution française* ; au même moment s'ouvre à Londres une nouvelle Exposition universelle. Karl la visite en tant que journaliste accrédité.

Pour assister à l'Exposition débarque à Londres une délégation d'ouvriers français financée par le prince Napoléon, cousin de l'empereur ; elle est surtout là pour assurer la promotion de la « générosité » bonapartiste. La délégation est d'abord reçue par un comité d'accueil constitué de parlementaires libéraux, sans aucun représentant des organisations ouvrières. Puis, en dehors des réunions officielles, certains de ces ouvriers français réussissent à rencontrer des syndicalistes anglais. De cette réunion, dont Marx n'est pas informé, naîtra, deux ans plus tard, la première Internationale socialiste. Il en prendra la tête.

Entre-temps, la guerre de Sécession s'enlise. Le 22 septembre, Lincoln proclame l'émancipation des esclaves du Sud avec effet au 1er janvier suivant ; ce qui écarte le risque d'une reconnaissance de la Confédération par les grandes puissances, sans pour autant mettre fin à la guerre. En Angleterre, les trois cinquièmes des entreprises textiles sont maintenant en faillite et les trois quarts des ouvriers de ce secteur au chômage. La firme d'Engels traverse de grandes difficultés, et Friedrich a du mal à maintenir son aide à Karl.

À Berlin, exactement le même jour, le roi, en conflit avec le Parlement sur la question des crédits militaires, nomme Bismarck, alors ambassadeur à Paris et dont il connaît la fermeté, ministre d'État sans portefeuille et ministre-président par intérim. Le 30, Bismarck attaque de front le Parlement : « L'Allemagne ne s'intéresse pas au libéralisme de la Prusse, mais à sa force [...]. Ce n'est pas par des discours et des votes à la majorité [au Parlement] que les grandes questions de notre époque seront résolues, comme on le croyait en 1848, mais par le fer et par le sang ! » Scandale énorme. Le souverain hésite : va-t-il garder Bismarck ? Le 8 octobre, il tranche et le nomme ministre-président à titre permanent avec le portefeuille des Affaires étrangères. L'heure de l'affrontement avec l'Autriche, vaincue dans la guerre contre l'Italie, approche. Après, pense Marx, viendra l'heure de l'unité allemande autour de la Prusse.

À l'automne 1862, Karl assiste à Londres avec Liebknecht à une série de six conférences de Thomas Huxley, le propagandiste de la théorie de la sélection naturelle, surnommé le « bouledogue de Darwin ». Il est fasciné. Il songe de nouveau à approcher Darwin, qui n'habite qu'à vingt miles de chez lui. Quelques jours plus tard, Liebknecht, amnistié, rentre en Allemagne pour rejoindre Lassalle et y représenter Marx, qui n'a plus confiance en celui qu'il surnomme maintenant « Lorry ». Liebknecht a passé dix ans à Londres. C'est un déchirement pour Jenny et les filles de perdre celui qui est si proche d'eux depuis les années noires. Elles le retrouveront presque quinze ans plus tard ; il sera devenu – ce qui est alors inconcevable – le chef du premier parti socialiste représenté comme tel dans un Parlement d'Europe.

Durant l'hiver 1862-1863, particulièrement rigoureux, la situation matérielle des Marx, qui n'ont d'autres ressources que ce que leur verse parcimonieusement Engels, demeure critique. Karl parle encore d'aller « habiter dans l'hôtel meublé où Wolf le Rouge [qui n'est pas Lupus Wolff, mais un extraordinaire personnage, garde du corps de Garibaldi], a vécu dans le temps avec sa famille ». En cachette de Karl, Jenny envoie même un appel au secours au vieil ami Lupus, l'autre Wolff, précisément, qui survit à Manchester en donnant des leçons. Lupus lui fait parvenir 2 livres. On saura plus tard que la fortune du vieil homme lui aurait permis un don bien supérieur.

Karl envisage même de chercher un travail salarié. Il postule à un emploi de bureau aux chemins de fer, mais son écriture (peut-être, ce jour-là, volontairement ?) illisible fait capoter ce projet. Il en est soulagé. Ce sera son unique tentative en la matière.

En ce temps de désespoir, Karl reçoit une lettre d'un inconnu, un certain docteur Ludwig Kugelmann, gynécologue juif réputé de Hanovre, qui se dit « un fervent adepte des idées communistes depuis ses années estudiantines, et l'un des rares lecteurs de la *Contribution à la critique* à s'y être intéressé en profondeur[221] ». Sa fille, Franzisca Kugelmann, alors âgée de neuf ans, dira beaucoup plus tard : « Mon père était encore un jeune étudiant enthousiaste de Karl Marx quand il lui écrivit sa première lettre. Il avait appris son adresse à Londres par Johann Miquel, un

La maison natale de Karl Marx à Trèves.

Karl Marx, étudiant.

QUOD
FELIX FAUSTUMQUE ESSE IUBEAT
SUMMUM NUMEN
AUCTORITATE
HUIC LITTERARUM UNIVERSITATI
AB
FERDINANDO I
IMPERATORE ROMANO GERMANICO
ANNO MDLVII CONCESSA
CLEMENTISSIMIS AUSPICIIS
SERENISSIMORUM
MAGNI DUCIS ET DUCUM SAXONIAE
NUTRITORUM ACADEMIAE IENENSIS
MUNIFICENTISSIMORUM
RECTORE ACADEMIAE MAGNIFICENTISSIMO
AUGUSTO ET POTENTISSIMO PRINCIPE AC DOMINO
CAROLO FRIDERICO
MAGNO DUCE SAXONIAE VIMARIENSIUM ATQUE ISENACENSIUM PRINCIPE LANDGRAVIO THURINGIAE
MARCHIONE MISNIAE PRINCIPALI DIGNITATE COMITE HENNEBERGAE
DYNASTA BLANKENHAYNII NEOSTADII AC TAUTENBURGI
PRORECTORE ACADEMIAE MAGNIFICO
VIRO PERILLUSTRI ATQUE AMPLISSIMO
ERNESTO REINHOLDO
PHILOSOPHIAE DOCTORE ARTIUMQUE LIBERALIUM MAGISTRO
DECANO ORDINIS PHILOSOPHORUM ET BRABEUTA
MAXIME SPECTABILI
VIRO PERILLUSTRI ATQUE EXCELLENTISSIMO
CAROLO FRIDERICO BACHMANNO
PHILOSOPHIAE DOCTORE
ORDO PHILOSOPHORUM
VIRO PRAENOBILISSIMO ATQUE DOCTISSIMO
CAROLO HENRICO MARX
TREVIRENSI
DOCTORIS PHILOSOPHIAE HONORES
DIGNITATEM IURA ET PRIVILEGIA
INGENII DOCTRINAE ET VIRTUTIS SPECTATAE INSIGNIA ET ORNAMENTA
DETULIT
DELATA
PUBLICO HOC DIPLOMATE
CUI IMPRESSUM EST SIGNUM ORDINIS PHILOSOPHORUM
PROMULGAVIT
TYPIS BRANII

Diplôme de docteur en philosophie de Karl Marx. 1843.

Henri Heine, par E. Hader.

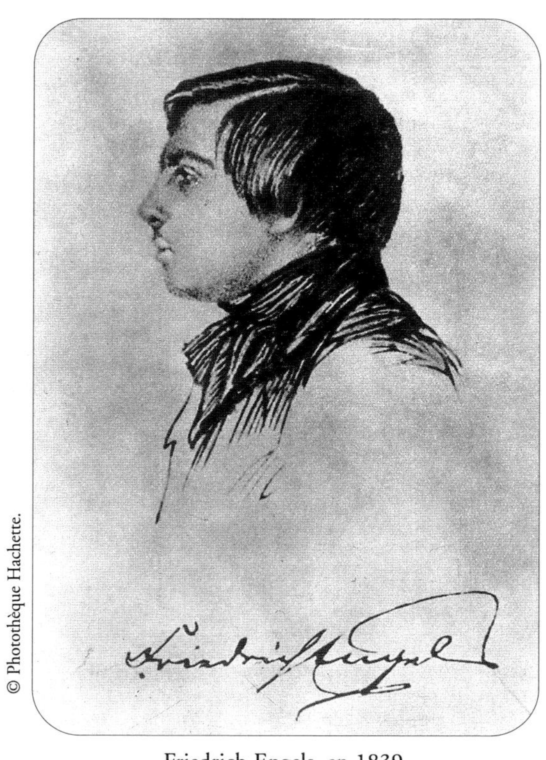

Friedrich Engels, en 1839.

Paris, 30 rue Vaneau. Marx y habita d'octobre 1843 à janvier 1845.

Révolution de 1848, restes des barricades rue Royale.

Manifest

der

Kommunistischen Partei.

Veröffentlicht im Februar 1848.

Proletarier aller Länder vereinigt euch

London.

Gedruckt in der Office der „Bildungs-Gesellschaft für Arbeiter"

von J. E. Burghard

46, Liverpool Street, Bishopsgate.

Le Manifeste du Parti communiste.
Page de titre de la première édition de Londres, en 1848.

Karl Marx et Engels à l'imprimerie de la *Nouvelle Gazette du Rhin*. peinture de E. Capiro, en 1849.

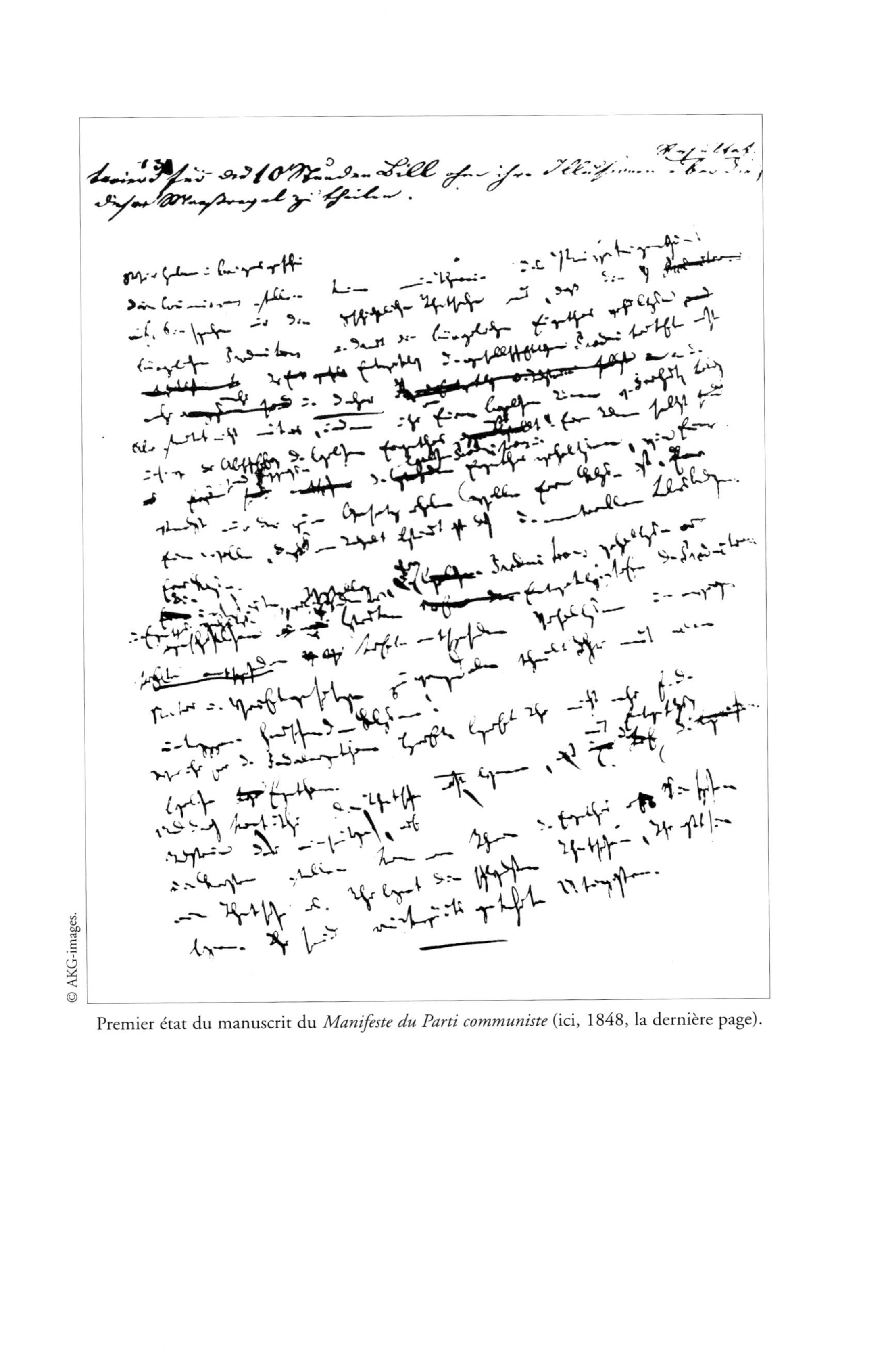

Premier état du manuscrit du *Manifeste du Parti communiste* (ici, 1848, la dernière page).

Marx. Photo vers 1850.

Hélène Demuth, en 1850,
employée de la famille Marx.

Friedrich Engels, en 1870.

Londres, 28 Dean Street, à Soho.
Marx vécut dans cette rue
de décembre 1850 à septembre 1856.

Jenny Marx, née von Westphalen, épouse de Marx.

Marx et sa fille Jenny en 1863.

Thomas Brassey, constructeur de chemins de fer.

Marx en 1866.

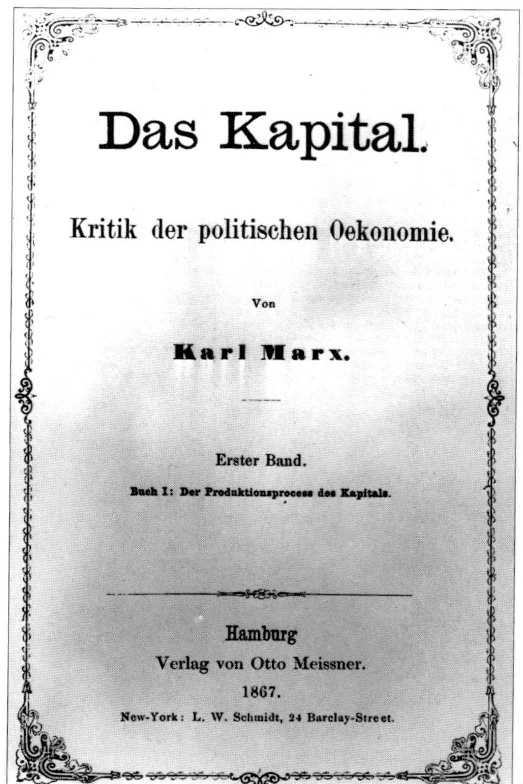

Das Kapital.

Kritik der politischen Oekonomie.

Von

Karl Marx.

Erster Band.

Buch I: Der Produktionsprocess des Kapitals.

Hamburg

Verlag von Otto Meissner.

1867.

New-York: L. W. Schmidt, 24 Barclay-Street.

Le Capital.
Page de titre de l'édition originale 1867.

Jenny et Laura Marx, en 1860.

Jenny et son mari Charles Longuet, en 1865.

Eleanor Marx
avec Wilhem Liebknecht, en 1870.

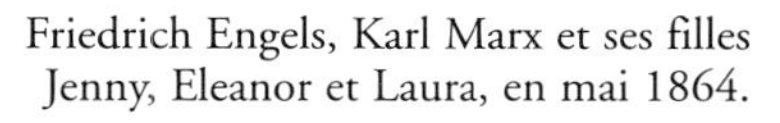

Friedrich Engels, Karl Marx et ses filles
Jenny, Eleanor et Laura, en mai 1864.

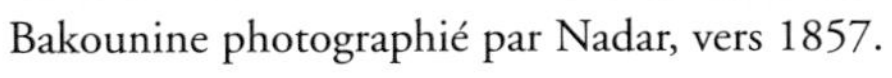

Bakounine photographié par Nadar, vers 1857.

Joseph Proudhon, vers 1860

Ferdinand Lassalle, en 1862.

Barricade devant l'Hôtel de Ville pendant la Commune de Paris, avril 1871.

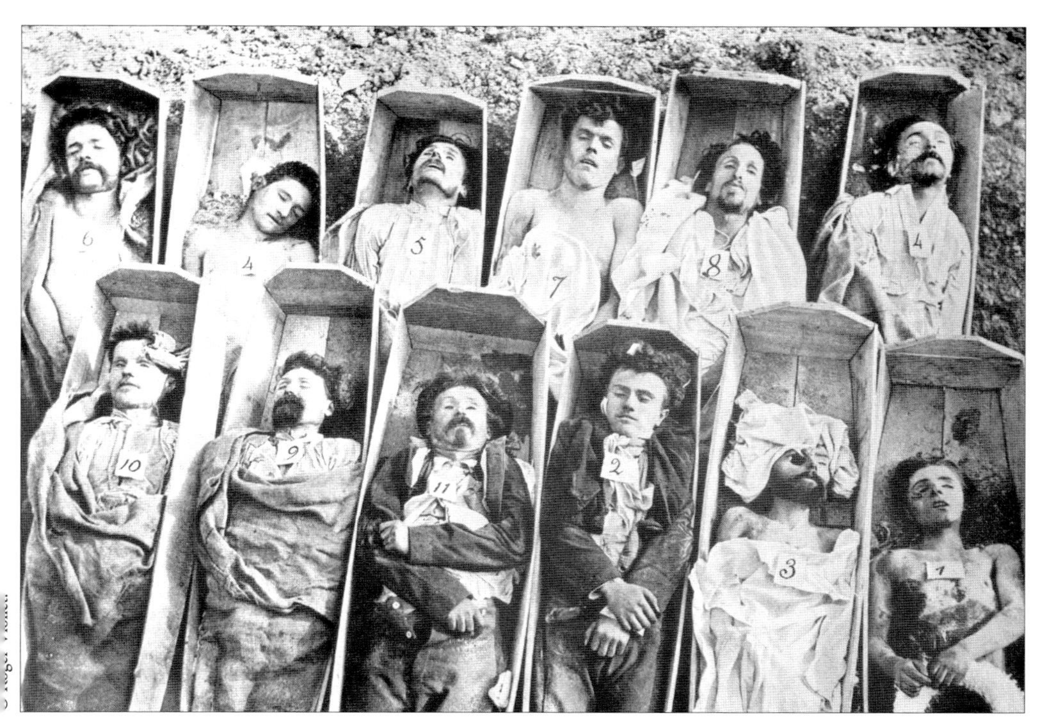

Cadavres des communards fusillés à la fin de la Commune de Paris, mai 1871.

Prosper Olivier Lissagaray.
Gravure de 1889, d'après un dessin d'Henry Mayer.

Londres 18 Mars 1872

Au citoyen Maurice La Châtre

Cher citoyen,

J'applaudis à votre idée de publier la traduction de „Das Kapital" en livraisons périodiques. Sous cette forme l'ouvrage sera plus accessible à la classe ouvrière et pour moi cette considération l'emporte sur toute autre.

Voilà le beau côté de votre médaille, mais en voici le revers : la méthode d'analyse que j'ai employée et qui n'avait pas encore été appliquée aux sujets économiques, rend assez ardue la lecture des premiers chapitres, et il est à craindre que le public français, toujours impatient de conclure, avide de connaître le rapport des principes généraux avec les questions immédiates qui le passionnent, ne se rebute parce qu'il n'aura pu tout d'abord passer outre.

C'est là un désavantage contre lequel je ne puis rien si ce n'est toutefois prévenir et prémunir les lecteurs soucieux de vérité. Il n'y a pas de route royale pour la science et ceux-là seulement ont chance d'arriver à ses sommets lumineux qui ne craignent pas de se fatiguer à gravir ses sentiers escarpés.

Recevez, cher citoyen, l'assurance de mes sentiments dévoués.

Karl Marx.

Lettre de Karl Marx à M. Lachâtre,
éditeur français du *Capital*. 1872.

in the line of Scooping, is shown by their assertions regarding the Congress resolutions on Political Action. In the first instance, the phrase: "The conquest of political power has become the great duty of the working class", has been literally inserted in Res. IX of the London conference from the Inaugural Address of the International (1864) although they pretend that it had been invented by the Hague Congress.
Secondly, the authors of the Circular maintain that it is a mistranslation to render the French "doit servir" by the English "ought to serve". If a mistake had been made, it would have been made by the late General Council in its official English translation of the original French text of the Conference Resolutions. But there is no mistake. As the authors of the Circular do not appear to be on the best terms with either their English or their French, we must refer them to any common Dictionary. For instance, Boyer's English-French dictionary, Paris, Baudry 1854, under ought: "It ought to be so, cela doit être ainsi."
In order to disprove the statement that the Hague resolutions are fully endorsed in France, Germany, Austria, Hungary, Portugal, America, Denmark, Poland and Switzerland, the circular of John Hal

Manuscrit de Karl Marx, extrait d'un article pour le *New York Daily Tribune* du 25 janvier 1873. Musée Karl Marx à Trèves.

Londres, 41 Maitland Park Road, qu'il habita de mars 1875 à sa mort, en mars 1883.

La dernière photo de Marx, prise à Alger en avril 1882.

Tombe de Karl Marx
au cimetière de Highgate,
à Londres.

Laura et Paul Lafargue avec les enfants de Jenny Longuet, à Draveil, en 1908.

Lénine lors de l'inauguration du monument
à Karl Marx et Friedrich Engels, le 7 novembre 1918,
sur la place de la Révolution à Moscou.

Affiche des années 70, avec Marx, Engels et Lénine. Texte : Sous l'étendard du marxisme-léninisme,
sous la direction du PC, en avant vers la victoire du communisme !

homme politique allemand membre de la Ligue des communistes qui, comme lui, appartenait à la corporation d'étudiants Normannia. À la grande joie de mon père, Marx lui répondit et, peu à peu, une correspondance s'engagea[253]. »

Dans sa première réponse datée du 28 décembre 1862 à ce fervent admirateur, alors qu'il est plongé dans la misère et l'angoisse du lendemain, Marx écrit à propos de l'échec de son précédent livre, deux ans plus tôt, que Kugelmann a lu avec passion[81] : « Dans le premier fascicule, le mode d'exposition était certes très peu populaire. Cela tenait [...] à la nature abstraite du sujet [...]. Des tentatives scientifiques pour révolutionner une science ne peuvent jamais être vraiment populaires [...]. Je me serais toutefois attendu, par contre, à ce que les spécialistes allemands, ne fût-ce que par décence, n'ignorent pas aussi totalement mon travail[49]. » Il dit toutefois sa certitude de voir les moins populaires de ses œuvres trouver un jour le chemin du grand public.

Engels fait ce qu'il peut pour l'aider, mais il a désormais d'autres soucis : outre les difficultés de son entreprise, liées à la guerre de Sécession, Mary Burns, l'une de ses deux compagnes, meurt le 6 janvier 1863 à Manchester, le laissant seul avec Lizzy, sœur de la défunte – car il vivait ouvertement avec les deux, au grand dam de la bonne société. Marx lui envoie alors une lettre commençant par des condoléances banales, puis enchaînant sur... les dettes qui l'accablent et sa situation financière désespérée ! Dans sa réponse, Engels montre qu'il est affecté et qu'il attendait plus de réconfort d'un ami aussi proche, mais il prodigue quand même des conseils financiers et expédie rapidement de l'argent. Dix jours plus tard, Karl envoie à Friedrich une longue lettre d'excuses dans laquelle il dit combien il a été affligé par la mort de Mary ; il expose tout ce qu'il va entreprendre pour remédier à ses propres difficultés matérielles et répète ce à quoi il songe depuis quelques mois, et qu'il a déjà écrit : placer ses deux filles aînées comme gouvernantes, se séparer d'Hélène Demuth, vivre avec Jenny et Eleanor dans un meublé. Engels accepte les excuses de Marx, tente de dégager pour lui assez d'argent liquide pour couvrir ses dettes, et, n'y parvenant pas, lui fait encaisser à sa place la facture d'un client : c'est la seule façon qu'il trouve de détourner de l'argent de son entreprise alors en difficulté.

Quoique l'urgence se soit momentanément dissipée, les deux aînées pensent sérieusement à chercher du travail. Jennychen songe à devenir actrice et essaie de rencontrer des interprètes célèbres à l'insu de ses parents – en vain. Laura, elle, veut faire de la politique et devient l'assistante – non rémunérée – de son père qui a décidé, après presque deux années d'interruption, de retourner travailler au British Museum.

Pourtant, à ce moment précis – le 22 janvier 1863 –, alors que Karl paraît enfin résolu à se remettre à la rédaction de son livre sur le capital tant annoncé, un événement marginal va déclencher toute une série de conséquences qui retarderont encore l'écriture de son grand œuvre et le ramèneront pour toujours vers la politique : protestant contre leur enrôlement forcé dans l'armée tsariste, de jeunes Polonais sont victimes de sévères représailles, avec exécutions publiques et déportations en Sibérie. Très vive émotion en Europe. Des ouvriers français et anglais demandent l'intervention de leurs gouvernements et réfléchissent à la meilleure façon de coordonner leurs luttes politiques et syndicales et leur soutien aux travailleurs opprimés des autres pays.

Simultanément[231], le secrétaire général du Conseil des syndicats de Londres, le cordonnier George Odger, pense lui aussi à organiser une coopération internationale entre syndicats ouvriers, mais pour une tout autre raison : concurrencés par les ouvriers du continent (mal payés et peu organisés), les ouvriers anglais craignent pour leurs avantages. Au lieu de réclamer le rétablissement du protectionnisme et une limitation de la main-d'œuvre immigrée, Odger suggère d'aider les salariés étrangers à s'organiser et à obtenir l'augmentation de leurs propres salaires. Il lance alors en ce sens une *Adresse des travailleurs d'Angleterre aux travailleurs de France*, proposant une étroite coopération entre les travailleurs des deux pays.

En Prusse, l'heure est à l'action politique ouvrière. Quelques jours plus tard, en février 1863, à Leipzig, devant un comité d'ouvriers, Lassalle – il a trente-neuf ans – énonce un programme de type proudhonien et préconise la fondation d'une Association générale des travailleurs allemands, nouveau parti politique dont le double objectif serait d'obtenir le suffrage universel direct au scrutin secret et la création de coopératives avec l'appui de l'État. Il se verrait naturellement fort bien président de ce nouveau parti, le premier en Europe qui ose revendiquer sa couleur, sans pourtant s'affirmer comme socialiste.

En mars, Marx assiste au Saint James' Hall à une manifestation de solidarité avec Lincoln pour l'abolition de l'esclavage, et contre Palmerston, toujours tenté d'engager la Grande-Bretagne aux côtés des Sudistes.

Le 23 mai 1863, à Leipzig, Lassalle fonde le parti dont il a annoncé la création trois mois plus tôt : l'Allgemeiner Deutscher Arbeiterverein (Association des travailleurs allemands), avec 600 membres venus de toutes les régions d'Allemagne[74]. Il en est élu président et rompt avec la clandestinité. Il organise alors de vastes tournées, harangue les ouvriers tout en veillant à ce que la presse rende compte de ses faits et gestes. C'en est trop : Bismarck l'accuse de haute trahison pour avoir incité les ouvriers à « travailler à saper la Constitution prussienne ». Lassalle prend peur, recherche un compromis avec le chancelier et, au cours d'une rencontre secrète, lui propose une alliance qu'il lui confirme par écrit dans une lettre inouïe datée du 8 juin 1863 : il y explique au nouveau maître de la Prusse qu'il approuverait sa dictature à condition qu'elle prenne la forme d'une sorte de « dictature sociale »[74] – alors que son parti vient justement d'être créé pour réclamer la république et le suffrage universel ! « La classe ouvrière, écrit-il, se sent instinctivement encline à la dictature si elle peut être légitimement convaincue que celle-ci sera exercée dans ses intérêts et donc [...] elle serait encline, comme je vous l'ai dit récemment – en dépit de tous ses sentiments républicains, ou peut-être pour cette même raison –, à voir dans la Couronne le soutien naturel de la dictature sociale, par opposition à l'égoïsme de la société bourgeoise[74]. »

Fidèle aux idées qu'il a déjà exprimées, Lassalle propose ainsi à Bismarck de sceller une alliance entre le prolétariat, la paysannerie, l'aristocratie et l'armée contre la bourgeoisie. Naturellement intéressé, le chancelier entame à cette fin une correspondance secrète avec Lassalle, et les deux hommes se rencontrent même à plusieurs reprises au cours des semaines suivantes. Bismarck y trouve du plaisir.

Cette idée de « dictature sociale » leur va bien à tous les deux. Elle est d'ailleurs presque consubstantielle à la société prussienne depuis que Hegel y a fait l'apologie de l'État comme lieu de vérité absolue. On la verra resurgir tout au long de l'histoire allemande et il n'est pas excessif de la considérer comme un jalon sur la voie qui mène de Hegel au national-socialisme en passant par cette « dictature sociale » imaginée par Lassalle.

Au même moment, en France s'amorce aussi le ralliement d'une partie de la classe ouvrière au pouvoir bonapartiste et à l'idéologie dominante. L'économie va mieux, beaucoup aspirent à en percevoir les dividendes : puisqu'on ne peut pas abolir la propriété privée, autant chercher à en profiter ! À bout de forces, Proudhon en prend acte avec lucidité : « Le peuple veut, quoi qu'il dise, être propriétaire ; et si l'on me permet de citer ici mon propre témoignage, je dirais qu'après dix ans d'une critique inflexible, j'ai trouvé sur ce point l'opinion des masses plus dure, plus résistante que sur toute autre question [...]. Plus le principe démocratique a gagné du terrain, plus j'ai vu les classes ouvrières des villes et des campagnes interpréter ce principe dans le sens le plus favorable à la propriété[225]. »

Au cours de cet été 1863, Karl se sent au plus mal. Un furoncle dégénère en infection et manque de le tuer, le laissant cloué au lit pendant plus d'un mois. Anthrax, migraines, pathologies pulmonaires et hépatiques se succèdent à un rythme accéléré. Une nouvelle fois, il ne travaille plus.

Le 22 juillet 1863, au moment où Henri Dunant, à Genève, fonde ce qui va devenir la Croix-Rouge, et où l'attention, à Paris, est centrée sur le scandale du *Déjeuner sur l'herbe* de Manet, l'initiative d'Odger prend forme à Londres : des militants ouvriers français et anglais s'y réunissent pour tenter de coordonner les luttes sociales des deux pays ; ils approuvent le principe de la création d'une association ouvrière internationale et désignent un comité chargé d'en préparer le lancement.

Malade, Marx, qui n'est pas en relation avec les organisateurs de cette réunion, n'en entend même pas parler. Il continue pourtant à recevoir la littérature de Lassalle. Le 24 novembre 1863, Jenny écrit à Engels : « [Karl Marx] ne peut pas dormir. Il vous envoie une circulaire de la "Société des travailleurs" et une lettre de la "Présidence"[47]. » De fait, bien qu'il ait rompu tout contact personnel avec Lassalle depuis un an, celui-ci continue de lui adresser les brochures de son parti, que Jenny surnomme par dérision la « Société des travailleurs » et dont il est « président ». Marx les parcourt à peine, puis les fait suivre à Engels. Depuis que Lassalle est passé par Londres, Jenny ne peut ravaler sa haine envers lui, mais surtout envers la rousse Mme Hatzfeld, sa « protectrice » – nettement plus âgée que lui, comme elle le fait perfidement remarquer dans la même lettre : « Cette petite chose [la Société des travailleurs] transformera l'homme [Lassalle] qui, "pendant quinze ans, a souffert pour la classe ouvrière", comme il le dit de lui-même (sans doute en buvant du champagne avec la rouquine née en 1805 !), en le faisant passer d'un destin acceptable par la police à un destin inacceptable par la police[47]. » Jenny a décidément la dent aussi dure que Karl, et son style n'a rien à lui envier. Osmose de deux esprits que tout réunit depuis plus de trente ans, alors que chacun n'en a pas encore quarante-cinq.

Mais voici que la situation de Marx et de sa famille s'améliore grandement. D'abord un vieil ami de la Ligue à Londres, Ernest Dronke, prétend le présenter à un prêteur et lui verse 250 livres qu'il a empruntées… à Engels, ce que celui-ci accepte par une lettre à Karl d'avril 1863 : Dronke ne prendra à sa charge que les frais bancaires…

Puis c'est le premier des deux héritages qui, cette année-là, vont changer la vie de Marx et le faire sortir, cette fois durablement, de la misère dans laquelle il a plongé quatorze ans plus tôt.

Le 30 novembre 1863, à Trèves, entourée de deux de ses filles venues des Pays-Bas et de la troisième mariée à Trèves, meurt, pour le jour anniversaire et à l'heure précise de son mariage, ainsi que s'en étonne Karl, Henrietta Marx, sa mère, à l'âge de soixante-treize ans. Rien ne laisse transparaître chez Karl plus qu'une tristesse minimale. Les legs de ses deux parents sont alors débloqués en même temps et Karl se voit allouer un peu plus de 1 100 thalers, soit environ 1 000 livres, autrement dit plus de trois ans de ses revenus. Il décide d'aller les chercher au plus vite, sans doute de façon clandestine : cet argent est si nécessaire !

Le 15 décembre, il débarque à Trèves et y revoit ses sœurs et de vieux amis. Il écrit à Jenny qu'il fait même des pèlerinages quotidiens à la maison des Westphalen, qui « m'importe plus que toute l'Antiquité romaine, parce que cela me rappelle mon enfance heureuse et parce qu'y vécut ce que j'ai de plus cher[47] ». Suivent de très longs développements sur le contenu du testament de sa mère et ce qu'elle laisse aux uns et aux autres. Karl est alors reconnu dans la rue : « Les gens de Trèves m'interrogent quotidiennement sur la "plus belle femme de Trèves" et la "reine du bal". Il est merveilleux pour un homme de découvrir que sa femme vit dans l'imagination de toute une ville comme une princesse de rêve[47]. » Il préfère cependant ne pas s'attarder et rentre à Londres en février 1864 après être repassé par les Pays-Bas.

En mars, il décide une fois de plus de dépenser l'argent qu'il vient de recevoir sans trop se préoccuper de l'avenir ni rembourser ses dettes : grâce à l'héritage de sa mère, la famille quitte Grafton Terrace pour une jolie maison voisine au 1, Modena Villas, sur Maitland Park, quartier huppé où vivent médecins et avocats. Karl songe d'abord aux cours de ses filles, à leurs leçons de piano et de théâtre. Chacune aura désormais sa chambre. Lui-même disposera d'un bureau, vaste pièce à cinq fenêtres que les premiers amis qu'il invite appellent l'« Olympe », car des bustes de dieux grecs se dressent tout autour avec, les surplombant, un Zeus auquel, disent-ils, ressemble Karl. Lafargue, qui la décrira un peu plus tard, ajoute :

« Cette pièce du cabinet de travail de Maitland Park est devenue historique et il faut la connaître pour pénétrer dans l'intimité de la vie intellectuelle de Marx. Elle était située au premier étage et la large fenêtre par où la lumière entrait, abondante, donnait sur le parc. Des deux côtés de la cheminée et vis-à-vis de la fenêtre se trouvaient des rayons chargés de livres, en haut desquels des paquets de journaux et de manuscrits montaient jusqu'au plafond. Vis-à-vis de la cheminée et de l'un des côtés de la fenêtre, il y avait deux tables couvertes de papiers, de livres et de journaux. Au milieu de la pièce, à l'endroit le mieux éclairé, se trouvait une petite table de travail, très simple, longue de trois pieds et large de deux, avec un fauteuil tout en bois. Un divan en cuir était placé entre le fauteuil et les rayons de livres, face à la fenêtre. Marx s'y étendait de temps à autre pour se reposer. Sur la cheminée, des livres encore se mêlaient aux cigares, aux allumettes, aux boîtes à tabac, aux pèse-lettres, aux photographies de ses filles, de sa femme, de Wilhelm Wolff et de Friedrich Engels[161]. »

Pourquoi, dans cette pièce, la photo de Wilhelm Wolff, le vieil ami Lupus ? Parce que le fidèle compagnon de tant d'aventures, depuis Paris, va mourir d'une méningite à Manchester, en ce mois de mai 1864, léguant à Karl 840 livres en liquide – une petite fortune – et pour 50 livres d'effets[277]. Le gentil Lupus, l'un des rares avec qui Karl ne se soit jamais brouillé, n'était donc pas aussi pauvre qu'il le laissait croire. À ses obsèques à Manchester, Karl (qui déteste les funérailles et n'y va jamais) prononcera une oraison funèbre devant quelques rares amis pour la plupart proscrits, comme lui, depuis quinze ans à Londres.

L'ensemble des deux héritages correspond, pour les Marx, à plus de cinq ans de leur train de vie de l'époque. C'est l'aisance.

Cette année-là, le Second Empire se libéralise quelque peu ; une loi autorise la coalition des ouvriers et légalise le droit de grève ; aussitôt, à Limoges, un millier d'ouvriers cessent le travail. Le Saint-Siège met à l'Index *Les Misérables* de Victor Hugo, *Madame Bovary* de Flaubert, l'œuvre de Balzac et celle de Stendhal. En Prusse, Lassalle est acquitté et publie une brochure exposant sa conception du socialisme.

1864 est décidément une année à héritages : quelques mois plus tard, en effet, c'est au tour d'Engels d'hériter de son père – qu'il aura détesté toute sa vie – et de devenir propriétaire de l'entreprise familiale. Désormais notable de la ville de Manchester, il préside l'Albert Club et le Schiller-Anstalt, et participe à une célèbre chasse à courre, la Cheshire Hunt. Il peut augmenter notablement son aide financière à Marx et lui garantir dorénavant un minimum de 200 livres par an, sans pour autant entamer son propre train de vie.

Pour Karl, qui a quarante-six ans, les soucis matériels font ainsi partie du passé. Il y a un an encore, il lui arrivait de ne pas avoir de quoi faire manger sa famille. Il peut à présent offrir à ses enfants un peu de répit : « Le dimanche, quand il faisait beau, toute la famille partait pour une grande promenade à travers champs. On s'arrêtait en route dans une auberge pour boire de la bière de gingembre et manger du pain et du fromage[161] », racontera Lafargue qui va bientôt le rencontrer. Pour la première fois de sa vie, Karl prend même des vacances. Il reçoit les amis de Jennychen et de Laura. Dans une lettre du 25 juin 1864 à son oncle Lion Philips, il laisse entendre qu'il a fait quelques opérations en Bourse, mais il n'en subsiste aucune trace et c'est fort peu vraisemblable.

Friedrich vient de plus en plus souvent le voir. Lafargue écrit : « C'était une véritable fête pour les Marx quand, de Manchester, Engels leur annonçait sa venue. On parlait longtemps à l'avance de sa visite et, le jour de son arrivée, Marx était tellement impatient qu'il ne pouvait travailler. Les deux amis passaient la nuit à fumer et à boire en se racontant tous les événements survenus depuis leur dernière rencontre. Marx tenait à l'opinion d'Engels plus qu'à toute autre : il reconnaissait en lui un homme capable d'être son collaborateur. Engels était pour lui tout un public. Pour le persuader, pour le gagner à ses idées, aucun travail ne lui semblait trop long. Ainsi, je l'ai vu parcourir à nouveau des livres entiers afin de retrouver les faits dont il avait besoin pour modifier l'opinion d'Engels sur un point secondaire, que j'ai oublié depuis, de la croisade politique et religieuse des albigeois [...]. Il était rempli d'admiration pour l'extraordinaire variété des connaissances scientifiques d'Engels et craignait sans cesse qu'il ne fût victime d'un accident. "Je tremble toujours, me disait-il, qu'il ne lui arrive malheur au cours de l'une de ces chasses à courre auxquelles il prend part avec passion, galopant à bride abattue à travers champs et franchissant tous les obstacles."[161] »

Au même moment – c'est-à-dire au début de l'été 1864 – s'interrompt brutalement, à quarante ans, la destinée fulgurante de Ferdinand Lassalle. Au retour d'un voyage triomphal dans les districts ouvriers de la région rhénane, le dirigeant socialiste allemand, devenu célèbre, s'exprimant ouvertement, ne craignant plus la prison en raison de son accord secret avec Bismarck, part se reposer en Suisse. Il y retrouve – sans doute pas par hasard – la fille d'un diplomate bavarois, Hélène de Doenniges, dont il avait demandé la main, quelques années auparavant, sans l'obtenir de son père. (Elle-même avait alors écrit : « Hier, j'ai rencontré un homme que je suivrais jusqu'au bout du monde, s'il me voulait à lui. ») Elle est maintenant fiancée à un aristocrate valaque, Janko de Rakowitz, qui ne la lâche pas d'une semelle. Les deux hommes se disputent. Le 28 août, à Genève, Lassalle provoque ce Janko dans un duel au pistolet au Bois-Carré, près de Veyrier. L'arbitre était censé compter jusqu'à trois, mais le fiancé tire à « un » ; blessé au ventre, Lassalle meurt trois jours plus tard dans d'abominables souffrances. En apprenant la nouvelle, Engels déclare : « C'était sans nul doute un des plus importants hommes politiques de l'Allemagne. » Bismarck écrit : « C'était l'un des hommes les plus charmants et les plus amusants qu'il m'ait été donné de connaître, et je ne regrette pas les trois ou quatre occasions où je l'ai rencontré. Ambitieux avec style, c'était un homme avec qui il était enrichissant de parler. » Marx reconnaît : « Il était après tout des nôtres, un ennemi de nos ennemis. Il est difficile de penser qu'un homme si bruyant, si envahissant, si pressant est maintenant aussi mort qu'une souris, et doit tenir sa langue. Le diable le sait bien, mais notre groupe se restreint et aucun sang nouveau ne s'annonce. » Et comme il ne manque pas une occasion de faire un mot terrible, il ajoute : « Ce prétexte à mourir est un des nombreux manques de tact dont Lassalle s'est rendu coupable tout au long de sa vie. »

Karl entend cette fois se remettre pour de bon à son grand livre sur le capital, interrompu depuis près de quatre ans, par lequel il espère « assener à la bourgeoisie, sur le plan théorique, un coup dont elle ne se relèvera jamais[46] ». Il a retrouvé toute son énergie. Il ne compte plus qu'en mois, voire en semaines. Il écrira à ce propos : « Il me fallait mettre à profit chaque instant où je pouvais travailler pour terminer mon œuvre à laquelle j'ai sacrifié santé, bonheur et famille [...]. Je me ris des gens soi-disant pratiques et de leur sagesse. Si l'on voulait se comporter comme une bête, on pourrait évidemment tourner le dos aux tourments de l'humanité et ne s'occuper que de sa propre peau. Mais je me serais vraiment considéré comme pas pratique si j'avais crevé sans avoir achevé mon livre[46]. »

Curieuse expression : pour lui, ce ne serait « pas pratique » de ne pas finir son livre. Incohérent, oui, mais également « pas pratique » !

Pourtant, au même moment, plusieurs événements vont encore une fois le détourner de cette tâche décidément impossible à mener à bonne fin. Et il va prendre la décision « pas pratique » de la différer.

D'abord, l'adjoint de Lassalle, Bernhard Becker, désigné provisoirement pour remplacer le défunt à la tête de la Société des travailleurs, en propose la présidence à Marx, qui refuse. Il ne peut pas s'installer en Allemagne, à quoi bon ? Le parti est alors en proie à une guerre fratricide de succession dont J.B. von Schweitzer sort finalement vainqueur. C'est un homme charismatique, déterminé et compétent[231]. Schweitzer ne partage pas le tropisme bismarckien de son mentor, et s'il croit qu'un État fort est nécessaire pour instaurer le socialisme, il ne plaide en rien pour une alliance du prolétariat avec l'aristocratie prussienne. Marx transfère l'antipathie que lui inspirait Lassalle sur son héritier. Il rompt tout rapport avec le parti de Schweitzer. Liebknecht, qui vient d'arriver en Allemagne et éprouve lui-même une grande aversion pour Schweitzer, attise continuellement l'antipathie de Marx à son égard[231]. Ensuite, il revoit Bakounine, mais cela ne réveille pas davantage son intérêt pour l'action politique. Dans ses carnets[70], Bakounine dresse un portrait de Marx en despote qui ne saurait avoir d'amis (si ce n'est Engels) et n'entretient de rapport qu'avec des subordonnés craintifs[248]. Il déduit la personnalité et les agissements de Marx de son judaïsme : « Quand il ordonne de persécuter quelqu'un, il n'y a pas de limite à sa bassesse et à son infamie. Il est juif, il a autour de lui, en France, à Londres, et surtout en Allemagne, cette sorte de Juifs qu'on peut trouver partout, des gens de lettres spécialisés dans l'art de la couardise, des insinuations odieuses et perfides[70]. »

Si Karl interrompt à nouveau son travail d'écriture, le prétexte en sera cette fois on ne peut plus sérieux et « pratique » : un jeune émigré français qui vit à Londres depuis quelques années, un professeur nommé Le Lubez, vient à l'été 1864 l'inviter à participer, comme représentant des ouvriers allemands, à une réunion de travailleurs de divers pays qui fait suite à celle de l'année précédente où fut créée la nouvelle organisation dont Marx n'a même pas été avisé. Pourquoi lui ? s'étonne-t-il. L'association, explique Le Lubez, n'a pas vocation à accueillir des intellectuels, et c'est ce qui la distingue d'un club progressiste quelconque, mais Marx, insiste le Français, est pour eux une référence absolue par ses livres et ses articles. Il faudra rédiger des statuts, une adresse. Qui saurait mieux le faire que l'auteur du *Manifeste* ?

Karl hésite encore. Le *Manifeste* demeure pour lui un texte majeur, même s'il l'a écrit en seulement quatre jours, seize ans auparavant. Il est heureux qu'on s'en souvienne encore même s'il n'est pas encore traduit en français. Mais il doit achever son livre et faire enfin savoir ce qu'il a découvert en 1855, presque dix ans plus tôt, l'année de la mort d'Edgar : la plus-value et la nature du capitalisme qu'il va faire chanceler plus sûrement qu'avec leurs réunions.

Puis, quand Le Lubez lui cite les noms de ceux qui assisteront à cette réunion constitutive (les plus grands révolutionnaires et syndicalistes anglais, allemands, italiens, suisses, belges et français seront présents), il accepte, mais en qualité d'observateur, et laisse un vieil allié de l'ancienne Ligue des communistes, Johann Georg Eccarius, naguère déjà à ses côtés à Bruxelles, représenter les ouvriers allemands. Marx explique à Engels, qui s'étonne de ce retour en politique : « Je savais que, tant du côté londonien que du côté parisien, figuraient des "puissances" réelles, et c'est pourquoi je me suis décidé à me départir de ma règle habituelle[46]. »

La réunion a lieu le 28 septembre 1864 au Saint Martin's Hall de Covent Garden, trop vaste pour l'assistance clairsemée. Elle est présidée par l'Anglais Edward Spencer Beesly, un universitaire libéral, choisi par Odger, le patron des syndicats. Karl est installé à la tribune, mais demeure silencieux. Les discours se succèdent, d'abord en l'honneur de la Pologne, puis en l'honneur « d'une nation opprimée plus grande encore, le prolétariat ». Les participants confirment le projet de l'année précédente de fonder une Association internationale des travailleurs, ou International Working Men's Association, rapidement dénommée l'« Internationale ».

À sa tête est élu un « Conseil central » qui deviendra vite le « Conseil général », avec un « secrétaire général » et des « correspondants » représentant les organisations ouvrières anglaise, allemande, française, italienne, espagnole, américaine, suisse et belge qui participent à la réunion. Le premier secrétaire général est Eccarius, ce qui témoigne de l'influence immédiate de Marx sur les nominations clés.

La composition du premier Conseil général est hétéroclite[215] : 82 membres, dont 40 syndicalistes réformistes anglais, 12 socialistes allemands, 12 proudhoniens et blanquistes français, 9 mazziniens italiens, 5 patriotes polonais, 2 Suisses, 1 Hongrois et 1 Danois. Les Français sont neuf émigrés installés à Londres (Denoual, Le Lubez, Jourdain, Morisot, Leroux, Bordage, Bocquet, Talandier, Dupont), auxquels s'ajoutent trois autres Français arrivés de Paris pour la réunion : un ciseleur, Tolain, un monteur en bronze, Perrachon, et un passementier, Limousin.

Karl est coopté au Conseil général ; l'un de ses rares membres à n'être pas issus du prolétariat, il est désigné comme « secrétaire correspondant » pour l'Allemagne. Il est aussi coopté dans un sous-comité chargé d'élaborer, pour le 1er novembre suivant, le manifeste et les statuts de l'organisation. Ce sous-comité est constitué de neuf membres : Odger, Marx, Whitlock, Weston, Le Lubez (secrétaire correspondant pour la France), Holtorp, Pidgeon, Cremer, Wolf (surnommé « le Loup rouge », cet étonnant Polonais aide de camp de Garibaldi, mazziniste devenu anarchiste, dont on a vu qu'il n'avait rien à voir avec Lupus).

Dans les premiers jours, Karl ne se rend pas à ces réunions dont il ne devine pas encore l'importance et qui le détourneraient de son travail. Mais, lorsque les anarchistes sont sur le point d'en prendre le contrôle, Eccarius le convainc d'y participer. Et un mois seulement après la création de l'Internationale à laquelle il n'a assisté qu'en observateur distrait, Karl va y prendre le pouvoir.

Le 20 octobre 1864, il se rend, en traînant les pieds, à la réunion du sous-comité chargé de rédiger l'adresse et les statuts : les uns veulent y parler de révolution ; les autres, de droit, de morale, de justice. C'est le chaos. Les textes qui doivent être rendus dix jours plus tard ne sont même pas ébauchés ! « Vieilles idées », enrage Karl qui s'arroge la présidence de la réunion, partant ce soir-là à la conquête d'un pouvoir dont il ne se départira plus.

Il commence par faire s'enliser la discussion jusqu'à une heure du matin ; puis, quand tout le monde n'aspire plus qu'à aller se coucher, il renvoie les débats à huit jours, proposant à la sauvette, dans le branle-bas du départ, de rédiger lui-même, d'ici là, un projet d'adresse aux classes ouvrières et un projet de statuts. Tout le monde applaudit au courage du militant dévoué qui lève la séance. La responsabilité des textes qui doivent être discutés en séance plénière dans dix jours est donc entre ses mains.

Et Karl écrit. En quatre jours, l'adresse et les statuts sont prêts. Il les a élaborés avec autant d'aisance qu'il avait couché sur le papier en quelques jours, seize ans plus tôt, le *Manifeste du Parti communiste*.

Et c'est, comme il y a seize ans, un nouveau chef-d'œuvre. Non pas le coup de maître d'un manipulateur « cynique » – comme l'écrivent certains biographes indignés[105] ou d'autres, tout aussi nombreux, admiratifs[277] –, mais un modèle d'habileté intellectuelle et politique.

Marx écrira d'ailleurs à propos de la capacité de synthèse dont il fit montre ce jour-là : « Je fus obligé d'admettre [...] des passages sur le devoir, le droit, la vérité, la morale et la justice. Il faudra du temps avant que le réveil du mouvement permette l'ancienne franchise de langage... »

Car son projet d'adresse est avant tout un modèle d'équilibre entre les divers points de vue de la gauche de son temps. Karl y affirme la nécessité de renverser l'ordre social tout en ménageant les susceptibilités réformistes. Il explique que l'émancipation de la classe ouvrière doit être l'œuvre des travailleurs eux-mêmes, mais que l'Internationale en voie de création doit devenir le point central de la coopération entre les associations ouvrières, de la diffusion des idées et de l'élévation de la conscience de classe ; que la lutte économique doit trouver son prolongement dans la lutte politique, mais en constituant le prolétariat en parti autonome et en aidant à la mise en œuvre d'une politique étrangère pacifique.

Et pour contrer Français et Allemands qui veulent se contenter d'un programme prônant le système des coopératives, Marx en fait l'apologie tout en les ridiculisant d'une formule terrible : « Les manufactures coopératives ont montré par des faits que la production sur une grande échelle pouvait se passer d'une classe de patrons employant une classe de salariés. Mais l'expérience de cette période a prouvé jusqu'à l'évidence que, si excellent qu'il ait été en principe, si utile qu'il se soit montré dans l'application, le travail coopératif ne pourra jamais arrêter le développement du monopole ni affranchir les masses. La conquête du pouvoir politique est donc devenue le premier devoir de la classe ouvrière[1]. » Autrement dit : le mouvement coopératif est un rempart dérisoire contre le capitalisme, et l'économie ne peut être maîtrisée que par la politique.

Le texte de l'adresse se poursuit en expliquant que les modalités de la prise du pouvoir diffèrent selon les traditions nationales, et qu'il faut donc faire preuve – comme les syndicats anglais l'ont bien compris – de pragmatisme, et ne pas se précipiter dans d'inutiles coups d'éclat. Pas question ici de « dictature du prolétariat » ni de recettes toutes faites.

Qui pourrait être contre ?

Le projet de statuts provisoires est tout aussi habile et sans doute tout aussi sincère. Marx y écrit : « Considérant que l'émancipation de la classe ouvrière doit être l'œuvre de la classe ouvrière elle-même [...]. Que l'émancipation économique de la classe ouvrière est par conséquent le grand but, auquel tout mouvement politique est subordonné comme un moyen. Que l'émancipation du travail est un problème qui n'est ni local ni national, mais social, embrassant tous les pays dans lesquels existe la société moderne, et dépend pour sa solution de l'action solidaire, pratique et théorique des pays les plus avancés. Que le présent réveil des classes ouvrières dans les nations les plus industrielles d'Europe, s'il fait naître de nouveaux espoirs, doit servir d'avertissement solennel pour ne pas retomber dans les vieilles erreurs, et réclame l'entente immédiate des mouvements encore isolés. Pour ces raisons, l'Association internationale des travailleurs a été fondée[1]. »

Karl soumet ces deux textes à la réunion du sous-comité du 27 octobre. Éberlués, les neuf membres discutent, s'invectivent, puis acceptent de transmettre ses propositions, sans aucun changement ou presque, au Conseil général qui en débat, comme prévu, trois jours plus tard, le 1er novembre. La discussion est sévère : les Anglais trouvent l'adresse par trop révolutionnaire ; les Italiens estiment que les statuts ne le sont pas assez, et proposent de faire de l'Internationale une société secrète ; les anarchistes refusent la prééminence du politique et veulent que soit renforcée l'importance du mouvement coopératif ; les francs-maçons – il y en a – mettent l'accent sur l'idée de Raison. Marx défend ses textes pied à pied ; ils sont finalement adoptés, moyennant quelques modestes amendements, et Karl réussit même à faire coopter trois de ses fidèles au Conseil général.

Par un extraordinaire tour de force politique, lui qui avait renoncé depuis douze ans à toute action publique prend ainsi en quelques jours le pouvoir au sein d'une organisation créée par d'autres, donnant par là une nouvelle démonstration de son formidable ascendant sur tous ceux qui l'approchent.

À quarante-six ans, tout semble s'ouvrir enfin devant lui : il dispose d'un outil politique mondial, il vit de façon décente, il n'a plus de problèmes de fins de mois, il n'est plus malade, il habite une maison agréable. Mais il n'écrit plus...

Désormais, toutes les semaines, pendant de longues années, il assistera aux réunions du Conseil général de l'Internationale, contrôlera le travail du secrétaire général, animera le petit groupe qui, autour de lui, constituera un comité permanent, véritable exécutif qui préparera toutes les réunions importantes. Il n'y sera jamais visible[68], son nom n'apparaîtra jamais dans la transcription des débats qu'il se contentera d'orienter par la rédaction du rapport du Conseil général et l'élaboration détaillée de l'ordre du jour du congrès annuel auquel il n'assistera qu'une fois – dans des circonstances dramatiques, comme on le verra.

Son comportement se résume par la devise latine qu'il emploie dans une lettre à Engels du 4 novembre 1864, au lendemain même de cette première réunion fondatrice : *suaviter in modo, fortiter in re* – doux dans la forme, mais courageux dans le fond. Une main de fer dans un gant de velours.

Marx va faire de l'Internationale un organe politique mondial majeur, élaborant, à partir des situations locales, « une tactique unique pour la lutte prolétarienne de la classe ouvrière dans les divers pays[169] ». Il en devient si vite le patron que c'est lui qui, moins d'un mois après, le 22 novembre 1864, envoie, au nom du Conseil général, des félicitations à Abraham Lincoln pour sa réélection à la présidence des États-Unis : « Depuis le début de la lutte titanesque que mène l'Amérique, les ouvriers d'Europe sentent instinctivement que le sort de leur classe dépend de la bannière étoilée [...]. La guerre contre l'esclavagisme inaugurera une ère nouvelle pour la classe ouvrière[47]. » Lincoln répond par une lettre que l'ambassadeur américain vient lui remettre en mains propres en affirmant qu'elle n'est pas une simple formule de politesse comme toutes les autres qu'il remet.

Et voici qu'après quatre ans d'interruption, comme si l'énergie politique venait nourrir son énergie intellectuelle, Marx se remet à la rédaction de son grand livre qu'il décide en définitive d'intituler *Le Capital*.

Pour une fois, l'action n'est plus un prétexte à cesser d'écrire. Le 29 novembre 1864, il informe Ludwig Kugelmann, à Hanovre : « Je crois que mon livre sur le capital (soixante feuilles d'impression) sera prêt à la fin de l'année prochaine[49]. » Il ne tiendra naturellement pas cette promesse, car il continue de chercher et d'invoquer toutes les bonnes raisons de retarder la remise de son travail. Et comme s'il souhaitait encore que quelque obstacle l'interrompe, il ajoute : « Je crains qu'au milieu du prochain printemps ou au début de l'été prochain n'éclate une guerre entre l'Italie, l'Autriche et la France. Ce sera un désastre pour le mouvement en France et en Angleterre, mouvement qui grandit significativement[49]. »

Encore une fois la peur de finir trop tard, d'avoir écrit pour rien, doublée de la recherche éperdue d'un prétexte pour ne pas publier...

Dans une lettre du même jour adressée à New York à son ami l'éditeur Joseph Weydemeyer qui s'étonne de son retour en politique, Karl le justifie par l'importance et le sérieux des initiateurs de cette nouvelle association[205] : « Les membres anglais sont en effet recrutés pour la plupart parmi les chefs des trade-unions locales, les véritables rois des ouvriers de Londres, les mêmes qui ont [...], par le meeting monstre de Saint James' Hall, empêché Palmerston de déclarer la guerre aux États-Unis, ce qu'il était sur le point de faire. »

L'Internationale se développe vite. En Allemagne, où les ouvriers entrent en lutte ouverte contre Bismarck, elle est représentée par Liebknecht déjà en conflit avec le mouvement hérité de Lassalle. En France, les ouvriers entrent aussi en lutte contre Napoléon III au nom de l'Internationale, dont la section française est dirigée d'abord par Le Lubez, puis par Varlin après une querelle à laquelle sont mêlés des francs-maçons. Partout les employeurs imputent le succès des grèves aux fonds « énormes » qui, selon leur propagande, seraient mis à la disposition des grévistes par l'Internationale présentée comme une nouvelle société secrète.

En réalité, celle-ci est tout aussi transparente que démunie. Elle n'a même pas les moyens de payer les frais d'impression des comptes rendus de ses propres réunions. Le versement d'une contribution régulière par chaque membre est si difficile que Karl se plaint de ce qu'il soit « plus aisé d'organiser une émeute que d'obtenir des ouvriers une cotisation d'affiliation[46] ». De fait, en cas de grève, l'Internationale n'intervient que pour des montants dérisoires collectés pour l'occasion.

Au même moment, Bismarck demande au chef de sa police , Stieber – celui-là même qui, quinze ans plus tôt, était venu espionner Karl à son domicile londonien –, de commencer à ourdir une manœuvre machiavélique destinée à discréditer Marx…

Écrire et faire de la politique n'empêche toujours pas Karl de passer tous ses dimanches sans exception en compagnie de Jenny et de leurs trois filles, et de leur raconter des histoires, chez lui ou au cours de leurs promenades.

Lafargue rapportera qu'il a entendu les filles de Marx dire que, « pour que le chemin leur parût moins long, il leur racontait des contes de fées qui n'en finissaient plus, contes qu'il inventait tout en marchant et dont il retardait ou précipitait le dénouement selon la longueur de la route qui restait à faire. Et les petites, en l'écoutant, oubliaient leur fatigue[161] ». Il ajoutera : « Marx avait promis à ses filles d'écrire pour elles un drame sur les Gracques. Malheureusement, il ne put tenir parole ; il eût été intéressant de voir comment celui qu'on appelait le "chevalier de la lutte des classes" eût traité ce tragique et grandiose épisode de la lutte des classes dans le monde antique[161]... »

Grâce à Eleanor, alors âgée de neuf ans, on dispose de quelques précieux détails sur les contes que Karl imaginait pour ses filles cette année-là. Ces longues histoires, narrées tout en marchant, en disent plus, à mon sens, sur sa personnalité et l'inspiration de son œuvre que des milliers de pages de commentaires savants : « Ces histoires se mesurent en miles, et pas en chapitres [...]. Pour ma part, la plus belle de toutes celles que le Maure racontait, c'était *Hans Röckle*. C'est une histoire qui allait de mois en mois. Malheureusement, il n'y avait personne pour écrire ces histoires pleines de poésie, d'esprit, d'humour. Hans Röckle était une sorte de magicien à la Hoffmann, qui tenait un magasin de jouets et qui était toujours sévère. Sa boutique était pleine des choses les plus magnifiques : des poupées de bois, des géants, des nains, des rois, des reines, des ouvriers, des maîtres, des animaux aussi nombreux que ceux de l'Arche, des tables, des chaises, des chariots. Mais, bien qu'il fût un magicien, Hans ne pouvait jamais payer ses dettes au diable ou au boucher, et il était obligé de vendre ses jouets au diable. D'où des aventures qui se terminaient toujours dans sa boutique. Certaines étaient terribles, d'autres étaient très drôles[253]. »

Le fabricant de jouets magiques, jouets merveilleux et rares que les clients, qui n'y connaissent rien, négligent au point qu'il est obligé, pour survivre et payer le boucher, de vendre ses jouets au diable, c'est évidemment lui, Karl Marx, créateur des plus beaux concepts, obligé, pour survivre, d'abandonner ses idées à n'importe qui – suprême forme, pour lui, de l'aliénation.

Ces idées qui seront un jour – peut-être le pressent-il – accaparées et détournées par des diables.

CHAPITRE V

Le penseur du *Capital*

(janvier 1865-octobre 1871)

Alors que Proudhon meurt, en janvier 1865, avec la certitude de s'être trompé, la mondialisation – l'« universalisation », pour employer le nom que Marx lui a donné en 1848 quand il en a pressenti l'avènement – s'accélère. Le chemin de fer, le télégraphe, la navigation à vapeur réduisent les distances, poussent au développement des marchés, facilitent la colonisation de l'Afrique et de l'Inde.

À Londres, Karl mène une double vie. Le jour, il est officiellement le « secrétaire correspondant pour l'Allemagne » de l'Internationale et, *de facto*, le patron d'une organisation politique qui rassemblera bientôt des dizaines de milliers d'ouvriers, d'employés et d'intellectuels à travers l'Europe. La nuit, il s'est remis à travailler à ce grand livre commencé vingt ans plus tôt, dont il n'a publié qu'un gros chapitre sous le titre de *Contribution à la critique de l'économie politique*, et qui va, pense-t-il, contribuer à abattre le capitalisme, ce sera *Le Capital*.

La police britannique surveille cet apatride aux relations planétaires, mais ne s'intéresse pas spécialement à lui. Elle sait que, depuis son arrivée quinze ans auparavant, l'Empire britannique n'est pas son principal sujet de préoccupation, ni la Couronne sa principale ennemie. L'organisation internationale qu'il dirige, et à laquelle les syndicats britanniques sont si largement associés, n'est pas considérée comme hostile à la monarchie ; quant à ses livres, si rares, ils ne se vendent pas. Et même s'il a critiqué violemment, dans la presse américaine, Palmerston et la politique de Londres, il ne fait jamais le moindre appel à la violence ni ne remet en cause les institutions du pays.

Dans sa nouvelle résidence, beaucoup plus accueillante, il reçoit davantage et mieux. Pas un républicain, pas un socialiste ne vient du continent ou d'Amérique sans passer le voir, que ce soit pour prendre ses instructions ou pour écouter l'oracle. Il parle avec eux indifféremment anglais, français, allemand, espagnol, et même le russe qu'il apprend maintenant pour se distraire, en particulier quand il souffre de ses furoncles. Avec les Français il disserte sur Balzac, avec les Russes sur Tourgueniev, avec les Espagnols sur Cervantès et sur Calderón. Un délégué espagnol à une réunion de janvier 1865 de l'Internationale, Anselmo Lorenzo, raconte par exemple qu'à son premier rendez-vous chez lui, un soir, très tard, Karl lui servit le thé et l'entretint en espagnol des problèmes logistiques de l'Internationale en Espagne avant d'enchaîner sur un brillant parallèle entre Cervantès, Calderón, Lope de Vega et Tirso de Molina[47].

Il arrive que Jenny et les trois filles se mêlent à ces conversations ; c'est ainsi que quelques jeunes gens approchent les trois filles du docteur Marx.

Parmi ces visiteurs, en février 1865, arrive de Paris un jeune homme qui jouera bientôt un très grand rôle dans la vie de la famille Marx : Paul Lafargue. On a déjà cité plusieurs fois le récit[161] qu'il fera bien plus tard de la vie de Marx d'après ce qu'il en a vu et entendu. Il a alors vingt-quatre ans ; c'est l'un des délégués de la section française de l'Internationale qui vient d'être créée au 44, rue des Gravilliers, chez M. Fribourg. Né à Santiago de Cuba, descendant à la fois d'esclaves noirs et de colons espagnols, citoyen espagnol, venu enfant vivre à Bordeaux où réside sa famille, il a commencé des études à la faculté de médecine de Paris, dont il a été exclu en raison de son engagement républicain et du rôle qu'il a joué dans un Congrès international des étudiants réuni à Liège ; il a ensuite pu reprendre ses études à Paris. Il est venu à Londres rendre compte à Marx des progrès de l'association française, et lui remettre une lettre de Henri-Louis Tolain, le secrétaire de la section française de l'Internationale. Bien des années plus tard, Lafargue racontera cette première rencontre : « De toute ma vie, je n'oublierai l'impression que fit sur moi cette première rencontre. Marx était souffrant et travaillait au premier volume du *Capital* [...]. Il craignait de ne pouvoir mener son œuvre à bonne fin et accueillait toujours les jeunes avec sympathie car, disait-il, “il faut que je prépare ceux qui, après moi, continueront la propagande communiste”. Mais ce n'est pas l'agitateur socialiste inlassable, incomparable, c'est le savant qui m'apparut tout d'abord dans ce cabinet de travail de Maitland Park Road où les camarades affluaient de tous les coins du monde civilisé pour interroger le maître de la pensée socialiste[161]. »

Comme Karl le reçoit chez lui, Lafargue rencontre Jenny et leurs filles, et tombe aussitôt sous le charme de la seconde, Laura. Il note : « La plus jeune, Eleanor, était une charmante enfant au caractère de garçon. Marx disait que sa femme s'était trompée de sexe en mettant au monde une fille. Les deux autres formaient le contraste le plus charmant et le plus harmonieux qu'on pût admirer. L'aînée, Jenny, avait, comme son père, le teint hâlé qui indique la santé, les yeux sombres et les cheveux d'un noir de corbeau. Sa puînée [Laura] était blonde et rose, son opulente chevelure frisée avait l'éclat de l'or ; on eût dit que le soleil couchant s'y était réfugié : elle ressemblait à sa mère… » Il est amoureux.

Depuis que, deux ans plus tôt, Wilhelm Liebknecht est parti pour l'Allemagne, Karl n'a plus de secrétaire. Aussi, fait-il d'emblée de ce jeune homme intelligent et dévoué, décidé à poursuivre en Angleterre ses études de médecine, son compagnon de travail et de promenade ; et, à partir de cette date, c'est par Lafargue qu'on en apprend beaucoup, sous un angle toujours favorable, sur la façon de travailler de Marx au moment où il achève l'écriture du *Capital* :

« Quoiqu'il se couchât à une heure très avancée de la nuit, il était toujours debout entre huit et neuf heures du matin ; il absorbait son café noir, parcourait les journaux et passait dans son cabinet de travail, où il travaillait jusqu'à deux ou trois heures de la nuit. Il ne s'interrompait que pour prendre ses repas et faire, le soir, quand le temps le permettait, une promenade du côté de Hampstead Heath ; dans la journée, il dormait une heure ou deux sur son canapé. C'est au cours de ces marches à travers les prairies qu'il fit mon éducation économique. Il développait devant moi, sans peut-être le remarquer, tout le contenu du premier volume du *Capital* au fur et à mesure qu'il l'écrivait. Chaque fois, à peine rentré, je notais de mon mieux ce que je venais d'entendre. Au début, je devais fournir un très gros effort pour suivre le raisonnement de Marx, si complexe et profond. […] Son cerveau était comme un navire de guerre encore au port, mais sous pression, toujours prêt à partir dans n'importe quelle direction sur l'océan de la pensée. […] Pour lui, le travail était devenu une passion qui l'absorbait au point de lui faire oublier l'heure des repas. Souvent, il fallait l'appeler à plusieurs reprises avant qu'il descendît dans la salle à manger, et il avait à peine avalé la dernière bouchée qu'il remontait dans son cabinet[161]. »

Karl pense être si près d'avoir achevé son manuscrit qu'il commence même à chercher un nouvel éditeur. Pas question de reprendre Duncker, à Berlin, celui de Lassalle, qui a si mal traité son précédent livre. Le 30 janvier 1865, Wilhelm Strohn, ancien membre de la Ligue des communistes vivant en exil à Manchester, lui parle d'un éditeur hambourgeois, Meissner, connu pour publier de la littérature d'inspiration démocratique. Il vient d'éditer Arnold Ruge, compagnon de Marx à Paris vingt ans plus tôt, à présent revenu en Prusse. Comme chaque fois qu'il a une décision pratique à prendre, Karl sollicite l'avis de Friedrich, qui lui répond le 5 février de Manchester en lui énumérant le détail des clauses à faire figurer dans son contrat pour préserver ses intérêts, et qui conclut : « Il faudrait naturellement que tu ailles le voir toi-même, muni de ton manuscrit[46]. » Marx suggère alors à Engels d'essuyer les plâtres et d'utiliser cet éditeur pour publier le pamphlet qu'il a écrit l'année précédente et qu'il souhaite voir diffuser en Allemagne, *La Question militaire prussienne et le Parti allemand des travailleurs*.

Mais Karl, en réalité, n'est pas prêt du tout. Et à Manchester, Engels, quelque peu jaloux de voir son ami revenir sans lui dans l'action, et sceptique envers cette mini-organisation qui s'intitule prétentieusement Internationale, lui reproche de consacrer trop de temps à des réunions fumeuses et de ne pas finir son livre. Le 13 mars 1865, Karl lui répond que c'est une affaire très importante et qu'il la contrôle : « Je suis en fait à la tête de cette affaire[46]. »

Engels s'inquiète aussi des dépenses de Marx : les héritages ont certes permis de rembourser les dettes accumulées et d'aménager la maison (pour un coût de 500 livres[205]), mais son nouveau train de vie est très supérieur aux

200 livres annuelles que lui alloue Friedrich. L'état de ses finances est si désastreux qu'à l'été 1865 Karl écrit qu'il vient de vivre deux mois grâce à la mise en gage de l'essentiel de ses biens, en particulier de l'argenterie de Jenny[248].

Celle-ci partage l'inquiétude de Friedrich : la maison est « un véritable palais, beaucoup trop grand et beaucoup trop cher ». Karl écrit alors son ami : « Je vis, il est vrai, dans une demeure qui dépasse mes moyens[46] », mais « c'est le meilleur moyen non seulement de dédommager les enfants de tout ce qu'elles ont souffert, mais aussi de leur permettre de se faire des relations et des connaissances qui assurent leur avenir[46] ». L'argent qu'il semble dilapider n'a donc rien à voir avec des goûts de luxe. Ce n'est pas par passion bourgeoise qu'il dépense, mais par remords, pour compenser la misère dans laquelle il a laissé croupir sa famille et mourir trois de ses enfants.

En quête de ressources complémentaires, Marx retourne le 19 mars 1865 à Zalt-Bommel, aux Pays-Bas, chez sa tante et son oncle Philips. Il en ramène un nouveau prêt et s'assure à l'occasion que sa cousine Nanette ne « l'a pas tout à fait oublié ». Le 1er avril, il joue même avec elle au jeu dit de la « confession », questionnaire à la mode à l'époque ; on devine un jeu amoureux à sa façon d'y répondre : « La qualité préférée ? La simplicité. Chez l'homme ? La force. Chez la femme ? La faiblesse. Votre principal trait de caractère ? L'entêtement. Votre occupation préférée ? Regarder Nanette. Le défaut que vous détestez le plus ? La servilité. Le défaut que vous excusez le plus ? La crédulité. Votre idée du bonheur ? Combattre. Votre idée de la misère ? Se soumettre. Vos poètes préférés ? Eschyle et Shakespeare. Votre écrivain en prose préféré ? Diderot. Votre maxime ? "Rien d'humain ne m'est étranger." Votre devise ? "Douter de tout." Votre couleur préférée ? Le rouge. Vos prénoms favoris ? Jenny et Laura[47]. » Au même moment, à la définition du bonheur,

Karl répond : « Château Margaux 1848 », et à celle du malheur : « devoir aller chez le dentiste[248] ».

À son retour à Londres, à la fin d'avril, Karl écrit à la jeune femme une lettre fort explicite qui s'achève ainsi : « Et maintenant, ma petite enchanteresse, adieu et n'oublie pas tout à fait ton chevalier errant[277]. »

Cette même année 1865, Lewis Caroll raconte *Alice au pays des merveilles* ; Claude Bernard expose son *Introduction à la médecine expérimentale* ; Jules Verne publie *De la Terre à la Lune*. À Mulhouse, les industriels du textile Dollfuss et Koechlin font bâtir une cité de plusieurs centaines de maisons destinées à leurs ouvriers. À Biarritz, Napoléon III rencontre Bismarck et lui confirme la neutralité de la France en cas de conflit – désormais fort probable – entre la Prusse et l'Autriche. En Allemagne du Sud est fondé un Parti populaire d'Allemagne qui entend s'opposer à l'hégémonie de la Prusse en Allemagne par la mise en place d'une république fédérale décentralisée.

Liebknecht s'établit cette année-là à Leipzig et rejoint avec réticence l'Association générale des travailleurs allemands que dirigent les successeurs de Lassalle ; il y rencontre August Bebel, jeune ouvrier auquel il sera désormais associé et avec qui il va bientôt fonder son propre parti, plus proche des idées de Marx. De fait, cette année-là, Marx explique dans une lettre à trois ouvriers berlinois qu'il reproche à Lassalle d'avoir « greffé le césarisme sur les principes démocratiques[4] ».

L'influence de l'Internationale s'étend maintenant à l'Espagne, à l'empire d'Autriche et aux Pays-Bas ; en France, Varlin, le dirigeant des grèves de l'année précédente, obtient de l'Internationale d'intervenir, dans certains cas, pour empêcher l'importation de main-d'œuvre étrangère dans des entreprises paralysées par les arrêts de travail et pour faire entendre la voix du pacifisme par des manifestations monstres en faveur de l'indépendance italienne ou irlandaise. L'Internationale crée aussi des journaux dans les différents pays où elle est implantée. De réunion en réunion, Marx dessine les contours de la nouvelle organisation dont il vient de prendre le contrôle, et fait lui-même l'éducation économique et politique de ses membres. Ainsi quand, au printemps, la guerre de Sécession se termine par la capitulation de Robert E. Lee, Karl rédige au nom du Conseil général une adresse à Abraham Lincoln rappelant qu'un siècle plus tôt l'idée d'une « grande république démocratique[47] » avait pour la première fois jailli en Amérique, donnant l'impulsion à la Révolution européenne.

Les 2 et 8 mai, Marx prononce deux discours devant le Conseil général de l'Internationale (publiés après sa mort sous le titre *Salaires, prix et profit*), où il explique pour la première fois sa conception des liens entre le travail, l'exploitation et le profit : « Le travail est par nature en situation de faiblesse face au capital. Le travail est de nature plus périssable que les autres marchandises. Il ne peut être accumulé[34]. » Pour lui, l'exploitation se caractérise par l'usage du temps : à la différence du capitaliste qui peut se permettre de stocker les produits de ses usines, l'ouvrier qui n'a pas vendu sa force de travail d'une journée en perd définitivement la valeur. Marx en déduit, contre les thèses des syndicalistes anglais, que l'action politique prime sur l'action syndicale : « Si la classe ouvrière lâchait pied dans son conflit quotidien avec le capital (c'est-à-dire si elle renonçait à l'action syndicale), elle se priverait certainement de la possibilité d'entreprendre tel ou tel mouvement de plus grande envergure[34] » ; mais « les ouvriers ne doivent pas s'exagérer le résultat final de cette lutte quotidienne qui lutte contre les effets et non contre les causes. Ils doivent donc inscrire sur leur drapeau le mot d'ordre révolutionnaire : "Abolition du salariat !", qui est leur objectif final[34] ». Autrement dit, le syndicalisme ne suffit pas, l'action politique est nécessaire pour changer radicalement la société en sortant de l'ordre marchand. Les syndicats anglais, pourtant à l'origine de l'Internationale, ne se reconnaissent plus dans l'organisation que Karl et ses amis leur ont littéralement subtilisée. Ils vont bientôt la quitter.

Marx en devient le maître absolu, comme à chaque fois qu'il détient la moindre once de pouvoir. Il s'impose à tous par son ascendant, comme il le fit en cette nuit où il prit le contrôle de l'Internationale. Il fixe l'ordre du jour des réunions, rédige les textes, définit la ligne sans souffrir la contradiction, ne résistant jamais au plaisir de fusiller d'un bon mot son contradicteur. Comme il souhaite « avoir une connaissance exacte et positive des conditions dans lesquelles travaille et se meut la classe ouvrière », il lance plusieurs enquêtes sur la condition ouvrière mondiale, faisant ainsi de l'Internationale un outil de documentation au service de son travail théorique.

Face à son pouvoir envahissant, les complots se multiplient au sein de cette organisation encore fort modeste. Dès l'été 1865, avec le soutien de ses compatriotes siégeant au Conseil général, l'Italien Mazzini tente de réunir une majorité de délégués pour le premier congrès annuel de l'Internationale qui, selon les statuts, doit se dérouler en septembre. Sentant le danger, Karl – en violation des mêmes statuts qu'il a rédigés – obtient que le premier congrès soit remplacé par une « conférence préparatoire » réunie à Londres. N'y sont admis que les élus du Conseil général, où Karl est majoritaire.

Un peu plus tard cette année-là, c'est au tour de Bakounine, le revenant des bagnes russes qui deviendra son plus farouche rival, de se manifester contre lui. De fait, tout les oppose. Marx est communiste : il souhaite la prise de contrôle de l'État par des partis communistes par le biais des urnes, là où c'est possible et grâce à la solidarité internationale des travailleurs. Bakounine est anarchiste : il aspire à abolir l'État et tous les pouvoirs ; il réfute l'existence même de l'Internationale ; de surcroît, il veut imposer l'athéisme aux socialistes, ce qui exclurait de l'Internationale la plupart de ses adhérents britanniques, dont beaucoup soutiennent Karl. Enfin, Karl est juif – athée, mais juif –, Bakounine est antisémite.

Cette année-là aussi, énorme surprise : un télégramme annonce à Jenny le retour en Europe de son frère, qu'elle n'a pas revu depuis seize ans ! Edgar von Westphalen revient d'Amérique « si changé, si malade, si misérable que je ne l'ai presque pas reconnu », écrit-elle à son amie Ernestine, la femme de Wilhelm Liebknecht, qui vit maintenant à Dresde[248]. Edgar explique à sa sœur qu'il a fait trois ans de guerre au Texas, qu'il y a beaucoup souffert, qu'il a ensuite vécu de menus travaux au service de grands propriétaires terriens, qu'il a enfin tout perdu dans la guerre de Sécession. Il a surtout perdu ses rêves. Il n'aspire plus qu'à rentrer en Prusse et à y obtenir, par son demi-frère Ferdinand, un emploi de fonctionnaire. Il séjourne six mois chez les Marx, en « hôte dispendieux[46] », confie Karl à Friedrich : « Quelle étrange ironie du destin que cet Edgar (qui n'a jamais exploité que lui-même et qui a toujours "travaillé" au sens le plus étroit du terme) ait subi les horreurs de la guerre en travaillant pour le compte d'exploiteurs esclavagistes ! Et quelle ironie que les deux beaux-frères se soient retrouvés momentanément ruinés par la guerre américaine[46] ! » En effet, tout comme Edgar a été ruiné par les combats dans les États du Sud, Karl l'a été par l'interruption de sa collaboration au *New York Daily Tribune*. Edgar, ajoute Karl, « végète. Il ne s'intéresse même plus aux femmes. Son instinct sexuel s'est transféré dans l'estomac[46] ». Pour Jenny, après le bonheur des retrouvailles, c'est un grand soulagement, en novembre, de le voir partir pour Berlin où Ferdinand lui a trouvé un poste de modeste rond-de-cuir[221].

En 1866, sur les instances de Friedrich, Karl accepte de consacrer moins de temps à la conduite quotidienne de l'Internationale pour finir son « grand livre ». Mais, comme chaque fois qu'il décide de s'y atteler sérieusement, une crise de foie ou une grippe viennent le bloquer. De fait, il est de plus en plus maladivement perfectionniste. Lafargue, qui le côtoie désormais chaque jour, note : « Jamais il ne se serait appuyé sur un fait dont il n'était pas tout à fait sûr. Jamais non plus il ne se serait permis de traiter un sujet sans l'avoir étudié à fond. Il ne publiait rien qu'il n'eût remanié à plusieurs reprises, jusqu'à ce qu'il eût trouvé la forme qui lui convenait le mieux. L'idée de donner au public une étude insuffisamment travaillée lui était insupportable. Montrer ses manuscrits avant d'y avoir mis la toute dernière main eût été pour lui un martyre. Ce sentiment était si fort qu'il eût préféré – il me le dit un jour – brûler ses manuscrits que de les laisser inachevés[161]. »

Avec les autres penseurs, Marx a toujours la dent aussi dure. Quand il lit en particulier, cette année-là, le *Cours de philosophie positive* d'Auguste Comte, trente ans après sa publication, il décrète que l'ouvrage est mauvais, qu'il ne le lit que « parce que les Anglais et les Français font tant de bruit à propos de ce personnage », mais qu'il n'a rien retiré de cette lecture. En revanche, quand il apprécie un auteur, il le cite et porte une attention maniaque à l'exactitude de ses citations. Lafargue ajoute : « Il croyait devoir nommer l'écrivain qui avait été le premier à exprimer une idée, ou qui en avait trouvé l'expression la plus exacte, même si c'était un écrivain de peu d'importance et à peine connu. Sa conscience littéraire était aussi sévère que sa conscience scientifique[161]. »

Tout cela lui sert en fait de prétexte à relire, vérifier, corriger, mettre des notes en bas de page, relire encore.

Et puis vient un moment où il est impossible de faire plus. Impossible de ne pas constater que le livre est fini. Plus de prétexte pour ne pas lâcher le manuscrit du *Capital*. Karl le relit alors encore une toute dernière fois.

Le livre commence par une analyse du concept de « marchandise », repris de la fin de son ouvrage précédent. Pour Marx, l'économie ne s'explique pas par l'échange, mais par la production ; non par le visible, mais par l'invisible. Il faut, écrit-il, quitter « la place bruyante du marché, véritable Éden où s'accomplissent l'achat et la vente[12] », pour descendre dans les ateliers où se fabriquent les marchandises.

Plus précisément, pour qu'il y ait *marchandise*, il faut qu'il y ait à la fois marché et division du travail. Autrement dit, les produits du travail ne deviennent des « marchandises » que lorsqu'ils sont reconnus comme tels à travers l'échange. C'est la *loi de la valeur*, ou *loi générale des équivalences*.

Toute marchandise a à la fois une *valeur d'usage*, une *valeur d'échange* et un *prix*.

La *valeur d'usage* d'un objet tient à son utilité pour son détenteur ; elle n'est pas réductible à sa rareté ou aux matériaux qui le composent.

Sa *valeur d'échange* assure l'équivalence des marchandises entre elles ; elle se mesure dans la production en temps de travail.

La réalité s'explique non par les prix, mais par les relations entre valeurs d'échange. Le *prix*, lui, est fixé par le marché ; il varie autour de la *valeur d'échange* et incite les entreprises à fabriquer plus ou moins selon la demande de *valeur d'usage*.

Karl Marx emprunte alors à Adam Smith et à David Ricardo l'idée que la valeur d'échange d'une marchandise se mesure par le *temps de travail* nécessaire pour la produire (c'est-à-dire à la fois le « travail passé », celui qu'il a fallu pour fabriquer les machines qu'utilisent les ouvriers, et le « travail présent », celui des ouvriers qui fabriquent directement l'objet). C'est la *valeur-travail.*

Celle-ci finit même par être considérée comme la valeur intrinsèque des objets et par remplacer leur valeur d'usage quand les hommes oublient que les objets ont été fabriqués par d'autres hommes et qu'ils ont une utilité propre. C'est ce que Marx nomme maintenant le « fétichisme de la marchandise »[12], concept proche d'une des dimensions de ce qu'il appelait l'« aliénation »[14] vingt ans plus tôt. Sa pensée forme ainsi un tout en perpétuelle évolution, sans solution de continuité.

Il annonce alors sa découverte majeure, faite douze ans plus tôt, qu'il n'a encore jamais publiée : l'ouvrier ne vend pas le produit de son travail (les objets qu'il fabrique), mais la faculté pour un patron de disposer de sa force de travail pendant un certain temps (une certaine durée de travail). Le travailleur est donc le partenaire d'un contrat léonin, sorte de fiction juridique, avec le capitaliste : force de travail contre salaire. Marx l'écrit de façon très frappante : « L'homme aux écus a payé la valeur journalière de la force de travail ; son usage pendant le jour, le travail d'une journée entière, lui appartient donc. » Le temps est donc le véritable étalon de l'échange.

Marx énonce là ce qui est pour lui la clé du capitalisme, la façon dont se crée la richesse, et ce qui connecte l'économie et la politique : le travailleur est une marchandise comme une autre, mais qui présente cette particularité que ses valeurs d'échange et d'usage se mesurent toutes deux en quantité de travail. La *valeur d'usage* du travailleur est égale à ce qu'il est capable de produire par son travail ; sa *valeur d'échange* est égale à ce qu'il coûte à reproduire, c'est-à-dire au nombre d'heures de travail nécessaires pour fabriquer ce dont il a besoin pour vivre. Sa valeur d'usage, c'est sa force de travail. Sa valeur d'échange, c'est ce qu'il reçoit pour la reconstituer. Certes, « le travailleur fait sa consommation individuelle pour sa propre satisfaction, et non pour celle du capitaliste[12] », mais ce n'est pas par plaisir : le travailleur se nourrit avant tout pour vivre. Ou alors il en tire un plaisir élémentaire : d'ailleurs, « les bêtes de somme aussi aiment à manger[12] ».

Là vient l'essentiel que nul n'avait exprimé ainsi avant Marx : un travailleur peut produire plus que ce qu'il coûte à produire. Sa valeur d'usage est alors supérieure à sa valeur d'échange. La différence – mesurée en heures de travail – entre ce que coûte au capitaliste le travail de l'ouvrier et ce qu'il lui rapporte est la *plus-value* que s'approprie le capitaliste. Elle mesure l'ampleur de l'exploitation. Marx l'appelle aussi « surtravail » ou encore « survaleur », traduction littérale de l'allemand *Mehrwert*. Il la décrit également, selon une métaphore mathématique insistante, comme le « différentiel d'accroissement du capital-argent[12] ». Le capitaliste s'approprie cette plus-value sous forme de profit industriel, de marge commerciale, d'intérêt ou de rente foncière. La répartition de ces diverses formes dépend des rapports de force entre les secteurs industriel, commercial, agricole et financier. Mais la plus-value naît de la production de richesse par les salariés et de nulle part ailleurs.

Marx résume cela dans une formule choc : le capitaliste « achète des marchandises à leur juste valeur, puis les vend ce qu'elles valent, et cependant, à la fin, il retire plus de valeur qu'il n'en avait avancé[12] ». Tout là tient du roman – voire du roman policier[71]. L'homme est ainsi une machine, la seule dont le taux de rendement soit supérieur à l'unité. Si personne ne l'a perçu avant Marx, c'est que « toutes les parties du capital sans distinction apparaissent [à tort] comme la source de l'excédent de valeur (profit)[12] ».

Marx sait qu'aucun théoricien avant lui n'a pu expliquer comment le capitalisme dans son ensemble dégage du profit ; sa théorie est donc par elle-même une « critique de l'économie politique » : tel sera le sous-titre du *Capital*.

Il distingue alors deux façons d'augmenter la plus-value. L'une est d'allonger la durée du travail ; mais elle a pour limite l'épuisement de la classe ouvrière. L'autre est de réduire la quantité de travail nécessaire à la reproduction des salariés, c'est-à-dire d'augmenter la « productivité du travail de fabrication de ces biens » ; elle est quasi illimitée et passe par le remplacement des travailleurs par des machines. La première est limitée par la fatigue du travailleur ; la seconde, par le progrès technique. La première exige plus de travail ; la seconde, plus de capital.

Cette dernière qui, par substitution de la machine à l'homme, permet d'augmenter la plus-value sans limite autre que celle de l'intelligence humaine, est évidemment la plus importante : « En rendant superflue la force musculaire, la machine permet d'employer des ouvriers sans grande force musculaire, mais dont les membres sont d'autant plus souples qu'ils sont moins développés [...]. C'est ainsi que la machine, en augmentant la matière humaine exploitable, élève en même temps le degré d'exploitation[12]. » Cette forme de plus-value est aussi, pour Marx, source de problèmes théoriques, car le travail de celui qui conçoit les machines n'est alors plus mesurable seulement en durée de travail : une heure de travail d'un ingénieur produit sans conteste plus de valeur que celle d'un ouvrier, mais comment mesurer en heures de travail la valeur d'usage de celui qui concoit une machine ? Marx pose le problème sans s'y étendre en détail.

Il nomme l'appropriation économique de la plus-value « *exploitation* » du travailleur, qu'il prend soin de bien distinguer de l'*aliénation*, qui est un concept philosophique.

L'exploitation est la conséquence économique de l'aliénation. Elle n'est ni naturelle ni définitive, mais politique, et s'explique historiquement : s'il y a des « travailleurs qui ne possèdent que leur force de travail, c'est parce qu'ils ont été dépouillés de tous leurs moyens de production [...]. L'histoire de leur expropriation n'est pas matière à conjecture, elle est écrite dans les annales de l'humanité en lettres de sang et de feu indélébiles[12] ».

L'État monarchique, explique Marx, a joué un rôle majeur dans cette expropriation ; il est complice, voire responsable de la naissance du capitalisme : « Pendant la genèse historique de la production capitaliste [...], la bourgeoisie naissante ne saurait se passer de l'intervention constante de l'État ; elle s'en sert pour régler le salaire [...], pour prolonger la journée de travail[12]. » Marx décrit alors longuement, en des termes d'une grande violence, comment les rois d'Angleterre ont contraint les paysans à quitter leurs terres et à travailler comme salariés[12] : « La spoliation des biens de l'Église, l'aliénation frauduleuse des domaines de l'État, le pillage des terrains communaux, la transformation usurpatrice et terrestre de la propriété féodale ou même patriarcale en propriété moderne privée, la guerre aux chaumières, voilà les procédés idylliques de l'accumulation primitive [...], voilà ce qu'il en a coûté [...] pour consommer le divorce du travailleur d'avec les conditions du travail, pour transformer celles-ci en capital, et la masse du peuple en salariés [...] [Cette] expropriation des producteurs immédiats s'exécute avec le vandalisme le plus impitoyable et sous la poussée des passions les plus infâmes, les plus sordides, les plus mesquines et les plus haineuses. La propriété privée, acquise par le travail personnel (du paysan et de l'artisan), et fondée, pour ainsi dire, sur la fusion du travailleur isolé et autonome avec ses conditions de travail, est supplantée par la propriété privée capitaliste qui repose sur l'exploitation du travail d'autrui qui n'est libre que formellement[12]... »

Suit alors une description splendide de l'universalisation du capitalisme : « Corrélativement à cette centralisation ou à cette expropriation du grand nombre des capitalistes par une poignée d'entre eux, se développent la forme industrielle, sur une échelle toujours plus grande, du processus de travail, l'application consciente de la science à la technique, l'exploitation méthodique de la terre, la transformation des instruments particuliers de travail en instruments de travail utilisables seulement en commun [...], l'entrée de tous les peuples dans le réseau du marché mondial[12]. »

Car, aux yeux de Marx, le capitalisme constitue jusqu'à aujourd'hui le meilleur des systèmes et représente un formidable progrès par rapport aux formes antérieures d'exploitation. Il a donc un « droit historique à la vie » ; il est même « respectable »[12] en ce qu'il développe la production, crée un marché mondial, stimule le zèle au travail et sort les individus de la médiocrité. Marx reprend ici tout ce qu'il en a déjà dit, en d'autres termes, dans le *Manifeste communiste* de 1848. Mais, comme il l'a également annoncé dans le *Manifeste*, le capitalisme n'est, lui aussi, qu'un système transitoire. Avec lui disparaîtront un jour l'ensemble des catégories économiques marchandes. Car le capitalisme et le marché sont une seule et même chose.

Ces développements sont rédigés dans un style infiniment moins élégant que celui des articles de presse ou des adresses politiques de Marx. Comme si ses textes empiraient avec le temps qu'il passe à les écrire. Comme s'ils contredisaient en eux-mêmes sa propre théorie, selon laquelle une œuvre ne vaut que par le temps qu'on consacre à la produire...

Exemple de cette forme parfois abstruse : « Le procès de production capitaliste, considéré dans sa continuité, ou comme reproduction, ne produit donc pas seulement des marchandises, ni seulement de la survaleur ; il produit et éternise le rapport social entre capitaliste et salarié[12]. » Ou, pis encore : « Dans la coopération simple, et même dans la coopération caractérisée par la division du travail, la substitution de l'ouvrier collectif à l'ouvrier individuel reste toujours plus ou moins accidentelle. Le machinisme, à part quelques exceptions dont il sera question plus tard, ne fonctionne qu'entre les mains d'un travail directement socialisé ou commun. Le caractère coopératif du procès de travail devient donc maintenant une nécessité technique imposée par la nature même du moyen de travail[12]. »

Le livre est si difficile d'accès que, cinquante ans plus tard, quand un député socialiste prussien, Julian Borchardt, en donnera une version abrégée et vulgarisée très largement traduite, il écrira en préface : « Il n'était pas possible de maintenir un nombre assez considérable de passages tels qu'ils ont été rédigés par Marx. Sinon, ils seraient demeurés incompréhensibles, et il a fallu pour ainsi dire les "traduire" en allemand[9]. » De fait, Borchardt traduira le passage cité plus haut comme suit : « Dans la coopération simple, et même dans la coopération caractérisée par la division du travail, la substitution de l'ouvrier collectif à l'ouvrier individuel reste toujours plus ou moins accidentelle. Le machinisme (à part quelques exceptions dont il sera question plus tard) exige forcément un travail socialisé (c'est-à-dire le travail commun, méthodiquement organisé, de plusieurs). La nature même du moyen de travail transforme dès lors la coopération méthodique en nécessité technique[9]. » Ce qui n'est à mon sens guère plus intelligible et qu'on peut résumer beaucoup plus simplement, sans rien perdre du sens, par : « L'innovation technologique, souvent fruit du hasard, pousse à la concentration du capital. » Idée profonde qui relie hasard et nécessité, le rôle des hommes et celui des structures dans l'Histoire, comme Marx l'avait déjà fait dans sa thèse sur Héraclite et Démocrite ; mais idée noyée dans une inutile complexité du vocabulaire, même si, encore une fois, en dépit de cette obscurité, son œuvre montre son unité, depuis sa thèse berlinoise, vingt-cinq ans plus tôt.

Il relit, relit encore, n'ose finir, pense ajouter une préface. Il recopie, nuance, complète. Le 15 janvier 1866, il envoie deux lettres en Allemagne, l'une à Kugelmann, l'autre à Liebknecht, pour leur raconter qu'il travaille douze heures par jour à mettre au propre son manuscrit et qu'il a l'intention de l'apporter en mains propres à Otto Meissner, l'éditeur de Hambourg avec qui il a fait affaire.

Pendant qu'il relit ce manuscrit où s'accumulent plus de vingt ans de travail, il fréquente moins le siège de l'Internationale au 18, Bouveric Street. Les réformistes et les proudhoniens tentent alors une nouvelle fois de lui arracher le contrôle de l'organisation. Le 6 mars 1866, profitant de son absence à une réunion du Conseil général, ils y font voter, comme l'année précédente, une résolution leur assurant le contrôle de la préparation du IIe congrès de l'Internationale, qui doit se dérouler à Genève, toujours au mois de septembre. Le 14 mars, Marx retarde un voyage à Margate pour assister à la réunion du Conseil général, battre le rappel de ses proches et faire annuler la décision prise une semaine auparavant. À la différence de l'année passée, le congrès n'est pas annulé : il aura lieu et l'on s'y battra !

Ses amis, dont Eccarius, lui suggèrent alors de créer pour lui-même une « présidence du Conseil général » destinée à renforcer le contrôle qu'il exerce sur l'organisation, ce qu'il refuse au motif qu'il est « un travailleur intellectuel et non un travailleur manuel », et qu'il a imposé dans les statuts que chaque section nationale de l'Internationale compte au moins deux tiers d'ouvriers.

Entre-temps, Bismarck comprend que la neutralité de Napoléon III lui laisse enfin les mains libres pour réaliser l'unité allemande. Il se prépare alors à la guerre contre l'Autriche, affaiblie depuis sa déroute italienne. Les usines prussiennes d'armement tournent à plein régime. Marx espère encore en une victoire de l'Autriche qui susciterait une révolution en Allemagne, même si elle renforcerait Napoléon III. Il écrit le 2 avril 1866 à Engels : « Que dis-tu de Bismarck ? On dirait presque maintenant qu'il pousse à la guerre et qu'il va ainsi offrir à notre Louis Bonaparte la plus belle occasion d'acquérir sans efforts un morceau de la rive gauche du Rhin, et, ce faisant, de s'établir à vie sur le trône. [...] Le vœu que je forme en premier, c'est que les Prussiens se voient infliger une raclée terrible[46]. »

Deux jours plus tard, le 4 avril, un étudiant, Dimitri Karakosov, tire sur le tsar Alexandre II, le manquant de peu. C'en est fait des réformes libérales : la Russie s'en retourne au régime le plus féodal et à la neutralité dans les conflits d'Europe centrale.

Outre-Atlantique, la guerre de Sécession continue de faire monter le prix du coton et, par contrecoup, de ralentir la production textile sur le Vieux Continent et d'y entraîner des faillites comme à Manchester et à Londres. Une des plus importantes maisons d'agents de change, Overend Gurney, dont Marx parlera longuement plus tard, s'effondre le 11 mai 1866, jour de panique majeure à la City, qui restera dans les annales comme le premier *Black Friday*.

Voilà qui renforce la conviction de Karl que le capitalisme, par le jeu de la concurrence et de l'accumulation de plus-value, se défait, se transforme et se concentre jusqu'à s'autodétruire. Cela l'amène à récrire certains passages qu'il pensait achevés, pour mieux analyser cette crise – toutes les crises. Il comprend que le capitalisme ne peut survivre, du fait de la concurrence entre capitalistes, que par la croissance et l'augmentation de la productivité, par la substitution continue de la machine à l'homme ; l'histoire du capitalisme se résume en somme à celle de l'accumulation du capital, « moteur et fin de la production [...]. Le monopole du capital devient une entrave pour le mode de production qui a grandi et prospéré avec lui et sous ses auspices. La centralisation des moyens de production et la socialisation du travail arrivent à un point où elles ne peuvent plus tenir dans leur enveloppe capitaliste. Cette enveloppe se brise en éclats. L'heure de la propriété privée capitaliste a sonné. Les expropriateurs seront à leur tour expropriés[12] ».

Lorsque tout le monde ou presque sera ainsi devenu « prolétaire », il sera d'autant plus facile aux prolétaires de détruire l'ordre capitaliste, de s'emparer de la propriété des moyens de production et de confier le pouvoir à des cadres salariés, non propriétaires : « Le mode de production capitaliste est arrivé à ce point que le travail de direction, complètement séparé de la propriété du capital, court les rues [...]. Les capitalistes deviendront tout aussi superflus, au niveau de la production, que les prêteurs d'argent et les propriétaires fonciers. » Puis vient cette phrase, si lumineuse : « Un chef d'orchestre ne doit nullement être le propriétaire des instruments de musique, et il ne lui appartient pas de s'occuper du salaire de ses musiciens[12]... »

Le 3 juillet 1866 éclate la guerre attendue entre la Prusse et l'Autriche. Karl espère toujours en une victoire autrichienne qui affaiblirait la dictature prussienne, mais il n'y croit guère : les forces sont trop inégales. De fait, les Prussiens écrasent les Autrichiens à Sadowa, près de l'Elbe. Le nouveau Landtag, élu le même jour, acclame Bismarck. Le 7 juillet, au nom de l'Internationale, Karl prend position sur cette guerre et en appelle à la neutralité des ouvriers : « Le Conseil central de l'Association générale des travailleurs considère la présente guerre sur le continent comme une guerre entre gouvernements. Il conseille aux ouvriers de rester neutres et de s'unir entre eux dans le but d'utiliser la force née de cette union pour conquérir leur émancipation politique et sociale[47]. » La guerre s'achève alors par une déroute autrichienne. La paix qu'elle préfigure – dans laquelle Napoléon III tente de s'immiscer – privera l'Autriche de tout rôle dans l'unification de l'Allemagne.

Pendant ce temps, installé à Londres pour y finir ses études de médecine, Paul Lafargue courtise Laura avec un empressement qui déplaît au père, même si, cédant aux instances de sa fille, il se résigne à leurs fiançailles. Il écrit au jeune homme : « Si vous plaidez votre tempérament créole, c'est mon devoir à moi d'interposer ma raison entre votre tempérament et ma fille. Si, auprès d'elle, vous ne savez pas aimer d'une manière qui cadre avec le méridien de Londres, il faudra vous résigner à l'aimer à distance. » Il ajoute : « Avant de régler vos relations avec Laura définitivement, j'ai besoin d'éclaircissements sérieux sur votre position économique [...]. L'observation m'a convaincu que vous n'êtes pas travailleur par nature. Dans ces circonstances, il vous faudra des supports extérieurs pour vous embarquer avec ma fille. Quant à votre famille, je n'en sais rien. À supposer qu'elle possède une certaine aisance, ça ne prouve pas sa velléité de faire des sacrifices pour vous. »

De fait, les questions d'argent sont au cœur des réserves et des reproches que Marx formule à l'adresse de Lafargue. Le 7 août 1866, il écrit à Engels : « Depuis hier, Laura est à moitié fiancée à M. Lafargue, mon créole médical [...]. Il est beau, intelligent, énergique, bâti comme un athlète. Sa situation économique est chancelante, il est le fils unique d'une famille de planteurs [...]. Il aura un bon stage dans les hôpitaux de Londres, je me suis arrangé pour le faire admettre là par un ami[46]. » Puis il ajoute : « Je suis constamment interrompu par des soucis domestiques et je perds beaucoup de temps. Ainsi, le boucher a cessé de nous fournir en viande aujourd'hui ; et samedi j'aurai épuisé mon stock de papier[46]. »

Quand, de Bordeaux, les parents de Paul promettent 4 000 livres de dot – montant énorme ! –, Karl est rassuré et Jenny s'enthousiasme[188] : « Il est rare de trouver un homme qui partage vos façons de penser et qui ait en même temps une position sociale et de la culture. »

Au début d'août, Napoléon III réclame à Bismarck la Belgique en guise de remerciements pour ses bons offices face à l'Autriche. Le chancelier refuse : il n'avait nul besoin de Paris pour imposer sa paix à Vienne. Le 10 août, comme il le fait si souvent, Friedrich interroge Karl : « Cette note de Bonaparte semble prouver qu'entre lui et Bismarck il s'est produit un accroc. Sans quoi, cette revendication n'aurait certainement pas été présentée de façon aussi brutale et soudaine, et justement au moment le plus inopportun pour Bismarck. Il serait indifférent à Bismarck de la satisfaire, cela est certain, mais comment le peut-il maintenant ? Que va en dire l'armée victorieuse encore sur le pied de guerre ? Et le Parlement allemand, et les Chambres, et les Allemands du Sud ? Et le vieil âne [Guillaume Ier] qui justement, à l'heure qu'il est, doit avoir l'air aussi stupidement heureux que mon chien noir et blanc, Dido, quand il est repu, et qui a dit : Pas un pouce de terre allemande[46] ! »

Marx lui répond qu'une guerre entre la France et la Prusse est désormais inévitable, puisque ces deux pays sont désormais les seuls rivaux sur le continent. Et, de fait, pendant que l'Angleterre s'enrichit, ses deux compétiteurs continentaux s'épuisent en armements.

Le 13 août 1866, dans un des très rares moments où il se confie, Marx écrit à Lafargue pour lui avouer que, s'il pouvait recommencer sa vie, il ne se marierait pas et dédierait tout son temps au combat révolutionnaire[248] ; ce qui est sans doute aussi, chez lui, une façon de chercher encore à écarter de sa fille le jeune homme trop pressant.

D'autant plus que Lafargue va indirectement lui enlever une autre de ses filles : un de ses amis français, Charles Longuet, journaliste alors en fuite en Belgique, en visite à Londres, l'accompagne un jour chez les Marx et tombe amoureux... de Jennychen !

Le 23 août 1866, la paix de Prague consacre enfin la défaite autrichienne et apporte à la Prusse le Hesse-Cassel, Nassau, Francfort, le Schleswig-Holstein et le Hanovre. Le docteur Kugelmann, correspondant de Marx à Hanovre, est désormais prussien. Karl persiste à penser qu'après l'Autriche, la Prusse va s'attaquer à la France. Là encore, il préférerait une défaite prussienne, car une victoire de Bismarck étoufferait en Allemagne l'idée révolutionnaire. De fait, le Parti populaire de Saxe, que viennent de fonder sur une base ouvrière Liebknecht et Bebel, fusionne alors avec le Parti populaire d'Allemagne, constitué d'employés, devient son aile gauche et prône l'unification allemande sur des fondements démocratiques et fédéraux.

Septembre approche et, avec lui, la date du IIe congrès de l'Internationale. Karl passe beaucoup de temps à en régler les détails, sans accepter encore une fois de s'y rendre. Le 23 août, il écrit au docteur Kugelmann – qu'il a fait nommer comme un des délégués allemands au prochain congrès : « Bien que je consacre beaucoup de temps aux travaux préparatoires pour le congrès de Genève [de l'Internationale], je ne puis ni ne veux m'y rendre, car il m'est impossible d'interrompre mon travail pendant un temps aussi long. Par ce travail, j'estime faire quelque chose de bien plus important pour la classe ouvrière que tout ce que je pourrais faire personnellement dans un congrès quelconque[27]. »

De fait, il est en train de mettre la dernière main à la préface de son *Capital* : « L'ouvrage dont je livre au public le premier volume forme la suite d'un écrit publié en 1859 sous le titre de *Critique de l'économie politique*. Ce long intervalle entre les deux publications m'a été imposé par une maladie de plusieurs années. Afin de donner à ce livre un complément nécessaire, j'y ai fait entrer, en le résumant dans le premier chapitre, l'écrit qui l'avait précédé[12]. »

Le Capital, livre premier, est donc fini. Marx va le publier. C'est un grand moment. Karl pense être le premier à présenter le socialisme de façon scientifique, le premier à exposer l'histoire des formes successives de la valeur, le premier à dévoiler la vraie source de la richesse et du pouvoir. Il ne perçoit sans doute pas que *Le Capital* est aussi une œuvre littéraire, une sorte de roman victorien[277], de roman policier[71], de manuel d'initiation à la magie des choses, qui donne vie aux objets en les laissant vivre, – comme dans les sociétés les plus anciennes – de la substance vitale de ceux qui les ont fabriqués.

Du 3 au 8 septembre se réunissent à Genève 60 délégués, dont 45 représentant vingt-cinq sections de l'Association internationale des travailleurs et 14 représentant onze sociétés adhérentes. Une résolution, rédigée par Marx une semaine auparavant à Londres, définit le rôle des syndicats comme différent de celui des partis, et concentré sur la lutte contre la concurrence entre salariés. Les proudhoniens prônent toujours la mise en place d'un système de crédit mutuel à taux d'intérêt nul – clé, pour eux, de l'émancipation ouvrière ; Karl fait voter contre. Une autre résolution du congrès précise que le travail des enfants, alors violemment combattu par les syndicats, pourrait être admis, mais sous certaines conditions protectrices : « L'industrie moderne nécessite le travail productif des enfants, limité à deux heures par jour à partir de neuf ans, quatre heures à partir de treize ans, et six heures à partir de seize ans [...].

Nous considérons la tendance de l'industrie moderne à faire coopérer les enfants et les adolescents des deux sexes dans le grand mouvement de la production sociale comme un progrès et une tendance légitime et raisonnable, quoique le règne du capital en ait fait une abomination. »

Enfin, Karl réussit à faire entrer plusieurs de ses fidèles, dont Paul Lafargue, le fiancé de Laura, et Charles Longuet, qui courtise Jennychen, au Conseil général, c'est-à-dire au gouvernement de l'Internationale.

Deux mois après, dans une lettre du 9 novembre 1866 adressée au docteur Kugelmann, décidément devenu son confident presque autant qu'Engels, Marx précise le rôle qu'il a joué dans les coulisses de ce congrès : « J'ai rédigé le programme des délégués de Londres. Je l'ai limité à dessein aux points qui permettaient un accord immédiat et une action concertée immédiate des travailleurs, qui répondaient de façon directe aux besoins de la lutte des classes[27]... »

Toujours en novembre, il rédige encore avec fébrilité pour la publier plus tard, une magnifique description de la crise financière du mois de mai précédent telle qu'en a rendu compte la presse anglaise : « Le début fut signalé à Londres, en mai 1866, par la faillite d'une banque gigantesque, suivie de l'écroulement général d'une foule innombrable de sociétés financières véreuses. Une des branches de la grande industrie, particulièrement atteinte à Londres par la catastrophe, fut celle des constructeurs de navires cuirassés. Les gros bonnets de la partie avaient non seulement poussé la production à outrance pendant la période de haute prospérité, mais ils s'étaient aussi engagés à des livraisons énormes dans l'espoir que la source du crédit ne tarirait pas de sitôt[1]. »

Comme toujours, le style de Marx, si obscur quand il parle d'économie, et si limpide quand il parle de politique ou de faits d'actualité, devient flamboyant quand il revient à la philosophie. Ainsi, il reprend et intègre dans son manuscrit de vieilles notes sur Hegel : « Pour Hegel, le mouvement de la pensée [...] est le démiurge de la réalité [...]. Pour moi, au contraire, le mouvement de la pensée n'est que la réflexion du mouvement réel [...]. Chez Hegel, la dialectique marche sur la tête ; il suffit de la remettre sur les pieds pour lui trouver la physionomie tout à fait raisonnable[1]. »

Au même moment, le 15 décembre 1866, Bismarck voit se réaliser le premier de ses rêves avec la naissance de la Confédération de l'Allemagne du Nord dont le territoire, désormais d'un seul tenant, s'étend de la Sarre au Niémen.

Napoléon III, qui a combattu l'Autriche en s'alliant à la Prusse, comprend son erreur ; le vrai danger est à Berlin, pas à Vienne. La Prusse, encensée à Paris pendant près de deux siècles, devient le nouvel ennemi héréditaire de la France. Paris crie au scandale quand Berlin l'empêche de racheter le Luxembourg. La guerre devient inévitable entre les deux monarchies. Ne reste plus qu'à en trouver le prétexte.

Pourtant, tandis que se surarment les armées prussiennes, les Français, eux, ne songent alors qu'à leur quotidien. Zola publie *Thérèse Raquin*, Ingres et Baudelaire meurent, et Napoléon III organise pour sa plus grande gloire la troisième Exposition universelle où plus de six millions de visiteurs découvrent les bateaux-mouches, l'ascenseur hydraulique et la rotative de Marinoni capable de tirer 20 000 journaux à l'heure.

Karl prend en notes, durant la troisième semaine de janvier 1867, des articles de presse pour les utiliser plus tard : « Quant à la situation des travailleurs, on peut en juger par le passage suivant, emprunté au rapport très circonstancié d'un correspondant du *Morning Star* qui, au commencement de janvier 1867, visita les principales localités en souffrance. À l'est de Londres, dans les districts de Poplar, Milwall, Greenwich, Deptford, Limehouse et Canning Town, 15 000 travailleurs au moins, parmi lesquels plus de 3 000 ouvriers de métier, se trouvent, avec leurs familles, littéralement aux abois. Un chômage de six à huit mois a épuisé leurs fonds de réserve[1]. »

À la fin de janvier, Karl, couvrant de cadeaux ses filles, est de nouveau endetté, harcelé par les commerçants de son quartier et par son propriétaire. Les charges des dettes qu'il doit contracter redeviennent insupportables. Il fait une grave furonculose et confie à Engels, dans une phrase célèbre, qu'il tient le capitalisme pour responsable de ses maux : « J'espère que la bourgeoisie se souviendra de mes furoncles tout le restant de sa vie[46] ! »

Un mois plus tard, il met vraiment le point final à son livre en le dédiant à cet « inoubliable ami », Wilhelm Wolff, mort deux ans auparavant en lui laissant de quoi sortir de la misère. Ironie de l'Histoire : *Le Capital* est donc ainsi un hommage rendu à un héritage...

Le 2 avril 1867, Karl écrit à Friedrich qu'il suivra son conseil et portera lui-même le manuscrit de son livre à Otto Meissner, à Hambourg, puisqu'il ira à Hanovre rendre visite à ce correspondant inconnu qui semble tant l'admirer : le docteur Kugelmann. Engels le félicite et lui envoie 35 livres pour le voyage.

Le 10 avril, Marx part pour Hambourg, muni d'un faux passeport. La traversée de deux jours est agitée ; les passagers sont affreusement malades. À son arrivée, Karl passe l'après-midi du 12 avec Meissner à discuter de la publication. Dès le lendemain, il quitte Hambourg pour Hanovre et s'installe un mois chez Ludwig Kugelmann. Il découvre à sa grande surprise que le jeune médecin a, dans sa bibliothèque, « une plus belle collection de nos propres travaux que nous deux réunis[46] », écrit-il à Engels. Il s'agit là sans doute d'un des mois les plus heureux de toute sa vie. Tous les maux qui l'affligent d'ordinaire s'évanouissent comme par enchantement. Il est sous le charme de la maîtresse de maison et joue avec les enfants, dont la jeune Franziska, alors âgée de neuf ans, qui se souviendra plus tard de l'arrivée de ce personnage si attendu : « Ma mère fut saluée non par le sombre révolutionnaire qu'elle s'attendait à voir, mais par un monsieur élégant et jovial dont l'agréable accent rhénan lui rappela aussitôt son pays natal. Sous d'épais cheveux gris brillaient des yeux noirs juvéniles, et l'on sentait également une ardeur toute juvénile dans ses gestes et ses propos[253]. » Elle ajoute que son père et lui parlent de Goethe, de Shakespeare et de poésie grecque. « Mon père pensait que Marx ressemblait à Zeus, et beaucoup de gens étaient de son avis[253]. »

C'est là qu'il reçoit les premiers placards du *Capital* ; il en modifiera les épreuves jusqu'à la fin d'avril 1867.

Il parle avec le médecin de ses furoncles, que Kugelmann impute à sa mauvaise alimentation passée, mais ils évoquent aussi un événement considérable : Liebknecht et Bebel viennent d'être élus députés au Reichstag ! Ce sont les premiers parlementaires communistes dans le monde, certes masqués dans un parti à peine réformiste. Décidément, la voie de la révolution est inutile, pense Marx ; l'avènement de la dictature du prolétariat peut passer en Allemagne par la voie des urnes. Mais à condition que Bismarck n'utilise pas une guerre contre la France pour renforcer encore son pouvoir…

Quittant Hanovre, les dernières épreuves de son livre relues, Karl repasse par Hambourg pour les rendre à Meissner. L'impression commence le 29 avril 1867 sur les presses de l'imprimerie d'Otto Wigand, à Leipzig.

Juste avant de rentrer à Londres, le 1er mai, Karl, sur le conseil de Kugelmann, écrit à l'un de ses amis, lui aussi médecin allemand, qu'il ne connaît pas mais dont un des livres a été traduit en français : « Bien que je vous sois totalement inconnu [...], je sais que vous avez fait éditer en français votre ouvrage ; pouvez-vous me mettre en relation avec la personne adéquate, car je souhaite faire publier le mien en France [...], pays des révolutions et de l'intelligentsia progressiste. »

À son retour à Londres, à la mi-mai 1867, Karl s'occupe de préparer les résolutions du prochain congrès de l'Internationale, qui doit se tenir cette fois à Lausanne, toujours en septembre, comme chaque année. Il s'en est longuement entretenu avec Kugelmann, qu'il fait nommer comme l'un des délégués allemands.

Le 1er juin, Alexandre II se rend à Paris à l'occasion d'une nouvelle Exposition universelle. Pour Napoléon III, l'invitation vise surtout à sceller une alliance avec le tsar contre la Prusse. Sur l'hippodrome de Longchamp, un réfugié polonais tire sur l'impérial visiteur, ce qui fait échouer le rapprochement entre Paris et Pétrograd. Cette alliance fera cruellement défaut à la France quand sonnera l'heure de la guerre avec Berlin.

Le 24 août 1867, de Londres, Marx envoie à Engels un lumineux résumé en quelques lignes de son livre : « Ce qu'il y a de mieux dans mon livre : 1° c'est d'avoir démontré dès le premier chapitre le double caractère du travail selon qu'il s'exprime comme valeur d'usage ou valeur d'échange (toute intelligence des faits repose sur cette thèse) ; 2° d'avoir analysé la plus-value indépendamment de ses formes particulières, le profit, l'intérêt, la rente foncière, etc.[46] » Tout est dit.

Simultanément, Karl contrôle avec minutie les ultimes préparatifs du IIe congrès de l'Internationale, qui s'ouvre le 2 septembre 1867 à Lausanne, là encore en son absence, mais sous le contrôle de ses hommes. Les mutualistes français, les réformistes anglais et les communistes allemands s'y affrontent de nouveau. Parmi les 71 délégués, on remarque la présence dans le groupe des Allemands du docteur Kugelmann ; dans celui des Français, de Lafargue et Longuet ; parmi les autres hommes de Marx figurent le secrétaire général, Eccarius, et le Suisse Becker. Dans une motion finale, les hommes de Karl font acter, contre les syndicalistes anglais et les proudhoniens français, que « l'émancipation sociale des travailleurs est inséparable de leur émancipation politique ». Malgré la requête de certains Allemands et de certains Français qui souhaitent son transfert sur le continent, le secrétariat de l'Internationale reste à Londres, où continueront à se tenir aussi les réunions du Conseil général.

Au lendemain du congrès, Marx explique à Engels que l'implantation du secrétariat et du Conseil général à Londres est essentielle à son pouvoir. Engels approuve : « Tant que le Conseil général reste à Londres, toutes ces résolutions du congrès ne sont que de la bouillie pour les chats[46] ! » C'est le premier échange entre les deux hommes où Friedrich semble admettre l'importance de l'Internationale, trois ans après sa création. Ceux qui ont voulu faire ultérieurement d'Engels l'égal de Marx ont occulté cette absence d'Engels dans la naissance du mouvement ouvrier.

Une semaine plus tard, Bakounine, qui n'est pas encore membre de l'Internationale, fait son apparition sur la scène politique. Il a compris que plus rien à gauche ne saurait se faire hors de l'Internationale et il entend la conquérir. Il regroupe autour de lui les proudhoniens (divisés en chapelles rivales depuis la disparition de leur maître, trois ans auparavant) et les utopistes. Fait rage alors la bataille entre socialisme libertaire et socialisme dirigiste, encore d'actualité aujourd'hui.

Bakounine se fait élire membre du comité directeur d'une fantomatique Ligue pour la paix et la liberté, groupuscule anarchiste de Genève présidé par Vogt, l'ennemi juré de Marx qui a hébergé le jeune Russe dix ans plus tôt, et il demande son inscription comme « société adhérente » à l'Internationale. En vain : Karl a compris que Bakounine est un général sans troupes et il ne veut pas d'anarchistes dans son organisation, encore moins de Vogt. Il a assez à faire avec les proudhoniens, dont Tolain, qui sont de tous les complots dirigés contre lui. Et il a compris il y a longtemps, en lisant Stirner, que l'anarchisme n'avait aucune base historique.

Le 14 septembre 1867, *Le Capital* paraît à mille exemplaires à Hambourg. Craignant qu'il ne subisse le même échec que son précédent livre sept ans plus tôt, Karl mobilise le réseau de l'Internationale pour en faire parler. Il obtient de Schweitzer, le successeur de Lassalle, qu'il publie une série d'articles « pour faire connaître *Le Capital* au public ouvrier ». En dehors de cela, l'accueil est glacial : le livre est d'un abord trop ardu. Lafargue écrit, avec tout le respect et la prudence qu'explique son statut de futur gendre : « Certes, *Le Capital* révèle une intelligence d'une vigueur magnifique et d'un savoir extraordinaire, mais, pour moi comme pour tous ceux qui ont connu Marx de près, ni *Le Capital* ni aucun de ses autres écrits ne révèlent toute l'envergure de son génie et de son savoir. Il était très au-dessus de ses œuvres[161]... »

Le livre se vend mal et, en Allemagne, le parti de Liebknecht ne le diffuse pas activement, ce dont Marx est très peiné. Il n'en tire même pas, dit-il, « de quoi payer le tabac qu'il avait fumé en le composant ». Il en tombe malade, une fois de plus. Et comme l'argent vient encore à manquer, en octobre, Engels doit à nouveau se porter caution pour un emprunt de 100 livres.

En février 1868, Karl obtient le remplacement à la tête de la section française de l'Internationale de Henri-Louis Tolain par Eugène Varlin, plus proche de lui.

Après trois ans de fiançailles, le 2 avril, Laura Marx épouse, à Londres, Paul Lafargue qui vient d'achever ses études de médecine. Au mariage, Jennychen revoit Charles Longuet et lui explique qu'elle veut, comme lui, devenir journaliste – ou, à défaut, comédienne. Charles lui demande de l'épouser.

Une énième crise de furonculose paralyse alors Karl pendant trois mois. À Laura, qui lui manque et qui est en voyage de noces, il écrit, pour s'excuser d'avoir encombré son enfance avec tous ses bouquins, cette phrase terrible : « Je suis une machine à dévorer des livres pour les vomir ensuite sous une autre forme sur le tas de fumier de l'Histoire. »

La situation sociale se tend à Paris, où partent s'installer les Lafargue. Napoléon « le Petit » est attaqué de toutes parts. « La France contient, dit l'*Almanach impérial*, 36 millions de sujets ; c'est sans compter les sujets de mécontentement », écrit le 30 mai, dans le premier numéro de *La Lanterne*, Victor-Henri de Rochefort-Luçay, dit Henri Rochefort, avant de fonder un autre journal, *La Marseillaise*, dans lequel écriront tant Karl que sa fille Jennychen. Celle-ci voit de plus en plus souvent Charles Longuet et s'insurge dans *La Marseillaise* contre le sort des prisonniers politiques irlandais du Sinn Féin, détenus dans des conditions inhumaines dans les geôles anglaises. Quelques semaines après ses articles, une de leurs leaders, Rosa O'Donovan, et la plupart d'entre eux seront libérés et expulsés vers les États-Unis.

Les jugeant trop faibles pour renverser « Plon-Plon », Marx déconseille à ses amis français de prendre l'initiative d'une révolution. Il n'a oublié ni le désastre de mai 1849 ni la débâcle des classes ouvrières allemande et française d'alors.

En juillet, Michel Bakounine, appuyé par un autre anarchiste russe, Sergueï Netchaïev, tente une nouvelle fois de pénétrer l'Internationale en fondant un nouveau groupuscule, l'Alliance internationale de la démocratie socialiste, sur la base d'un programme explicitement anarchiste : athéisme, suppression de la propriété privée et de l'héritage, instruction gratuite pour tous les enfants des deux sexes, rejet de toute alliance réactionnaire et de toute action politique « qui n'aurait pas pour but immédiat et direct le triomphe de la cause des travailleurs contre le capital[70] », dissolution de l'État « dans l'union universelle des libres associations tant agricoles qu'industrielles » et solidarité internationale des travailleurs. Il propose cette fois non pas d'adhérer à l'Internationale, mais, avec plus d'aplomb encore, de faire fusionner avec elle son groupuscule, à parité, en revendiquant pour lui le titre de vice-président de la nouvelle organisation ! Bien entendu, le Conseil général de l'Internationale refuse la fusion avec l'Alliance internationale de la démocratie socialiste tout comme il avait précédemment rejeté l'admission de la Ligue pour la paix et la liberté. Bakounine dissout alors son nouveau groupuscule pour en créer aussitôt un troisième, dénommé cette fois Alliance pour la démocratie socialiste, dont il fait cette fois admettre, en respectant scrupuleusement les statuts, chaque membre comme adhérent à titre individuel à la section de Genève de l'Internationale. Impossible d'esquiver ce noyautage. Mais Karl n'en est pas trop inquiet : sous le nom de « section de l'Alliance », cette section genevoise est l'une des plus puissantes et des mieux gardées ; elle vient de mener une grande grève dans le bâtiment et son dirigeant, un syndicaliste solide, Becker, est devenu un fidèle de Marx.

Pourtant, sitôt admis dans cette section, Bakounine submerge les membres de l'Internationale de missives dans lesquelles il se présente comme victime d'« une sinistre conspiration de Juifs allemands et russes fanatiquement dévoués à leur messie-dictateur, Marx ». Son influence a tôt fait de s'étendre dans sa section, dont il a sensiblement augmenté les effectifs. Il se fait même désigner comme délégué au IIIe congrès de l'Internationale, qui s'ouvre à Bruxelles le 6 septembre 1868.

On y débat pour la première fois d'un programme. Parmi les cinquante propositions que Bakounine avance, trente voix contre quatre votent pour le principe de la nationalisation du sol, du sous-sol, des chemins de fer et des voies de communication. Les autres sont repoussées. Enthousiaste au sortir de la réunion, Bakounine paraît tout à fait intégré à sa nouvelle maison et écrit à Gustav Vogt, président de son groupuscule, qu'il n'a pas réussi à faire admettre : « Nous ne pouvons ni ne devons méconnaître l'immense et utile portée du congrès de Bruxelles. C'est un grand, c'est le plus grand événement de nos jours, et si nous sommes nous-mêmes de sincères démocrates, nous devons non seulement désirer que la Ligue internationale des ouvriers finisse par embrasser toutes les associations ouvrières de l'Europe et de l'Amérique, mais nous devons y coopérer de tous nos efforts, parce qu'elle peut constituer aujourd'hui la vraie puissance révolutionnaire qui doit changer la face du monde[70]. »

De fait, Bakounine n'est pas du tout rallié à Marx. Au IIe congrès de cette Ligue pour la paix et la liberté, à Berne, à la fin de septembre, il ne cache pas sa haine de ce qu'il représente, à la grande joie de Vogt[127] : « Je déteste le communisme parce qu'il est la négation de la liberté et que je ne puis concevoir rien d'humain sans liberté. Je ne suis point communiste, parce que le communisme concentre et fait absorber toutes les puissances de la société dans l'État, parce qu'il aboutit nécessairement à la centralisation de la propriété entre les mains de l'État. [...] Je veux l'organisation de la société et de la propriété collective ou sociale de bas en haut, par la voie de la libre association, et non de haut en bas, par le moyen de quelque autorité que ce soit.

Voilà dans quel sens je suis collectiviste et pas du tout communiste[127] ! »

En novembre 1868, Engels s'inquiète de voir Marx croulant à nouveau sous les dettes. Il lui demande si, une fois réglé tout ce qu'il doit, la famille pourrait vivre avec 350 livres annuelles qu'il s'engage à lui envoyer par versements trimestriels réguliers à partir de février 1869. Marx, évidemment, accepte ; pour le reste, on verra plus tard !

Le 22 décembre, Marx reçoit une lettre d'allégeance de Bakounine, tout à son double langage[127] : « Je ne connais plus d'autre société, d'autre milieu que le monde des travailleurs. Ma patrie, maintenant, c'est l'Internationale dont tu es un des principaux fondateurs. Tu vois donc, cher ami, que je suis ton disciple et je suis fier de l'être. »

L'année suivante, le progrès technique s'accélère en Amérique cependant que la guerre s'annonce en Europe. Le frein automatique à air comprimé de George Westinghouse réduit des neuf dixièmes la distance de freinage sur les locomotives ; la voie ferrée transcontinentale New York-San Francisco est achevée ; un premier câble sous-marin relie directement la France aux États-Unis. Tandis que Napoléon III propose à l'Autriche et à l'Italie une étrange alliance des ennemis d'hier contre l'amie d'hier, la Prusse – projet que Bismarck fait échouer –, l'impératrice Eugénie inaugure le canal de Suez.

Les conflits sociaux se durcissent en France. Une grève de mille cinq cents mineurs à La Ricamarie tourne à l'émeute, l'armée tire sans sommations et fait treize morts. Trente-sept membres des sections parisiennes de l'Internationale, parmi lesquels Varlin et le Hongrois Léo Franckel, sont poursuivis et arrêtés. Une fois élargi, Varlin réalise l'union de toutes les organisations syndicales de la capitale et fonde la « Caisse du sou », qui vient en aide aux ouvriers mégissiers de Paris et aux ouvriers du bâtiment de

Genève. Son restaurant coopératif, « La Marmite », rue Mazarine, connaît un énorme succès.

Sentant la situation en France se tendre, Marx prépare la réédition de ses articles sur le coup d'État de 1851. Le 15 février 1869, il écrit de Londres à Paul et Laura Lafargue, qui viennent d'avoir un fils – qu'il surnommera « Fouchtra » –, une lettre révélatrice du plaisir qu'il éprouve à dire du mal de tout un chacun. Six victimes vitupérées en quinze lignes :

« Cher Paul et Cacadou adorée [c'est un des sobriquets qu'il donne alors à Laura], vous connaissez l'opinion de Falstaff sur les vieillards : ils sont tous cyniques. Alors ne soyez pas étonnés de me voir passer sur un fait têtu : mon silence prolongé [...]. Odilon Barrot est une *nullité grave* [en français dans le texte] [...]. Quant à Émile de Girardin, il y a quelque chose qui *cloche* [en français] dans sa tentative permanente de revendiquer, d'une façon habile, d'être un mélange de chevalier d'industrie, d'utopiste et de critique. Il n'est pas mon homme [...]. Parlant de cette *vieille cocotte* [en français] de Daniel Stern, un ami m'a demandé si Blanqui n'était pas un de ces types "irrespectables" comme Bradlaugh [le premier député anglais à refuser de prêter serment sur la Bible]. Je lui ai demandé si son héros, Catilina, avait été "respectable"[47]. » C'est la seule allusion connue à l'homosexualité dans les textes de Marx.

Puis il passe aux affaires politiques pour dire encore du mal de deux autres personnes : « Une vieille connaissance, le Russe Bakounine, a commencé une charmante petite conspiration contre l'Internationale. Ayant échoué avec la Ligue pour la paix et la liberté, il est entré dans la section romande de notre Association, à Genève. Il a embobeliné le vieux Becker, toujours à l'affût d'action, mais à l'esprit pas très affûté... » Marx en vient ensuite à la logistique : « Notre Internationale marche très bien en Allemagne.

Notre nouveau plan, que j'ai proposé, de permettre les adhésions individuelles et de vendre les cartes de demande à un penny avec un de nos principes imprimé en allemand, français et anglais, marche bien[47]. » En fait, les caisses du Conseil général de l'Internationale ne contiennent que 50 livres, et seul un petit nombre des cartes d'adhésion envoyées par Marx en Allemagne ont été renvoyées remplies avec le montant de l'adhésion.

Par ailleurs, Karl fait part aussi, dans cette même lettre, à Paul et Laura de son intention de venir bientôt leur rendre visite à Paris, où il est interdit de séjour et particulièrement recherché depuis qu'il a annoncé la prochaine réédition à Londres de son livre de 1852 sur le coup d'État de Louis-Napoléon Bonaparte. Il souhaite discuter de la traduction française du *Capital* avec les deux traducteurs qu'il a pressentis, Charles Keller et Élie Reclus, et faire aussi connaissance avec son petit-fils. Il enjoint aux Lafargue de ne point parler de ce projet de voyage dans leurs lettres, qui peuvent être interceptées. Et, de fait, c'est sa propre lettre qui l'est. Aussitôt un inspecteur de police se présente chez les Lafargue, rue Saint-Sulpice, pour leur demander si M. Marx est arrivé[146].

À Londres, le 23 juin 1869, paraît la réédition de son *18 Brumaire de Louis-Napoléon Bonaparte*, assortie de l'avant-propos suivant : « J'espère que cet ouvrage contribuera à écarter le terme couramment employé aujourd'hui, particulièrement en Allemagne, de "césarisme". Dans cette analogie historique superficielle, on oublie le principal, à savoir que, dans l'ancienne Rome, la lutte des classes ne se déroulait qu'à l'intérieur d'une minorité privilégiée, entre les libres citoyens riches et les libres citoyens pauvres, tandis que la grande masse productive de la population, les esclaves, ne servait que de piédestal passif aux combattants. [...] Étant donné la différence complète entre les conditions matérielles, économiques, de la lutte des classes dans l'Antiquité et dans les Temps modernes, les formes politiques qui en découlent ne peuvent pas avoir plus de ressemblance entre elles que l'archevêque de Canterbury avec le grand prêtre Samuel[20]... »

En ce même mois de juin, Marx sollicite la nationalité britannique. Elle lui est refusée.

En juillet, un certain Alan Williams passe six jours chez les Lafargue sans être inquiété ni par la douane, ni par la police. Ce n'est autre que Karl Marx, qui revoit la capitale française où il n'a pas remis les pieds depuis vingt ans. Il n'écrit rien sur le choc qu'il doit éprouver en traversant le Paris transformé par Haussmann. Il est vrai qu'il a d'autres soucis en tête[146].

Malgré la déception que lui a causée l'échec de l'édition allemande du livre premier du *Capital*, il réfléchit déjà à la suite de ce livre. Il entend y détailler sa vision de l'autodestruction du capitalisme, et il expose alors à quelques confidents sa théorie générale de l'Histoire et de la crise. Ainsi à Lafargue, qui rapportera leur entretien en ces termes : « Je regrette surtout la perte des notes écrites un soir où Marx m'avait exposé, avec cette richesse de preuves et de réflexions qui lui était particulière, sa théorie géniale du développement de la société humaine. J'avais l'impression qu'un voile s'était déchiré devant mes yeux. Pour la première fois, je sentais clairement la logique de l'histoire mondiale et pouvais ramener à leurs causes matérielles les phénomènes, si contradictoires en apparence, du développement de la société et de la pensée humaines. J'étais comme ébloui et je conservai cette impression pendant des années. [...] Le cerveau de Marx était armé d'une multitude de faits tirés de l'histoire et des sciences naturelles, ainsi que de théories philosophiques, de connaissances et d'observations amassées au cours d'un long travail intellectuel, et dont il savait admirablement se servir[161]. »

Ce soir-là, ce qu'il expose à Laura et à son mari, c'est sa théorie de la crise : le capitalisme va disparaître par le jeu de ce qu'il appelle la « baisse tendancielle du taux de profit », c'est-à-dire la baisse du rapport entre la plus-value et la somme de tous les travaux utilisés pour la produire, qui est analogue au rendement d'une machine thermique. En effet, du fait de la concurrence, les entreprises utilisent de plus en plus de capital, sans dégager proportionnellement plus de profit, ce qui veut dire que le rapport entre la quantité de capital et la quantité de travail utilisées dans la production, la « composition organique du capital », augmente, entraînant mécaniquement une baisse du « taux de profit ». Il devient alors économiquement impossible d'assurer aux propriétaires du capital la plus-value qu'ils peuvent politiquement exiger. C'est la crise. La classe capitaliste se réduit alors en nombre, tandis que la classe ouvrière voit ses effectifs s'accroître des capitalistes ruinés et des paysans chassés de leurs terres.

Cela n'entraîne pas nécessairement le renversement du capitalisme, qui dispose de plusieurs moyens de restaurer le taux de profit : par la baisse du niveau de vie des ouvriers, par l'exportation, par les conquêtes coloniales, par le progrès technique et par l'action de l'État. Mais les crises succéderont dès lors aux crises et la lutte des classes, elle-même exacerbée par ces crises, viendra hâter la fin du capitalisme.

Karl ne dit pas qu'il peine sur un problème très difficile qu'il a repéré depuis quinze ans et qui lui demeure insoluble : la vérification empirique de sa théorie est impossible, car elle supposerait de pouvoir mesurer la valeur-travail, la plus-value et la composition organique du capital. Or ces grandeurs se mesurent, selon lui, en durées de travail, qui ne sont ni égales ni proportionnelles aux prix de ces biens, en raison des monopoles et de tout ce qui fausse la concurrence. Le profit n'est donc pas identique à la plus-value ; la composition organique du capital n'est pas non plus égale à la rentabilité du capital, et le salaire n'est pas égal à la valeur d'échange de la force de travail. Rien de ce que Marx écrit ne peut être corroboré de façon empirique.

Pour tenter de mesurer cet écart entre prix de marché et valeur d'échange, il griffonne des équations et imagine deux grandeurs intermédiaires entre la valeur d'échange d'un bien et son prix de marché : sa « valeur sociale » et son « prix de production ». Il s'aperçoit alors que le « prix de production » n'est pas proportionnel à la « valeur sociale », et que les biens produits dans les industries utilisant le plus de capital ont un prix de production plus élevé que leur valeur sociale[66]. De surcroît, il constate que les prix de marché diffèrent des prix de production parce que le marché n'est pas en concurrence parfaite. Il n'y a donc jamais, il ne peut y avoir proportionnalité entre le prix de marché d'un bien et sa valeur-travail. Et les prix, seules grandeurs mesurables, restent donc sans relation directe avec les valeurs-travail, seules grandeurs obéissant aux lois économiques qu'énonce Marx. Aucune vérification expérimentale de ses concepts ni de ses lois n'est donc envisageable, si ce n'est par l'Histoire à venir. Est-ce alors bien une théorie scientifique qu'il a construit là ? Ne serait-ce pas plutôt une conjecture philosophique ?

Déception de plus : il découvre à Paris que Reclus est un adepte de Bakounine. Il ne veut donc pas de lui comme cotraducteur du *Capital*.

De retour à Londres le 27 juillet, Karl continue à chercher ; il peine, panique, s'épuise. Il souffre de bronchite chronique et d'un ulcère au poumon. Il passe le plus clair de son temps à s'enquérir de remèdes contre la toux et à imaginer des solutions à son problème sans avoir le temps de partir en cure, au soleil, comme les médecins le lui recommandent. (C'est la mode alors en Angleterre d'envoyer les malades des poumons en Italie, voire en Algérie.)

Lorsqu'il va mieux, selon sa fille cadette Eleanor qui vit encore avec eux dans la grande maison, Jenny et lui ont l'air de redevenir de jeunes tourtereaux...

En août 1869, à la veille du IVe congrès de l'Internationale qui doit se tenir cette fois à Bâle, le Parti populaire de Saxe, de Bebel et Liebknecht, s'écarte des démocrates bourgeois et participe à Eisenach aux travaux de fondation d'un Parti ouvrier social-démocrate d'Allemagne, le SDAP, connu aussi sous le nom de parti d'Eisenach. Marx est alors remarqué par Bismarck, qui croit voir en lui le vrai patron du parti d'Eisenach et un possible allié, comme l'avait été Lassalle ; il lui propose de le rencontrer. Karl en est flatté, mais ne donne pas suite : depuis sa jeunesse, l'État prussien n'est assurément pas son idéal politique !

Liebknecht dénonce alors en Bakounine un agent russe, et Marx en dit encore à Engels le plus grand mal : « Ce Russe, cela est clair, veut devenir le dictateur du mouvement ouvrier européen. Qu'il prenne garde à lui, sinon il sera excommunié[46] ! »

Le congrès de Bâle est de nouveau l'occasion d'une empoignade entre les représentants de Marx et les autres. Contre Bakounine – qui s'y rend cette fois comme improbable représentant des « ouvriers socialistes de Lyon et des mécaniciens de Naples », et qui s'affirme « collectiviste révolutionnaire » et « partisan de la destruction de l'État » –, Karl fait imposer le principe de partis communistes organisés pour la conquête de l'État. Contre les trade-unionistes anglais, il obtient que le congrès soutienne la « lutte des peuples exploités par les bourgeoisies nationales » (y compris dans la question irlandaise). Contre les proudhoniens qui voudraient exclure de l'Internationale tous ceux qui ne sont pas des ouvriers manuels, il fait incorporer les travailleurs intellectuels révolutionnaires au mouvement ouvrier. Sur proposition de son fidèle Johann-Philipp Becker – dont il vient pourtant, on l'a vu, de dire du mal dans une lettre –, il obtient même que le congrès adopte une motion attirant l'attention des socialistes de tous les pays sur *Le Capital* que le même Becker appelle, dans un texte rédigé en sous-main par Marx en personne, « la Bible de la classe ouvrière » !

Malgré tous ces efforts, les actions de l'Internationale passent plutôt inaperçues. Le 15 septembre 1869, juste après son IVe congrès, Jenny, qui se charge de la revue de presse de son mari, écrit à Ludwig Kugelmann qui revient de Bâle : « La presse a imposé un silence de mort sur le congrès, à part un article confus dans le *Pall Mall*. Aujourd'hui, le *Times* a rompu la glace pour la première fois avec un article factuel et concis, très favorable, qui soulève un grand intérêt en France[49]. » Puis elle dit du mal de celui qui fut si longtemps son ami à Londres mais qui, au congrès, n'a pas toujours pris parti pour les propositions de Marx : « Liebknecht a écrit deux articles mi-chèvre, mi-chou qu'il vaut mieux ne pas lire[49]. »

Le 28 octobre, Michel Bakounine – qui a, dit-il, signé un contrat pour traduire *Le Capital* en russe – écrit à un compatriote réfugié à Londres, Alexandre Herzen, qui fut son associé dans un journal, *La Cloche*, pour dire cette fois encore du bien de son pire ennemi : « Nous ne saurions méconnaître, moi du moins, les immenses services rendus par Marx à la cause du socialisme, qu'il sert avec intelligence, énergie et sincérité depuis près de vingt-cinq ans, en quoi il nous a indubitablement tous surpassés. Il a été l'un des premiers fondateurs et assurément le principal de l'Internationale, et c'est là, à mes yeux, un mérite énorme que je reconnaîtrai toujours, quoi qu'il ait fait contre nous [...]. Il pourrait arriver, et même dans un très bref délai, que j'engageasse une lutte avec lui pour une question de principe, à propos du communisme d'État. Alors ce sera une lutte à mort[70]. »

Tel sera exactement le cas.

Marx commence par s'inquiéter des conditions dans lesquelles Bakounine ferait traduire *Le Capital* en russe. Il mène son enquête, remonte des filières, joue au policier. Cela débouchera, deux ans plus tard, sur un énorme scandale.

Le début de l'année 1870 est marqué en France par de nombreuses révoltes qui témoignent de la fragilité du pouvoir. Au Creusot, 7 000 ouvriers se mettent en grève pour obtenir une journée de travail de huit heures et un salaire quotidien de 5 francs. Dans la presse bonapartiste, on commence à dire que ces troubles sont inspirés de l'étranger par cette « organisation secrète » nommée l'« Internationale » qui finance « des mercenaires pour mener les grèves ». Le 10 janvier, l'un des journalistes de *La Marseillaise*, Victor Noir, est tué d'un coup de pistolet par le prince Pierre Bonaparte, cousin de l'empereur. Cent mille Parisiens assistent à ses obsèques. L'assassin, jugé par la Haute Cour, est acquitté. L'affaire ébranle le régime. Rochefort, le directeur de *La Marseillaise*, écrit : « J'ai eu la faiblesse de croire qu'un Bonaparte pouvait être autre chose qu'un assassin. » Les grandes villes et, plus grave encore, une partie de l'armée sont désormais ouvertement hostiles à Napoléon III, qui croit rétablir sa légitimité en obtenant le soutien massif de la paysannerie par un plébiscite.

À la fin de février 1870, à Paris, rue Saint-Sulpice, Laura Lafargue perd une petite fille à la naissance.

Au même moment, Karl s'oppose au déplacement du siège de l'Association internationale des travailleurs en Suisse, que proposent les partisans de Bakounine – désormais appelés les « Jurassiens » en raison de l'installation genevoise de leur maître. Marx explique que « la situation sur le continent est défavorable à un changement », et que l'Angleterre reste « le seul pays où la grande majorité de la population consiste en ouvriers salariés. L'Angleterre ne doit pas être traitée comme un pays après d'autres pays. Elle doit être traitée comme LA métropole du capital ». Pourtant, Karl le sait bien et le dit : il n'escompte pas de révolution en Angleterre où les ouvriers sont domptés ; mais pas question pour lui de laisser l'Internationale s'éloigner de Londres, c'est-à-dire de lui ! Alors il ne se gêne pas pour faire preuve de mauvaise foi si cela peut faire triompher sa cause.

Le 4 mars, sous couvert d'une résolution du Conseil général, Marx répond à l'accusation de « conspiration » que s'emploie déjà à répandre contre lui une partie de la presse continentale : « S'il y a conspiration de la part de la classe ouvrière qui forme la grande masse des nations, crée toutes les richesses, et au nom de laquelle tout pouvoir, même usurpateur, prétend régner, c'est en public, comme le soleil contre les ténèbres, avec la pleine conscience qu'en dehors de son champ d'activité il n'est aucun pouvoir légitime. »

En avril 1870, Bakounine déclare que « toute participation de la classe ouvrière à la politique bourgeoise gouvernementale ne peut avoir d'autre résultat que la consolidation de l'ordre des choses existant[70] ». Le Conseil général lui répond que les statuts de l'Internationale considèrent l'action politique comme un moyen d'émancipation. Pas question de renoncer à la vie parlementaire là où elle est possible.

Netchaïev persuade alors Bakounine d'abandonner la traduction russe du *Capital*, qu'il s'est engagé à faire, pour se consacrer aux affaires révolutionnaires. Lui, Netchaïev, se fait fort d'arranger les choses avec l'éditeur.

Les premiers comptes de la vente du *Capital* arrivent : le livre n'a rien rapporté, et Karl se plaint de nouveau des

« professeurs allemands » dont il aurait tant voulu, il y a trente ans, faire partie. Le 27 juin 1870, il écrit à Ludwig Kugelmann : « L'an dernier, j'ai anticipé une seconde édition du *Capital* et donc que je recevrais les droits de la première, mais c'est loin d'être le cas. Messieurs les professeurs allemands ont été récemment obligés de parler de moi de temps en temps, même de façon stupide. Enfin, entre nous, je voudrais une nouvelle édition du volume I avant de donner le volume II, car elle me dérangerait si la crise venait pendant l'ultime finalisation du volume II[27]. »

Encore une fois, tous les prétextes sont bons pour ne pas écrire, et ce sont les mêmes propos que Marx ressasse depuis près de trente ans : attendre, pour écrire le mot « fin », l'épilogue de la crise… En fait, il n'est pas dupe de lui-même et tombe malade à la fin de l'hiver. Il se remet alors à lire et s'intéresse à la question de la propriété du sol en tombant sur une série de rapports – des « Livres bleus » – que le gouvernement anglais vient précisément de publier sur la propriété foncière à travers le monde. Il le sait : cette question foncière et la relation entre la valeur et les prix constituent les deux lacunes majeures du livre premier du *Capital*. Il va passer le temps qui lui reste à vivre à tenter de les combler.

À la fin du printemps 1870, comme s'il pressentait que les événements allaient se précipiter, Engels revend ses parts dans la firme paternelle, abandonne sa vie d'industriel et vient s'installer à Londres juste à côté de chez Marx, au 122, Regent's Park Road. Karl et Friedrich se voient désormais quotidiennement : ils n'ont donc plus de raison de s'écrire, et l'on dispose de moins de traces de leurs échanges.

Les Marx rencontrent aussi, au mois de mai 1870, un singulier jeune homme, Gustave Flourens, professeur d'histoire naturelle des corps composés au Collège de France où il a repris – à vingt ans ! – la chaire de son père, le célèbre physiologiste français Pierre Flourens. Blanquiste, interdit d'enseignement par Victor Duruy, Flourens a voyagé en Belgique, en Italie en Turquie, en Grèce ; il a participé en Crète au soulèvement contre les Turcs de 1866, et a même été représentant des Crétois à Athènes. De retour en France, il collabore à *La Marseillaise* de Rochefort comme Jennychen. Karl, Jenny, Eleanor et Jennychen sont sous son charme.

Au début de l'été, Flourens rentre à Paris en leur laissant une photo et en promettant de les revoir. Jennychen, qui aime Charles Longuet, est aussi éprise à présent de Gustave Flourens ; elle le charge de porter une lettre de sa part à sa sœur Laura Lafargue, qui vit toujours rue Saint-Sulpice, à Paris, et reçoit de lui une lettre qui ne la quittera plus.

À la fin de juin 1870, en tronquant délibérément un courrier du roi de Prusse à l'empereur des Français (la fameuse « dépêche d'Ems »), Bismarck transforme une dispute mineure concernant la succession au trône d'Espagne en un affront majeur fait à la France. Sûr de sa supériorité militaire (face aux 500 000 hommes rassemblés par la Prusse et ses alliés allemands, la France dispose de moins de 240 000 hommes), le chancelier veut la guerre, et vite, pour en finir avec son seul rival sur le continent et prendre l'Alsace, province allemande à ses yeux.

Malgré les craintes des députés d'opposition, dont Thiers, sur l'état réel de l'armée, Napoléon III déclare la guerre à la Prusse, le 19 juillet, sans avoir pu activer son alliance avec la Russie. L'Italie offre son aide à la France à condition qu'elle évacue Rome. Napoléon III refuse : pas question de cesser de protéger le pape contre ces horribles républicains !

Karl presse Laura et Paul Lafargue, qui vivent à Paris, de revenir à Londres. Ils refusent. L'Internationale annule son congrès, prévu pour septembre dans la capitale française, et le remplace par une simple conférence du Conseil général, à Londres.

Marx est partagé. Il est d'abord inquiet pour sa fille. Il ne sait pas qu'elle se prépare à quitter Paris pour Bordeaux où se trouve la famille de son mari. Politiquement, il souhaiterait plutôt la victoire de la Prusse, à la fois par antipathie personnelle envers Louis-Napoléon Bonaparte et parce que la défaite de la France susciterait dans ce pays le retour en force de la classe bourgeoise. Mais il craint qu'un succès de Bismarck ne durcisse outre-Rhin le régime et ne remette en cause le faible espace de liberté conquis par le Parti social-démocrate de ses amis Liebknecht et Bebel, membres du Parlement. Il prévoit que, quel que soit le sort des armes, le Second Empire s'effondrera. Il pense que la Russie n'interviendra pas dans le conflit, parce qu'elle n'y est militairement pas prête.

Il rédige donc, le jour même de la déclaration de guerre, une *Adresse de l'Internationale sur la guerre franco-prussienne* qui en appelle au prolétariat de chaque pays belligérant pour que le conflit ne se transforme pas en guerre d'agression contre l'autre dans « une nouvelle société qui est en train de naître ». Le 10 août, le Conseil général reçoit pour ce texte les félicitations inattendues de John Stuart Mill, lequel vit encore à Londres (avant de partir s'installer en Avignon). L'illustre sociologue et économiste se déclare « hautement satisfait par l'*Adresse*. Il n'y avait pas un mot qui ne devait y être, et elle ne pouvait avoir été dite en moins de mots ». Quelques jours plus tard, Bakounine prend parti pour la France dans des « Lettres à un Français sur la crise actuelle[70] ».

Dans une épître datée du 3 août 1870, Marx écrit à Engels qu'au sein de l'Internationale d'aucuns commencent à le faire passer pour un agent prussien : « Lopatine a quitté Brighton, où il mourait d'ennui, pour aller s'installer à

Londres. C'est l'unique Russe "solide" que j'aie connu jusqu'ici, et j'aurai tôt fait de lui enlever ce qui lui reste de préjugé national. J'ai appris de lui que Bakounine répand la rumeur selon laquelle je suis un "normal agent" de Bismarck : chose étonnante à dire ! C'est vraiment drôle, le même soir (mardi dernier), Serrailler me communiquait que Chatelain, membre de la Branche française et ami particulier de Pyat, avait informé la Branche française, réunie en assemblée générale, du montant que Bismarck m'avait payé : rien de moins que 250 000 francs ! Si l'on considère, d'une part, l'idée que l'on se fait en France d'une telle somme, et, d'autre part, le radinisme prussien, c'est pour le moins une estimation de qualité[46] ! » L'accusation va bientôt prospérer. Car c'est une vraie campagne que Bismarck, par les soins de son chef de la police Stieber, a préparée de main de maître.

Les armées s'affrontent. Le 1er septembre, la défaite de Sedan provoque des manifestations anti-impériales à Paris, à Marseille, au Creusot et à Lyon. Le 4, le Palais-Bourbon est envahi et Gambetta y proclame la République. Un gouvernement provisoire de la Défense nationale est formé sous la présidence du général Trochu, gouverneur militaire de Paris. Parmi ses membres : Adolphe Thiers, Jules Favre, Jules Grévy, Jules Simon, Jules Ferry, Adolphe Crémieux et Léon Gambetta. Victor Hugo et Louis Blanc rentrent d'exil.

Bismarck réclame alors l'Alsace et la Lorraine, ce que Liebknecht et Bebel dénoncent au Reichstag de façon prophétique : « La caste militaire, professorale, bourgeoise et commerçante prétend que [l'annexion] serait un moyen de protéger éternellement l'Allemagne de la France [...]. C'est au contraire le moyen infaillible de transformer la paix en un simple cessez-le-feu jusqu'à ce que la France soit assez forte pour réclamer ce qu'elle aura perdu. C'est le moyen infaillible de ruiner l'Allemagne et la France en les faisant se dépecer mutuellement. » Les deux députés sont aussitôt arrêtés pour trahison.

Le 9 septembre, Marx, dans une seconde *Adresse*, dénonce lui aussi l'expansionnisme allemand et prévoit, comme Liebknecht et Bebel quelques jours auparavant, que ce conflit engendrera une nouvelle guerre, qu'il voit explicitement mondiale, avec l'implication de la Russie, restée neutre jusqu'ici : « L'Allemagne, emportée par la fortune des armes, l'arrogance de la victoire, l'intrigue dynastique, commet une spoliation territoriale en France. De deux choses l'une : ou elle devra se faire ouvertement l'instrument de la politique conquérante de la Russie, ou bien, après un court armistice, elle aura à braver une nouvelle guerre défensive, une guerre qui, au lieu de ressembler à ces guerres "localisées" d'invention moderne, sera une guerre contre les races slave et romane combinées [...]. Les patriotes teutons s'imaginent-ils en réalité qu'ils vont assurer la liberté et la paix en jetant la France dans les bras de la Russie[1] ? » Ainsi, là où Liebknecht et Bebel prévoient une nouvelle guerre franco-allemande, Marx voit se former une alliance franco-russe et le déclenchement d'une confrontation planétaire. C'est souvent ce qui fait la différence entre Marx et les autres analystes de son temps : même quand ils voient assez loin, comme Liebknecht, ils voient moins loin que lui.

À Paris, le peuple commence à s'armer pour résister au siège des Prussiens. Le 13 décembre, Marx affirme à Kugelmann : « Quelle que soit l'issue de la guerre, elle aura exercé le prolétariat français au maniement des armes, et c'est là la meilleure garantie pour l'avenir. » Toujours féru de batailles, Engels brûle d'aller défendre Paris contre les envahisseurs[213] « afin de préserver autant que possible les forces du prolétariat ». Karl le convainc d'y renoncer, car au premier revers des forces françaises il serait considéré par eux comme un traître[213].

Se précipitant à Lyon depuis Genève, Bakounine, le 26 septembre, appelle les ouvriers lyonnais, dont il est le délégué à l'Internationale, à prendre les armes contre la République, réclamant « la déchéance de l'État, la suppression des tribunaux, la suspension du paiement des impôts, des hypothèques et des dettes privées, et la réunion d'une Convention nationale chargée de repousser l'invasion[70] ». Une petite foule s'empare avec lui de l'hôtel de ville, en expulse un bref moment les autorités, puis doit refluer devant la troupe. Bakounine s'enfuit alors à Marseille, puis à Gênes, enfin à Locarno où un riche ami l'héberge.

Le 19 septembre, les troupes prussiennes encerclent Paris et établissent leur quartier général à Versailles. Une partie du gouvernement se replie alors à Tours. Le 7 octobre, Gambetta parvient à quitter en ballon Paris assiégé et rejoint la délégation du gouvernement à Tours. Il appelle à la levée en masse et à la guerre à outrance. Il organise une armée de la Loire, qui libère Orléans et lance une offensive pour délivrer Paris avant d'être battue à Montargis et de reculer jusqu'à Laval. La délégation du gouvernement à Tours se replie alors sur Bordeaux. Une autre armée, dite du Nord, commandée par Faidherbe, remporte une victoire sans lendemain à Bapaume. Les Prussiens bombardent la capitale. Le marché noir s'organise. Après avoir mangé les chevaux, puis les animaux du Jardin des Plantes, les riches Parisiens se rabattent sur les chats, et les pauvres, dit-on, sur les rats. Le 20 janvier, les Parisiens, encore soutenus par le gouvernement républicain à Bordeaux, tentent une première sortie qui échoue. Thiers s'efforce de mobiliser les autres pays européens en faveur de son gouvernement. À l'initiative de l'Internationale se tiennent à Londres de grands meetings exhortant le gouvernement anglais à reconnaître la République et à s'opposer à un morcellement de la France.

Le 18 janvier 1871, l'Empire allemand est proclamé dans la galerie des Glaces. Le 28, le gouvernement provisoire capitule. Le ministre des Affaires étrangères, Jules Favre, signe l'armistice. La guerre s'achève. Bismarck exige que soient immédiatement organisées des élections afin de signer la paix avec un gouvernement légitime, car il est informé du refus des Parisiens de se rendre.

Karl n'apprend pas que Laura Lafargue est alors à Bordeaux et met au monde un deuxième enfant.

Le 8 février, une Assemblée élue dans la France occupée réunit à Bordeaux une majorité de monarchistes (un tiers des élus sont des nobles) qui aspirent au retour le plus rapide possible à la paix. Les mieux élus sont malgré tout Victor Hugo et Louis Blanc. Cette Assemblée désigne Thiers, le 17 février, comme « chef du pouvoir exécutif provisoire de la République française ». La France abandonne l'Alsace et une partie de la Lorraine à l'Allemagne, « à perpétuité, en toute souveraineté et propriété ». Elle réussit à conserver le territoire de Belfort, mais doit payer une indemnité de 5 milliards de francs-or. Marx remarque alors que la République française « n'a pas renversé le trône, mais seulement pris sa place, restée vacante », et qu'elle poursuit la même politique.

Dans Paris assiégé, beaucoup refusent cet armistice et entendent continuer la lutte. Certains pensent même à former un gouvernement parisien, une « fédération ». Marx y est hostile : « La classe ouvrière française se [trouve] placée dans des circonstances extrêmement difficiles », et l'insurrection « serait une folie désespérée ». Comme depuis vingt ans, il pense que la révolution ne réussira pas sans l'alliance des ouvriers et des paysans, des Parisiens et des provinciaux. Or, ceux-ci sont soit bonapartistes, soit derrière le gouvernement et l'Assemblée de Bordeaux, prêts à collaborer avec l'occupant pour avoir la paix à tout prix.

Tandis que Jules Ferry demande au gouvernement de revenir dans la capitale, des Parisiens s'organisent en une « fédération » qui élit un Comité central et constitue une « armée ». Thiers ordonne alors à ses troupes d'entrer dans Paris pour mettre fin à l'insurrection, y confisquer toutes les armes, et notamment enlever les canons de la commune de Montmartre dont le maire est un certain Georges Clemenceau.

Pour aider Thiers, Bismarck lui fournit des armes et toutes les informations nécessaires, dont celles qu'il a accumulées sur les révoltés et celles qu'il a obtenues sur Marx grâce à Stieber, l'ancien espion venu chez l'auteur du *Capital* quinze ans plus tôt et devenu depuis lors le chef de sa police. Il fait ainsi dénoncer par les journaux hostiles à la Commune, en province et dans Paris, le rôle prétendument tenu par l'Internationale dans les événements, disant ou faisant dire par les uns que Marx est un agent des Prussiens, par les autres qu'il fomente une révolution communiste...

Le 14 mars, sous le titre « Le grand chef de l'Internationale », un quotidien parisien encore bonapartiste, *Paris-Journal*, désigne Marx comme le responsable de la résistance des Parisiens. Cet article inspiré par la propagande bismarckienne a d'autant plus d'impact que, transmis par télégraphe, il est immédiatement repris par le *Times*. De par la coalition de Thiers et de Bismarck, Marx, qui essaie en vain de démentir, devient alors en quelques jours mondialement célèbre : il est vu comme l'inspirateur, voire comme l'organisateur de ce qui va devenir, quatre jours plus tard, la « Commune ».

Le 18 mars éclate en effet l'insurrection parisienne que redoutait Marx : la population s'oppose à l'enlèvement des canons de Montmartre et fraternise avec la troupe. Des barricades s'élèvent. Le mouvement se propage à Lyon, Saint-Étienne, Marseille, Toulouse, Narbonne. L'armée de

Versailles écrase les révoltes en province et assiège Paris en occupant les postes que viennent de quitter les Prussiens. Pour avoir les moyens de négocier, la Commune prend alors des notables en otages et, se revendiquant comme gouvernement légitime, organise elle aussi des élections à Paris.

À Londres, les Marx sont atterrés : Laura est peut-être encore à Paris avec son mari Paul Lafargue et ils ne donnent pas de nouvelles. Jennychen s'inquiète elle aussi et pour Longuet et pour Flourens. À dix-sept ans, Eleanor, elle, n'a pas encore rencontré cet autre communard important dont elle s'éprendra bientôt : Lissagaray. Les quatre soupirants des trois filles Marx sont pris dans le tourbillon des événements parisiens.

Le 26 mars, la Commune organise des élections : sur 485 000 électeurs inscrits dans la capitale, 229 000 – proportion considérable, compte tenu des circonstances – votent. Parmi les 92 élus, 17 membres de l'Internationale socialiste dont Gustave Flourens, Charles Longuet, Eugène Pottier (futur auteur du chant intitulé *L'Internationale*), Édouard Vaillant, Eugène Varlin et Pierre Vésinier (ouvertement hostile à Marx). Les autres sont pour l'essentiel des proudhoniens ou des blanquistes. Hugo démissionne de l'Assemblée de Bordeaux ; il prend parti pour la Commune et repart pour Bruxelles.

Marx se ronge d'inquiétude pour sa fille et pour son petit-fils, le jeune « Fouchtra » : il vient d'apprendre que Lafargue a été désigné délégué auprès de la Commune de la ville de Bordeaux. Karl est alors cloué au lit par une bronchite et une nouvelle crise de foie. Tout en sympathisant avec le mouvement, il ne s'y reconnaît pas : il enrage de voir les insurgés perdre un temps précieux en procédures électorales au lieu d'exercer le pouvoir, de s'emparer du trésor de la Banque de France, de desserrer l'étreinte des troupes de Thiers et de foncer sur Versailles. Il désespère de rien voir venir d'une province matée et apeurée. Il est informé de l'aide que les Prussiens apportent aux Versaillais ; il a appris qu'un accord conclu entre Bismarck et Jules Favre, ministre des Affaires étrangères du gouvernement de la Défense nationale, offrait aux Versaillais « toutes les facilités possibles » pour occuper Paris. Collaboration contre Résistance...

Le siège tourne à l'enfer. La famine devient terrible. Le 30 mars, deux dirigeants de la Commune, le communiste hongrois Léo Franckel et le proudhonien Eugène Varlin, réussissent à faire passer à Marx une missive secrète pour solliciter ses conseils sur « les réformes sociales à appliquer ». En fouillant les Tuileries, la Commune découvre dans les papiers et correspondances de la famille impériale, à la lettre V : « Vogt : il lui est remis, en août 1859, 40 000 francs. » La preuve que Karl cherchait depuis dix ans ! Il avait été calomnié par ordre de « Plon-Plon ». Il l'est maintenant par Bismarck.

Plusieurs journaux, dont *La Province* et un journal clérical belge, publient alors le même article dicté par Stieber : « Paris, 2 avril. Une découverte en provenance d'Allemagne a fait sensation ici. On a constaté de manière authentique maintenant que Karl Marx, l'un des chefs les plus influents de l'Internationale, a été le secrétaire privé du comte de Bismarck en 1857, et n'a cessé depuis lors de rester en relations avec son ancien patron. »

Le 3 avril, quelques Parisiens tentent une nouvelle sortie. Parmi eux, Gustave Flourens, l'ami de Jennychen, est fait prisonnier par les Versaillais et abattu. Quand elle apprendra cette fin, plus tard, le choc sera terrible pour la famille Marx.

Afin de lutter contre la propagande qui fait de lui le maître de la Commune, Marx écrit à Liebknecht, le 10 avril : « Tandis qu'en Allemagne le gouvernement de Bismarck [...] cherche, en France, à faire peser sur moi un soupçon (et, par moi, sur l'Internationale à Paris, car tel est le but de toute la manœuvre), à savoir que je suis un agent de M. Bismarck. La tentative est le fait d'éléments de l'ancienne police bonapartiste qui continuent – plus que jamais sous le régime Thiers – d'entretenir une liaison internationale avec la police de Stieber. Ainsi, j'ai été obligé de démentir dans le *Times* divers mensonges de *Paris-Journal*, du *Gaulois*, etc., car ces imbécillités étaient transmises par télégraphe aux feuilles anglaises. Le tout dernier vient du *Soir* (journal d'About, partisan bien connu de Plon-Plon), que la Commune vient tout récemment d'interdire. Du *Soir*, elle est passée dans toutes les feuilles réactionnaires de province. [...] Ce Stieber devient vraiment "terrible"[47] ! »

Marx prend maintenant parti pour la Commune, dans laquelle il commence à voir la réalisation de recommandations faites dans le livre qu'il a écrit vingt ans plus tôt sur *Le 18 Brumaire de Louis-Napoléon Bonaparte* ; lui qui, depuis le début des combats, s'était montré très réticent, pense désormais que la Commune pourrait devenir une toute première incarnation de ce qu'il avait alors appelé « dictature du prolétariat ».

Il écrit le 12 avril 1871 à Kugelmann : « Si tu relis le dernier chapitre de mon *18 Brumaire*, tu verras que j'affirme qu'à la prochaine tentative de révolution en France, il ne sera plus possible de faire passer d'une main dans l'autre la machine bureaucratico-militaire, mais qu'il faudra la briser, et que c'est là la condition préalable de toute révolution véritablement populaire sur le continent. C'est aussi ce qu'ont tenté nos héroïques camarades de parti de Paris[27]. »

En réalité, les Parisiens s'en tiennent à un certain formalisme démocratique, sans prendre en main les leviers de l'État. Le 16 avril, pour tenir compte de la démission de modérés et de l'exécution de Duval et Flourens, ils organisent des élections complémentaires qui voient élire Serrailler, délégué de Marx à Paris.

Le même jour, de Suisse où il s'est replié après sa déroute lyonnaise, Bakounine écrit sa joie à son ami Ogarev : « On est enfin sorti de la période de la "phrase" pour entrer dans celle de l'"action". Quelle que soit l'issue, ils sont en train de créer un fait historique immense. Et, pour le cas d'un échec, je ne désire que deux choses : 1° que les Versaillais n'arrivent à vaincre Paris qu'avec l'aide ouverte des Prussiens ; 2° que les Parisiens, en périssant, fassent périr avec eux la moitié au moins de Paris. Alors, malgré toutes les victoires militaires, la question sociale sera posée comme un fait énorme et indiscutable[70]. »

Le lendemain, Marx adresse à Kugelmann une autre missive enthousiaste : il pense que, quelle qu'en soit l'issue, les événements seront favorables à la classe ouvrière. Il salue avec lyrisme l'initiative révolutionnaire des masses « montant à l'assaut du ciel », et note qu'« il serait évidemment fort commode de faire l'Histoire si l'on ne devait engager la lutte qu'avec des chances infailliblement favorables [...]. La démoralisation de la classe ouvrière serait un malheur bien plus grand que la perte d'un nombre quelconque de "chefs". Grâce au combat livré par Paris, la lutte de la classe ouvrière contre la classe capitaliste et son État capitaliste est entrée dans une nouvelle phase. Mais, quelle qu'en soit l'issue, nous avons obtenu un nouveau point de départ d'une importance historique universelle[27] ».

Les Marx sont de plus en plus inquiets pour Laura et sa famille, dont ils sont encore sans nouvelles. Jennychen s'angoisse pour Longuet et pour Flourens, dont elle ne sait pas encore qu'il est mort. Karl apprend alors que les Lafargue avec leurs enfants sont arrivés à Bordeaux.

Jennychen et Eleanor décident d'y aller pour aider leur sœur et y arrivent le premier mai.

Le 10 mai, le traité de paix cédant l'Alsace et la Lorraine à la Prusse est signé à Francfort. Le 13, Marx répond à la lettre de Léon Franckel et Eugène Varlin. Il enrage de les voir ne pas prendre les mesures qui eussent permis de conserver le pouvoir : mettre la main sur l'or de la Banque de France et attaquer Versailles. La Commune, leur explique-t-il, ne doit pas perdre de temps à des querelles de personnes, mais doit prendre garde : la rumeur court à Londres qu'un accord secret passé avec les Prussiens donne aux Versaillais tous les moyens d'occuper Paris. Marx est pessimiste ; il commence à penser qu'une alliance des Parisiens avec la province n'est plus possible. La Commune est condamnée ; les papiers compromettants doivent être mis en sûreté... Sa lettre arrivera trop tard.

Car, comme Karl l'a prévu, Thiers ordonne de durcir le blocus et rejette toute tentative de médiation. Les batteries versaillaises bombardent de plus en plus intensément la capitale. Le Conseil général de l'Internationale charge alors Marx de rédiger une troisième *Adresse* pour établir la position de l'Internationale sur la situation. Il hésite. Malade, il ne peut se résoudre à écrire sur un sujet aussi tragique, qu'il maîtrise mal, alors que la situation sur place change très vite sans qu'il en soit informé, faute de journalistes libres disposant à Paris de moyens de communication rapides avec Londres.

Le 21 mai, 50 000 soldats versaillais pénètrent dans la capitale par la porte de Saint-Cloud ; les Fédérés reculent en incendiant les édifices publics, notamment les Tuileries et l'Hôtel de Ville. Les combats sont terribles. Le 27, la reconquête de Paris est terminée. Elle a fait 877 morts et 6 500 blessés du côté versaillais ; plus de 4 000 morts au combat du côté fédéré, auxquels il faut ajouter 17 000 Parisiens passés par les armes sans jugement, dont Eugène

Varlin, arrêté place Cadet ; 43 522 arrestations débouchent sur 13 450 condamnations, dont 270 à mort, 410 aux travaux forcés, 7 496 à la déportation.

Au même moment, dans la banlieue de Paris à feu et à sang, l'ébéniste belge Zénobe-Théophile Gramme poursuit imperturbablement ses travaux. Après avoir fabriqué la première dynamo à courant continu, point de départ de l'industrie électrique moderne, il dépose le brevet qui porte sur sa théorie de la « machine magnéto-électrique produisant des courants continus », fonde la Société des machines magnéto-électriques Gramme, et en présente le premier modèle, confectionné dans les ateliers de la maison Breguet, à l'Académie des sciences. L'électricité tant attendue et annoncée par Marx devient une réelle source d'énergie.

Quatre textes porteront la trace de la tragédie des communards. Victor Hugo écrit dans *L'Année terrible* : « Ah ! le piège est abject, la toile est misérable ; et rien n'arrêtera l'avenir vénérable. » Arthur Rimbaud enrage dans le *Chant de guerre parisien* : « Ô Mai ! quels délirants culs-nus ! [...] Thiers et Picard sont des Éros, / Des enleveurs d'héliotropes [...] Parmi les rouges froissements ! » *Le Temps des cerises*, de Jean-Baptiste Clément, celui qui a « tenu » la dernière barricade à l'angle de la rue de la Folie-Méricourt, devient l'hymne mémorial de la Commune. Enfin, un quatrième texte, celui que Marx écrit à ce moment, est une troisième adresse intitulée *La Guerre civile en France*, qui présente la Commune, « antithèse du Second Empire », comme la première tentative d'un « État nouveau ». Il l'a rédigée sans connaître dans le détail les conditions de la fin de l'insurrection, entièrement occupé qu'il était à chercher à obtenir des nouvelles de sa fille.

Le 30 mai, il lit cette adresse au Conseil général. Pour lui, c'est l'isolement de Paris et la trop brève durée de la Commune qui ont empêché les paysans de rallier la

« révolution prolétarienne », comme cela a été sa principale recommandation depuis 1848. Il reprend ses prédictions d'il y a vingt ans :

« Le paysan a été bonapartiste parce qu'il confondait la Grande Révolution et les avantages apportés par elle avec le nom de Napoléon. Sous le Second Empire, cette erreur avait presque complètement disparu. Ce préjugé de l'ancien temps n'aurait pas pu résister à l'appel de la Commune qui touchait aux intérêts vitaux, aux besoins immédiats des paysans. Messieurs les ruraux comprenaient parfaitement que si le Paris de la Commune communiquait librement avec les départements, l'ensemble de la paysannerie s'insurgerait au bout de quelque trois mois [...]. La Commune a été la représentation authentique de tous les éléments sains de la société française ; pour cette raison, elle a été réellement un gouvernement national [...]. C'était la première révolution où la classe ouvrière eût été reconnue seule capable d'une initiative sociale : elle a été reconnue comme telle par le tiers état de Paris – petits marchands, artisans, commerçants –, par tous, à l'exception des riches capitalistes. Cette masse, appartenant au tiers état, avait participé, en 1848, à l'écrasement de l'insurrection ouvrière, et, aussitôt après, sans le moindre scrupule, l'Assemblée constituante l'avait jetée en pâture à ses créanciers [...]. Cette masse avait l'intuition qu'il lui fallait maintenant choisir entre la Commune et l'Empire [...]. Après que la bande errante des anciens courtisans bonapartistes et des capitalistes eut fui de Paris, le véritable "parti de l'ordre" du tiers état, qui se nomma "Union républicaine", se rangea sous le drapeau de la Commune et défendit celle-ci contre les calomnies de Thiers[8]. »

Pour Marx, le gouvernement de la Commune a bel et bien été un gouvernement démocratiquement élu, et donc légitime : « La Commune était formée de conseillers municipaux élus dans les circonscriptions parisiennes au suffrage universel [...]. En supprimant ceux des organes de l'ancien pouvoir gouvernemental qui servaient seulement à opprimer le peuple, la Commune a dépouillé de ses fonctions légales le pouvoir qui prétendait se tenir au-dessus de la société et les a transmis aux serviteurs responsables de celle-ci [...]. Le peuple organisé en communes était désormais appelé à se servir du suffrage universel exactement comme n'importe quel employeur qui se sert de son droit individuel de choisir les ouvriers, les surveillants, les comptables pour ses entreprises[8]. »

Au total, pour Marx, la Commune donne la meilleure illustration de ce qu'il a appelé une « dictature du prolétariat », laquelle use de tous les pouvoirs que lui délègue le suffrage universel. Sans compter qu'elle ne se « contenta pas de prendre telle quelle la machine de l'État et de la faire fonctionner pour son propre compte[8] », mais qu'elle entreprit de la réformer après avoir été élue démocratiquement pour ce faire. Marx énumère les caractéristiques de ces réformes institutionnelles nécessaires à la transition vers le socialisme : la « suppression de l'armée permanente et son remplacement par le peuple en armes[8] », la suppression du corps des fonctionnaires et des institutions parlementaires, remplacés par « des ouvriers ou des représentants connus de la classe ouvrière [...] responsables et révocables à tout moment », assurant leur fonction « pour des salaires d'ouvriers » et constituant « un corps agissant, exécutif et législatif à la fois[8] ». La Commune dépouille aussi la Justice de sa « feinte indépendance » et commence à « briser l'outil spirituel de l'oppression » en s'attaquant à l'Église. Mais ce gouvernement-là a échoué à passer à l'étape suivante, le socialisme, parce qu'il n'a pas su gérer correctement cette dictature du prolétariat.

Marx formule alors pour la première fois le détail de sa conception de la transition du capitalisme à la société sans classe. Pour lui, elle doit se dérouler en quatre étapes : la phase « révolutionnaire et violente », pour dessaisir d'un coup la bourgeoisie de son autorité (comme lors de la prise de pouvoir des Parisiens) ; la « dictature du prolétariat » (c'est-à-dire la Commune), destinée à éviter les actions contre-révolutionnaires (c'est-à-dire celles des Versaillais) par des réformes radicales comme celles qu'il vient d'évoquer ; le « socialisme », pour relancer la production conformément au principe « à chacun selon son travail » ; enfin, le « communisme », qui permettra la distribution égalitaire des produits et la libre organisation des collectivités – « à chacun selon ses besoins ».

La Commune, conclut Marx, a échoué dans le passage de la deuxième à la troisième phase, mais elle a été la forme la plus accomplie de révolution prolétarienne ; elle va donc ouvrir d'autres foyers insurrectionnels en Europe. Karl termine par une petite manœuvre d'appareil : pour assurer la réussite de ces futures révolutions, pour passer de la dictature du prolétariat au socialisme, il faudra pouvoir s'appuyer sur une forte solidarité internationale, et, pour cela, conforter le Conseil général de l'Internationale et en écarter les anarchistes.

Ce texte est approuvé par la majorité de l'organisation, blanquistes et proudhoniens compris, ce qui précipite le départ des syndicalistes anglais, dont Odger, fondateur de l'Internationale, qui ne peut couvrir ce qu'il perçoit comme une apologie de la violence, dénoncée par toute la presse britannique, même si elle ne fut que légitime défense.

Les trois mille premiers exemplaires de l'édition anglaise de cette adresse sont écoulés en quinze jours, tout comme ceux des éditions allemande et française[105]. Cela restera le plus gros succès éditorial qu'aura connu Marx de son vivant ! Mais c'est un succès qui sent le soufre, car l'Internationale apparaît alors aux gouvernements de l'Europe entière comme la promotrice de la mise à bas des institutions en place et donc comme l'ennemi à abattre à tout prix, à l'instar de ceux qu'elle soutient. En France, elle est interdite par la République et ses membres sont exécutés, déportés ou bannis[105]. En Allemagne, Liebknecht et Bebel sont emprisonnés par Bismarck, et bien d'autres avec eux. En Russie, la répression est impitoyable. À Vienne, à Budapest, en Italie, en Belgique, les sections de l'Internationale sont étroitement surveillées et leurs marges d'action sévèrement restreintes.

Marx passe alors à travers toute l'Europe pour avoir été le principal inspirateur, l'organisateur même de cette Commune honnie que tous les pouvoirs en place présentent comme une sanglante dictature[277]. L'ambassadeur allemand à Londres prie une nouvelle fois les autorités britanniques de le traiter comme un criminel de droit commun, ce que le droit anglais – que Marx n'a pas enfreint – n'autorise pas[277]. Il doit néanmoins démentir les folles intentions qu'on lui prête[277] : abolir la royauté en Angleterre, supprimer la Chambre des lords...

Il accorde alors plusieurs interviews à des journaux américains. L'une est publiée par le *Woodhull & Claflin's Weekly*, un curieux journal baptisé du nom de deux sœurs, Tennessee Claflin et une Victoria Woodhull dont l'amant, Cornelius Vanderbilt, empereur des chemins de fer, finance la publication. Victoria se présentera d'ailleurs à l'élection présidentielle, l'année suivante, avec un journaliste noir, Frederick Douglass, comme colistier, en un temps où les femmes n'ont pas le droit de vote et où la ségrégation bat son plein ! Cette interview est un texte fort intéressant où Karl fait entendre sa voix mordante et où l'on voit déjà rassemblés tous les obstacles que doit affronter le journalisme moderne face à la propagande et à la rumeur. Quand le journaliste l'interroge sur le caractère secret de l'Internationale, Karl répond : « Il n'y a aucun mystère à éclaircir, sauf peut-être celui de la sottise humaine de ceux qui persistent à ne pas tenir compte du fait que notre association est publique, tout comme son action, et que ses débats sont consignés dans le détail dans des procès-verbaux que n'importe qui peut lire. Vous pouvez vous procurer nos statuts pour un penny, et si vous achetez pour un shilling de brochures, vous en saurez bientôt sur nous autant que nous-mêmes. » Il poursuit avec ironie : « L'insurrection pourrait tout aussi bien avoir été un complot de francs-maçons, car leur participation, en tant qu'individus, ne fut pas négligeable. Je ne serais pas surpris si le pape leur mettait toute l'insurrection sur le dos [...]. L'Internationale ne prétend pas dicter ses volontés en la matière : elle a déjà assez de peine à donner des conseils. [...] La classe ouvrière n'a rien à espérer d'une autre classe. C'est pourquoi il est absolument nécessaire qu'elle défende elle-même sa cause. »

Quand le journaliste lui demande ce qu'il pense de la presse, il répond : « Dans le journal belge *La Situation*, il est dit : "Le docteur Karl Marx, de l'Internationale, a été arrêté en Belgique alors qu'il cherchait à passer en France. Depuis longtemps, la police londonienne avait l'œil sur l'Association à laquelle il est rattaché, et prend en ce moment des mesures énergiques pour la supprimer." Deux phrases, deux mensonges ! Vous éprouverez la véracité de la première grâce au témoignage de vos sens : constatez que je ne suis point dans une prison belge, mais bien à mon domicile, en Angleterre. D'autre part, vous n'êtes pas sans savoir que la police anglaise a aussi peu le pouvoir de se mêler des affaires de l'Internationale que notre Association en a de se mêler des affaires de la police. Et pourtant, une chose est sûre : ce rapport fera le tour de la presse du continent sans recevoir le moindre démenti, et il irait son chemin quand bien même je m'aviserais d'envoyer d'ici, à chacun des journaux d'Europe, une lettre circulaire. » Décidément, les choses n'ont pas beaucoup changé depuis cette époque…

Le 3 juillet, répondant à d'autres questions qui émanent d'un autre journal américain, le *New York World*, Marx déclare : « La bourgeoisie anglaise s'est toujours montrée prête à accepter le verdict de la majorité aussi longtemps que les élections assurent son monopole. Mais soyez sûr que nous aurons affaire à une nouvelle guerre de Sécession dès qu'elle sera en minorité sur des questions qui soient pour elle d'importance vitale. » Quand le journaliste l'interroge sur les formes, démocratiques ou violentes, que doit prendre la conquête du pouvoir, il répond que la révolution est inutile en situation démocratique ; qu'ailleurs, elle dépend de ce que décide la classe ouvrière, et elle seule, du pays considéré : « En Angleterre, par exemple, la voie qui mène au pouvoir politique est ouverte à la classe ouvrière. Une insurrection serait folie là où l'agitation pacifique peut tout accomplir avec promptitude et sûreté. La France possède cent lois de répression ; un antagonisme mortel oppose les classes, et on ne voit pas comment échapper à cette solution violente qu'est la guerre sociale. Le choix de cette solution regarde la classe ouvrière de ce pays. » Plus tard, bien peu des partisans de Marx retiendront qu'il a recommandé d'employer, là où c'est possible, la voie démocratique pour conquérir le pouvoir. Jamais, il est vrai, il ne dit que ce pouvoir devra être rendu s'il est perdu par les urnes…

Quand l'Internationale est accusée en France, par la presse, d'intelligence avec l'ennemi prussien, Marx répond, le 10 août 1871, par un long plaidoyer visant à établir la neutralité de l'organisation dans la guerre :

« Dans sa première adresse du 23 juillet 1870, le Conseil général déclarait que la guerre n'était pas faite par le peuple français, mais par l'Empire, et qu'au fond Bismarck en était tout aussi responsable que Bonaparte.

En même temps, le Conseil général appelait les ouvriers allemands à ne pas permettre au gouvernement prussien de transformer la guerre de défense en guerre de conquête. La seconde adresse du 9 septembre 1870 (cinq jours après la proclamation de la République) condamne très fermement les visées de conquête du gouvernement prussien. Cet appel invite les ouvriers allemands et anglais à prendre parti pour la République française. De fait, les ouvriers appartenant à l'Association internationale s'opposèrent en Allemagne avec une telle énergie à la politique de Bismarck qu'il fit arrêter illégalement les principaux représentants allemands de l'Internationale sous la mensongère accusation de "conspiration" avec l'ennemi, et les fit jeter dans des forteresses prussiennes. [...] Le gouvernement français ignore-t-il aujourd'hui que l'Internationale a fourni son soutien à la France au cours de la guerre ? Absolument pas. Le consul de M. Jules Favre à Vienne, M. Lefaivre, commit l'indiscrétion – au nom du gouvernement français – de publier une lettre de remerciement à MM. Liebknecht et Bebel, les deux représentants de l'Internationale au Reichstag allemand. Cette lettre figure dans les pièces du procès pour haute trahison que le gouvernement saxon, sous la pression de Bismarck, a intenté contre Liebknecht et Bebel, procès qui est encore actuellement en cours. [...] Au moment même où d'infâmes journaux me dénonçaient à Thiers comme agent de Bismarck, ce même Bismarck emprisonnait mes amis pour haute trahison envers l'Allemagne et donnait l'ordre de me faire arrêter sitôt que je mettrais les pieds en Allemagne. Tout cela prouve que le gouvernement français lui-même considérait l'Internationale comme l'alliée de la République française contre les conquérants prussiens ; et, de fait, c'était la seule alliée de la France pendant la guerre. Salutations fraternelles[47]. »

Karl commence aussi à s'occuper des réfugiés français qui affluent en masse à Londres. Les plus importants des survivants, comme Vaillant, Randier ou Vésinier, qui ont miraculeusement échappé aux balles versaillaises, sont admis au Conseil général de l'Internationale. Beaucoup sont aidés par le Comité d'aide aux réfugiés. Jenny, Eleanor et les Lafargue sont à Bordeaux, dans la famille de Paul, avec leurs deux enfants dont le plus jeune, un fils, né en janvier, meurt le 26 juillet 1871. C'est le deuxième enfant que perd Laura. Ne lui reste que le petit « Fouchtra », dit aussi « Schnaps », malade aussi.

Pas de nouvelles de Longuet. Lafargue apprend à Jennychen et à Eleanor la mort de Flourens. La première porte encore sur elle une lettre du fusillé.

Les trois sœurs Marx, « Schnaps » et Paul Lafargue fuient pour se cacher à Luchon, où l'air est meilleur pour la tuberculose de l'enfant. Là, un policier vient les aviser que Lafargue a été dénoncé et qu'il va bientôt être arrêté. Les Lafargue passent alors en Espagne (Paul a un passeport espagnol) avec leur fils où ils sont arrêtés à Huesca, puis libérés le 21 août, tandis que les deux autres sœurs repartent à Londres. Sur la route du retour, Jennychen et Eleanor sont arrêtées, fouillées, retenues plusieurs jours et interrogées durement par le procureur de la République de Toulouse, le juge de paix et le préfet, un certain comte de Keratry. Jenny porte sur elle la lettre de Flourens qui ne l'a jamais quittée et qui aurait suffi à l'envoyer au bagne si elle avait été découverte.

L'Internationale se désagrège. Elle ne compte plus alors que 385 membres, dont 254 en Angleterre. Le secrétaire général en est toujours le vieux Georg Eccarius, payé 15 shillings par semaine – et encore, pas régulièrement. Aussi, pour survivre, monnaie-t-il maintenant des informations à la presse sur les activités de l'organisation, ce qui suscite l'indignation générale. Comme il est encore une fois impossible de réunir un congrès, Karl convoque le 8 septembre une « conférence préparatoire » à Londres. Il s'y allie aux blanquistes et propose, comme il l'a dit un peu plus tôt aux journalistes américains, de sortir de la clandestinité et, dans tout pays où cela se révèle possible, de substituer aux sociétés secrètes chères aux anarchistes des « partis communistes » qui devront tenter de s'emparer légalement du pouvoir. Il enjoint en particulier aux « Jurassiens », c'est-à-dire à Bakounine, de rentrer dans le rang. Cette confirmation de son légalisme et de son refus de la révolution violente en démocratie est acceptée par les dirigeants de l'Internationale.

La social-démocratie est née. Cette réunion de Londres restera dans l'Histoire comme le moment où, à l'initiative de Marx et contre l'air du temps, le mouvement socialiste choisit clairement la voie parlementaire, même s'il ne dit pas encore aussi clairement que le pouvoir acquis par les urnes peut être aussi perdu par les urnes.

Le 12 novembre 1871, Bakounine réclame à nouveau la convocation d'un congrès « pour maintenir le principe de l'autonomie des sections et faire rentrer le Conseil général dans son rôle normal, celui d'un simple bureau de correspondance et de statistique ».

Au même moment, Thiers devient chef du pouvoir exécutif sans que cela préjuge de la forme future du gouvernement et Zola publie *La Fortune des Rougon*.

À l'occasion du septième anniversaire de la fondation à Londres de l'Association internationale des travailleurs, Marx prononce un discours qui traduit bien son état d'esprit ; en voici la teneur, consignée par un correspondant du même journal américain : « Parlant de l'Internationale, il dit que le grand succès qui avait jusqu'alors couronné ses efforts était dû à des circonstances sur lesquelles les membres eux-mêmes ne possédaient aucun pouvoir. [...] Sa tâche était d'organiser les forces de la classe ouvrière, d'unir et d'harmoniser les divers mouvements ouvriers. Les circonstances qui avaient si grandement aidé à développer l'Association étaient les conditions sous lesquelles les travailleurs étaient de plus en plus opprimés à travers le monde. C'était là le secret du succès... » Autrement dit, le martyre qu'elle vient d'endurer aidera au développement de l'Internationale.

En fait, Marx n'en croit pas un mot : à ses yeux, l'Internationale a fait son temps. Il va bientôt en tirer les conséquences.

Le 21 octobre, Engels, qui a vécu les événements de Londres aux côtés de Marx tout en enrageant de ne pouvoir aller se battre et mourir sur les barricades parisiennes, écrit à sa mère, sa confidente, à Barmen, une lettre magnifique qui résume très bien le climat du moment et clôt cette dramatique période :

« Chère mère, si je ne t'ai rien écrit depuis si longtemps, c'est que je désirais répondre à tes observations sur mon activité politique d'une façon qui ne te froissât point. Et puis, quand je lisais cette avalanche de mensonges outrageants dans la *Kölner Zeitung*, en particulier les abjections de ce gueux de Wochenhusen, quand je voyais ces mêmes gens qui, pendant toute la guerre, ne voyaient que mensonge dans toute la presse française, claironner en Allemagne, comme vérité d'évangile, toute invention policière, toute calomnie de la feuille de chou la plus vénale de Paris contre la Commune, cela ne me mettait guère en disposition de t'écrire. Des quelques otages qui ont été fusillés à la mode prussienne, des quelques palais qui ont été brûlés à l'exemple prussien, on fait grand bruit, car tout le reste est mensonge. Mais les 40 000 hommes, femmes et enfants que les Versaillais ont massacrés à la mitrailleuse après le désarmement, cela, personne n'en parle ! Pourtant, vous ne pouvez pas savoir tout cela, vous en êtes réduits à la *Kölner Zeitung* et à l'*Elberfelder*

Zeitung, les mensonges vous sont littéralement administrés. Pourtant, tu as déjà assez entendu traiter des gens de cannibales, dans ta vie : les gens du Tugenbud sous le vieux Napoléon, les démagogues de 1817 et de 1831, les gens de 1848, et, après, il s'est toujours trouvé qu'ils n'étaient pas si mauvais et qu'une rage intéressée de persécution leur avait mis sur le dos, dès le début, toutes ces histoires de brigands qui ont toujours fini par s'envoler en fumée. J'espère, chère mère, que tu t'en souviendras, et que tu appliqueras cela aussi aux gens de 1871 quand tu liras dans le journal ces infamies imaginaires. Tu sais que je n'ai rien changé de mes opinions depuis bientôt trente ans. Et ça ne doit pas être non plus une surprise pour toi que, sitôt que les événements m'y forcent, non seulement je les défende, mais aussi je fasse mon devoir. Si Marx n'était pas là, ou n'existait pas, ça n'aurait rien changé du tout. Il est donc très injuste de lui mettre cela sur le dos. Je me rappelle évidemment aussi qu'autrefois la famille de Marx prétendait que c'était moi qui l'avais perverti. Mais assez là-dessus. Il n'y a rien à changer à cela et il faut s'y faire. Qu'il y ait du calme pendant quelque temps et, de toute façon, la clameur s'assourdira, et toi-même tu envisageras l'affaire plus tranquillement. De tout mon cœur, ton Friedrich[113]. »

CHAPITRE VI

Dernières batailles

(décembre 1871-mars 1883)

Karl semble toucher au but ; il a cinquante-quatre ans. Alors que les grondements de la Commune résonnent encore en Europe, il est soudain devenu mondialement célèbre. Considéré par les journaux comme tout-puissant, il est à la tête de la seule organisation politique multinationale ; des partis ou des groupes secrets se recommandant de lui voient le jour en Allemagne, en France, en Grande-Bretagne, en Italie, aux États-Unis et en Russie. Sa dernière *Adresse à l'Internationale*, écrite à la fin de la Commune, a été reprise par toute la presse occidentale et les journalistes du monde entier se précipitent pour l'interroger. Le *Manifeste du parti communiste*, lu par des centaines de milliers d'ouvriers et d'étudiants allemands, est en train d'être traduit en français, en russe, en anglais, tout comme l'est son livre phare, *Le Capital*, qui commence à attirer le regard des universitaires, des hommes politiques, des révolutionnaires. Il dispose enfin de revenus suffisants pour vivre et faire vivre décemment sa femme et ses filles, avec qui il forme une famille très unie, contrairement à tous les ragots qui circulent.

Pourtant, il n'est ni heureux ni serein : malade, souffrant parfois le martyre, jamais remis de la perte de trois de ses enfants, surveillé, espionné, harcelé par des adversaires venus autant de la droite que de son propre camp, criblé de critiques et de calomnies par une presse qui ne parle de lui que comme du diable, conscient des lacunes de son œuvre et de la difficulté qu'il aura à la parachever, comprenant qu'elle n'intéresse qu'en raison de l'influence politique qu'on lui prête, dénigré par l'université allemande dont il aurait tant voulu faire partie, pressentant que le capitalisme, associé à l'État-providence, pourrait se révéler capable d'améliorer assez le niveau de vie des ouvriers pour qu'ils refusent le communisme, il est tenté de tout interrompre dans une sorte de suicide intellectuel, politique et physique. Il est fatigué de tout ; exactement comme l'était quelques années plus tôt un autre grand observateur de son temps aux vues très différentes, Alexis de Tocqueville, fatigué de « prendre successivement pour le rivage des vapeurs trompeuses et [de se] demander souvent si cette terre ferme que nous cherchons depuis si longtemps existe en effet, ou si notre destinée n'est pas plutôt de battre éternellement la mer[269] ».

De fait, la première victime politique des événements de 1870 et 1871, c'est l'Internationale : nombre des survivants sont proscrits après les massacres parisiens et les répressions allemande, autrichienne et russe. Quant aux autres, ils tentent d'entrer dans le jeu démocratique comme l'ont fait avant eux les dirigeants des trade-unions anglais. Rares sont ceux qui veulent encore changer radicalement la société. Et, parmi eux, plus rares encore ceux qui, comme lui, aspirent à faire la révolution par la voie électorale, là où c'est possible.

En cette fin de 1871, la première priorité pour Karl est de trouver un abri et un emploi à ceux des communards qui débarquent à Londres, en butte à la haine de tous : même ses amis de la gauche britannique les considèrent comme des monstres sanguinaires. Le 21 décembre, dans une lettre aux Kugelmann, Jennychen, tout juste rentrée à Londres avec Eleanor de leur périple français après avoir laissé Laura à la frontière espagnole, résume ainsi les rebuffades qu'elle essuie quand elle cherche des soutiens pour les réfugiés : « Pendant toutes ces trois dernières semaines, j'ai couru d'une banlieue de Londres à une autre (et ce n'est pas une mince entreprise que de traverser toute cette immense cité) et j'ai ensuite écrit des lettres souvent jusqu'à une heure du matin. Le but de ces déplacements et de ces lettres, c'est trouver de l'argent pour les réfugiés. Jusqu'ici, tous nos efforts n'ont guère été fructueux. Les calomnies écœurantes d'une presse vénale et éhontée ont insufflé aux Anglais tant de préjugés contre les communards qu'ils sont considérés en général avec un dégoût non dissimulé. Les entrepreneurs ne veulent rien avoir affaire avec nous. Les hommes qui ont réussi à décrocher un emploi sous un nom d'emprunt sont congédiés sitôt que l'on découvre leur identité. Le pauvre M. et la pauvre Mme Serrailler [représentant de Marx à Paris, élu à la direction de la Commune à la mort de Flourens], par exemple, avaient trouvé du travail comme professeurs de français. Mais, il y a quelques jours, on les a informés de ce qu'on n'avait plus besoin des services d'un ex-membre de la Commune et de sa femme. Je puis parler de cela par expérience personnelle. Les Monroe [des amis anglais des Marx, membres des mouvements de gauche], par exemple, ont rompu toute relation avec moi parce qu'ils ont fait l'horrible découverte que j'étais la fille du "pétroleur en chef" qui défend ce maudit mouvement de la Commune[49]... »

De fait, Marx est devenu la référence majeure des ultimes survivants parmi les révoltés. Ses œuvres sortent enfin du ghetto dans lequel les enfermait la langue allemande. En décembre 1871 paraît à New York la première traduction anglaise du *Manifeste* dans le *Woodhull and Claflin's,* ce journal bizarre auquel il vient d'accorder une interview[273]. Un mois plus tard, toujours à New York, dans *Le Socialiste* – hebdomadaire publié par des immigrés français, successeur du *Bulletin* de l'Union républicaine de langue française (association fondée par deux anciens disciples de Cabet réfugiés avec lui trente ans plus tôt en Amérique, Mercadier et Loiseau) – paraît la première traduction française du *Manifeste.* Elle est faite non à partir de l'original allemand, mais de la traduction anglaise parue un mois plus tôt dans la même ville[273].

Marx est alors si unanimement reconnu comme le maître à penser de la gauche mondiale que Bakounine lui-même doit concéder, le 23 janvier 1872, devant la section de Suisse romande de l'Internationale : « Marx est le premier savant économiste et socialiste de nos jours. J'ai rencontré beaucoup de savants dans ma vie, mais je n'en connais pas d'aussi savant ni d'aussi profond que lui [...]. C'est Marx qui a rédigé les considérants, si profonds et si beaux, des statuts généraux, et qui a donné corps aux aspirations instinctives, unanimes du prolétariat de presque tous les pays de l'Europe, en concevant l'idée et en proposant l'institution de l'Internationale[70]. »

En cette année 1872, l'économie mondiale repart ; la côte Est des États-Unis en devient le cœur à la place de Londres. L'industrie de la machine-outil se développe. Le moteur électrique commence à poindre[66]. Après une grève ouvrière de six semaines à New York, la journée de huit heures devient la loi, inappliquée, aux États-Unis. Cette année-là, à Londres, un ami de la famille Marx, l'écrivain Samuel Butler, publie son utopie, *De l'autre côté des montagnes, ou Erewhon*[83], qui marque beaucoup Karl par sa description d'un monde où le traitement de la maladie et celui du crime seraient inversés. Même s'il a toute sa vie cherché à remplacer le socialisme utopique par une doctrine scientifique, il est conscient de l'importance de la description d'une société idéale, ce qu'il n'a pourtant jamais voulu faire. À la même époque, Cézanne et Pissarro travaillent à Auvers-sur-Oise, vole le premier dirigeable à hélice, et Jules Verne publie *Le Tour du monde en 80 jours* : la mondialisation poursuit sa marche.

C'est alors que l'éditeur français d'Eugène Sue, Maurice La Châtre, condamné par contumace à vingt ans de réclusion pour sa participation à la Commune, reprend, en Espagne puis en Belgique, le projet de traduire en français *Le Capital*. Le premier à l'avoir envisagé, Élie Reclus, rencontré par Marx, on l'a vu, à Paris en 1869, vient d'y renoncer pour aller travailler en Suisse avec son frère Élisée, le futur célèbre géographe, à la Fédération jurassienne de Bakounine. Comme l'argent manque, le nouvel éditeur propose à Marx de publier son livre en plusieurs fascicules, moyennant des droits d'auteur dérisoires. Le 18 mars 1872, celui-ci lui donne son accord : « Sous cette forme, l'ouvrage sera plus accessible à la classe ouvrière et, pour moi, cette considération l'emporte sur toute autre. » Karl consacre alors l'essentiel de son temps à récrire le livre I, ajoutant, rayant, récrivant sous prétexte de travailler à la version française, grognant contre tous les traducteurs proposés, « des incapables qui lui font perdre son temps ; [il irait] plus vite en le faisant lui-même ». Et, à dire vrai, il le fait lui-même dans son français approximatif.

Il ne voit plus d'où pourrait jaillir l'étincelle qui déclencherait la révolution mondiale. Il n'a jamais cru qu'elle viendrait d'Angleterre, même si c'est encore un centre du capitalisme et le refuge des grandes figures du mouvement international. Y affluent alors les Russes Kropotkine et Stepniak, l'Italien Malatesta, l'Autrichien Max Nettlau, l'Allemand Rudolf Rocker et des survivants français de la Commune tels que Vaillant, Serrailler et Franckel ; le quartier de Soho, le plus pauvre de la ville, où Marx vécut pendant six ans, est même surnommé à présent « la Petite France ».

La France, elle, est pour longtemps hors du jeu politique après les massacres de mai 1871 ; de fait, le 3 mai 1872, un premier groupe de communards condamnés est déporté en Nouvelle-Calédonie ; d'autres partent en Algérie rejoindre un grand nombre d'Alsaciens-Lorrains désireux de rester français. Pour leur attribuer un champ, l'armée saisit les propriétés d'Algériens sous le prétexte plus ou moins justifié de leur participation à des insurrections.

Quant à la Russie, elle ne peut être non plus, selon Marx, le pays où se déclenchera la révolution, puisqu'elle reste un État féodal, géré d'une main de fer par Alexandre II depuis que se multiplient les attentats ; Karl a toujours pensé et écrit que le socialisme viendrait après le capitalisme et non à sa place ; or l'avancée du capitalisme reste dérisoire en Russie. Au surplus, les forces révolutionnaires y sont pour l'essentiel composées d'anarchistes et de populistes qui ne comprennent rien à son travail et pour qui le capitalisme comme le socialisme sont des perversions occidentales ; les *narodniki* (populistes), en particulier, réfutent ses thèses comme émanant de pays « païens ». C'est pourtant en russe que paraît, en avril 1872, la première traduction étrangère du *Capital,* faite à marche forcée par deux Russes émigrés à Londres, Lopatine et Danielson (que Karl apprécie particulièrement, bien que ce dernier ait été au départ un *narodnik*). Tiré à trois mille exemplaires, le livre est autorisé en Russie : le censeur tsariste qui donne son imprimatur, Skouratov, écrit : « Bien que les convictions politiques de l'auteur soient exclusivement socialistes, et que le livre tout entier soit clairement de nature socialiste, sa conception n'en fait assurément pas un livre accessible à tous ; de plus, son style est strictement mathématique et scientifique ; aussi le comité déclare-t-il le livre exempt de toute poursuite. » Il ajoute : « Peu de personnes le liront en Russie. Moins encore le comprendront. » Le 28 mai 1872, Marx, qui lit encore mal le russe, félicite Danielson : « La traduction est faite de main de maître. » Neuf cents exemplaires sont vendus dès le premier mois, ce qui est appréciable mais ne constitue certes pas un succès de masse.

Reste l'Allemagne, où Karl place encore un espoir dans le parti de Liebknecht et Bebel, dit « parti d'Eisenach », à condition qu'ils refusent de collaborer avec les héritiers de Lassalle, fascinés, comme l'était le jeune et brillant avocat, par le pouvoir d'État.

Au sein de l'Internationale devenue squelettique, la lutte pour le pouvoir est d'autant plus intense que les enjeux y sont devenus infimes. Karl est convaincu que Bakounine, qui se prétend toujours anarchiste, veut en réalité se servir de ce qui reste du mouvement pour organiser partout la « reconstitution de tous les éléments de l'État autoritaire sous le nom de "communes révolutionnaires"[46] », écrit-il alors à Engels. Dans une formule marquante, il s'inquiète même de voir l'anarchiste russe s'efforcer de faire de « l'organe exécutif un état-major révolutionnaire formé par une minorité [...] dont l'unité de pensée et d'action ne signifie rien d'autre qu'orthodoxie et obéissance aveugle. *Perinde ac cadaver* : nous sommes en pleine Compagnie de Jésus[46] ! » Pas de meilleur réquisitoire contre le « parti unique » qui sera construit plus tard – en Russie, justement – en son nom, et dont il ne se dira jamais partisan. Jamais même il ne soutiendra le concept de parti d'avant-garde, d'élite minoritaire, qui fera tant de mal après lui. Marx pense que l'action efficace passe par un parti de masse, dans un contexte parlementaire partout où c'est possible.

Pas question pour lui, donc, d'abandonner l'Internationale entre de telles mains. En juin 1872, dans une nouvelle adresse du Conseil général *(Les Prétendues Scissions dans l'Internationale)*[3], il accuse encore une fois Bakounine de vouloir diviser le mouvement ouvrier.

Mais il a aussi d'autres préoccupations, car l'été 1872 est marqué par la conjugaison de trois événements familiaux importants, tous liés de près à la Commune : ses trois filles sont éprises de trois Français, trois journalistes, trois communards, trois miraculés des massacres du Père-Lachaise.

Laura est encore en Espagne à l'été 1872 ; elle et son mari, Paul Lafargue, y animent le combat des révolutionnaires espagnols pourchassés par un pouvoir terrifié par ce que les autorités françaises disent de la Commune ; ce combat aboutira bientôt à la création, avec Pablo Iglesias, du Parti ouvrier espagnol.

Jennychen retrouve au même moment, parmi les réfugiés de la Commune dont elle s'occupe, Charles Longuet, ce journaliste que Paul Lafargue lui avait présenté cinq ans plutôt. Directeur de *La Rive gauche*, devenue une sorte de journal officiel de la Commune, ayant échappé aux balles qui ont tué Flourens – l'autre amour de Jennychen – Longuet vient de se réfugier à Londres et poursuit une cour assidue auprès d'elle. Ils se fiancent.

Eleanor, enfin, tombe elle aussi amoureuse d'un communard, le quatrième dans la famille : le comte Prosper Olivier Lissagaray. Militant républicain très actif sous l'Empire, commissaire de guerre à Toulouse et chef d'escadron dans l'armée de Chanzy, journaliste et combattant sous la Commune, il a renoncé à son titre et publie sous les obus six numéros de *L'Action*, puis du *Tribun du peuple*. Réchappé lui aussi des balles des Versaillais, puis réfugié à Londres, il vient, en cet été 1872, rendre visite à Marx pour lui expliquer que l'œuvre de sa vie sera de raconter l'histoire des soixante-douze jours de la Commune, de témoigner aux yeux de l'Histoire sur cet épouvantable massacre, caricaturé selon lui par la presse et les récits officiels ; il enquêtera, explique-t-il, auprès de tous les survivants, à Londres, en Suisse, partout où il pourra trouver des proscrits, et il consultera tous les documents qu'il pourra mettre au jour. Il veut laisser une trace en tant que journaliste, historien et acteur : établir l'authentique récit de cette horrible tuerie de résistants par un gouvernement réactionnaire et défaitiste. Car les journées de mai, dit-il, « n'ont été jusqu'à présent racontées que par les vainqueurs[177] ». Il montre à Karl le journal qu'il a tenu pendant les événements : *Les Huit Journées de mai derrière les barricades* ; il entend terminer son livre par : « La dernière barricade des journées de mai est rue Ramponeau. Pendant un quart d'heure, un seul fédéré la défend. Trois fois il casse la hampe du drapeau versaillais. Pour prix de son courage, le dernier soldat de la Commune réussit à s'échapper[177]. » Ce dernier combattant anonyme, c'est Lissagaray lui-même, qui a échappé, par un incroyable concours de circonstances, aux derniers massacres, tout comme Longuet et Lafargue.

Karl est séduit. L'homme est calme, fort et précis. Il comprend certes que « Lissa » est trop indépendant, trop proche des anarchistes pour devenir un de ses fidèles ; mais il pense que le « comte rouge » est à même d'écrire un de ces témoignages sans lesquels aucune théorie sociale ne vaut ; et Karl est certain d'y trouver la confirmation de sa propre théorie sur la Commune telle qu'il l'a exposée dans son dernier texte, la troisième *Adresse*. Il y voit aussi – et peut-être surtout – une occasion de rétablir la vérité contre une propagande qui le vise, lui, au premier rang, le désignant alternativement comme un agent prussien ou comme le chef clandestin de la Commune. Cette vérité, il veut la voir publier au plus tôt, non seulement en français, mais aussi en allemand et en anglais. Aussi propose-t-il à Lissagaray, ébahi, de superviser lui-même la traduction allemande de son futur livre, et d'en confier la traduction anglaise à sa cadette, Eleanor, totalement bilingue. Les deux traductions, dit-il, seront faites en même temps qu'avancera l'écriture du manuscrit. Eleanor n'a alors que dix-sept ans ; avec son air de garçon manqué, elle est moins jolie que Laura, mais plus que Jennychen. Elle est encore élève au collège de leur quartier, celui de South Hampstead, où elle se passionne pour le théâtre et la politique. Rebelle en tout, elle est aussi la seule dans la famille à s'intéresser au judaïsme dont elle commence à se revendiquer « pour retrouver ses racines », au grand dam de sa mère restée une athée particulièrement déterminée. Son père – tout aussi athée – est attendri par tout ce que fait sa fille cadette qui lui rappelle tant son fils Edgar

Ravi de l'offre, Lissagaray se met au travail avec le père et la fille, chez Karl. Mais, très vite, Eleanor tombe passionnément amoureuse de « Lissa », qui ne la décourage pas. Karl est hostile à cette relation : Lissagaray a le double de l'âge d'Eleanor. « Pour le bien de l'enfant, je dois agir avec beaucoup de précautions et de vigilance », écrit-il à Engels. Sans compter que « le Basque flamboyant », comme l'appelle Karl, a la réputation d'un séducteur.

Puis Marx est repris par l'action politique : à l'approche du début du mois de septembre, date à laquelle se tient tous les ans le congrès de l'Internationale, la situation se tend, à Londres, entre Bakounine et lui.

Le lieu de la réunion est un premier sujet de friction : les fédérations proches du chef anarchiste – les « Jurassiens » – souhaitent que le congrès se tienne en Suisse où ils se sentent en terrain conquis, ce que les autres refusent par crainte d'« influences locales néfastes ». Le congrès se tient finalement à La Haye, un des rares lieux du continent encore ouverts à la gauche. Les « Jurassiens » y mandatent deux des leurs pour présenter leur motion, avec pour consigne de se retirer si elle n'est pas majoritaire.

Karl sent bien que c'est là un congrès capital : malgré tout son rayonnement, et sans doute à cause de lui, l'Internationale agonise. Beaucoup de ses dirigeants sont morts sous les balles des Versaillais ; la plupart des autres sont en prison en divers pays d'Europe – y compris ses meilleurs amis, Liebknecht et Bebel, en Allemagne pour avoir dénoncé l'expansionnisme prussien. De fait, cinquante-six délégués seulement sont annoncés. Quelques jours avant l'ouverture, Karl écrit à Kugelmann qui va s'y rendre comme délégué allemand : « Il y va de la vie ou de la mort de l'Internationale[27]. » Et pour la première fois depuis la création de l'organisation, Marx décide d'y assister. Il y retrouve Paul Lafargue, délégué pour l'Espagne et le Portugal, qui, en route pour revenir vivre à Londres, arrive à La Haye avec sa femme, et sans doute leurs enfants, le 1er septembre, ce qu'établissent les registres de police et d'hôtel qui parlent de la présence de « Karl Marx et sa femme avec leur fille Laura et son mari Paul Lafargue[146] ». Peut-être est-ce aussi pour Karl une occasion d'aller, non loin de La Haye, revoir deux de ses sœurs, sa tante Philips et la chère cousine Nanette, devenue une militante de l'Internationale ? Peut-être est-ce aussi pour cette raison que Jenny a tenu à l'accompagner ?

Dès le début du congrès – suivi par quelques journalistes –, Bakounine demande l'annulation des décisions de la réunion de Londres de l'année précédente recommandant aux membres de l'Internationale de suivre la voie démocratique. Pour Bakounine, seule la révolution fait sens, où qu'elle éclate. L'anarchiste russe propose aussi une nouvelle fois de retirer au Conseil général l'essentiel de ses prérogatives pour les confier aux fédérations nationales. Marx, en retour, accuse Bakounine de « noyauter » l'Internationale pour renverser « les représentants légitimes des travailleurs au Conseil général ». Après trois jours d'âpres discussions, on vote. Soutenu par les derniers dirigeants communards venus de Londres, Franckel et Vaillant, Karl obtient d'abord confirmation de la doctrine fixée à Londres : la conquête du pouvoir se fera par voie parlementaire partout où ce sera possible ; il faut donc se constituer en parti et aller aux élections sous sa propre bannière, sans alliance avec les partis bourgeois ou libéraux. L'article 7 des statuts de l'Internationale est ainsi modifié : « Dans sa lutte contre le pouvoir collectif des classes possédantes, le prolétariat ne peut agir comme classe qu'en se constituant lui-même en parti politique distinct, opposé à tous les anciens partis formés par les classes possédantes[164]. » Les prérogatives du Conseil général sont par ailleurs maintenues. Les anarchistes ne se retirent pas pour autant et enlisent les débats dans d'interminables discussions de procédure.

Une fois de plus, Karl n'apprécie guère ses propres victoires. Lassé des scissions, épuisé par les efforts que, depuis sept ans, les réunions au moins hebdomadaires de l'Autorité centrale exigent de lui, désireux de finir les deux tomes manquants du *Capital,* ce grand œuvre qu'il sent lui échapper, il comprend que l'Internationale a fait son temps. Pourtant il ne s'imagine pas un seul instant laisser ce qu'il en reste entre les mains d'un autre, surtout pas dans celles d'un anarchiste. Aussi décide-t-il à la fois de la mettre en sommeil et de discréditer Bakounine pour qu'il ne puisse s'en emparer. Et, comme toujours, quand il agit, c'est par une action-éclair.

Peu avant la clôture du congrès, à la surprise générale, il décoche deux flèches mortelles : l'une contre l'Internationale elle-même, l'autre contre Bakounine.

D'abord, alors que l'assemblée s'apprête à voter, pour la huitième année consécutive, le maintien du siège de l'Internationale à Londres, Engels propose, dans un discours stupéfiant, écrit pour une large part par Marx – qui est dans la salle –, de le déplacer... à New York ! Même si le cœur du monde capitaliste bascule à ce moment de l'autre côté de l'Atlantique, ce n'est pas le cas du mouvement communiste qui n'a presque aucune réalité parmi la classe ouvrière des États-Unis. Chacun comprend dans la salle qu'un tel déménagement serait, *de facto*, l'arrêt de mort de l'Internationale et qu'on aurait « tout aussi bien pu la transférer sur la Lune », comme le chuchote l'un des participants. Même les amis de Karl hésitent devant cette proposition : pourquoi tient-il à détruire l'Internationale alors qu'il vient de faire voter le maintien de son rôle central ? Beaucoup refusent de le suivre. Il doit les prendre un à un, avec Friedrich, pour les convaincre. Sa motion n'est finalement adoptée que tard dans la nuit, par vingt-six voix contre vingt-trois et six abstentions. Karl fait alors nommer à la tête du nouveau secrétariat un de ses fidèles, Friedrich Albert Sorge, rencontré à Cologne en 1849 : un charmant… professeur de musique !

Mais il n'entend pas que l'éloignement du secrétariat profite à Bakounine. Aussi, au lendemain même de ce vote, le dernier jour du congrès, il révèle théâtralement, en séance, que Bakounine avait signé en 1869 un contrat en vue de traduire *Le Capital* en langue russe pour 300 roubles, et qu'il a gardé l'avance payée par l'éditeur sans effectuer la traduction[277]. Ce ne serait là qu'un péché véniel, commis de tout temps par maints auteurs, si Bakounine ne l'avait perpétré en menaçant de mort ledit éditeur ! Karl montre en effet au congrès une lettre signée par Netchaïev, collaborateur de Bakounine, adressée à Lioubavine, intermédiaire entre Bakounine et l'éditeur, menaçant ce dernier très explicitement de mort, au nom d'un « comité révolutionnaire », s'il n'abandonnait pas à Bakounine, sans contrepartie, les 300 roubles réglés[277] ! Bakounine proteste de sa bonne foi, clame qu'il n'est pas au courant de cette lettre, mais ne convainc presque personne ; il est exclu de l'Internationale par vingt-sept voix contre sept et vingt et une abstentions.

Marx avait en fait entendu parler de cette histoire dès juillet 1870 par Lopatine, un des deux traducteurs en russe du *Capital*, lequel s'était efforcé, lors d'un séjour à Genève, de convaincre Bakounine que Netchaïev était un escroc ; n'y étant pas parvenu, il était allé voir Lioubavine qui lui avait parlé d'une lettre de menaces expédiée par Netchaïev[248] ; Lioubavine la lui avait ensuite envoyée, accompagnée de ce mot empreint de prudence[145] : « À l'époque, il me semblait indéniable que Bakounine avait sa part de responsabilité dans cette lettre, mais, aujourd'hui que je considère les choses plus calmement, je m'aperçois que rien ne le prouve et que la lettre a pu être envoyée par Netchaïev totalement à l'insu de Bakounine. » Un peu plus tard, la découverte d'une lettre de Bakounine à Netchaïev confirmera que c'est bien avec son accord que Netchaïev avait menacé de mort l'éditeur[277].

Au lendemain du congrès, Sorge part pour l'Amérique sans aucun moyen, sans même aucune archive. Il n'emmène avec lui qu'un seul collaborateur, Théodore Cuno, un ingénieur allemand, lui aussi délégué au Congrès de La Haye, qui écrira dans des souvenirs publiés soixante ans plus tard : « J'ignore ce que sont devenus les documents du congrès de La Haye et de tous les autres congrès qui l'ont précédé. Mais je suis sûr qu'ils n'étaient pas dans la petite valise de Sorge quand nous nous embarquâmes sur l'*Atlantic*, à Liverpool. Je ne les ai pas revus non plus par la suite, quand le Conseil général fut transféré à New York[253]. »

Par une étrange ironie, en ce même automne 1872, au moment où le siège de l'Internationale se déplace en Amérique, c'est Horace Greeley, fondateur du *New York Tribune* – le journal dont Karl fut le correspondant à Londres – qui est le candidat démocrate à la présidence des États-Unis ! Deux mois plus tard, il sera nettement battu par Ulysse Grant, le magnanime vainqueur de la guerre de Sécession, aisément réélu malgré les scandales financiers qui l'entourent.

Une semaine après le congrès de La Haye, alors que chacun médite encore ces coups de théâtre largement rapportés par la presse mondiale, la fédération jurassienne – toujours fidèle à Bakounine, malgré son exclusion – se réunit à Saint-Imier, en Suisse, avec les fédérations espagnole et italienne, plusieurs sections françaises et deux sections d'Amérique, pour créer une nouvelle organisation internationale ouvertement anarchiste, dont l'objectif serait « la destruction de tout pouvoir politique par la grève révolutionnaire », mais sans violence. La résolution finale de cette réunion rejette la « duperie du bulletin de vote » et ajoute : « Les aspirations du prolétariat ne peuvent avoir d'autre objet que l'établissement d'une organisation et d'une fédération économiques absolument libres, fondées sur le travail et l'égalité de tous et absolument indépendantes de tout gouvernement politique [...]. La destruction de tout pouvoir politique est le premier devoir du prolétariat. » On croit retrouver là un discours de Proudhon ou encore de Stirner, ce précurseur de l'anarchisme que Marx, trente ans plus tôt, avait attaqué dans *L'Idéologie allemande* : l'opposition entre la gauche qui rêve de prendre le pouvoir et celle qui rêve de le faire disparaître, déjà présente dans les débats de la Révolution française, revient en force.

Au lendemain de cette réunion, le 15 septembre 1872, meurt à Nuremberg un des premiers maîtres à penser de Karl, lui aussi attaqué dans *L'Idéologie allemande* : Ludwig Feuerbach. Quelques notables, peu d'étudiants, des milliers d'ouvriers, en grande partie militants du Parti des travailleurs, celui des héritiers de Lassalle auquel Feuerbach venait d'adhérer, l'accompagnent au cimetière Saint-Jean.

Le même jour, Karl Marx publie dans *La Liberté de Bruxelles* un texte résumant les conclusions qu'il tire du congrès de La Haye. Celui-ci, dit-il, « a proclamé la nécessité, pour les classes ouvrières, de combattre sur le terrain politique comme sur le terrain social, la vieille société qui s'écroule ». Suit une dernière flèche décochée contre Bakounine : « Un groupe s'était formé au milieu de nous, préconisant l'abstention des ouvriers en matière politique. Nous avons tenu à dire combien nous considérions ces principes comme dangereux et funestes pour notre cause. »

Le 5 octobre 1872, dans une réponse envoyée au même journal, écrite depuis Zurich où il s'est réfugié, Bakounine, qui ne désarme pas malgré son exclusion, tonne contre Marx, pressentant, comme celui-ci un peu auparavant, l'avènement possible, sous prétexte de « dictature du prolétariat », de la dictature réelle d'un parti unique : « Prétendre qu'un groupe d'individus, même les plus intelligents et les mieux intentionnés, sera capable de devenir la pensée, l'âme, la volonté dirigeante et unificatrice du mouvement révolutionnaire et de l'organisation économique du prolétariat de tous les pays, c'est une telle hérésie contre le sens commun et contre l'expérience historique qu'on se demande avec étonnement comment un homme aussi intelligent que Marx a pu la concevoir[127]. » Ainsi Marx et Bakounine devinent le danger que recèle leur combat, mais chacun accuse l'autre d'en être seul responsable.

Juste à leur retour à Londres avec les Marx, les Lafargue perdent le second de leurs trois enfants, le dernier garçon, dit « Schnaps » ou « Fouchtra », que Karl et Jenny aimaient tant. La famille est effondrée.

Quelques semaines plus tard, le 10 octobre, à Londres, Jennychen épouse Charles Longuet. Les jeunes mariés vont vivre à Oxford, alors que les Lafargue s'installent dans la capitale britannique, au 27, South Hill Park. Ils tirent un trait sur leur exil espagnol. Eleanor, dite encore « Tussy », seule maintenant avec ses parents dans la grande maison, insiste encore auprès d'eux pour qu'ils la laissent se fiancer à Lissagaray ; Jenny et Karl refusent. La jeune fille enrage, se fâche, déprime. Rien n'y fait. Karl pense alors que le théâtre pourrait la distraire, tout comme il a distrait un temps Jennychen. Eleanor s'y lance avec passion et s'intéresse à Ibsen. Elle n'en continue pas moins de voir « Lissa », mal vu du reste de la famille. En novembre, dans une lettre à Jennychen, Eleanor se plaint de la désagréable attitude de Paul Lafargue à l'égard de l'homme dont elle est éprise.

Lafargue fait découvrir à son beau-père une machine à polycopier les manuscrits, inventée par un de ses amis – un des premiers photostats. Selon certaines sources[248], Karl s'y serait intéressé – que de temps gagné pour lui si ça marchait ! Il y aurait même investi, mais l'entreprise disparaît vite par suite de dissensions autour de la propriété du brevet[248]. On verra que, vingt ans plus tard, une telle machine jouera un rôle majeur dans le contrôle des manuscrits de Marx...

Rentrant de La Haye, Karl souhaite retourner à ses manuscrits. Il est plus que jamais conscient des lacunes du livre premier du *Capital*. Il sait que la valeur-travail d'une marchandise n'est pas reflétée par son prix sur le marché, et que même « la détermination du prix des marchandises s'écarte systématiquement, et non sous forme d'oscillations, de leur valeur[1] », ce qui rend impossible la vérification empirique de sa théorie de la plus-value. Il y retravaille, griffonne, rature, déchire. Il lit beaucoup et, comme le Démocrite de sa thèse, cherche la vérité de sa théorie dans l'observation empirique. Il remplit plus de cinquante cahiers – soit près de trois mille pages serrées – de notes sur différents sujets[248]. Puis il s'en revient au livre I, qu'il modifie encore pour une nouvelle édition allemande et pour la traduction française, qui sera achevée par un certain Jules Roy, qui supporte les foucades de Karl.

Une fois de plus, en 1873, une crise financière, déclenchée cette fois aux États-Unis par la faillite de la banque de Jay Cook, le convainc de l'imminence possible d'un effondrement du capitalisme qui viendra le débarrasser de la nécessité de finir les trois tomes de son ouvrage. Aussi se concentre-t-il sur la seule réédition allemande du livre I, qui lui paraît urgente, pour laquelle il rédige une postface où l'on sent percer à la fois le désir de jeter toute théorie au panier quand se profile l'action, et la rage de ne pas trouver de solution au problème du passage de la valeur au prix, qui l'obsède depuis si longtemps : « L'économie politique ne peut rester une science qu'à condition que la lutte des classes demeure latente ou ne se manifeste que par des phénomènes isolés[1]. » Quand une crise politique apparaît, « il ne s'agit plus de savoir si tel ou tel théorème est vrai, mais s'il est bien ou mal sonnant, agréable ou non à la police, utile ou nuisible au Capital[1]. » Autrement dit, la vérification d'une théorie se fait non pas par rapport aux données du passé, ni selon sa cohérence théorique, mais d'après son efficacité politique. Une théorie n'est vraie que si elle est efficace : ce qui lui permet d'évacuer au passage l'impasse dans laquelle il se trouve ; sa théorie est invérifiable, elle peut néanmoins être vraie si elle se révèle utile aux classes qu'elle est supposée servir. Or cela, seule l'action permettra d'en juger[66].

Quand paraît cette réédition du livre I, toujours chez le même éditeur de Hambourg, il en envoie un exemplaire à Darwin, de neuf ans son aîné[230], qui vient de publier *L'Expression des émotions chez l'homme et les animaux*. Karl y fait figurer une dédicace où il se dit son « sincère admirateur[230] ». Darwin accuse poliment réception du livre en s'excusant de n'avoir pas les compétences requises pour le lire. On retrouvera son exemplaire avec les pages coupées seulement jusqu'au folio 104 (sur 802). Darwin n'a donc pas même remarqué les trois mentions faites à son œuvre aux pages 352, 385 et 386[230].

Karl a alors d'autres soucis, car sa bataille contre les anarchistes n'est pas terminée. Malgré le discrédit de Bakounine, plusieurs fédérations retirent l'une après l'autre au nouveau secrétariat, installé à New York, tout droit de regard sur leurs affaires ; certaines même votent l'abolition de cette instance. Le 12 février 1873, Marx écrit : « Ces gens là [les amis de Bakounine] sont au centre d'une conspiration qui s'étend » ; il tente alors de limiter les dégâts en plaçant à la tête de chaque organisation nationale – parfois contre l'avis d'une majorité des membres – l'un de ses fidèles. Le 27 avril, à Neuchâtel, les Jurassiens – maintenant sans Bakounine – réunissent cette fois sept fédérations européennes de l'Internationale (celles d'Angleterre, de Belgique, de Hollande, de Suisse, d'Espagne, d'Italie et de France). Parmi les délégués, un jeune journaliste français, Jules Basile, dit « Jules Guesde », émigré et réfugié en Suisse, qui n'a, lui, pas vécu à Paris pendant la Commune. Ils proclament encore une fois l'abolition du Conseil général de l'Internationale et l'autonomie des fédérations. Pendant ce temps, mortifié par son exclusion à La Haye, Bakounine rédige un pamphlet, *Étatisme et Anarchie*, plus que jamais inspiré de Proudhon, où il attaque ceux qu'il commence à nommer avec mépris les « marxistes »[127] : « Qui dit État dit nécessairement domination et par conséquent esclavage [...]. Sous quelque angle qu'on se place, on arrive au même résultat exécrable : le gouvernement de l'immense majorité des masses populaires par une minorité privilégiée. Mais cette minorité, disent les marxistes, se composera d'ouvriers, donc, certes, d'anciens ouvriers, mais qui, dès qu'ils seront devenus des gouvernants, cesseront d'être des ouvriers et se mettront à regarder le monde prolétaire du haut de l'État, ne représenteront plus le peuple, mais eux-mêmes, et prétendront à le gouverner[70]. »

Au même moment, Marx relit avec rage le manuscrit de la traduction française du *Capital* que vient d'achever le dernier traducteur, Jules Roy. Il n'en est pas content et s'en ouvre à Jennychen qui, le 3 mai 1873, dans une lettre au docteur Kugelmann, dit que son père la considère comme trop littérale « mièvre et simpliste[248] ».

Mais il doit alors faire face à une autre crise : en mai, alors que Jennychen accouche, à Londres, d'un premier enfant, prénommé Charles (Karl), Eleanor se fiance, sans l'accord de ses parents, avec le comte Prosper Olivier Lissagaray, lequel refuse toujours de porter son titre par solidarité révolutionnaire. Jenny demande à son mari de tout faire pour s'opposer à cette union. Décidément, pense Karl avec colère et fierté à la fois, sa cadette, qu'il a couvée plus que toutes ses autres filles à la suite de la mort d'Edgar, parce qu'elle lui semblait un peu comme son double, lui échappe. En juin, pour mieux l'éloigner de « Lissa », il la force à l'accompagner en vacances à Brighton et l'y installe pour quelques mois comme répétitrice de français pour les grandes familles anglaises qui y passent l'été. Elle y fait la connaissance des trois sœurs Black (Clementina, Constance et Grace) et de la poétesse Amy Levy, mais elle ne renonce pas à Lissagaray.

En juillet, la dispute avec sa fille l'a rendu si malade que le bruit court qu'il est mourant. Son décès est même annoncé par divers journaux. Le Dr Edward Gumpert, médecin d'Engels, l'examine, diagnostique une infection du foie, le soumet à un régime strict et lui demande de limiter à quatre heures par jour son activité intellectuelle, que Marx réserve à la relecture de la traduction française du livre I du *Capital* et à l'organisation de ce qu'il espère être bientôt le livre II.

En septembre 1873, le congrès annuel de l'Internationale, réuni cette fois à Genève, constitue une véritable parodie : sur les 41 délégués, 39 sont suisses ! La fédération anglaise n'a même pas réussi à réunir de quoi payer le voyage à un seul délégué ; Karl ne s'y rend pas ; il n'y a pas non plus le moindre Français, Portugais, Allemand, Espagnol ou Italien. Albert Sorge, le nouveau secrétaire général, est venu de New York. Le président du congrès est l'inamovible patron du syndicat du bâtiment de Genève, Jean-Pierre Becker ; celui-ci lit un bref rapport rédigé par Engels, qui n'est pas là non plus, sur la situation de l'Internationale. Imperturbable et fantomatique, le congrès discute des statuts, confirme les pouvoirs du Conseil général, maintient le siège à New York. Sa prochaine tenue est renvoyée à deux ans. Le 12 septembre, alors que chacun rentre chez soi, Engels écrit à Sorge : « La vieille Internationale est complètement finie et a cessé d'exister » ; ce que Marx confirme deux semaines plus tard en écrivant au même Sorge : « Ce congrès fut un fiasco [...]. Les événements et l'évolution des choses pourvoiront d'eux-mêmes à une résurrection de l'Internationale sous une forme plus parfaite. En attendant, il suffit de ne pas laisser glisser entièrement de nos mains la liaison avec les meilleurs éléments dans les divers pays, et, pour le reste, de se soucier comme d'une guigne des décisions locales de Genève, bref de les ignorer purement et simplement. La seule bonne résolution qui y ait été prise, c'est celle de remettre le congrès à deux ans, car elle facilite cette façon d'agir. Cela permet en outre de barrer d'un trait de plume les calculs des gouvernements continentaux, car ceux-ci ne pourront pas utiliser le spectre de l'Internationale dans leur imminente croisade réactionnaire. Il est préférable, en effet, que les bourgeois tiennent partout ce spectre pour heureusement enterré. »

Dans cette lettre, Karl voit loin : bien après sa propre mort, en effet, et jusqu'à aujourd'hui, l'Internationale socialiste ressuscitera sous plusieurs formes et plusieurs noms ; d'innombrables partis communistes ou socialistes en feront partie qui seront – voire sont toujours – au pouvoir.

Un mois plus tard, ravagé par son éviction, écarté par ses propres amis qu'il gêne désormais, Bakounine démissionne de la Fédération jurassienne en laissant une lettre étrange qui, sous prétexte de lui sauver la face, sonne comme le premier appel à ce qui deviendra la « révolution culturelle prolétarienne » : « Par ma naissance et par ma position personnelle, non sans doute par mes sympathies et mes tendances, je ne suis qu'un bourgeois et, comme tel, je ne saurais faire autre chose parmi vous que de la propagande théorique. Eh bien, j'ai cette conviction que le temps des grands discours théoriques, imprimés ou parlés, est passé. Dans les neuf dernières années, on a développé au sein de l'Internationale plus d'idées qu'il n'en faudrait pour sauver le monde si les idées seules pouvaient le sauver, et je défie qui que ce soit d'en inventer une nouvelle. Le temps n'est plus aux idées, il est aux faits et aux actes [...]. Si j'étais jeune, je me serais transporté dans un milieu ouvrier, et, partageant la vie laborieuse de mes frères, j'aurais également participé avec eux au grand travail de cette organisation nécessaire[70]. » Ce texte, élégante façon de rationaliser son éviction après l'accusation infamante portée contre lui, inspirera beaucoup de vocations ultérieures de « retour » au prolétariat parmi les intellectuels européens qui voudront « s'établir » ouvriers, et parmi les protagonistes – ceux-là à leur corps défendant – de la Révolution chinoise.

Au début de 1874, alors que Monet a bouleversé deux ans plus tôt la peinture avec *Impression, soleil levant*, Marx passe beaucoup de temps en compagnie d'Eleanor : il cherche à la convaincre de rompre avec « Lissa », provoquant les colères, le chagrin et les dépressions répétées de « Tussy », partagée entre l'amour immense qu'elle porte à son père et celui, non moins dévorant, qu'elle voue à ce Français qui lui ressemble tant.

Le 10 février, Karl applaudit à la première percée politique majeure d'un parti communiste sur le modèle qu'il a fait entériner à Londres trois ans plus tôt : en Allemagne, aux élections au Reichstag, le Parti ouvrier social-démocrate allemand fondé en 1867 à Eisenach, maintenant conduit par Wilhelm Liebknecht tout juste sorti de prison, devient une organisation majeure, l'égale même, en nombre d'électeurs, de l'Association générale des travailleurs allemands, fondée cinq ans avant elle par Lassalle[104]. Le chancelier Bismarck se trouve ainsi confronté à deux grands partis ouvriers qui aspirent l'un et l'autre à prendre le contrôle de l'État pour le mettre au service de réformes plus ou moins radicales. Karl considère toujours les lassaliens comme non socialistes. Il reproche alors aux dirigeants du parti lassallien d'être marqués[104] par « un humanisme bourgeois [...] incompatible avec des visées révolutionnaires authentiques[39] », et de se contenter de réclamer une meilleure répartition des richesses, sans remettre en cause la structure de la production. Pour lui, dit-il alors, « la distribution des revenus n'est qu'une manifestation du mode de production[39] » ; une redistribution équitable des richesses est donc impossible à l'intérieur du mode de production capitaliste.

Le 23 mars, Eleanor, qu'une dépression contraint à garder la chambre depuis trois semaines, supplie à nouveau son père d'accepter ses fiançailles avec Lissagaray. Ce même mois meurt à Londres le dernier enfant de Laura, une fille. Jenny et Karl sont au désespoir. L'auteur du *Capital* repose la plume.

De la mi-avril au 5 mai, souffrant d'insomnies et d'accès de furonculose, il part pour Ramsgate, dans une maison qu'y possède Engels, avec Jennychen et son fils Charles-Félicien, le dernier survivant des petits-enfants de Marx. Malgré l'« air merveilleux » et les bains, les promenades et les régimes, Karl s'inquiète de la santé de l'enfant et se plaint : « Son état est pire qu'à Londres. » En juin, le Dr Gumpert, envoyé par Engels, lui conseille de partir plus loin en cure, à Karlsbad, en Bohême autrichienne. Il décide d'y aller et d'en profiter pour emmener Eleanor afin de l'éloigner de « Lissa ». Jenny, elle, restera à Londres.

Le 20 juillet, le fils de Jennychen, Charles-Félicien Longuet, succombe à l'âge de onze mois. Karl n'a plus de petits-enfants. Ses propres douleurs redoublent.

Craignant d'être refoulé en tant qu'apatride par les autorités autrichiennes, il sollicite à nouveau – comme il l'avait déjà fait en 1869 – la nationalité britannique[248]. Pour ce faire, il réunit des « témoins de moralité » ou des « répondants » devant un officier ministériel qui transmet sa demande de naturalisation au ministère de l'Intérieur, le 1er août 1874. Mais il n'attend pas la réponse, l'Autriche lui ayant fait savoir qu'il pourrait entrer sur son sol comme apatride ; aussi, quand la demande de naturalisation est rejetée par le Home Office, le 26 août, Marx et Eleanor sont déjà partis pour Karlsbad. Ils y sont rejoints par les Kugelmann[146]. D'après les témoignages[146], le père et la fille observent scrupuleusement toutes les prescriptions de la cure. Aristocrates et grands bourgeois, apprenant la présence du si redouté chef de l'Internationale, du maître de la Commune qui a terrorisé l'Europe entière, se précipitent pour le voir boire et manger comme tout un chacun… De toutes parts, journalistes et hommes politiques viennent le consulter ; parmi eux, Bebel, l'ouvrier fondateur, avec Wilhelm Liebknecht, du parti d'Eisenach, passe recueillir son avis sur une Internationale de plus en plus moribonde. À ce moment, Sorge démissionne du poste de secrétaire général et le fait savoir à Engels qui lui répond, le 12 septembre 1874 : « Par ton départ, la vieille Internationale a complètement cessé d'exister. Et c'est une bonne chose. Elle appartenait à la période du Second Empire… » Comme si la situation en France dictait encore le calendrier révolutionnaire ! Comme si Engels était aussi soulagé de voir disparaître la seule action politique que Karl Marx eût entreprise sans lui depuis trente ans... Friedrich ajoute comme une sorte d'avis de décès doublé d'un ordre du jour de bataille : « Je crois que la prochaine Internationale – quand les écrits de Marx auront durant quelques années produit leur effet – sera nettement communiste et arborera absolument nos principes. » Ce qu'Engels ne dit pas, c'est qu'il s'y emploiera lui-même activement, après la mort de Karl, comme pour prendre sa revanche sur sa propre absence lors du lancement de la précédente...

Le 21 septembre, Karl et Eleanor quittent Karlsbad en meilleure forme. Ils se sont fâchés avec les Kugelmann[146] qu'ils ont trouvés envahissants. Eleanor promet à son père de lui obéir et de ne plus revoir « Lissa ». Au retour, ils passent par Leipzig pour s'entretenir avec Wilhelm Liebknecht[105]. Marx et ce dernier tombent dans les bras l'un de l'autre : presque dix ans sans se voir ! Le jeune homme rencontré près de vingt ans plus tôt, qui servait de garde d'enfant à Eleanor quand elle était un nouveau-né dans le taudis de Soho, est devenu le chef incontesté de la gauche allemande. Wilhelm leur présente son fils, alors âgé de trois ans, dévotement prénommé Karl (et qui deviendra, quarante-cinq ans plus tard, à Berlin, avec Rosa Luxemburg, le dirigeant de la tragique révolution spartakiste de janvier 1919). Liebknecht parle à Marx du programme de son parti : la nationalisation des monopoles et l'instauration du socialisme d'État grâce à la puissance de l'État prussien[105]. Karl lui dit tout le mal qu'il pense du parti des lassalliens, dont le programme se résume à l'instauration du suffrage universel, à la création de coopératives ouvrières et à l'alliance avec Bismarck ; Karl les considère comme complices des calomnies que le chancelier a fait courir sur son propre compte. Aussi Liebknecht n'ose-t-il lui parler de son projet le plus important : fusionner justement avec eux...

Trois mois plus tard, alors que les Longuet quittent Oxford pour s'installer à Londres, au 58, Fleet Road, et qu'à Paris le vote de l'amendement Wallon instaure la République, c'est dans la capitale anglaise où est revenu Karl une immense surprise pour lui d'apprendre que, les 14 et 15 février 1875, 73 délégués des lassalliens de l'ADAT (Union fédérale des travailleurs allemands) et 56 du SDAP (Parti social-démocrate ouvrier allemand) se sont rencontrés dans la petite ville de Gotha, en Thuringe, pour élaborer un programme commun et préparer la fusion de leurs deux organisations en un Sozialistische Arbeiterpartei Deutschlands (SAPD, Parti socialiste ouvrier d'Allemagne).

Marx est furieux : s'allier à ces gens-là ! Lui faire ça, à lui ! Le mettre en situation, trente ans après, de retrouver son plus vieil ennemi, celui qui l'aura poursuivi toute sa vie durant et dont il veut depuis toujours la perte : l'État prussien. Encore s'il s'agissait seulement d'une alliance électorale, mais non, c'est une fusion autour d'un texte proche des idées de Lassalle, un programme qui ne vise qu'à prendre l'État prussien sans changer les rapports de production, sans même se préparer à faire disparaître l'État. Mais, comme tout le monde le croit maître de ce nouveau parti de gauche, il s'insurge à l'idée qu'on lui reproche d'avoir endossé un programme aussi éloigné de ses idées. Aussi envoie-t-il en secret au président du Parti social-démocrate, Wilhelm Bracke, une critique en règle : ce qu'il appelle par dérision des « Gloses marginales sur le programme de Gotha ». Bien plus tard, le texte de la lettre d'envoi et celui de son annexe seront publiés sous le titre *Critique du programme de Gotha*[39].

On sent dans cette lettre percer la colère et la déception du maître à penser : ses amis du « parti d'Eisenach », en particulier ce freluquet de Liebknecht, se sont conduits de façon opportuniste, mendiant un inutile compromis avec un parti libéral. Depuis vingt ans il leur explique qu'une alliance avec les partis bourgeois ne peut que provoquer le désastre, comme il l'a lui-même vécu en 1849 à Cologne et à Paris. Et voilà que, dans le premier pays où ils ont pu enfin accéder à une existence autonome en tant que communistes, ils fusionnent avec les héritiers de son ennemi ! C'est d'une nullité affligeante, pense-t-il. Il leur réexpose sa conception du rôle de la politique dans l'Histoire et fait de ce texte d'humeur son véritable testament politique : « Les gloses marginales qui suivent, critiques du programme d'unification, ayez l'amabilité de les porter, après lecture, à la connaissance de Bebel et de Liebknecht. Je suis surchargé de travail et fais déjà beaucoup plus que ce qui m'est prescrit par les médecins. Aussi n'est-ce nullement pour mon plaisir que j'ai griffonné ce long papier. Cela n'en était pas moins indispensable pour que, par la suite, les démarches que je pourrais être amené à faire ne puissent pas être mal interprétées par les amis du Parti auxquels est destinée cette communication [...]. Cela est indispensable, puisqu'on répand à l'étranger l'opinion soigneusement entretenue par les ennemis du Parti – opinion absolument erronée – que nous dirigeons ici, en secret, le mouvement du parti dit d'Eisenach [...]. C'est pour moi un devoir de ne pas reconnaître, fût-ce par un diplomatique silence, un programme qui, j'en suis convaincu, est absolument condamnable et qui démoralise le Parti [...]. Les chefs des lassalliens venaient à nous, poussés par les circonstances. Si on leur avait déclaré dès l'abord qu'on ne s'engagerait dans aucun marchandage de principe, il leur eût bien fallu se contenter d'un programme d'action ou d'un plan d'organisation en vue de l'action commune [...]. Au surplus, le programme ne vaut rien, même si l'on fait abstraction de la canonisation des articles de foi lassalliens[39]. »

Pour lui, un bon programme commun devrait renforcer la protection des commerçants, des artisans, des paysans et des ouvriers contre les industriels et les grands propriétaires terriens[74]. Il devrait aussi accélérer l'industrialisation du pays pour permettre une extension du salariat et l'accompagner d'une amélioration de la protection sociale. Et même si « une interdiction générale du travail des enfants est incompatible avec l'existence de la grande industrie et est donc un souhait pieux et vide[39] », il faudra dispenser à tous les enfants du peuple une éducation gratuite, car « le fait de combiner de bonne heure le travail productif avec l'instruction est un des plus puissants moyens de transformation de la société actuelle[39] ».

En outre, ajoute-t-il, les communistes ne sauraient accepter un programme qui n'aboutit pas à la disparition de l'État. Si lui-même a tant combattu les anarchistes, ce n'est pas parce qu'ils prétendent en finir avec l'État, mais justement parce qu'ils ne s'en donnent pas les moyens et qu'ils n'en parlent dans leur programme que pour conquérir le pouvoir.

Enfin, un tel programme doit s'inscrire, à ses yeux, dans une action en trois phases – qu'il reprend de sa troisième *Adresse* écrite juste au lendemain de la Commune. Il supprime la phase liminaire mentionnée dans cette *Adresse*, celle de la prise du pouvoir par une révolution, puisqu'en Allemagne, désormais, la gauche peut espérer accéder démocratiquement aux responsabilités.

Dans la première phase de son programme, une fois parvenu démocratiquement au pouvoir par les urnes, le Parti socialiste devra respecter le « droit égal pour tous » reposant sur l'égalité des individus (« À chacun selon son travail[39] »). Pour que cette phase ne conduise pas à un embourgeoisement – comme en provoquerait, pense-t-il, l'application du programme commun défini à Gotha –, elle doit vite laisser la place à une deuxième phase visant à doter le prolétariat des moyens de ne pas perdre les élections suivantes.

Cette deuxième phase, la « dictature du prolétariat », doit étendre très largement l'alliance majoritaire. Pour cela, elle doit organiser – en restant dans le cadre de la démocratie parlementaire – la transformation complète des rapports de production eux-mêmes, en particulier la fin de « l'asservissante subordination des individus à la division du travail et, avec elle, de l'opposition entre travail intellectuel et travail manuel[39] ». Pour y parvenir, l'État doit agir de façon résolue, sans remettre en cause ni la liberté individuelle, ni la liberté de la presse, ni la séparation des pouvoirs, ni la désignation des dirigeants par des élections libres et multipartites. Pendant cette période, la majorité parlementaire a le pouvoir légitime de remettre en cause la législation existante pour passer « de chacun selon ses capacités à chacun selon ses besoins[39] ». Il écrit : « Entre le passage d'un système capitaliste à un système communiste s'écoule une période de transformation révolutionnaire d'un système dans l'autre qui correspond à une période de transition politique pendant laquelle l'État ne peut rien faire d'autre que régner en dictateur révolutionnaire sur le prolétariat[39]. » Cette dictature doit mettre en place un État décentralisé, transparent, agissant au grand jour, sans censure de la presse ni bureaucratie, sans parti unique, sans nomination hiérarchique, sans armée permanente, avec des juges élus, sans « organes purement répressifs[39] ». Cet État sera donc en voie d'extinction, mais restera capable de se défendre contre ses ennemis. Point très important : pour Marx, la dictature du prolétariat ne doit pas remettre en cause les libertés individuelles, mais doit organiser la disparition des « organes répressifs de l'État ». On est loin du sens que Lénine donnera après lui à ce concept !

Pour lui, seule la Commune de Paris a tenté une telle expérience, mais elle n'a pas su organiser sa propre défense ni mettre les instruments de production au service des travailleurs.

Dans la troisième phase du programme, une fois l'État répressif disparu, s'installe la société communiste sans classes et sans division du travail ; les citoyens y sont libres de travailler à leur guise, de développer leurs capacités dans le respect de celles des autres ; ils disposent des biens de consommation autant qu'ils en ont besoin, sans être soumis à une idéologie ou à une morale religieuse. Les entreprises sont possédées collectivement, mais pas nécessairement par l'État.

Marx ne précise pas les conditions de la transition d'une phase à l'autre de son programme, ni ce qui se passe si une majorité d'électeurs refuse cette transition et réclame le retour à l'ordre antérieur ; il ne précise pas davantage la nature de l'État sous la dictature du prolétariat, ni ce qu'il en reste dans la société communiste, ni la façon dont doit être gérée la propriété collective des entreprises dans la société idéale. Il écrit : « Quelle transformation subira l'État dans une société communiste ? Autrement dit, quelles fonctions sociales s'y maintiendront analogues aux fonctions actuelles de l'État ? Seule la science peut répondre à cette question. » Et il ajoute que les communistes, pour l'heure, n'ont « pas à s'occuper [...] de l'État futur dans la société communiste[39]. » Cette dernière est un objectif trop lointain pour concerner l'actuelle génération.

Il termine par une formule latine comme il aime souvent en utiliser. Cette fois, ce sont cinq mots à propos desquels seront développées des milliers de pages : *dixi et salvavi animam meam* (« j'ai dit, et j'ai sauvé mon âme »).

Quinze ans plus tard, dans une lettre à Bebel, un des destinataires de cette critique, Engels confirmera que Marx voulait dire par là qu'il avait écrit ce texte « pour sauver sa conscience, et sans espoir de convaincre ». Comme s'il renonçait définitivement à ce que la révolution vienne d'Allemagne où il l'avait tant espérée. Comme s'il tirait définitivement un trait sur ses rêves de jeunesse. Comme si l'idée de « sauver son âme » le ramenait à la religion de sa mère, au Dieu abstrait de son père et de sa fille.

Les faits ne tardent pas à lui donner raison : si les débats entre marxistes et réformistes continuent de faire rage au sein du nouveau parti, cette fusion des deux mouvements socialistes allemands ne fait qu'accélérer le renforcement de l'État prussien. Pour couper l'herbe sous le pied des progressistes ainsi rassemblés, le chancelier Bismarck met en effet en place une protection sociale des travailleurs et renforce son emprise sur la société en censurant sévèrement les socialistes, à peine tolérés.

Tout tourne désormais en Allemagne autour de la prise de l'État. Le national-socialisme saura s'en souvenir, tout comme Lénine qui fera bientôt de la Prusse bismarckienne le modèle qu'il souhaitera imiter en Russie même.

Justement, face à cette nouvelle déception, Karl s'intéresse de plus en plus à la Russie, pays au régime abhorré, et en particulier à son monde paysan. Parce que de là, et de nulle part ailleurs au monde, parviennent encore quelques signes révolutionnaires. Pour mieux les comprendre, il se remet alors sérieusement à la langue russe qu'il a déjà quelque peu étudié. Lafargue, témoin de ses efforts, écrit : « Il en savait assez au bout de six mois pour trouver plaisir à la lecture des poètes et écrivains russes qu'il aimait le plus : Pouchkine, Gogol et Chtchedrine. Il lut les documents rédigés par les commissions d'enquête officielles dont le gouvernement du tsar empêchait la divulgation à cause de leurs révélations terribles. Des amis dévoués les lui envoyaient, et il fut certainement le seul économiste d'Europe occidentale à pouvoir en prendre connaissance[161]. »

En juin de cette année 1875, Karl s'occupe de plus en plus d'Eleanor qui, depuis qu'elle lui a promis de ne plus revoir Lissagaray, est plongée dans une profonde dépression anorexique et souffre des mêmes maux que son père, qu'elle trompe comme lui par le tabac[146]. Engels est toujours là pour payer les factures. Avec Jenny, Eleanor et Hélène, Karl déménage au 41, de la même rue, Maitland Park Road, pour une maison un peu plus petite ; il est heureux de voir enfin publier à Paris *Le Capital* par la Librairie du Progrès, 11, rue Bertin-Poirée. Le tirage de dix mille exemplaires est rapidement épuisé.

En août 1875, Karl s'en retourne avec Eleanor à Karlsbad. Ils y rencontrent Heinrich Graetz, grand historien prussien du judaïsme, le premier à avoir du peuple juif une vision historique. Les deux hommes, qui ont de longues conversations sur le judaïsme, resteront en correspondance. Eleanor, qui se passionne de plus en plus pour la religion de ses ancêtres, se mêle à leurs discussions. Heureux de voir sa fille s'intéresser à quelque chose, Karl lui parle longuement de sa propre mère, de son père, ainsi que de ses aïeux, tous rabbins. La quête d'identité de sa fille le touche. Son théisme l'émeut. Il y retrouve celui de son père, adorant le dieu des savants. Décidément, Eleanor a tous les traits qu'il espérait trouver en Edgar. Elle est bien comme le fils qu'il aurait voulu avoir.

Peu après leur retour à Londres, Karl souffre à nouveau des poumons. Il a du mal à respirer. Jenny, qui n'a pas quitté Londres, par suite d'une fatigue dont nul ne sait encore très bien analyser les causes, a des difficultés à relire ce qu'il écrit. Alors il écrit moins.

En 1876, les signes d'une nouvelle révolution industrielle se multiplient : Graham Bell invente le téléphone ; Cros et Edison déposent séparément un brevet d'invention du phonographe ; Nikolaus Otto dépose celui du premier moteur à explosion à quatre temps. Une extraordinaire et luxuriante Exposition universelle a lieu à Paris au palais du Trocadéro et le long de la Seine. Les banques américaines se développent, le capitalisme financier prend peu à peu le pas sur le capitalisme industriel. Des compagnies d'assurances commencent à protéger la bourgeoisie urbaine contre les deux maux du siècle : la tuberculose et les accidents de chemins de fer ; certaines entreprises prussiennes organisent la couverture de ces risques pour leurs salariés ; quelques compagnies minières allemandes et anglaises vont même jusqu'à salarier des médecins pour soigner leurs employés.

Eleanor quitte ses parents pour s'installer seule à Londres, tout en promettant de ne faire que du théâtre et de ne plus revoir Lissagaray. Elle débute avec succès dans une pièce intitulée *Le Pont des soupirs*, d'un certain Thomas Hood, mettant en scène une jeune fille qui se suicide[248]... Jusqu'à ce que sa mère découvre qu'elle revoit le Basque, lequel publie enfin en français, à Bruxelles, sa magnifique *Histoire de la Commune de Paris*[177]. Le livre est aussitôt interdit à Paris. Jenny renvoie alors sa fille à Brighton où elle retrouve les trois sœurs Black et la poétesse Amy Levy dont elle avait fait la connaissance lors de son premier séjour. Eleanor se tourne alors de plus en plus explicitement vers le judaïsme, sans pour autant se convertir ni cesser ses relations avec « Lissa » qui vient la voir à Brighton.

Étrange relation : dans le même temps, Marx termine la traduction allemande du livre de Lissagaray dont il a récusé l'un après l'autre les traducteurs pressentis. Il commence même à se résigner à l'idée que sa fille pourrait épouser celui qu'elle aime et qui semble toujours aussi sincèrement amoureux d'elle. C'est un de ses rares sujets de discorde avec Jenny qui refuse absolument de changer d'avis sur le Français.

En mai, Engels est sollicité par Bebel, à Berlin, afin d'élaborer une doctrine d'ensemble pour le SAPD, contre celle qu'un lassallien, professeur de sciences à l'université de Berlin, Eugen Dühring, élabore au même moment. Depuis toujours passionné de sciences physiques, Engels travaille alors à situer la pensée de Marx dans le contexte des sciences de la nature. Karl écrit lui-même le premier jet d'un chapitre de ce livre où il résume ses idées économiques et philosophiques. L'ouvrage s'appellera *L'Anti-Dühring* et deviendra après la mort de Marx le catéchisme du « marxisme ».

Après un long exposé sur les sciences de la nature de son temps, Engels y propose une version sommaire de la théorie économique du *Capital* ; il précise, au nom de Marx, la nature de la société en transition vers le socialisme : une « organisation planifiée » où le « gouvernement des hommes fait place à l'administration des choses ». Il ajoute : « Le prolétariat s'empare du pouvoir de l'État et transforme les moyens de production en propriété de l'État. Il se supprime ainsi lui-même en tant que prolétariat, il nie toutes les différences et les antagonismes de classes, et supprime ainsi l'État en tant qu'État[109]. » Les réponses que Marx lui-même ne s'est pas hasardé à donner sont ici simplistes : l'État prend le contrôle de l'économie. Difficile, après avoir donné tous les pouvoirs à l'État, d'imaginer qu'on puisse ensuite en organiser le dépérissement !

C'est donc par ce livre d'Engels, *L'Anti-Dühring*, que commence le dévoiement de la philosophie de la liberté que Marx a élaboré dans ses propres textes. Est-il d'accord ? Est-il trop fatigué pour contredire son vieil ami ? Pense-t-il que la propriété d'État n'interdit pas le dépérissement de celui-ci ? Sans doute est-il plus préoccupé par ses propres livres, qui n'avancent pas, que par ce texte dont il ne parlera jamais et qui lui paraît dénué d'importance. Sans doute, surtout, depuis le programme de Gotha, a-t-il renoncé à se préoccuper de ce qui se passe dans ce parti qui l'a trahi en fusionnant avec les lassalliens. Rien de bon à ses yeux ne peut plus venir d'Allemagne.

Le 1er juillet 1876, Bakounine meurt à Berne dans la misère après avoir dilapidé l'héritage de Carlo Cafiero, l'ami italien qui l'a hébergé à Locarno. Le 15 juillet, à Philadelphie, au moment même où s'écrit ainsi la future vulgate marxiste, le conseil général de l'Internationale, réuni dans une pièce exiguë, prononce la dissolution de l'organisation, financièrement exsangue et oubliée tant par Marx que par les Allemands et les Français, seules vraies forces de la gauche du moment[164]. Lénine écrira trente-huit ans plus tard : « La Ire Internationale avait accompli sa mission historique et cédait la place à une époque de croissance infiniment plus considérable du mouvement ouvrier dans tous les pays, caractérisée par son développement en extension, par la formation de partis socialistes ouvriers de masse dans le cadre des divers États nationaux[169]. »

Espérant récupérer dans leur giron des représentants des organisations « communistes autoritaires », les Jurassiens se réunissent le 26 octobre à Berne. Un certain Pierre Kropotkine, tout juste arrivé de Russie pour rejoindre le mouvement anarchiste, réclame « la révolte permanente par la parole, par l'écrit, par le poignard, le fusil, la dynamite... ». Fascinés par les attentats des nihilistes russes qui harcèlent le tsar, les Italiens proposent eux aussi de passer à l'action violente. Au contraire, les fédérations belge, hollandaise et anglaise veulent, elles, en revenir aux élections.

En 1877, Karl travaille encore à ses livres II et III du *Capital*. Entre autres, toujours à la même question du passage de la valeur-travail au prix, question non résolue depuis qu'il l'a affrontée l'année même de la mort d'Edgar, vingt-deux ans plus tôt. Il reprend pour cela l'apprentissage de l'algèbre, grâce à quoi il espère trouver la solution à son problème, mais aussi parce que les mathématiques, pense-t-il comme Blaise Pascal, pourraient l'éloigner des douleurs physiques. Lafargue, qui en est témoin, note : « L'algèbre lui apportait même un réconfort moral ; elle le soutint aux moments les plus douloureux de son existence mouvementée [...]. Marx retrouvait dans les mathématiques supérieures le mouvement dialectique sous sa forme la plus logique et la plus simple. Une science, disait-il, n'est vraiment développée que quand elle peut utiliser les mathématiques[161]. » Karl est si passionné par ce domaine nouveau qu'il envisage même, dit-on, d'écrire une histoire du calcul différentiel, et il lit pour cela des traités de Descartes, Newton, Leibniz, Lagrange, Maclaurin et Euler. Il prend des notes : un projet de plus.

C'est aussi pour lui le moment des retrouvailles avec un jeune homme qu'il n'a jamais totalement perdu de vue : Frédéric, le fils d'Hélène Demuth, déclaré comme son enfant par Engels. Le jeune homme qui travaille comme ouvrier vient de rejoindre l'Internationale ; il s'est lié d'amitié avec Eleanor. Étrange couple qui ne se devine pas frère et sœur. En février 1877, Karl, qui s'inquiète de ce que trament les anarchistes, demande aux deux jeunes gens d'infiltrer les réunions à Londres des partisans de feu Bakounine[248]. Tous deux apprennent que les anarchistes préparent la constitution d'une nouvelle Internationale pour remplacer celle qui vient de disparaître.

Du 1er janvier au 13 mai 1877, les premiers chapitres de *L'Anti-Dühring* paraissent en feuilleton dans le *Vorwärts*, journal de Leipzig, devenu l'organe officiel du nouveau Parti social-démocrate. Mais, comme de nombreux militants considèrent le professeur Dühring comme l'égal de Marx, beaucoup protestent, lors du congrès du parti réuni à la fin mai, cette fois encore à Gotha, contre cette publication. Un député, un certain Julius Vahlteich, déclare que

« Marx aussi bien qu'Engels ont beaucoup servi la cause et continueront, il faut le souhaiter, de le faire à l'avenir encore ; mais la même chose est vraie aussi pour Dühring. Ces gens doivent être utilisés par le parti, mais les disputes de professeurs n'ont pas leur place dans le *Vorwärts*, elles doivent être menées dans des publications à part[252] ». August Bebel décide alors de publier la fin de *L'Anti-Dühring* dans un supplément scientifique du *Vorwärts*. Mais, au moment où paraissent dans ce supplément le chapitre de *L'Anti-Dühring* sur la « philosophie » et celui sur l'« économie politique », Dühring est chassé de l'université par la police prussienne, ce qui lui vaut un triomphe au sein du parti, et le *Vorwärts* va jusqu'à publier des poésies en son honneur[252]. Un des soutiens de Dühring, un jeune socialiste berlinois dont on aura beaucoup à reparler, Eduard Bernstein, écrira plus tard : « À la place du cri de bataille : "Marx ici, Lassalle là !", un nouveau cri de bataille semblait s'annoncer en 1875-1876 : "Dühring ici, Marx et Lassalle là!". Et ma modeste personne n'a pas peu contribué à cette évolution. » Bernstein est encore partisan de Dühring. Il changera bientôt de camp : ce Bernstein deviendra bientôt le secrétaire d'Engels et sera même son exécuteur testamentaire…

Comme toujours, Karl est plus intéressé par ce qui se passe dans le monde que par les débats internes au Parti socialiste allemand : il ne croit pas que le parti issu de Gotha puisse devenir révolutionnaire. Il est en particulier fasciné par deux innovations majeures qui permettent l'industrialisation de deux activités économiques immémoriales, et donc leur entrée dans le capitalisme : l'élevage, qui, grâce au transport en chambre froide de la viande inauguré par un cargo, *le Frigorifique*, entre Buenos Aires et Rouen (35 tonnes de viande), peut prendre son essor ; et la musique, avec le phonographe d'Edison. Il s'intéresse aussi aux premières expériences d'un professeur français au conservatoire des Arts et Métiers, Marcel Deprez, qui montre qu'il sera bientôt possible de transporter de l'électricité sur de longues distances, et donc de s'en servir très loin du lieu où elle est produite ; il s'agit pour lui d'une révolution majeure et pendant des semaines il ne parle plus que de ça ; malade, il enrage à la perspective de ne plus être là, sans doute, quand se réalisera cette formidable promesse. Il se passionne aussi pour la grève générale, à Chicago, le 1er mai 1877, des syndicats de l'American Federation of Labour qui réclament l'application réelle de la journée de huit heures ; quatre manifestants sont tués, cinq anarcho-syndicalistes seront exécutés. C'est par cette curiosité inlassable, universelle, enthousiaste, toujours disponible pour le nouveau qu'il est un esprit du monde.

Cette année-là, Jules Guesde est enfin autorisé, avec d'autres exilés, à rentrer en France. Il s'installe à Paris et lui, l'anarchiste, découvre les idées de Marx grâce à un cercle de jeunes gens réunis au café Soufflot et à un journaliste allemand, Karl Hirsch. C'est pour lui une révélation. Il fonde le premier journal communiste français, *L'Égalité*, et demande des articles à Marx ainsi qu'à certains de ses anciens amis anarchistes comme Reclus.

Les Longuet, les Lafargue et Eleanor vivent maintenant à Londres près de Jenny et Karl. Aucun des enfants de Karl n'a alors d'enfant. Pour la troisième fois, ce dernier décide d'emmener sa cadette en cure thermale, avec Jenny, qui semble pouvoir supporter le voyage. Le 8 août 1877, ils sont en route pour Karlsbad quand le gouvernement autrichien fait savoir à Marx qu'il sera refoulé à la frontière. Il se détourne alors vers Neuenahr, autre station thermale, près de Cologne[215].

À l'automne, ainsi qu'il l'a appris quelques mois plus tôt par Eleanor et Frédéric, des anarchistes de onze pays se réunissent à Verviers sous la direction d'un Neuchâtelois né à Londres, James Guillaume, qui a succédé à Bakounine. Ils se déclarent décidés à en finir avec le modèle même du parti[47] : « Tous les partis forment une masse réactionnaire [...], il s'agit de les combattre tous. » Un peu plus tard, à Gand, trente-cinq délégués – anarchistes, « marxistes » et « socialistes autoritaires » – forment un « congrès socialiste universel » où ils s'entre-déchirent. Marx se tient au courant de ces petites batailles en vase clos. « Le congrès de Gand a eu au moins cela de bon que Guillaume et compagnie ont été totalement abandonnés par leurs anciens alliés », écrit-il le 27 septembre à Sorge, devenu professeur de musique à New York[47]. Le 19 octobre, dans une autre lettre à Sorge, il critique encore une fois « ceux qui veulent donner au socialisme une tournure idéale plus haute, c'est-à-dire remplacer la base matérialiste [...] par la mythologie moderne, avec ses déesses Justice, Liberté, Égalité et Fraternité ». Exactement ce qu'il disait déjà en 1843.

En 1878, soit dix-sept ans après Lassalle en Allemagne, Jules Guesde fonde le premier parti socialiste français, la Fédération des travailleurs socialistes de France, tout de suite plus connue sous le nom de « Parti ouvrier ». À l'époque où Auguste Renoir peint *Le Moulin de la Galette*, Guesde se retrouve devant les tribunaux pour avoir proposé l'appropriation collective du sol et des instruments de travail ; il est condamné à six mois de prison ferme, peine qu'il purge à Sainte-Pélagie.

Cette année-là, aux États-Unis où sévit une nouvelle crise économique sévère, David Hughes invente le microphone ; les premières bicyclettes sont commercialisées à Boston ; le premier éclairage électrique domestique est installé à Londres. En Allemagne, Bismarck, en quête d'une alliance avec les conservateurs pour affronter la grave crise économique venue d'Amérique, s'attaque à la gauche et dissout le SAPD ; c'est un traumatisme pour la gauche allemande, qui manifeste violemment afin d'obtenir son retour sur la scène politique légale.

Cet événement, qui aurait, en d'autres temps, provoqué au moins la rédaction par Karl d'un article vengeur, le laisse quasi indifférent : l'Allemagne n'est plus dans sa sphère d'intérêts.

Car il écrit, comme pressé par le temps ! Il s'est remis à la rédaction des deuxième et troisième livres du *Capital*. Naturellement, comme chaque fois qu'il est question d'achever une œuvre, la peur de ne pas avoir lu un livre ou consulté un document essentiel le fait se plonger dans d'interminables recherches. Pour étudier la rente foncière, il s'intéresse à la géologie, à l'agronomie, à la physiologie des plantes, à la théorie des engrais. Pour mieux comprendre encore les sociétés anciennes, il étudie des livres de Lewis Henry Morgan, de John Lubbock, de Henry Maine. Il travaille sur la société rurale qui, pour lui, a fait réussir le coup d'État de Napoléon III et fait échouer la Commune. Il en analyse l'idéologie, son influence sur les luttes de classes qu'il pense de plus en plus ne pas dépendre exclusivement des rapports de forces économiques. Il accumule des notes sur l'Inde, des statistiques sur la Russie, dont la structure rurale de base, le *mir*, l'intrigue et le fascine de plus en plus : elle n'est ni capitaliste ni féodale, mais communautaire. Elle est donc peut-être une base possible pour une mise en commun originale des moyens de production. Il rencontre à Londres Maxime Kovalevski, qui lui parle de son travail sur les différents types de propriété collective du sol et sur les formes de vie communautaire, notamment méditerranéennes. Il y devine une voie vers un moyen de parvenir au communisme par l'agriculture, à laquelle il n'avait pas songé jusque-là.

De fait, après la déception allemande, la Russie devient pour lui une sorte d'obsession, de point focal d'une nouvelle espérance. Il discute de plus en plus fréquemment avec des populistes russes : Nikolaï Frantsevitch Danielson, Guerman Alexandrovitch Lopatine, ses traducteurs, et Piotr Lavrovitch Lavrov. Il est consulté par les révolutionnaires les plus extrémistes, comme Nikolaï Konstantinovitch Mikhaïlovski et Véra Zassoulitch, qui vient d'être acquittée en Russie après avoir assassiné le chef de la police, le général Trépov. Il s'intéresse aussi à une organisation révolutionnaire nommée *Zemlia i Volia* (Terre et Liberté), fondée quatre ans plus tôt, en 1874, en vue d'assassiner le vieux tsar Alexandre II, maintenant engagé dans une guerre impitoyable pour prendre le contrôle des marges de l'empire et écraser le sultan ottoman. Karl continue alors à donner libre cours à sa détestation du pouvoir tsariste. Ainsi, le 4 février 1878, dans une lettre à Liebknecht, qui essaie de reconstituer son parti interdit par Bismarck, au lieu de s'intéresser au sort de ses amis allemands, Karl défend... les Turcs, qu'il considère explicitement comme des Européens. Et il parle pour la première fois d'une éventuelle révolution communiste en Russie qu'il n'imagine que comme le déclencheur d'une révolution plus vaste en Europe[37] : « Nous prenons résolument parti pour les Turcs pour deux raisons : 1) parce que nous avons étudié le paysan turc – et donc la masse du peuple turc – et nous avons vu en lui le représentant indubitablement le plus actif et le plus moral de la paysannerie d'Europe ; 2) parce que la défaite des Russes accélérerait considérablement la révolution sociale en Russie et, partant, la révolution dans toute l'Europe... »

Il continue à voir des agents russes jusqu'au sein du gouvernement britannique. Comme Palmerston a laissé la place à Disraeli, dont l'opposition au tsar est incontestable, ses nouvelles cibles sont le marquis de Salisbury, « ami intime d'Ignatiev, grand-prêtre de Common Place », le comte de Derby et le comte de Carnavon, « aujourd'hui démis de ses fonctions »[18]. Mais il se trompe encore une fois, car la Grande-Bretagne, en menaçant la Russie d'intervenir, oblige Alexandre II à renoncer à la plupart des concessions faites par le sultan lors de préliminaires de paix à San Stefano, aux portes d'Istanbul[163]. Le tsar est alors de plus en plus menacé par les nihilistes : une nouvelle organisation secrète, *Narodnaïa Volia* (la Volonté du peuple), se donne même pour but unique de l'assassiner ; en cette année 1879, il échappe à plusieurs coups de feu aux abords de son palais ; un attentat détruit son train ; une explosion ravage sa salle à manger.

Au même moment, en Prusse, alors que l'Association professionnelle des imprimeurs crée, avec la bénédiction du pouvoir, la première assurance-chômage, Bismarck pourchasse les socialistes, interdit toute référence à Marx dans la presse et les livres, et empêche la parution de la nouvelle édition allemande du *Capital*.

Nouveau prétexte[248] : le 10 avril 1879, Karl écrit à son ami russe Danielson qu'il souhaite retarder la publication du livre II du *Capital* jusqu'à l'apogée d'une nouvelle crise industrielle anglaise ; d'ici là, il va intégrer dans son livre des faits nouveaux en provenance de Russie et des États-Unis[248]. Il tient en fait le même discours depuis qu'il préparait, vingt ans auparavant, la publication de la *Contribution à la critique de l'économie politique* et, il y a treize ans de cela, celle du livre premier du *Capital*, si ce n'est qu'il n'attend plus rien de la France et de l'Allemagne.

Karl se sent de plus en plus las. Il s'est alourdi, il est ridé, il marche difficilement. Un des nombreux journalistes américains venus l'interviewer évalue son âge à plus de soixante-dix ans, alors qu'il en a à peine soixante. Du 21 août au 16 septembre 1879, il part se reposer à Jersey avec Jenny, dont la fatigue s'aggrave. Karl est alors si célèbre que la cour d'Angleterre s'intéresse à lui : la princesse Victoria, fille de la reine et future femme de

Guillaume II de Prusse, envoie un député déjeuner avec lui pour lui rapporter la teneur et le déroulement de l'entrevue[277].

De retour de Jersey, Karl annonce à Nicolas Danielson qu'il va bientôt terminer le livre II.

Cette année-là, la France s'installe dans la République. Mac-Mahon démissionne, Jules Grévy est élu président, *La Marseillaise* devient l'hymne du pays et le 14 Juillet sa fête nationale. En octobre 1879, le Parti ouvrier français devient explicitement collectiviste sans plus être considéré comme illégal. À son congrès de Marseille, la formation de Guesde adopte la nationalisation générale comme objectif : « L'appropriation collective de tous les instruments de travail et forces de production doit être poursuivie par tous les moyens possibles. » Nombre de syndicalistes et de blanquistes ne s'y rallient pas et demeurent indépendants.

En Allemagne, le pouvoir reste dictatorial et Bismarck pourchasse les socialistes. C'est aussi le cas en Russie : par un décret du 12 février 1880, Alexandre II, juste avant d'échapper à un nouvel attentat, confie les pleins pouvoirs au comte Loris-Melikov, frustré de sa victoire contre la Turquie, avec mission d'éradiquer le nihilisme et de parachever la réforme des institutions. Quelques semaines plus tard, quand Victor Hugo, par son éloquence, obtient que la France refuse l'extradition de l'auteur d'un autre attentat perpétré contre le train impérial, les relations sont rompues entre les deux pays. Progressivement, l'intelligentsia d'opposition russe adopte le marxisme comme signe d'occidentalisation ; même les *narodniki*, qui le rejetaient comme provenant des pays « païens » de l'Ouest, acceptent désormais d'en discuter. Comme si le marxisme apparaissait maintenant en Russie comme un substitut à l'impossible capitalisme…

Début mai 1880, Jules Guesde se rend à Londres et y rencontre Marx, Longuet et Lafargue. Guesde interroge Karl sur le caractère « marxiste » du programme sur lequel il travaille pour les élections législatives à venir. Marx proteste : il a élaboré une science, pas une secte ! « Ce qui est sûr, c'est que moi, je ne suis pas marxiste ! » lui dit-il. Il l'aide à rédiger les statuts du parti qu'il appelle l'« authentique parti ouvrier ». Il écrit même un préambule au programme électoral des Français. Il convient de le citer longuement, puisque c'est le tout dernier texte politique de Marx, qui semble faire écho au *Manifeste*, élaboré trente-deux ans plus tôt[47] :

« Considérant que l'émancipation de la classe productive est celle de tous les êtres humains sans distinction de sexe ni de race ; que les producteurs ne sauraient être libres qu'autant qu'ils seront en possession des moyens de production ; qu'il n'y a que deux formes sous lesquelles les moyens de production peuvent leur appartenir : 1) la forme individuelle qui n'a jamais existé à l'état de fait général et qui est éliminée de plus en plus par le progrès industriel ; 2) la forme collective dont les éléments matériels et intellectuels sont constitués par le développement même de la société capitaliste ; considérant que cette appropriation collective ne peut sortir que de l'action révolutionnaire de la classe productive – ou prolétariat – organisée en parti politique ; qu'une pareille organisation doit être poursuivie par tous les moyens dont dispose le prolétariat, y compris le suffrage universel, transformé ainsi d'instrument de duperie qu'il a été jusqu'ici en instrument d'émancipation ; les travailleurs socialistes français, en donnant pour but à leurs efforts, dans l'ordre économique, le retour à la collectivité de tous les moyens de production, ont décidé, comme moyen d'organisation et de lutte, d'entrer dans les élections avec le programme minimum suivant... » Le socialisme, définitivement, ne peut venir que des urnes.

Le 23 mai 1880, une manifestation monstre organisée à Paris devant le mur des Fédérés contraint le gouvernement à accorder l'amnistie aux derniers communards. Lafargue décide de rester à Londres ; Longuet, de rentrer à Paris.

Au même moment, à Berlin, le fils d'un peintre autrichien de décors au Théâtre impérial de Vienne, Karl Kautsky, devient l'ami d'un des jeunes dirigeants lassalliens du parti socialiste dissous, déjà croisé à propos de la défense de Dühring : Eduard Bernstein, alors secrétaire d'un industriel socialiste, Höchberg. Sur le conseil de Bernstein, qui a changé d'avis sur Marx, Kautsky lit *L'Anti-Dühring* ; c'est pour lui une révélation. Il deviendra bientôt le principal épigone de Marx, le gérant de son héritage, l'organisateur de sa captation par les socialistes allemands, l'accapareur de ses manuscrits qu'il se disputera sauvagement avec... Bernstein.

Karl réfléchit alors à maints projets de livres. Lafargue rapportera qu'à ce moment « il se proposait, entre autres, d'écrire une logique et une histoire de la philosophie [...]. Et il avait une telle admiration pour Balzac qu'il se proposait d'écrire un ouvrage critique sur *La Comédie humaine*, dès qu'il aurait terminé son *œuvre économique*[161] ». Il utilise alors les travaux de Morgan sur les liens de parenté dans les communautés archaïques, et ceux de Kovalevski sur la propriété du sol, pour montrer la différence entre les « communautés agricoles anciennes » et ce que sera le communisme, système nouveau, forme supérieure de vie commune, grâce aux techniques modernes, qui pourra s'appuyer sur le *mir*, forme originale de propriété collective du sol. La Russie est décidément le seul pays qui l'intéresse...

C'est le moment que choisit Lafargue pour lui révéler qu'il travaille à un livre radicalement hostile à toute son histoire politique passée : *Le Droit à la paresse*[160]. Il en discute avec son beau-père qui lui ouvre sa bibliothèque. Karl, au fond, a toujours haï le travail, dont il a fait, depuis le début de son œuvre, la cause principale de l'aliénation, bien au-delà des cadres du capitalisme. Il n'a jamais fait sien le droit au travail, le plein emploi, qui lui paraissent des moyens pour les travailleurs de réclamer leur aliénation. L'idée qu'on puisse réfléchir à la meilleure façon de se débarrasser du travail ne lui est donc pas indifférente. Lafargue mesure alors que Karl a tout lu sur le sujet, comme sur tant d'autres. Il découvre avec stupéfaction les annotations de son beau-père sur un exemplaire de *Du Droit à l'oisiveté et de l'organisation du travail servile dans les républiques grecque et romaine*, de Moreau-Christophe, publié à Paris en 1849. Il trouve aussi dans sa bibliothèque une brochure de Maurice Cristal publiée en 1861 et intitulée *Les Délassements du travail*[216]. Lafargue écrit en rupture avec les valeurs traditionnelles du mouvement ouvrier. Il critique ceux qui réclament, depuis Louis Blanc, le « droit au travail », et ose écrire : « Honte au prolétariat français !... En présence de cette double folie des travailleurs, de se tuer de surtravail et de végéter dans l'abstinence, le grand problème de la production capitaliste n'est plus de trouver des producteurs et de décupler leurs forces, mais de découvrir des consommateurs, d'exciter leurs appétits et de leur créer des besoins factices. » Son livre est un appel à la « jouissance[160] », une dénonciation de la « religion du capital[160] » et de tous les systèmes sociaux qui glorifient le travail comme valeur sociale et individuelle. Il espère une libération du salariat (« le pire des esclavages[160] ») par la machine, et l'accès prochain de tous aux « loisirs[160] ». Le livre, qui remportera un énorme succès, ne détournera pas pour autant Lafargue de son engagement socialiste.

Mais voici que la dépression d'Eleanor s'aggrave au point de menacer sa vie ; elle parle de plus en plus de suicide... Karl s'affole et obtient de Jenny qu'ils l'autorisent à épouser Prosper Olivier Lissagaray, qui l'attend depuis huit ans. Alors, toute à ses contradictions, Eleanor tergiverse. Le 4 juillet 1880, Lissagaray choisit de profiter de l'amnistie et rentre à Paris. Sa relation avec Eleanor est terminée.

Au même moment, alors que s'achève enfin la première traduction anglaise du livre premier du *Capital*, Marx, selon certaines sources[230], écrirait à Darwin pour lui proposer de la lui dédier. Darwin déclinera cet honneur dans une lettre polie et réservée, tout comme il avait accueilli avec froideur l'envoi de l'édition allemande, quelques années plus tôt. Dans sa réponse, il qualifiera même au passage la propagande athée ou antichrétienne de « préjudiciable à la libération de l'esprit[230] ». En réalité, cette histoire répétée par tous les biographes n'est pas exacte. Darwin répond dans cette lettre à un autre livre[277] et Marx ne croit pas que les idées de Darwin soient transposables à l'analyse sociale.

Pourtant, que de points communs entre la théorie de la sélection naturelle (qui aboutit à la mutation des espèces vivantes), la théorie de la lutte des classes (qui aboutit à la mutation des espèces sociales), et l'autre grande théorie du XIXe siècle, celle de la thermodynamique (qui aboutit à la mutation des états de la matière) ! Toutes trois parlent de variations infinitésimales et de sauts majeurs ; toutes trois parlent aussi d'un temps qui s'écoule irréversiblement : vers le désordre, dit Carnot ; vers la liberté, dit Marx ; vers le mieux adapté, dit Darwin. S'adapter aux désordres de la liberté : tel est ce qui réunit Carnot, Marx, Darwin, les trois géants de ce siècle.

L'Anti-Dühring paraît alors en français, en feuilleton, dans le journal de Guesde, du 16 juin au 4 août 1880. Il connaît un grand succès. Au moment même où la doctrine qu'on se met à nommer « marxisme » se cristallise ainsi en dizaines de journaux et livres qui en font le commentaire, la personne même de Marx commence à être déifiée : son ami Friedrich fait tirer cette année-là mille deux cents copies d'une photo de Marx et la lui fait signer avec la mention « Salut et fraternité. Karl Marx, 27 juin 1880 ». « Marx, écrit Engels, y est représenté dans tout son calme olympien et avec ses coutumières joie de vivre et confiance en la victoire. » Lénine en possédera un exemplaire. La propagande iconographique s'installe. Une nouvelle religion s'esquisse. Marx s'y prête.

À l'automne 1880, Longuet revient s'installer à Paris, d'abord sans Jennychen et leurs enfants. (Ils en ont alors trois.) Il assiste en novembre à la réunion du congrès du Parti ouvrier français de Jules Guesde, au Havre.

À la fin de cette même année, des anarchistes réunis en Suisse à La Chaux-de-Fonds proposent encore de « sortir du terrain légal pour porter l'action sur celui de l'illégalité ». Netchaïev, s'affirmant, comme Guillaume, le dauphin de Bakounine, clame qu'un révolutionnaire doit être « amoral, voleur, assassin, opportuniste et corrupteur ».

En Russie, ce qui devait arriver advient : quatre lanceurs de bombes aux ordres de Sofia Perovskaïa, chef de *Narodnaïa Volia*, réussissent à assassiner Alexandre II, le dimanche 13 mars 1881, lors de la relève de la garde. Son fils, devenu Alexandre III à trente-six ans, abroge les dernières réformes libérales, exacerbe l'antisémitisme et russifie par la force les provinces périphériques de l'empire.

Dans une lettre importante écrite à ce moment à la révolutionnaire russe Véra Zassoulitch, lettre extrêmement réfléchie, dont trois brouillons successifs ont été conservés, Marx couche sur le papier ce qu'il rumine depuis quelque temps : en Russie et seulement en Russie le détour par le capitalisme n'est peut-être pas nécessaire, alors qu'il a toujours soutenu le contraire. « La Russie est le seul pays en Europe où la propriété communale s'est maintenue sur une échelle vaste, nationale. Mais, simultanément, la Russie existe dans un milieu historique moderne ; elle est contemporaine d'une culture supérieure ; elle se trouve liée à un marché mondial où la production capitaliste prédomine [...]. [En conséquence, on ne saurait] métamorphoser mon esquisse historique de la genèse du capitalisme dans l'Europe occidentale en une théorie historico-philosophique de la marche générale, fatalement imposée à tous les peuples, quelles que soient les circonstances historiques où ils se trouvent placés, pour arriver en dernier lieu à cette formation économique qui assure, avec le plus grand essor des pouvoirs productifs du travail social, le développement intégral de l'homme[37]. » C'est à cette lettre – et seulement à cette lettre – que s'accrocheront tous ceux qui voudront instaurer le communisme « dans un seul pays » à la place du capitalisme, et non pas après lui. On verra que, deux ans plus tard, Marx apportera une précision qui ruine cette interprétation : la révolution ne pourra, dira-t-il, réussir en Russie que si elle devient immédiatement mondiale.

Au même moment, en Allemagne, le parti socialiste suspendu depuis trois ans est de nouveau autorisé. Il renaît sous la direction non plus du seul Liebknecht, mais d'August Bebel dont le jeune Kautsky devient un proche. Bernstein assure à Zurich la rédaction en chef du *Sozialdemokrat*, nouvel hebdomadaire du SPD, et prêche la lutte des classes pour en finir rapidement avec la société bourgeoise : lui qui était hostile aux thèses de Marx en est maintenant le thuriféraire.

À Paris, la loi sur la gratuité de l'enseignement primaire et celle qui autorise les réunions publiques sont promulguées, *Bouvard et Pécuchet* est publié peu après la mort de Flaubert ; Bouvard et Pécuchet, dont la quête désespérée d'un savoir universel rappelle celle de Marx, esprit du monde. Jenny Longuet rejoint son mari. Un mois plus tard, Paul Lafargue s'installe lui aussi dans la capitale française, d'abord sans Laura. Au même moment, le jeune Kautsky se rend à Londres où il fait la connaissance de Karl, d'Eleanor, de Laura et d'Engels. De retour à Vienne, il se fiancera avec une infirmière viennoise, une certaine Louise Strasser, et l'épousera. On les reverra bientôt l'un et l'autre jouer un rôle majeur dans la gestion de l'héritage de Marx.

Karl suit avec intérêt la fondation à Londres de la London Democratic Federation par un certain Henry Mayers Hyndman. Eleanor est enthousiaste ; elle s'y inscrit et présente à son père Hyndman qui décrit cette rencontre : « Au début, son côté agressif, intolérant et essentiellement intellectuel prenait le dessus ; ce n'est qu'après que la sympathie et la bonne nature que cachait son apparence rugueuse apparaissaient. » Le marxisme fait ainsi une entrée discrète dans la vie politique anglaise. On verra que son influence sur la gauche britannique sera très diffuse.

Karl s'intéresse toujours à l'Inde et note qu'on ne mesure pas encore, en Europe, la gravité et l'ampleur des famines qui y sévissent, alors qu'un siècle plus tôt, lors de la famine du Bengale de 1770, l'opinion publique à Londres et à Paris s'était indignée. Il explique cette indifférence par le perfectionnement de la propagande colonialiste.

Il travaille à de multiples projets de livres sur les sciences naturelles, les mathématiques, l'histoire des technologies ; il remplit quatre épais cahiers de notes pour l'esquisse d'une *Histoire universelle*. Toujours ce désir d'écrire sur l'histoire de tout domaine qui le passionne afin d'en établir les fondements. Il s'est aussi attelé non plus à deux, mais à trois tomes supplémentaires du *Capital*, le dernier étant consacré à l'histoire des doctrines économiques. Sa passion reste intacte pour les progrès techniques, qui constituent toujours à ses yeux les vraies révolutions ; il s'intéresse ainsi à l'idée de Fernand Forest d'utiliser le pétrole comme carburant dans le moteur à quatre temps, et au premier tramway électrique qui roule à Berlin.

En novembre 1881, la maladie de Jenny s'aggrave. Le diagnostic révèle un cancer du foie. Karl est lui aussi si malade (une péritonite doublée d'une pleurésie) qu'il ne parvient qu'une seule fois à sortir de son lit pour passer dans la chambre voisine où se trouve son épouse. Lafargue écrit : « Pendant la dernière maladie de sa femme, il lui fut impossible de s'occuper de ses travaux scientifiques ordinaires ; il ne pouvait sortir de l'état pénible où le mettaient les souffrances de sa compagne qu'en se plongeant dans les mathématiques. C'est pendant cette période de souffrances morales qu'il écrivit un ouvrage sur le calcul infinitésimal, ouvrage d'une grande valeur, assurent les mathématiciens qui le connaissent[161]. » Ouvrage jamais publié et dont il ne reste rien, s'il a jamais existé.

Jenny meurt le 2 décembre en présence de Karl, de ses trois enfants et de ses deux gendres, revenus de Paris pour la veiller. « Elle meurt, rapporte Lafargue, en communiste et en matérialiste, ainsi qu'elle avait toujours vécu. La mort ne lui faisait pas peur. Lorsqu'elle sentit que la fin approchait, elle s'écria : "Karl, mes forces sont brisées"[161]. »

Karl est trop malade pour assister à l'enterrement, au cimetière de Highgate, dans la section des « réprouvés », c'est-à-dire des athées. Encore des obsèques qu'il aura manquées, après celles de son frère, de son père, de son beau-père et de sa mère. Seuls quelques intimes accompagnent Jenny au cimetière. Engels y prononce un discours. Paul Lafargue, qui est aux côtés de Laura et d'Eleanor, de Jennychen et de Charles Longuet, écrira : « Personne n'avait plus qu'elle le sentiment de l'égalité, bien qu'elle fût née et eût été élevée dans une famille d'aristocrates allemands. Pour elle, les différences et les classifications sociales n'existaient pas. Dans sa maison et à sa table, elle recevait les ouvriers en costume de travail avec la même politesse, la même prévenance que s'il se fût agi de princes. [...]. Elle avait tout quitté pour suivre son Karl, et jamais, même aux jours de dénuement extrême, elle ne regretta ce qu'elle avait fait[161]. »

Au lendemain de ces obsèques, Jennychen, qui semble elle aussi brusquement malade, repart pour Paris avec son mari et Paul Lafargue. Karl reste seul avec Laura et sa cadette, Eleanor, qui rencontre aux réunions du parti de Hyndman un journaliste, Edward Aveling. Celui-ci est marié, beaucoup plus âgé qu'elle, socialiste. Exactement comme son père, encore une fois.

Cette année-là, Karl travaille encore. Il précise encore ce qu'il pense de la possibilité d'une révolution en Russie. Dans une préface à la deuxième édition russe du *Manifeste du Parti communiste*, il écrit : « Aujourd'hui [...], la Russie est à l'avant-garde du mouvement révolutionnaire de l'Europe [...]. En Russie, à côté du bluff capitaliste en plein épanouissement, et de la propriété foncière bourgeoise en voie de développement, nous voyons que plus de la moitié du sol est la propriété commune des paysans. Dès lors, la question se pose : l'*obchtchina* russe, forme de l'archaïque propriété commune du sol, pourra-t-elle, alors qu'elle est déjà fortement ébranlée, passer directement à la forme supérieure, à la forme communiste de la propriété collective ? Ou bien devra-t-elle au contraire parcourir auparavant le même processus de dissolution qui caractérise le développement historique de l'Occident ? Voici la seule réponse que l'on puisse faire présentement à cette question : si la révolution russe donne le signal d'une révolution prolétarienne en Occident, et que toutes deux se complètent, l'actuelle propriété collective de Russie pourra servir comme point de départ pour une évolution communiste[32]. »

Voilà donc ce qui permet de lever la contradiction entre toute son œuvre et sa lettre de l'année précédente : une révolution russe ne pourra « servir comme point de départ pour une évolution communiste » que « si elle donne le signal d'une révolution prolétarienne en Occident », c'est-à-dire si elle devient mondiale. Ce membre de phrase, si important, sera occulté pendant un siècle par Lénine et ses successeurs ; ils feront tout, on le verra, pour laisser croire que Marx a donné son blanc-seing à l'idée d'un passage direct au socialisme dans la seule Russie.

En juillet 1882, Laura Lafargue ayant rejoint son mari à Paris, Karl est désormais seul avec Eleanor, ainsi qu'avec Engels qui réfléchit, dans une préface à une édition du *Manifeste*, à la dénomination « communiste ». En 1848, écrit-il, « les charlatans sociaux de tout acabit voulaient, à l'aide d'un tas de panacées et avec toutes sortes de rapiéçages, supprimer les misères sociales sans faire le moindre tort au capital et au profit ; et cette partie des ouvriers qui, convaincue de l'insuffisance des simples bouleversements politiques, réclamait une transformation fondamentale de la société, s'appelait alors communiste : nous ne pouvions hésiter un seul instant sur la dénomination à choisir[114] ».

Karl ne sait pas vivre sans Jenny. Il est perdu. Les photographies de son père, de sa femme et de Jennychen, de plus en plus malade, ne le quittent plus. Il souffre de la gorge et des poumons. Les médecins lui disent que seul un climat sec pourrait atténuer ses douleurs. C'est d'ailleurs alors la mode, chez les praticiens d'Angleterre, de diriger les malades de la poitrine vers la Côte d'Azur, l'Italie ou l'Algérie. Et les médecins d'Engels d'envoyer Karl outre-Méditerranée. Il ira, seul. Long voyage solitaire.

Longuet lui donne l'adresse d'un ami en poste à Alger, le juge Fermé, qui est prêt à lui servir de guide. Karl traverse la France, prend le bateau à Marseille, séjourne à Alger du 20 février au 2 mai 1882. Il n'est pas le seul étranger : quinze cents Anglais passent alors par Alger chaque année, ce dont témoignent les noms des hôtels Victoria, d'Angleterre, d'Angleterre et d'Orient réunis... Quand Marx y débarque, Alger *intra muros* compte soixante quinze mille habitants. Rien n'y transpire de la révolte qui couve au sud où les exécutions sommaires se succèdent, où le bétail est confisqué, des villages incendiés, des cultures saccagées. Karl ignore aussi le soulèvement de l'Oranais, commencé à l'été 1881, qui se prolonge pendant tout son séjour et jusqu'en mai 1883 aux confins algéro-marocains. Il n'y apprend pas non plus la mort de Darwin, le 19 avril 1882. Il ne voit rien de l'Algérie : il pleut, il fait froid, il reste enfermé toute la journée dans son hôtel, le Victoria, à Mustapha, sur les hauteurs de la Ville blanche. Il pense à Jenny, à ses filles. Il lit un journal local, *Le Petit Colon*, feuille truffée de fausses nouvelles, désignant les révoltes comme du « banditisme », même si cette feuille est beaucoup plus tempérée que *Le Courrier d'Oran* ou *Le Moniteur d'Alger*. Le juge Fermé lui explique la situation à travers le filtre de l'idéologie coloniale que Karl ne décrypte pas toujours. Il ne fait qu'une sortie et écrit seize lettres, dont neuf à « Fred » et les autres à ses filles. Elles ne parlent que de sa santé et du temps qu'il fait. Seule mention d'une critique : dans une lettre du 8 avril 1882 à Engels, Karl remarque : « Fermé me raconte que [...] se pratique (et cela "régulièrement") un mode de TORTURE [c'est lui qui souligne] pour extorquer des aveux aux Arabes ; naturellement, c'est la "police" qui s'en charge ; le juge est supposé n'en rien savoir[46]. »

Puis Karl étouffe de solitude et de chagrin. Il écrit à Laura, qui vient de s'installer avec Paul Lafargue à Enghien, qu'il va venir se « reposer » à Paris ; il s'installera chez elle, pour ne pas ennuyer Jennychen, malade, qui vit maintenant tout à côté, à Argenteuil. Il écrit dans cette lettre cette phrase extraordinaire et pathétique : « J'appelle repos la "vie de famille ", les voix enfantines, tout ce "petit monde microscopique, bien plus intéressant que le monde macroscopique"[146]. »

« Bien plus intéressant que le monde macroscopique »... Quel jugement pathétique pour celui qui a tout sacrifié, y compris même trois de ses enfants, à l'étude et à l'action sur le monde !

Il débarque à Marseille le 5 mai 1882, au moment où un corps expéditionnaire de sept cents hommes y embarque pour le Tonkin et où Déroulède fonde la Ligue des patriotes.

En arrivant chez Laura, il apprend que Jennychen est au plus mal. Il va de l'une à l'autre, et perd la vue[146]. Il discute politique avec Longuet et avec Lafargue qui, en octobre, quitte, avec Guesde, le Parti ouvrier pour fonder le Parti ouvrier français, le POF, au congrès de Roanne. Des dissidents du POF fondent la Fédération des travailleurs socialistes regroupant des anarchistes et des réformistes, et sont surnommés les « possibilistes ». Cette année-là apparaît pour la première fois en français le terme « marxisme », utilisé depuis longtemps au sein de l'Internationale ; il est employé par Paul Brousse dans *Le Marxisme dans l'Internationale*. Louis Blanc décède à Cannes ; la Troisième République lui offre des obsèques nationales. Le socialisme a désormais droit de cité.

Karl s'enthousiasme pour les nouvelles expériences de Marcel Deprez qui réalise le premier transport d'énergie électrique à distance par ligne à haute tension entre Miesbach et Munich. Il y voit l'avenir du socialisme, et l'écrit à Engels. Il apprend aussi la découverte par Robert Koch du bacille de la tuberculose. Il sait pour lui que c'est trop tard.

À la fin d'octobre, Karl quitte ses deux aînées pour rejoindre sa cadette, déprimée, partie se reposer à Vevey. Il abandonne Jennychen mourante, pour retrouver Eleanor, suicidaire. Le père et la fille vont ensemble sur l'île de Wight. L'état de Marx se détériore au point qu'il ne peut pratiquement plus rien avaler et qu'il vomit quotidiennement, comme souvent depuis sa jeunesse. Il est encore à Wight quand, en décembre, Guesde et Lafargue sont une nouvelle fois arrêtés pour discours subversifs. Ils retournent pour six mois en prison pour « incitation à la guerre civile ». Devant le tribunal, Guesde dit : « C'est une révolution qui nous a donné l'égalité devant la loi ; une autre, le suffrage universel ; une autre, la forme républicaine dans le domaine économique. Je ne suis que logique en comptant sur une révolution nouvelle pour obtenir l'égalité dans les moyens de production, le suffrage dans l'atelier, la république dans le domaine économique. » Ce qui inspire à Karl une lettre dithyrambique à Laura sur son mari, louant ses derniers articles et « son combat courageux contre les pouvoirs établis, qui rend l'homme sympathique[146] ». Il est toujours à Wight avec Eleanor quand meurt Jennychen, le 11 janvier 1883, à l'âge de trente-huit ans ; elle laisse cinq enfants dont l'un, Harry, est très malade. Le même jour, 11 janvier 1883, Marx quitte Wight avec Eleanor et regagne Londres ; Hélène Demuth est là pour l'accueillir et lui annoncer la mort de Jennychen et le départ d'Engels pour ses funérailles. Comme il l'a fait aux obsèques de Jenny, Engels s'exprime lors de l'enterrement de l'aînée des filles Marx : « Le prolétariat a perdu un courageux combattant. Son père en deuil a au moins la consolation de savoir que des centaines de milliers de travailleurs en Europe et en Amérique partagent son chagrin. »

Le 20 janvier, Engels revient de Paris et ne quitte plus son ami. Ils parlent des livres à venir, des manuscrits, de ce qui reste à publier. Des deux filles, Laura et Eleanor, qu'Engels promet de continuer à soutenir financièrement.

Le 14 mars, victime de la tuberculose, Karl Marx s'éteint dans son fauteuil. Eleanor est là, alors qu'Engels s'est absenté quelques instants de la pièce. Ils se sont rencontrés quarante ans plus tôt. Depuis, pas un jour l'un sans l'autre, au moins par l'écrit.

Le vieil homme prend dans la poche de son ami les photos de son père, de sa femme et de sa fille aînée. Quarante-huit heures plus tard, il les placera dans son cercueil.

Karl est enterré à côté de sa femme, au cimetière de Highgate. Onze personnes assistent à ses funérailles : ses deux dernières filles, Eleanor et Laura, ses gendres, Paul Lafargue, à peine sorti de prison, et Charles Longuet, dont un des fils est mourant, Hélène Demuth, et six fidèles, dont Engels qui prononce une oraison funèbre, long texte très médité qui, au-delà de l'immense chagrin éprouvé par l'inséparable ami, annonce le marxisme :

« Le 14 mars, à trois heures moins le quart de l'après-midi, le plus grand penseur vivant a cessé de penser. Il n'était seul que depuis deux minutes et quand nous sommes revenus, nous l'avons trouvé endormi, de son dernier sommeil, dans son fauteuil. C'est une perte incommensurable pour le prolétariat militant d'Europe et d'Amérique et pour la science historique que la mort de cet homme. Le fossé laissé par le départ de cet esprit puissant se fera bientôt sentir. Tout comme Darwin a découvert la loi du développement naturel, Marx a découvert la loi du développement humain [...]. De plus, Marx a aussi découvert la loi qui dirige le mouvement de l'actuel mode de production capitaliste et la société bourgeoise qu'il a créée [...]. Ces deux découvertes eussent suffi pour une vie. Et heureux soit l'homme qui aurait pu en faire une seule. Mais, dans tous les domaines qu'a étudiés Marx, et il en a étudié beaucoup, aucun superficiellement, dans tous les domaines, même les mathématiques, il a fait des découvertes. Ainsi était l'homme de science. Mais ce n'était même pas la moitié de lui. La science était une dynamique historique, une force révolutionnaire. Au-delà de sa joie de découvrir des lois théoriques aux conséquences difficilement prévisibles, il a aussi été acteur du changement révolutionnaire dans l'industrie [...]. Car il était d'abord et avant tout un révolutionnaire. Sa mission dans la vie était de contribuer, d'une façon ou d'une autre, à abattre la société capitaliste et les institutions d'État qu'elle a créées pour libérer le prolétariat moderne dont il a été le premier à définir les conditions de l'émancipation. Combattre était son élément. Et il combattait avec une passion, une ténacité et un succès sans rivaux [...]. Marx était l'homme le plus haï et le plus calomnié de son temps. Les gouvernement absolutistes ou républicains l'ont déporté. Bourgeois, conservateurs ou démocrates se sont unis contre lui. De tout cela il ne s'est pas occupé, sauf en cas d'extrême nécessité. Et il mourut adoré, révéré et pleuré par des millions de camarades révolutionnaires, des mines de Sibérie en Californie, en Europe et en Amérique. Même s'il avait beaucoup d'opposants, il n'avait pas d'ennemi personnel. Son nom durera à travers les âges, tout comme son œuvre[253]. »

Quatre jours plus tard, on enterre dans le même caveau Harry Longuet, un des fils de Jennychen, mort à l'âge de quatre ans.

CHAPITRE VII

L'esprit du monde

Dans *Limbo*, grand roman de science-fiction écrit en 1952, Bernard Wolfe, ancien garde du corps de Trotski, raconte l'histoire d'un chirurgien, le Dr Martine, spécialiste du cerveau[256]. À la tête d'un hôpital de campagne pendant une troisième guerre mondiale supposée se dérouler en 1970 entre l'Hinterland, son pays, et le reste du monde, le médecin est écœuré d'avoir à amputer en série des blessés de guerre. Aussi note-t-il dans son journal intime qu'il n'aurait pas à le faire si les hommes étaient, de naissance, privés de bras et de jambes, et ainsi rendus incapables de violence. Puis il déserte et se réfugie sur une île oubliée, habitée par les Mandunji, tribu qui pratique depuis l'aube des temps une lobotomie rituelle, la *Mandunga*. La guerre en cours s'exacerbe si fort que les relations sont coupées entre l'île et le reste du monde. Dix-huit ans plus tard, des troupes de l'Hinterland, puissance dominante, débarquent sur l'île ; elles sont composées d'étranges personnages aux membres remplacés par des prothèses. Martine découvre alors que son pays est désormais sous la coupe de pacifistes qui prônent la mutilation volontaire pour réprimer l'instinct guerrier. Revenant chez lui anonymement, il s'aperçoit qu'un portrait de lui, jeune, orne tous les lieux publics : un de ses anciens collaborateurs a pris le pouvoir dans l'Hinterland en se présentant comme le prophète venu porter la bonne parole d'un Messie disparu, le Dr Martine ; son journal intime est devenu le livre sacré d'une idéologie totalitaire dans laquelle la valeur des hommes se mesure au nombre de membres qu'ils se sont fait amputer. Il entreprend alors de lutter contre ses propres thèses dans cet Hinterland devenu totalitaire, rêvant de l'île des Mandunji devenue l'ultime espoir en une renaissance de la liberté.

Limbo est plus qu'un grand roman trop méconnu. C'est un réquisitoire contre la manière dont les pouvoirs récupèrent les mythes, les religions, les théories scientifiques ou les doctrines philosophiques pour en faire des idéologies ; c'est aussi une critique du mythe de l'*homme nouveau*, de plus en plus « violemment pacifiste », que toute société totalitaire aspire à faire naître ; c'est enfin le roman de la révolte contre la trahison de l'esprit par la force.

Wolfe parle là évidemment de Marx et de son double caricatural, commanditaire de l'assassinat de Trotski, Staline, alors au faîte du pouvoir. Car Marx, comme le Dr Martine, n'a pas voulu cette horreur, même s'il en est malgré tout, au moins en partie, responsable.

Wolfe aurait pu aussi bien parler de Jésus, de Mahomet, de Darwin ou de Nietzsche, dont bien des émules ont caricaturé les enseignements – des inquisiteurs aux Khmers rouges, des Almohades aux nazis – pour en faire des instruments de leur pouvoir.

Aujourd'hui, alors que les régimes se recommandant du marxisme ont presque tous disparu de la surface du globe, se profilent de nouvelles usurpations du même type. Aussi plus que jamais importe-t-il de comprendre comment Karl

Marx, homme seul, pourchassé par toutes les polices du Vieux Continent, détesté jusque dans son propre camp, dont l'essentiel de l'œuvre traînait à sa mort à l'état de brouillons en désordre, est devenu, cinquante ans après ses obsèques, l'idole absolue et incontournable de la moitié de l'humanité, contrainte de vénérer ses travaux et de s'incliner devant son portrait exposé dans tous les lieux publics.

L'étude de cette glorification posthume permettra de constater, que, pour qu'un livre, une doctrine, une religion, un homme en vienne à constituer le socle justificateur d'un système totalitaire, il faut que six conditions soient réunies ; comme elles le furent pour le Dr Martine et pour Marx : une œuvre offrant une vision globale de l'Histoire assortie d'une claire distinction entre un présent désastreux et un avenir radieux ; assez de complexité et de lacunes pour permettre plusieurs interprétations ; une pratique suffisamment ambiguë pour en rendre possible la récupération politique ; un ami (ou plusieurs) suffisamment légitime pour réduire l'œuvre à des principes simples ; un leader charismatique pour porter ce message, au-delà des premiers disciples, en s'appuyant sur une organisation à sa dévotion ; enfin, une conjoncture politique permettant de prendre le pouvoir.

La vision globale du monde est celle du *Manifeste* et du *Capital* ; les lacunes ouvrant à plusieurs interprétations sont celles qui jalonnent toute l'œuvre de Marx. La pratique, à la fois libertaire et dictatoriale, est aussi la sienne. Les amis qui l'ensevelirent sous plusieurs couches successives de simplifications, puis de mensonges, furent Engels et Kautsky. Les leaders charismatiques furent Lénine et Staline, s'appuyant sur le parti communiste soviétique et le Kominterm. La conjoncture politique qui déclencha la prise de pouvoir par le marxisme fut celle de la Première Guerre mondiale, en Russie et en Prusse, l'un et l'autre pays héritiers dévoyés de Hegel et de Marx, d'un dirigisme nationaliste et d'un socialisme internationaliste. C'est là que naîtront les deux effroyables perversions du XXe siècle : le nazisme et le stalinisme.

À sa mort, Marx laisse une œuvre considérable, à la fois claire et semée d'ambiguïtés.

Sa vision du monde est d'abord fondée sur la dénonciation du travail, de son abstraction, de l'arrachement à soi et aux autres qu'il entraîne. C'est le travail qui produit l'Histoire en engendrant la lutte des classes, qui elle-même accouche du capitalisme ; il est poussé par sa nature à se développer mondialement, à exploiter toujours davantage le travail des hommes, à transformer une part toujours plus grande des services en produits industriels, à s'épuiser dans la recherche d'un profit toujours plus difficile à obtenir, à exiger une plus-value de plus en plus élevée pour compenser la hausse du coût des investissements rendus nécessaires par la concurrence. Pour Marx, le capitalisme est civilisateur (« Les idées de liberté de conscience, de liberté religieuse ne firent que proclamer le règne de la libre concurrence dans le domaine du savoir[41] »). La bourgeoisie joue même à ses yeux un rôle révolutionnaire, bouleversant le potentiel de l'humanité, brisant l'isolement des nations, favorisant « la migration rurale vers les villes, ce qui constitue un formidable progrès car, par là, elle a préservé une grande partie de la population de l'idiotisme de la vie des champs[41]... »

Le capitalisme est un préalable obligé au communisme, « absolument indispensable, car, sans lui, c'est la pénurie qui deviendrait générale, et, avec le besoin, c'est aussi la lutte pour le nécessaire qui recommencerait, et l'on retomberait fatalement dans la vieille gadoue[14] ». Le prolétariat ne pourra remporter une véritable victoire sur la bourgeoisie que lorsque « la marche de l'Histoire aura élaboré les facteurs matériels qui créeront la nécessité de mettre fin aux méthodes bourgeoises de la production et, en conséquence, à la domination politique de la bourgeoisie[14] ». Il est donc nécessaire d'accélérer la généralisation du capitalisme, de favoriser la mondialisation et le libre échange : « La situation la plus favorable pour le travailleur est celle de la croissance du capital, il faut l'admettre [...]. En général, le système protectionniste d'aujourd'hui est conservateur, alors que le libre échange est destructeur. Il rompt les vieilles nations et pousse l'antagonisme entre le prolétariat et la bourgeoisie à l'extrême. En un mot, le libre échange accélère la révolution et c'est dans une direction révolutionnaire, messieurs, que je vote en faveur du libre échange[31]. »

Le capitalisme creuse sa propre tombe en aliénant et en exploitant les travailleurs. Il les aliène par leur extériorité aux objets qu'ils produisent, par la fascination qu'exerce sur eux l'argent ; il crée donc un monde « désenchanté » où chacun est aliéné par l'existence même des marchandises qu'il consomme et produit[270]. Il exploite les producteurs en transformant leur force de travail en une marchandise dont le prix (le salaire, correspondant au coût de l'entretien et du renouvellement de la force de travail) est inférieur à la valeur qu'elle peut créer – et que seule la force de travail peut créer, car les machines n'ajoutent pas à l'objet qu'elles fabriquent plus de valeur qu'elles n'en contiennent. La différence entre la valeur créée par le travail et celle dépensée pour le produire – la plus-value – appartient au capital, qui cherche à l'augmenter en réduisant la rémunération des salariés, en constituant un « armée de réserve industrielle » faite des chômeurs des pays industrialisés et du marché colonial, et en augmentant la productivité du travail : « Quel que soit le taux des salaires, haut ou bas, la condition du travailleur doit empirer à mesure que le capital s'accumule[12]. » C'est la paupérisation de la classe ouvrière.

Sous ces coups, les classes moyennes disparaissent. Les entreprises tendent elles-mêmes à se raréfier du fait de leur concurrence effrénée : « Le monopole du capital devient une entrave pour le mode de production qui a grandi et prospéré avec lui. La socialisation du travail et la centralisation de ses ressorts matériels arrivent à un point où elles ne peuvent plus tenir dans leur enveloppe capitaliste. Cette enveloppe se brise en éclats. Les expropriateurs sont à leur tour expropriés[12]. » De plus en plus de capitalistes deviennent des prolétaires. Et bien que chaque entreprise s'efforce de préserver individuellement le profit qu'elle dégage, le taux de profit global ne peut que baisser, en raison de la croissance des investissements, ce qui entraîne forcément des crises, puis une révolution, seule capable de transformer la nature de la société et de faire naître celle où disparaîtront à la fois l'aliénation et l'exploitation : la société communiste.

La démocratie parlementaire permettra de faire naître et se développer la conscience politique du prolétariat, nécessaire à l'avènement de la révolution et au passage au communisme. Toute révolution brutale, comme la Terreur, ne sert que la bourgeoisie. « En Angleterre, par exemple, la voie qui mène au pouvoir politique est ouverte à la classe ouvrière. Une insurrection serait folie là où l'agitation pacifique peut tout accomplir avec promptitude et sûreté. » Une fois le pouvoir pris par la voie démocratique, encore faut-il que la majorité le conserve grâce à la « dictature du prolétariat » ; elle se résume à l'utilisation des moyens de la démocratie au service de la majorité pour « mettre à bas l'appareil répressif[8] » tout en maintenant à la fois les libertés individuelles, la séparation des pouvoirs et la liberté de la presse. Dans les pays où n'existent ni démocratie ni capitalisme, en particulier la Russie, aucune révolution communiste ne saurait réussir si ne se déclenche pas en même temps une révolution mondiale : « Si la Révolution russe donne le signal d'une révolution prolétarienne en Occident, et que toutes deux se complètent, l'actuelle propriété collective de Russie pourra servir comme point de départ pour une évolution communiste[32]. »

Pour qu'ait lieu une telle prise de conscience des classes ouvrières, il faut que des partis les représentant s'organisent, se présentent aux élections et les gagnent ; ils peuvent y parvenir, même si l'idéologie dominante est celle des maîtres de l'économie, car l'action et la pensée humaines ne sont pas prisonnières des structures économiques. Comme il peut y avoir des œuvres d'art libres, sans relation avec les rapports de forces économiques, il peut y avoir une libre pensée politique. Les opprimés peuvent se rebeller en s'ouvrant à une « conscience de classe ». Ce sont les individus qui font l'Histoire, et non pas les masses.

Une fois l'État disparu, le communisme s'installera. Chacun y sera libre d'utiliser son temps à sa guise, les biens seront disponibles en abondance, gratuitement, les moyens de production appartenant à la collectivité. Le communisme ne sera donc pas une société figée une fois pour toutes, mais un « mouvement » incessant vers une liberté individuelle sans cesse à conquérir, à inventer, en sorte que chacun réalise toutes ses aspirations : par exemple, « dans une société communiste, il n'y aura plus de peintres, mais tout au plus des gens qui, entre autres choses, feront de la peinture[14] ». Liberté et égalité y seront rendues compatibles par l'égalité réelle et non plus théorique des droits et libertés individuels.

Le communisme ne peut être qu'à dimensions mondiales ; une révolution ne saurait durablement réussir dans un seul pays, car « le prolétariat ne peut ainsi exister qu'au sein de l'histoire mondiale ; comme le communisme, ses activités ne peuvent avoir qu'une existence historico-mondiale[14] ». Marx fait ainsi du « socialisme » une nouvelle parousie planétaire où se réconcilient l'homme et son œuvre, où l'homme accède à l'éternité de par sa classe qui, prenant le pouvoir, se réalise tout en se niant.

Tout l'avenir est dans cette redoutable équivoque. Car la doctrine de Marx recèle assez d'ambiguïtés pour permettre bien des interprétations. Comme tout un chacun avant et après lui, Marx se trompe sur les dates et les délais. À chaque nouvelle crise, il se voit contraint d'intercaler une phase supplémentaire entre l'expansion inattendue et l'inévitable apocalypse. Il ne précise pas non plus comment mesurer plus-value et taux de profit. Il ne dit pas comment, ni pour combien de temps, le capitalisme pourra retarder sa crise finale. Il n'explique pas si, et comment, la dictature du prolétariat pourrait être réversible, autrement dit ce qu'il advient quand une majorité populaire – avec une ambiguïté sur le mot populaire – souhaite interrompre le cours d'une révolution. Il ne dit rien non plus de la nature de la société communiste, ni de la façon dont seront appropriées collectivement les entreprises, ni du rôle que jouera l'État résiduel : il subordonne la réponse à ces questions à l'étude de chaque cas particulier. Enfin, dernière ambiguïté, il glorifie le travailleur tout en considérant que, par nature, et quel qu'en soit le propriétaire, le travail constitue en soi une insupportable aliénation.

Par ailleurs, son comportement personnel, en général fort libertaire, est parfois à des années-lumière de son propre idéal. Journaliste avant tout, il considère la liberté de pensée – et donc la démocratie parlementaire où elle s'épanouit – comme le plus sacré des droits. Toute sa vie il choisit de privilégier la liberté, de confronter ses idées avec les faits, de refuser que sa doctrine se fige, qu'on fasse de lui un idéologue. Il a conscience de ses propres erreurs ; mais lui qui parie sur la bonté de l'Homme et qui souhaite lui confier les clés d'une société libre, sait se montrer méprisant et d'une « arrogance offensante, insupportable[58] ». Ainsi il invective (comme dans *Misère de la philosophie*), il exclut (comme dans la *Circulaire contre Kriege*), il anathémise (comme dans *La Sainte Famille*). Il insulte ses compagnons, comme August von Willich ; il renonce, pour cause de conflit idéologique, à des amitiés (avec Otto Bauer, Moses Hess ou Arnold Ruge) ; il va jusqu'à mener des enquêtes policières sur ses ennemis (comme Bakounine ou Lord Palmerston). Il laisse ses enfants mourir de misère sans tout faire pour mieux gagner sa vie.

Il insère délibérément sa théorie dans la lutte, en concevant et construisant sa vie comme un aller et retour permanent entre l'action, qui le passionne, et l'écriture, qui l'impatiente, en faisant de l'économie politique un instrument de révolte des démunis, des opprimés, des offensés ; il est un matérialiste qui croit aux forces de l'esprit, un philosophe pour qui l'économie sous-tend l'Histoire, et aux yeux de qui l'action passe avant la théorie ; il est un pessimiste qui fait confiance en l'homme. Bientôt, d'autres caricatureront sa théorie pour la mettre en pratique en s'essayant à singer son comportement.

Ces autres, ce sont : Engels, qui inventera le concept de parti d'avant-garde ; Kautsky, qui caricaturera la théorie économique de Marx ; Lénine, qui importera le marxisme en Russie comme stratégie d'occidentalisation d'un pays arriéré ; Staline, qui fera de la dictature du prolétariat une dictature exercée sur le prolétariat après la liquidation des autres classes.

Leur action se déroule sur quatre scènes : la Grande-Bretagne, qui ne gardera de Marx que la pratique social-démocrate, sans le vocabulaire ; la France, qui ne conservera de lui que le vocabulaire, sans la pratique politique ; l'Allemagne et la Russie, qui mettront en œuvre deux caricatures de son projet : l'Allemagne optera pour un totalitarisme national contre l'internationalisme communiste ; la Russie remplacera un totalitarisme national par un autre en invoquant les mots d'ordre de l'internationalisme. L'une et l'autre héritières de Bismarck et de Hegel (c'est-à-dire de la dictature prussienne), bien plus que de Marx (c'est-à-dire de la Rhénanie et de la Révolution française).

Pour construire l'instrument de prise du pouvoir d'État dont Marx se méfiait depuis sa jeunesse, ces épigones devront soigneusement réécrire sa biographie, puis expurger son œuvre pour la faire correspondre à la caricature dont ils ont besoin ; ils devront enfin tenter de hausser leurs écrits au même niveau que les siens pour s'arroger le droit de s'exprimer en son nom.

Au lendemain des obsèques de Marx, Friedrich Engels et les deux filles de Karl sont les seuls à pouvoir déchiffrer ses papiers, « cette écriture, ces abréviations de mots et de phrases entières[161] ». Eleanor passe six mois à trier les liasses de manuscrits, la multitude de lettres, de livres, de boîtes et de paquets. Heureusement, le bail du 41, Maitland Road, court encore sur un an et elle a le temps de s'y consacrer, même si, au même moment, elle s'installe chez Edward Aveling, le journaliste socialiste qu'elle fréquente depuis un an et qui n'a toujours pas divorcé. Sa sœur Laura, qui vit à Paris, l'aide peu. Elle s'occupe surtout des cinq enfants de sa sœur Jennychen. Engels continue de soutenir financièrement les deux filles de Karl comme il avait subvenu aux besoins du père, conformément à la dernière promesse faite à son ami avant sa mort.

Les quatre sœurs de Karl vivent alors trop loin pour s'occuper du devenir de son œuvre : l'une est en Afrique du Sud, deux autres, Louise et Sophie, vivent aux Pays-Bas, et la quatrième, Émilie, à Trèves. Hélène Demuth quitte la maison pour devenir gouvernante chez Engels.

Son fils Frédéric, se rapproche d'Eleanor qui ne sait toujours rien de sa filiation.

Celle-ci fait insérer dans plusieurs journaux londoniens et internationaux une annonce demandant aux personnes qui posséderaient des lettres ou des documents de Marx de les lui faire parvenir[248] « pour duplicata en vue d'une publication ». La fille de Sophie, la sœur aînée de Karl, une certaine Lina Smith, de Maastricht, lit cette annonce dans la presse batave et trouve dans les papiers de sa mère, morte juste après Karl, une lettre de son oncle, la seule à avoir été conservée : c'est la lettre si importante de 1837 de Karl à son père, la dernière, citée au début de ce livre. Sophie avait obtenu cette lettre de leur mère qui la lui avait laissée à sa propre mort. C'est dire l'importance qu'elle revêtait pour la famille. C'est dire aussi que, en dépit de l'apparente hostilité des sœurs de Marx à son action, les unes et les autres avaient sans doute, à l'instar de leur mère, nourri une secrète fierté vis-à-vis de leur frère. Mais Eleanor se demande si son père aurait aimé qu'on publie ce genre de correspondance privée et elle la garde par-devers elle.

Dans ce grand désordre, Engels récupère chez Marx, avec l'accord d'Eleanor, les manuscrits achevés des livres II, III et IV du *Capital*, qu'il entend publier, comme il en est convenu avec son ami, juste avant sa mort. Il ne touche pas aux autres manuscrits, ceux des ouvrages antérieurs non publiés. Mais il a du mal à se retrouver dans ce fatras. Au dirigeant allemand Bebel, qui s'en inquiète, il écrit le 30 août : « Si j'avais su, je ne l'aurais pas laissé en paix de jour ou de nuit avant que le travail fût terminé et imprimé[146]. » Pourquoi écrit-il ainsi au président du parti social-démocrate allemand ? Parce que, au lendemain même de la disparition de Marx, les dirigeants du parti allemand se préoccupent de son œuvre qu'ils souhaitent s'approprier et faire connaître. Le génie du socialisme scientifique est allemand ; il doit donc régner d'abord en Allemagne.

D'emblée Marx est ainsi l'enjeu d'une bataille d'abord allemande, avant de devenir russe. Elle ne sera jamais anglaise ni américaine. Elle ne sera que marginalement française.

En octobre 1883, Engels, malade, garde le lit pendant huit semaines et se rend compte qu'il lui faudra de l'aide pour venir à bout de la tâche. C'est à ce moment que, à l'occasion de son anniversaire, Karl Kautsky vient lui rendre visite à Londres[146]. Le jeune homme est alors à Berlin un collaborateur de Bebel. Kautsky vient de fonder *Neue Zeit*, la revue théorique du parti allemand. Ennemi des lassalliens, c'est un admirateur de Marx et d'Engels, un fervent lecteur de *L'Anti-Dühring* comme du *Capital*. Vient-il là de son plein gré ? Est-il envoyé par Bebel ? Engels l'« initie » en tout cas au déchiffrage des manuscrits de Marx et le présente à Eleanor qui lui montre la lettre de 1837 de Karl à son père. Kautsky aimerait la publier dans *Neue Zeit*. Eleanor s'y oppose : trop intime. Engels propose à Kautsky de venir travailler avec lui à la publication des œuvres de Marx. Kautsky promet d'y réfléchir et rentre à Berlin.

L'année suivante (1884), Eleanor quitte, avec son compagnon Edward Aveling et les écrivains William Morris et Samuel Butler, la Fédération démocratique de Henry Hyndman, qui devient la Fédération social-démocrate ; ils fondent alors la Ligue socialiste. Au même moment est créée avec George Bernard Shaw un autre mouvement socialiste anglais, la Société fabienne, du nom du général romain Fabius, dit *Conducator* (« le Temporisateur ») en raison de son refus de toute bataille frontale face à Hannibal. Il y a alors trois courants de gauche en Angleterre, tous inspirés de Marx : social-démocrate, socialiste et fabien. Cette Société fabienne, qui prône l'« imprégnation » de la société par les idées marxistes sans révolution, donnera vingt ans plus tard naissance à l'actuel Parti travailliste.

Cette année-là, à Genève, un émigré russe, Georges Plekhanov, fonde le premier groupe marxiste russe, Libération du travail. Il traduit et fait parvenir en Russie *Travail, salaire et capital*[35], le petit texte de vulgarisation rédigé par Marx à Bruxelles en 1847 à l'intention des ouvriers.

Engels fait alors transporter chez lui par Hélène l'essentiel des manuscrits restés au domicile de Marx. Eleanor ne conserve que les lettres personnelles et ce qui est rédigé en anglais.

En 1885, Kautsky, qui a passé les mois précédents à collecter des souvenirs de témoins allemands sur Marx, accepte l'offre d'Engels et vient s'installer à Londres avec sa femme Louise, l'infirmière autrichienne. Il est en fait missionné par le parti allemand ; son seul objectif : ramener les manuscrits de Marx sur sa terre natale pour en faire le sous-bassement idéologique du parti socialiste allemand. Engels trouve Louise attirante (« Elle a un joli petit corps », dit-il) et en fait sa gouvernante. Le couple ne tarde pas à prendre à la fois le contrôle du « vieux général » (Engels), des manuscrits et, pour finir, du « marxisme ». Kautsky fera plus tard paraître dans *Neue Zeit* les premiers récits sur Marx, contribuant à forger sa légende : *Souvenirs d'un ouvrier sur Karl Marx*, d'un certain Friedrich Lessner qui l'a croisé à Berlin ; un article de Sorge sur Karl Marx ; et surtout les *Souvenirs personnels*[161] de Paul Lafargue, beaucoup cités ici, que Kautsky a lui-même demandés au mari de Laura, et qui constituent le premier texte biographique rédigé sur l'auteur du *Capital*.

Dès son arrivée à Londres, durant l'été 1885, Kautsky jette sur le papier avec une terrifiante prémonition quelques remarques sur le parti socialiste allemand pour un livre de vulgarisation sur le marxisme qu'il prépare : « Presque tous les intellectuels du parti [...] ne rêvent que d'idée nationale, de résurrection du vieux passé germanique et de colonies, ne songeant qu'à faire des avances au gouvernement, qu'à remplacer la lutte des classes par le pouvoir de la "Justice" et qu'à manifester leur aversion pour la conception matérialiste de l'Histoire – ce dogme marxiste, comme ils l'appellent[151]. » Cela participe à la dérive qui conduira, trente ans plus tard, à la constitution du parti national-socialiste.

Les deux hommes se mettent immédiatement au travail et publient à la fin de l'année le livre II du *Capital* chez Otto Meissner. La préface d'Engels est déjà mensongère : « Marx découvrit le premier la loi d'après laquelle toutes les luttes historiques, qu'elles soient menées sur le terrain politique, religieux, philosophique ou dans tout autre domaine idéologique, ne sont, en fait, que l'expression plus ou moins nette des luttes des classes sociales[47] » – alors que Marx a toujours spécifié que les idées et les arts étaient exclus de la lutte des classes. Puis ce second mensonge : « Cette loi a, pour l'Histoire, la même importance que la loi de la transformation de l'énergie pour les sciences naturelles[47]. » Le « marxisme » devient ainsi, sous sa plume, une vérité indiscutable, alors que, pour Marx, on l'a vu, la théorie sociale est une science ouverte, un « mouvement » au service de la politique qui doit s'effacer devant elle.

La même année, Engels s'engage en faveur de la Ligue des syndicats féminins, qui commence à défendre les intérêts propres des femmes dans le monde du travail.

Il n'est pas le seul à distordre la vérité de Marx. Eleanor elle-même ne fait pas moins. Ainsi, la même année, elle publie les deux pamphlets de son père dirigés contre Palmerston (*Histoire diplomatique du XVIIIe siècle* et *His-*

toire de la vie de Lord Palmerston), en supprimant les passages les plus antirusses pour ne pas déplaire aux amis russes de son père. À Paris, Laura, plus fidèle, traduit quant à elle en français *Le Manifeste du Parti communiste*, cette fois directement de l'allemand. Là où la première traduction (de l'anglais en français) disait : « Nous sommes poursuivis par un fantôme, le fantôme du communisme », Laura écrit : « Un spectre hante l'Europe, le spectre du communisme. » Cette année-là encore, Laura soutient aussi son mari et Jules Guesde, qui comparaissent pour la troisième fois devant les tribunaux, cette fois pour avoir parlé du « fusil libérateur ». En guise de défense, Guesde déclare : « Je ne renie aucun de mes mots. Mais ce fusil n'était pas dirigé contre un homme dont la peau ne nous importe ni peu ni prou [...]. C'était le fusil de vos grandes journées, messieurs de la bourgeoisie, le fusil du 14 Juillet et du 10 Août, le fusil de 1830 et de 1848, le fusil du 4 septembre 1870. Il a porté au pouvoir le Tiers-État. Il y portera – et avec autant de droits – la classe ouvrière. » À la différence de ce qui s'était passé deux ans plus tôt, Jules Guesde et Paul Lafargue sont acquittés par le jury populaire. C'est que les choses changent ; les socialistes peuvent parler plus librement. Il est même tout à fait possible, désormais, de publier Marx à Paris sans crainte de la censure. Cette année-là, un certain Gabriel Dreville publie d'ailleurs un premier résumé en français du *Capital* dans un *Aperçu sur le socialisme scientifique*.

Engels continue de trier ses propres manuscrits et ceux de Karl avec l'aide des Kautsky qui ont une idée fixe : trouver le moment idoine pour rapatrier en Allemagne les manuscrits de Marx, les brouillons de ses livres et ceux qu'il n'a pas publiés. L'année suivante, Engels fait éditer *Onze Thèses sur Ludwig Feuerbach*[16] et introduit dans une préface l'expression « matérialisme dialectique » là où Marx parlait pour sa part de « dialectique matérialiste ».

La distinction n'est pas mince : la dialectique est une méthode, le matérialisme est une philosophie. Or voilà que la philosophie elle-même devient dialectique, c'est-à-dire disponible pour admettre toutes les contradictions internes. Ce que le premier marxiste russe, Plekhanov, essaiera de théoriser dans une formule suffisamment obscure pour permettre toutes les interprétations : le « matérialisme dialectique » est une théorie de la vérité selon laquelle il y a « contradiction entre le caractère représenté nécessairement comme absolu de la pensée humaine et son actualisation uniquement dans des individus à la pensée limitée, contradiction qui ne peut se résoudre que dans le progrès infini ». Autrement dit, la contradiction dans la pensée est légitime si elle vise à réconcilier utopie et pratique... Autrement dit encore, l'arbitraire est légitime s'il sert la révolution. Voici Marx déjà profondément dévoyé par ce léger glissement lexicographique.

Toujours passionnée de théâtre, qu'elle perçoit comme un moyen de propager le socialisme, Eleanor traduit Ibsen du norvégien et *Madame Bovary* du français. Elle travaille à une nouvelle traduction en anglais du *Capital*, à partir de la troisième édition allemande, avec l'aide d'Edward Aveling, avec qui elle vit, et de Samuel Moore (le juriste, ami de Marx, qui avait refusé d'accueillir les réfugiés de la Commune). Engels la relit. Toujours dépressive, Eleanor, qui ne réussit pas à faire divorcer son compagnon, fait alors une tentative de suicide.

Engels pense le moment revenu, pour toutes les classes et tous les peuples opprimés, de « se fondre en une Internationale socialiste, nouvelle famille, nouvelle identité des peuples, rassemblant ouvriers et minorités de toute nature dans un même combat contre la bourgeoisie[62] ». Inquiet des dégâts que l'antisémitisme (le mot vient d'être créé[62]) commence à causer au sein de la classe ouvrière allemande, il regrette qu'il soit utilisé comme « une arme de propagande de la classe bourgeoise pour détourner les masses ouvrières du sentiment anticapitaliste[62] ». Il craint que « la haine des Juifs ne serve de dérivatif à la juste colère des classes exploitées contre les patrons, et ne les éloigne des partis révolutionnaires[62] ». Il ajoute : « En suscitant parmi les ouvriers de l'hostilité envers les Juifs, les classes bourgeoises évitent que les revendications ouvrières ne soient dirigées contre elles[62]. » Il définit les partis ouvriers comme l'avant-garde de la classe ouvrière.

En 1887, la nouvelle édition anglaise du *Capital*, parue chez Swan Sonnenschein, Lowrey & Co, n'a pratiquement aucun lecteur. Si cinq mille exemplaires sont écoulés aux États-Unis, c'est, disent certaines sources[277], parce que l'éditeur a lancé le livre auprès des professionnels de la banque en le présentant comme une méthode destinée à faire fortune !

Cette même année, Kautsky, qui réside toujours à Londres chez Engels, publie son premier livre de vulgarisation, *La Doctrine économique de Karl Marx*[152]. Cette année-là aussi, le 11 mai, un certain Alexandre Oulianov, frère aîné du futur Lénine, est pendu sur ordre du tsar. L'anarchiste russe Kropotkine écrit en Suisse dans *Le Révolté* : « C'est une illusion de croire que l'on peut vaincre les coalitions d'exploiteurs par quelques livres d'explosifs. »

L'année suivante (1888) meurent à la fois le Kaiser Guillaume Ier et son successeur, Frédéric III, qui laisse le trône de Prusse à son fils, Guillaume II. Le règne de Bismarck s'achève. Le parti social-démocrate de Bebel recouvre toute liberté d'action et se dote de structures stables après l'abrogation des lois qui le contraignaient à la clandestinité. Ceux des militants qui ont connu la période antérieure, qui ont résisté aux procès et à l'emprisonnement, accèdent aux postes de responsabilité, deviennent des permanents et croient la révolution imminente. Il n'est pas encore possible de publier Marx en Allemagne.

Cette année-là aussi, la rédaction du *Sozialdemokrat* est expulsée de Suisse ; le jeune homme qui la dirige, Eduard Bernstein, est alors envoyé par Bebel à Londres pour prêter main-forte à Kautsky dont il devient vite le rival auprès d'Engels, cependant qu'un médecin qui soigne Engels, le Dr Freyberger, devient le rival de Kautsky auprès de Louise... Engels, lui, est tout occupé à la préparation de sa revanche sur le passé : les partis socialistes étant légalisés, il entend construire l'Internationale et assumer le rôle que Marx occupa sans lui dans la première...

En juillet 1889, des socialistes se rassemblent à Paris à l'occasion des fêtes du centenaire de la Révolution française. Chaque délégué décrit la progression des idées socialistes dans son pays. Plekhanov, délégué du groupe marxiste Libération du travail, expose la situation russe : « Poussé par le besoin d'argent, notre gouvernement contribue de toutes ses forces au progrès du capitalisme en Russie. Et cet aspect de son activité ne peut que réjouir les socialistes que nous sommes, puisque c'est son propre tombeau que l'autocratie creuse par ce moyen. Le prolétariat, en train de se former par suite de la décomposition de la commune agraire, portera le coup mortel à l'absolutisme. Si la mission de notre intelligentsia révolutionnaire consiste, aux yeux des sociaux-démocrates russes, à se pénétrer des théories du socialisme scientifique moderne, à les répandre parmi les ouvriers, et, avec leur aide, à donner l'assaut à la citadelle de l'absolutisme, le mouvement révolutionnaire en Russie ne peut triompher qu'à titre de mouvement révolutionnaire des ouvriers. Il n'y a pas d'autre solution et il ne saurait y en avoir d'autre. » Autrement dit, le marxisme, science du socialisme, n'ouvre la voie à la révolution que si le capitalisme s'installe.

Les délégués jettent les bases d'une nouvelle Internationale qui sera bientôt connue sous le nom d'Internationale socialiste[104]. Comme la première, elle revendique la primauté de l'action parlementaire et s'inscrit dans une inspiration marxiste. Elle entend regrouper des partis, mais aussi des syndicats. À la différence de la première, en revanche, chaque section nationale jouit d'une totale autonomie ; elle se veut une fédération de partis nationaux aux structures légères, sans secrétariat. Les anarchistes, qui rejettent l'action politique, en sont exclus.

Les principaux débats portent sur l'alternative entre révolution et réforme, et sur le colonialisme. Reprenant la campagne lancée aux États-Unis par la Fédération du travail, il est décidé d'organiser pour le 1er mai de l'année suivante une manifestation internationale en faveur de la journée de huit heures.

Décidé à suivre de près la constitution des partis socialistes et la formulation des programmes, Engels se fait élire président d'honneur de cette nouvelle Internationale. Le 18 décembre de cette année 1889, il réaffirme la nécessité de créer, en particulier en Allemagne, des partis communistes forts, à l'avant-garde de la classe ouvrière. Il écrit à un ami allemand[248] : « Pour qu'au jour de la décision le prolétariat soit assez fort pour vaincre, il est nécessaire qu'il se constitue en un parti autonome, un parti de classe conscient, séparé de tous les autres. C'est ce que Marx et moi n'avons cessé de défendre depuis le *Manifeste* de 1848. »

Kautsky, qui poursuit avec Bernstein le travail de déchiffrage des livres III et IV du *Capital*, divorce ; Louise rentre à Vienne pour reprendre son métier d'infirmière. Bebel propose alors à Kautsky de devenir permanent du SAPD, au plus haut poste administratif, celui de secrétaire général. Il rentre en Allemagne en souhaitant emprunter – « pour continuer d'y travailler », dit-il – le manuscrit du livre IV, mais aucun autre : Engels refuse de s'en dessaisir. Bernstein prend le relais pour assumer la même mission : rapatrier tous les manuscrits de Marx en Allemagne.

À Berlin, cette année-là, le Parti social-démocrate des travailleurs allemands change de nom : il devient le SPD (Parti social-démocrate), nom qu'il porte encore aujourd'hui ; il élabore alors sous la direction de Liebknecht un programme auquel Engels, qui se mêle de tout, prête son concours : suffrage universel, sécurité sociale et retraite pour tous, protection des chômeurs et reconnaissance des syndicats ; des collectivisations sont proposées, mais pas énumérées en détail. Le 20 mars 1890, le chancelier Bismarck démissionne ; aux élections de cette année-là, le SPD gagne des voix.

Dans une lettre à Paul Lafargue du 27 août, Engels rapporte la formule que Marx a utilisée plusieurs fois à la fin de sa vie : « Moi, je ne suis pas marxiste. » À Berlin, Kautsky se marie avec une autre Louise qu'il distingue de la première en la prénommant Luise…

Le 18 novembre 1890, Hélène Demuth meurt d'un cancer ; comme Karl et Jenny l'ont voulu, elle est inhumée dans la tombe même des Marx, au côté du couple et du petit Harry, au cimetière de Highgate. Quatre jours plus tard, Engels écrit à son sujet dans le vieux journal des chartistes : « Pour ce qui me concerne, le travail que j'ai pu être capable de faire depuis la mort de Marx est largement dû au soleil et au soutien que représentait sa présence dans la maison. » Un témoin, F. Lessner, présente la chose autrement : « La perte d'Hélène Demuth fut très sensible pour Engels. Par bonheur, peu de temps après, Mme Louise Kautsky, aujourd'hui Mme Freyberger, prit le parti de quitter Vienne pour Londres afin de tenir la maison d'Engels[253]. » En fait, les choses se passent encore autrement : c'est Bebel et Liebknecht qui renvoient Louise à

Londres, car ils veulent « l'un des leurs » à ce poste et n'ont plus entière confiance en Bernstein qui se permet de critiquer Marx un peu trop à leur goût. « Il est de son devoir vis-à-vis du Parti de s'installer ici », expliquent-ils à Louise, comme celle-ci le répète à son arrivée à Eleanor, laquelle en fait part à Laura dans une lettre du 19 décembre 1890. La mission de Louise est la même que celle de Kautsky et Bernstein : rapatrier dès que possible les manuscrits de Marx en Allemagne.

En 1891, au premier congrès de l'Internationale socialiste réuni à Bruxelles participent des confédérations syndicales, des coopératives ouvrières et des partis. Un peu plus tard dans la même année, au premier congrès du SDP, réuni à Erfurt, Karl Kautsky résume l'opinion des socialistes allemands en déclarant que l'évolution spontanée du capitalisme doit conduire à l'explosion révolutionnaire. Tous pensent que la victoire du socialisme ne fait désormais plus de doute, qu'elle est dans l'ordre des choses ; le pouvoir leur écherra bientôt.

Les dirigeants libéraux et chrétiens le craignent eux aussi et, la même année, le pape Léon XIII, dans l'encyclique *Rerum novarum*, demande aux États de « pourvoir d'une manière toute spéciale à ce qu'en aucun temps l'ouvrier ne manque de travail, qu'il ait un fonds de réserve destiné à faire face non seulement aux accidents soudains et fortuits, inséparables du travail industriel, mais encore à la maladie, à la vieillesse et aux coups de mauvaise fortune ».

Comme leurs camarades allemands et sur leur modèle, les socialistes français organisent leur parti et entrent au Parlement. Le Parti ouvrier français, dirigé par Guesde et Lafargue, ne compte alors que deux mille membres ; son journal, *Le Socialiste*, est peu diffusé. Son objectif est d'être « l'instructeur et le recruteur » du socialisme révolutionnaire, ce qui suppose journaux, brochures et meetings. Et du temps. Guesde déclare : « Nous ne connaissons que deux nations : la nation des capitalistes, de la bourgeoisie, de la classe possédante, d'un côté ; et, de l'autre, la nation des prolétaires, de la masse des déshérités, de la classe travailleuse. Et de cette seconde nation nous sommes tous, nous, socialistes français, et vous, socialistes allemands. Nous sommes une même nation : les ouvriers de tous les pays forment une seule nation qui est opposée à l'autre, qui est aussi une et la même dans tous les pays. »

Le 8 novembre 1891, Paul Lafargue est élu député de la première circonscription de Lille.

En 1893, une page se tourne : Prosper Olivier Lissagaray quitte le journal *La Bataille* et se retire de toute vie publique ; son livre sur la Commune est, depuis sa parution, devenu un classique.

Anecdote éclairante sur l'état d'esprit d'Engels cette année-là : en avril, un étudiant russe émigré à Lausanne, Alexeï Voden[253], désire se rendre à Londres pour travailler à une histoire de la « philosophie anglaise » ; il demande à Plekhanov une lettre de recommandation pour Bernstein et Engels ; le chef des marxistes russes lui fait alors passer « un examen en règle sur la philosophie de l'Histoire de Marx et de Hegel, les populistes subjectivistes, le livre II du *Capital*, Proudhon (sans recourir à *Misère de la philosophie*), Feuerbach, Bauer, Stirner... ». Satisfait de ses réponses, il lui remet sa lettre et lui demande de recopier pour lui au British Museum de longs extraits de *La Sainte Famille*. À son arrivée à Londres, Engels, qui travaille alors au livre III du *Capital*, l'interroge sur les populistes russes et leurs désaccords avec Plekhanov ; Engels explique qu'il « aurait voulu voir les Russes – et pas rien qu'eux, d'ailleurs –, au lieu de multiplier les citations de Marx et d'Engels, se mettre à penser comme Marx l'aurait fait à leur place. Ce n'est qu'à cette condition que le mot "marxiste" avait sa *raison d'être* [en français dans le texte] [...]. La fois suivante, le rendez-vous porta sur les premiers ouvrages de Marx et d'Engels [...]. Quelles étaient les œuvres de jeunesse de Marx et de lui-même qui intéressaient Plekhanov et ses amis, et pour quelle raison ? [Voden] allégua tous les arguments en faveur de la publication aussi rapide que possible de toute l'œuvre philosophique de Marx et des ouvrages auxquels ils avaient travaillé ensemble. Engels [lui] dit qu'il avait plus d'une fois entendu la même chose de certains Allemands, mais il [lui] demandait de lui dire en toute sincérité ce qu'[il] considérait comme plus important : que lui, Engels, passât le reste de sa vie à publier des manuscrits délaissés, datant des années 40, ou qu'après la parution du troisième livre du *Capital* il s'occupât de publier les manuscrits de Marx traitant de l'histoire des théories de la plus-value [...] ? [Il] incita Engels à tirer malgré tout d'un oubli immérité au moins l'essentiel des premiers ouvrages de Marx, car c'était trop peu du seul *Feuerbach*. Il dit que pour se retrouver dans toute cette histoire ancienne, il fallait s'intéresser à Hegel à qui personne ou, pour être plus précis, "ni Kautsky ni Bernstein" ne s'intéressaient à présent ».

On devine le « vieux général » parfaitement conscient de la manœuvre de ceux qui l'entourent et qui guettent sa mort : il est bien décidé à les faire attendre le plus longtemps possible !

Cette même année 1893, le congrès de l'Internationale socialiste réuni à Zurich décide de dissocier le combat politique des luttes syndicales. Il fonde le Parti socialiste démocratique révolutionnaire international et fixe en ces termes les conditions d'admission : « Le congrès reconnaît comme membres du Parti socialiste démocratique révolutionnaire international toutes les organisations et sociétés qui admettent la lutte des classes et la nécessité de socialiser les moyens de production, et qui acceptent les bases des congrès internationaux socialistes. » Le parti international n'aura pas beaucoup de réalité. Kautsky, que l'on surnomme maintenant à Berlin « le Pape du marxisme » pour son travail de vulgarisation, annonce que le socialisme est inéluctable et ne requiert pas d'action pour qu'il advienne. Il va ainsi devenir le gardien d'un « radicalisme passif ». Il écrit : « Nous savons que nos buts ne peuvent être atteints que par une révolution ; nous savons aussi qu'il n'est pas en notre pouvoir de faire cette révolution, pas plus qu'en celui de nos adversaires de l'empêcher. Aussi n'avons-nous cure de la préparer ou de la mettre en route[152]. »

La même année encore, certaines organisations syndicales, dont les trade-unions anglais, se réunissent séparément et mettent en place une Internationale syndicale distincte des partis. On y trouve des syndicats réformistes et d'autres révolutionnaires. De son côté, le Parti ouvrier français connaît un franc succès électoral aux législatives : il compte une cinquantaine de députés à la Chambre. Parmi eux, Guesde, Lafargue, Millerand et un nouveau député de la circonscription minière de Carmaux : Jean Jaurès, futur rival de Guesde.

En 1894, Engels fait paraître le livre III du *Capital,* qui reprend les thèses évoquées plus haut et qu'il a préparé avec Bernstein ; il précise dans la préface : « Les livres II et III du *Capital* devaient, à ce que Marx m'a dit à plusieurs reprises, être dédiés à sa femme », et il ajoute : « On remarquera que, dans tous ces écrits, et notamment dans ce dernier, je ne me qualifie jamais de "social-démocrate", mais de "communiste" [...]. Pour Marx comme pour moi, il est donc absolument impossible d'employer une expression aussi élastique pour désigner notre conception propre... » La simplification de Marx est déjà à l'œuvre.

En septembre 1894 éclate « l'Affaire », qui va diviser profondément la gauche européenne et jouer un rôle dans les destinées du marxisme : Alfred Dreyfus, soupçonné en octobre, jugé en décembre, est envoyé au bagne en janvier. Au même moment, dans la « zone d'établissement juif », en Ukraine, l'immense ghetto où sont parqués les Juifs de Russie, le principal dirigeant d'un parti socialiste propre aux Juifs, le Parti ouvrier juif (le Bund), Kremer, et un autre socialiste juif nommé Martov publient un manifeste, *Sur l'agitation*, qui condense l'expérience du prolétariat juif. Martov quitte alors la Russie, il deviendra l'un des tout premiers dirigeants marxistes russes, puis le principal opposant à Lénine.

Eleanor semble isolée. Elle craint la mainmise de Louise Kautsky et de son nouveau mari, le Dr Freyberger, sur le vieil Engels, malade, et sur ce qu'elle appelle le *Nachlass* (le trésor des manuscrits paternels). Les Freyberger occupent à présent une partie de la maison d'Engels où ils ont même fait apposer une plaque à leur nom, et semblent le tenir sous leur coupe, tout comme les Kautsky naguère. Eleanor s'en ouvre à sa sœur, mais Laura (qui bénéficie chaque mois des largesses d'Engels) ne lui emboîte pas le pas et laisse sans réponse sa demande pressante de venir se rendre compte par elle-même de la situation. Eleanor reste ainsi seule à remâcher ses craintes, que partage à ses côtés Eduard Bernstein. Kautsky, toujours en bons termes avec sa première épouse, l'exhorte à se méfier de celui qu'il a envoyé à sa place ; ce Bernstein lui fait l'effet d'un esprit trop libre…

Engels se sent mal. Il devine que sa fin approche. Il réclame à Kautsky le manuscrit du livre IV, emporté à Berlin « pour vérifier certains points du livre III ». Le 14 novembre 1894, il écrit à Laura et à Eleanor pour les informer qu'il compte léguer toute sa bibliothèque, y compris les livres qu'il a reçus à la mort de Marx et les manuscrits conjoints, au Parti social-démocrate allemand.

Le 26 mars 1895, Engels rédige un codicille à son testament par lequel toutes les lettres en sa possession écrites à Marx ou par lui (à l'exception de celles que ce dernier a échangées avec lui-même) devront être restituées à Eleanor. Il lègue à Bernstein à Londres et à Bebel à Berlin, pour le parti, ses propres manuscrits, sa correspondance avec Marx et ses propres droits d'auteur[147]. Ses biens personnels seront, décide-t-il, répartis entre Laura, Eleanor et Louise, qui aura réussi ainsi à se glisser parmi les légataires ; la jolie infirmière recevra en outre les meubles et les effets du défunt, ainsi qu'une option sur le bail de sa maison qu'elle entend bien habiter. Engels lègue deux cent cinquante livres à ses exécuteurs testamentaires, dont Bernstein, et mille livres à Bebel pour financer les campagnes électorales du SPD. Louise essaiera encore de manœuvrer le vieillard pour mettre la main sur les manuscrits de Marx, mais celui-ci refusera d'intervenir auprès des filles Marx pour qu'elles les lui confient.

Avant de mourir, Engels souhaite encore publier sous son contrôle certains manuscrits de Marx. Mais, par un choix étrange et révélateur, il décide de faire publier en premier lieu, dans le journal officiel du parti, le *Vorwärts*, le texte de Marx sur la révolution de 1848, précédé d'une longue introduction d'Engels qui insiste sur l'importance de la révolution dans l'action politique. Tenant compte des menaces de la censure, il distingue, dans cette présentation, entre la révolution, modalité d'action générale du prolétariat, et la prudence, qu'il recommande au prolétariat allemand. Kautsky trouve le texte encore trop radical et y pratique des coupures. Furieux, Engels lui écrit le 1er avril 1895 : « À mon étonnement, je vois aujourd'hui dans le *Vorwärts* un extrait de mon introduction reproduit à mon insu et arrangé de telle façon que j'y apparais comme un paisible adorateur de la légalité à tout prix. Aussi désirerais-je d'autant plus que l'introduction paraisse sans coupure dans la *Neue*, afin que cette impression honteuse soit effacée. Je dirai très nettement à Liebknecht, qui préside encore le parti, mon opinion à ce sujet, ainsi qu'à ceux, quels qu'ils soient, qui lui ont donné cette occasion de dénaturer mon opinion. » Le même jour, il écrit à Paul Lafargue sur le même sujet : « W... [Liebknecht] vient de me jouer un joli tour. Il a pris de mon introduction aux articles de Marx sur la France 1848-1850 tout ce qui a pu lui servir pour soutenir la tactique à tout prix paisible et anti-violente qu'il lui plaît de prêcher depuis quelque temps, surtout en ce moment où on prépare des lois coercitives à Berlin. Mais cette tactique, je ne la prêche que pour l'Allemagne d'aujourd'hui, et encore, sous bonne réserve. Pour la France, la Belgique, l'Italie, l'Autriche, cette tactique ne saurait être suivie dans son ensemble, et pour l'Allemagne elle pourra devenir inapplicable demain. » Engels ne cite pas la Russie : à ses yeux, elle ne fait pas partie du paysage, car aucune révolution n'y est concevable[94].

Trois mois plus tard, au début de juillet 1895, Engels, alors très malade, s'enthousiasme pour les toutes premières grèves de masse à Saint-Pétersbourg. Il apprend aussi avec émotion que, le 24 juillet, un des fils de Jennychen – un des petits-fils de Karl –, Jean Longuet (« Johnny »), se retrouve, à vingt-trois ans, parmi les cent vingt délégués français du Parti ouvrier de son oncle Lafargue et de Guesde, représentant la fédération régionale de Basse-Normandie au IVe congrès de l'Internationale à Londres. « Johnny » loge chez sa tante Eleanor avec son oncle Lafargue qu'il fréquente beaucoup depuis la mort de sa mère ; Laura est devenue pour lui comme une deuxième mère. Tous viennent voir le « vieux général », comme l'appellent les filles. Tous sont encore à Londres quand Engels meurt, le 5 août 1895.

Le sort du marxisme va se jouer désormais entre l'Allemagne et la Russie. En France il ne sera plus qu'une pâle copie de ce qu'il est en Allemagne ; l'Angleterre ne sera plus que l'asile où des émigrés viendront chercher refuge et répit sans influer sur la société britannique.

Douze jours après la mort d'Engels, Eleanor, qui a récupéré tous les manuscrits anglais de son père, demande à Kautsky de reprendre son travail sur le livre IV. Elle entame des négociations avec l'éditeur Dietz, qui propose à Meissner de racheter les droits des livres déjà édités[248].

C'est l'époque où Louise révèle à Eleanor que Marx est le vrai père de Freddy. Elle l'aurait appris de la bouche d'Engels sur son lit de mort. Sans doute Louise veut-elle obtenir d'Eleanor la garde des manuscrits. Eleanor se rapproche alors de son demi-frère avec qui elle pense partager une sorte de prédestination au malheur[248]. Peut-être cette nouvelle est-elle pour quelque chose dans la décision que prennent conjointement Laura et elle : elles décident de confier les manuscrits de leur père à Kautsky, qui leur paraît le mieux capable de défendre sa mémoire. Eleanor ne conserve que les articles de son père en langue anglaise. Louise, qui est à Londres l'envoyée de Bebel, fait savoir à ses patrons que c'est elle qui a obtenu ce qu'ils désiraient depuis si longtemps. Le Parti l'en remercie sans prendre la peine de remercier les propres filles de Marx ! Eleanor en est choquée, mais il est trop tard : le don est fait.

Pourtant, les manuscrits de Marx et d'Engels ne peuvent quitter l'Angleterre en raison des vieilles lois allemandes antisocialistes qui interdisent leur retour. Les papiers de Marx restent donc chez Eleanor. Les papiers d'Engels, sous la double tutelle de Bernstein et de Bebel, sont placés, à la demande de ce dernier, dans la cave d'un militant londonien, Julius Motteler, dans deux coffres de bois équipés d'un double cadenas : Bernstein a un jeu de clés, Louise Feyderer en détient un autre. Aucun ne peut les ouvrir sans l'accord de l'autre. La confiance règne…

De plus en plus attachée à son identité juive qu'elle ne lie pas spécialement à la foi religieuse[248], Eleanor se rapproche davantage encore de la dramaturge Amy Levy[248]. Celle-ci publie *Reuben Sachs*[172], un roman sur les difficultés de l'assimilation des Juifs dans la société anglaise, puis met fin à ses jours alors qu'elle vient de relire les épreuves de ses plus beaux poèmes, *The London Plane Tree*[172]. Encore un choc pour Eleanor qui perd sa meilleure amie.

La mort d'Engels libère Bernstein, qui se sent de plus en plus réformiste et qui, en 1896, écrit de Londres à Kautsky : « Pratiquement, nous ne formons qu'un parti radical ; nous ne faisons que ce que font tous les partis bourgeois radicaux, sauf que nous le dissimulons sous un langage entièrement disproportionné à nos actions et à nos moyens. » Bernstein pense que le système économique capitaliste va désormais s'adapter, qu'il est capable de s'améliorer. Le socialisme peut donc se réaliser graduellement. Il ose même critiquer Marx et soutient que l'auteur du *Capital* a sous-estimé les capacités d'adaptation de la société industrielle par l'extension du marché, par la circulation plus rapide des marchandises et par la constitution de grandes entreprises (ce qu'en fait, on l'a vu, Marx a fort bien prévu). Bernstein rejette tant l'idée de la lutte des classes que celle du renversement du capitalisme. Reprenant l'apostrophe de la Marie Stuart de Schiller : « Qu'elle ose paraître ce qu'elle est ! », il demande que le Parti socialiste reconnaisse qu'il est un parti réformiste.

Voilà donc le légataire d'Engels, donc de certains manuscrits de Marx, passé à l'ennemi ! À Berlin, les socialistes s'inquiètent. Kautsky est furieux, tout comme une jeune Polonaise qui vient de rejoindre le parti et qui apparaît comme le chef de file des plus radicaux : Rosa Luxemburg. Celle-ci accuse Bernstein de commettre la même erreur que celle que Marx dénonçait chez Proudhon : « Il ne voit pas que l'apparente irrationalité du système est au cœur de celui-ci, et tente de lui substituer par la voie des réformes un capital "plus juste" ou "plus rationnel"[183]. » Au contraire de Bernstein, Rosa Luxemburg considère que les solutions que trouve le capitalisme pour survivre sont inacceptables, en particulier l'expropriation par le capitalisme des pays colonisés. Pour elle, cette expansion ne peut se poursuivre indéfiniment, « puisque la Terre est ronde », donc finie, le mode de production capitaliste court à une catastrophe finale.

Le marxisme s'installe partout en Europe comme la doctrine de la gauche. Il est partout schématisé, caricaturé, réduit peu à peu à un manichéisme simpliste : le pouvoir ne peut tolérer les doutes du savant.

À Paris, le vulgarisateur de Marx, Dreville, écrit dans ses *Principes socialistes*[86] : « En France comme partout à cette heure, le socialisme qui s'impose est le socialisme sorti de la critique économique de Marx. Qu'on le veuille ou non, tout ce qui est socialiste est aujourd'hui à la remorque de la théorie marxiste. »

Au même moment, le 10 novembre 1896, *Le Matin* produit un fac-similé du bordereau qui innocente Dreyfus.

Eleanor continue de trier les brouillons des lettres en anglais de son père qu'elle a récupérées chez Engels. Dans une correspondance du 12 novembre à sa sœur[147], elle écrit : « Toutes les lettres sont pêle-mêle. Je veux dire que les paquets faits par le cher vieux général ne sont pas du tout triés, et pas seulement pour ce qui est des dates : il arrive que les feuillets d'une même lettre se trouvent dans des paquets différents[147]. » Elle ne s'occupe pas des manuscrits, dont le sort reste en suspens ; il y a là tous les brouillons que Marx a écrits et qu'il n'a jamais ni publiés ni jetés.

En Russie, le jeune Lénine rêve pour ce pays d'un État de type prussien et d'un parti comme le Parti socialiste allemand. Vladimir Oulianov, qui vit désormais au bord de la Léna (d'où son surnom de « Lénine »), critique Plekhanov, le marxiste en exil en Suisse, pour « sa sous-estimation du caractère révolutionnaire de la paysannerie, sa surestimation du rôle de la bourgeoisie libérale, et un manque de liaison avec le mouvement ouvrier ». Toujours la même question : est-il possible de court-circuiter en Russie l'édification du capitalisme et l'essor du salariat pour faire advenir le socialisme en s'appuyant sur la paysannerie ?

À la fin de 1897, à Paris, le lieutenant Picquart fait savoir qu'il croit à l'innocence de Dreyfus et en la culpabilité d'un autre officier français, le commandant Esterhazy. Le 13 janvier 1898, Zola publie « J'accuse » en première page de *L'Aurore*, le journal de Clemenceau, pour défendre Dreyfus. La gauche européenne se divise sur « l'Affaire ». Pour Guesde, qui pense, comme Zola, que Dreyfus est une victime de la justice militaire, ce combat ne concerne pas les socialistes. Rosa Luxemburg est du même avis : « l'Affaire » est un conflit interne à la bourgeoisie, ce n'est pas l'affaire de la classe ouvrière. Pour Jaurès, il faut combattre l'injustice d'où qu'elle vienne. Cette année-là, le leader socialiste reprend la phrase de Marx en mars 1850 pour appeler à une « évolution révolutionnaire ».

Le 23 juin 1898, alors que Bismarck s'éteint, morose et oublié, Eleanor fait une stupéfiante découverte : son compagnon, Edward Aveling, avec qui elle vit depuis quinze ans, qui est depuis longtemps malade et qu'elle soigne, en a épousé une autre en secret, deux ans auparavant, sous un faux nom ! Il n'avait pas osé la quitter, de peur qu'elle se suicide.

Eleanor, la petite « Tussy », la fille cadette de Karl, celle qu'il a tant couvée parce qu'il voyait en elle le double de son fils Edgar, celle qui toute sa vie a tant parlé du suicide, passe à l'acte. Elle ne se rate pas.

Trois jours plus tard, Laura accourt à Londres pour enterrer sa sœur dans le caveau de leurs parents. Elle emporte en France certains manuscrits de son père. Ceux que détenait Engels restent sous le contrôle de Bernstein et de Louise qui se haïssent de plus en plus et voient filer en France des manuscrits convoités.

Edward Aveling meurt cinq mois après Eleanor.

Le cinquantième anniversaire de la publication en 1848 du *Manifeste du Parti communiste* est l'occasion de nombreuses réflexions au sein de la gauche européenne. À Berlin, Rosa Luxemburg explique dans *Réforme sociale ou Révolution* que le « grand problème du mouvement social-démocrate[182] » est d'associer « la bataille de chaque jour avec la grande réforme du monde [...]. Les armes théoriques fournies un demi-siècle auparavant » par Marx doivent permettre d'éviter les deux écueils « de l'état de secte et du mouvement réformiste bourgeois[182] ». À Paris, sur le même sujet, Jean Jaurès écrit *Comment se réalisera le socialisme ?* : « C'est se tromper soi-même que de répéter les réponses que firent il y a un demi-siècle nos aînés et nos maîtres [...]. C'est le mérite décisif de Marx d'avoir rapproché et confondu l'idée socialiste et le mouvement ouvrier[145]. » À la différence de Guesde, le même Jaurès, le 11 octobre, publie dans *La Petite République* un article intitulé « Les preuves » dans lequel il prend la défense de Dreyfus.

Le 2 septembre 1898, Louise Freyberger fait connaître à August Bebel les révélations que lui aurait faites Engels sur son lit de mort[78] au sujet de la vie privée de Marx, en particulier la paternité du fils d'Hélène Demuth. L'historienne anglaise Yvonne Kapp, qui a pu lire cette lettre, pense qu'elle n'est pas crédible parce qu'elle révèle des « variations fantaisistes que Louise Freyberger se permet sur les relations conjugales des Marx à une époque où elle n'a pas pu en connaître[146] ». Pourtant la paternité de Marx semble aujourd'hui indiscutable.

Cette même année, le marxisme est présenté par l'ensemble des dirigeants socialistes français comme la base de leur idéologie et de leur programme. Pour l'un d'entre eux, Georges Sorel, « ce qu'il y a d'essentiel dans la théorie de Marx, c'est sa conception d'un mécanisme social formé par les classes, qui sert à transformer la société moderne de fond en comble sous l'influence des idées et des passions aujourd'hui dominantes[206] ». De même, Jaurès, dans « Socialisme et liberté », qui paraît le 1er décembre 1898 dans *La Revue de Paris*, fait encore de la collectivisation des moyens de production son idéal et de Marx sa référence, tout en restant fidèle à la lettre du texte de ce dernier : en France, la révolution doit passer par l'action parlementaire et elle seule. Elle doit, toujours selon le mot de Marx, être une « évolution révolutionnaire ».

En juin 1899, le président Loubet gracie Dreyfus, qui n'est pas pour autant innocenté. « L'Affaire » continue. Jaurès et Guesde s'opposent maintenant sur tout. Être socialiste, pour le premier, c'est être pour le Marx démocrate et pour l'intervention dans « L'Affaire ». Être socialiste, pour le second, c'est choisir le Marx révolutionnaire et la non-intervention dans « l'Affaire ». En octobre 1899, le congrès socialiste convoqué salle Japy, à Paris, donne plutôt raison à Jaurès et admet même le principe de la participation au pouvoir du Parti socialiste aux côtés des partis de droite « dans des circonstances exceptionnelles ». En clair : en cas de guerre contre l'Allemagne, que chacun souhaite pour récupérer l'Alsace et la Lorraine.

Cette année-là, Eduard Bernstein, toujours à Londres, ose affronter ouvertement Bebel et Kautsky. Il publie en Allemagne *Les Prémisses du socialisme et les tâches de la social-démocratie*[75], où il propose de transformer le Parti socialiste en une formation réformiste. Kautsky réplique par *Le Marxisme et son critique Bernstein*[150].

À Londres, le *narodnik* marxiste Danielson, dit à présent « Nikolai-on », traducteur russe du *Capital*, renonce à l'idée populiste de « l'impossibilité "absolue" du capitalisme en Russie » et se rallie à l'idée, qu'il a lue dans les écrits de Marx, de « l'impossibilité d'un développement capitaliste "organique normal" en Russie ». Autrement dit, pour lui, le capitalisme russe existe, et une révolution y est donc possible, à condition qu'elle ait lieu simultanément ailleurs et à l'échelon international. C'est aussi ce que pense Lénine qui l'écrit dans *Le Développement du capitalisme en Russie.*

Lénine émigre alors en Suisse. Dans le petit milieu des émigrés marxistes, il y rencontre Martov, ce jeune homme issu du Bund ukrainien, dont on a parlé plus haut. Ensemble ils créent un journal, l'*Iskra* (« L'Étincelle »). Lénine y fait aussi la connaissance de David B. Riazanov, marxiste allié à Plekhanov, qui travaille parmi un groupe d'intellectuels russes et collabore à l'*Iskra*. Ce Riazanov, jeune intellectuel de haut niveau, homme de caractère, étudie alors les écrits de Marx sur la Russie et l'histoire de la Ire Internationale. Il sera vingt ans plus tard celui qui emportera les manuscrits de Marx dans la Russie devenue soviétique.

L'année suivante (1900), Riazanov se rend à Berlin, au siège du Parti social-démocrate ; il vient chercher des archives pour son travail de recherche. Il y découvre avec stupeur des manuscrits de Marx en désordre et la bibliothèque d'Engels qui viennent d'arriver : ils ont enfin été autorisés à quitter Londres, mais seulement en partie,

Bernstein ayant réussi à en conserver une partie par-devers lui ! Il y a là des trésors dont nul ne connaissait l'existence et qu'il ne sait pas déchiffrer, faute de temps et de l'autorisation pour le faire.

Riazanov racontera plus tard : « Je me souviens qu'en 1900 j'avais aperçu à Berlin cette bibliothèque éparpillée sans ordre aucun dans plusieurs pièces [...]. C'est ainsi que plusieurs milliers d'ouvrages appartenant aux créateurs du socialisme scientifique ont disparu. On ne s'est même pas donné la peine de vérifier s'ils ne contenaient pas, en marge, des notes de lecture ou des commentaires, quelques traces d'un travail intellectuel de Marx ou d'Engels[232]. » Et il ajoute : « Une partie des manuscrits qui, normalement, aurait dû être expédiée aux archives du Parti social-démocrate à Berlin a été retenue par Bernstein, et la correspondance d'Engels et la partie la plus importante des œuvres demeurées inconnues à ce jour sont restées à Londres[232]. » On apprendra plus tard qu'une partie de la bibliothèque de Marx et d'Engels, ainsi que d'innombrables manuscrits sont en effet restés entre les mains des Feyderer qui en restitueront une fraction et en monnaieront une autre.

En cette même année 1900, alors qu'en Allemagne meurt Wilhelm Liebknecht, auquel succède son jeune fils, Karl, en France Jean Jaurès, dans ses *Questions de méthode*, s'appuie sur Bernstein, encore à Londres, pour rejeter la dictature du prolétariat et l'idée d'une prise du pouvoir par une minorité active consciente de son rôle historique. Un jeune homme qui fera bientôt parler de lui, Léon Blum, acquiesce : « Nul n'ignore [...] que la métaphysique de Marx est médiocre, [...] que sa doctrine économique rompt une de ses mailles chaque jour », écrit-il, en janvier, dans *La Revue blanche*.

Au même moment, en Angleterre, tandis que les fabiens rejoignent l'Independent Labour Party, le congrès des syndicats et le Parti travailliste indépendant créent le Labour Representation Committee, avec Ramsay MacDonald pour premier secrétaire, et comme programme la volonté de promouvoir les intérêts de la classe ouvrière, de refuser la lutte des classes, d'affirmer le rôle positif des classes moyennes.

Le 28 novembre, devant huit mille personnes rassemblées sur l'hippodrome de Lille, tirant le bilan de l'affaire Dreyfus et de l'évolution de la gauche, tiraillée entre réforme et révolution, Jaurès et Guesde s'affrontent rudement ; les divisions entre socialistes s'aggravent. Après un congrès réuni à Lyon, le Parti socialiste français (PSF) regroupe les « indépendants », dont Jaurès, tandis que le Parti socialiste de France (PSDF) rassemble les partisans de Guesde et de Vaillant.

1901 voit un nouvel essor de la science économique libérale. Au lieu, comme Marx, de partir de la production, elle part de l'échange. Au lieu de partir de l'usine, elle part du marché. Du commerçant, pas de l'industriel, encore moins du salarié qui n'est plus là que comme consommateur. Léon Walras, puis Vilfredo Pareto, son successeur à la chaire d'économie à Lausanne, développent un modèle d'équilibre économique d'où il ressort que le monde peut fonctionner de façon équilibrée. Pareto s'en prend à Marx auquel il se réfère dans *Les Systèmes socialistes*, dénonçant la fausse vérité de l'idéologie qui n'est que défense de l'intérêt d'une classe, alors que la théorie économique ne vaut à ses yeux que si elle obéit aux règles de validité applicables aux modèles mathématiques de la science physique[217].

Aux législatives de 1902, en France, le PSF obtient 37 élus, le PSDF 14. La gauche française est en passe d'être laminée. L'Internationale n'a pas mandat de s'en mêler.

Au même moment, Bernstein regagne l'Allemagne avec les manuscrits d'Engels que les autorités allemandes laissent enfin entrer. En 1902, il est élu député du SPD alors même qu'il ne croit plus aux théories de son parti, ni au clivage de la société en deux classes, ni à la chute du capitalisme.

Cependant que les marxistes allemands rentrent chez eux, les Russes, toujours en exil, fondent en Suisse un parti, le Parti social-démocrate ouvrier russe (PSDOR). Lénine, toujours installé à Zurich, publie *Que faire ?*. Il reprend là le titre d'un roman utopique russe publié quarante ans plus tôt, de Nicolai Tchernytchevsky, avec pour sous-titre « Les hommes nouveaux » – un roman qui a profondément marqué tous les révolutionnaires russes. Là apparaissent les principes léninistes faisant de la classe ouvrière l'avant-garde du prolétariat avec tous les pouvoirs. Il y prône la nécessité d'une avant-garde révolutionnaire, d'un parti d'avant-garde, car, dit-il, les ouvriers ne rêvent pas d'un bouleversement révolutionnaire. Ce parti doit se doter d'une connaissance scientifique de la société pour devenir la seule source légitime de l'initiative politique et organiser « la dictature d'un parti sur la classe ouvrière et sur la société tout entière[167] ». Toute fraction ou divergence d'opinion au sein du parti est un symptôme de faiblesse. Il ne s'agit plus de la dictature d'un prolétariat, mais de celle d'un parti[167]. Et de celle d'un homme sur ce parti pour en assurer l'unité[158]. Vladimir Oulianov entend organiser la Révolution russe sur le modèle de la Commune. Pour s'y préparer, il étudie les textes de Marx sur la révolution de 1848 et sur 1870. Il en retire un enseignement majeur : l'importance de l'alliance avec les paysans. Tout faire pour les avoir avec soi, ne rien faire sans eux. Il réunit ses amis autour d'un hebdomadaire, *Le*

Socialisme, qui attire de plus en plus de révolutionnaires russes vers le marxisme.

Le 30 juillet 1903, à Bruxelles, au cours du premier congrès du nouveau parti marxiste russe, le PSDOR, Martov et Trotski expliquent que la révolution prolétarienne reste impossible en Russie et qu'il convient de laisser la bourgeoisie diriger le changement de régime, car la paysannerie n'est pas capable de comprendre où sont ses véritables intérêts, et la classe ouvrière est encore trop faible pour diriger le pays. Lénine soutient au contraire que la bourgeoisie de Russie est incapable de mener une révolution démocratique, car elle ne peut souhaiter la destruction des grandes propriétés terriennes ni créer les conditions de l'entrée de l'agriculture dans l'économie de marché. Pour lui, une alliance des paysans et des ouvriers est possible. « Une dictature démocratique du prolétariat et de la paysannerie » est un objectif permettant la mise en place d'un « programme minimum » : république démocratique, nationalisation de la terre, abolition de l'armée permanente. Il écrit : « Le marxisme apprend au prolétaire non pas à s'écarter de la révolution bourgeoise, à se montrer indifférent à son égard, à en abandonner la direction à la bourgeoisie, mais, au contraire, à y participer de la façon la plus énergique, à mener la lutte la plus résolue pour la démocratie prolétarienne conséquente, pour l'achèvement de la révolution. Nous ne pouvons pas nous écarter du cadre démocratique bourgeois de la Révolution russe, mais nous pouvons l'élargir dans des proportions énormes ; nous pouvons et nous devons, dans ce cadre, combattre pour les intérêts du prolétariat, pour ses besoins immédiats et pour assurer les conditions dans lesquelles il pourra se préparer à la victoire totale[167]. »

À l'issue du congrès, la lutte est sévère. On vote dans la confusion. Les partisans de Lénine s'octroient le nom de « bolcheviks » (« majoritaires » en russe) et qualifient leurs rivaux (Martov et Trotski) de « mencheviks » (« minoritaires »). Lénine parvient ainsi à donner à son action une connotation démocratique.

Cette année-là, Charles Longuet, resté socialiste et journaliste toute sa vie durant, meurt en laissant quatre enfants, élevés, pour l'essentiel, par Laura Lafargue, sa belle-sœur : Jenny, Marcel, Edgar et Jean – ce dernier étant le seul des quatre à se montrer un militant socialiste très actif.

En 1904, la maison natale de Marx à Trèves est identifiée par des socialistes qui créent une société coopérative social-démocrate et achètent l'immeuble voisin pour en faire un local destiné au parti et au syndicat. En France, les dissensions entre socialistes ne se relâchent pas. Elles affaiblissent l'Internationale socialiste qui, en août, à son VIe congrès réuni à Amsterdam, réprouve toute collaboration avec les partis « bourgeois » et recommande aux Français de rassembler leurs forces « dans l'intérêt du prolétariat international, vis-à-vis de qui ils sont responsables des conséquences funestes de la continuation de leurs divisions[47] ». Victoire pour Jules Guesde contre Jaurès.

Le 22 janvier 1905 sera surnommé en Russie « le Dimanche rouge » : des dizaines de milliers de grévistes manifestent en silence à Saint-Pétersbourg devant le palais d'Hiver en portant des icônes pour adresser une supplique au tsar, quand l'armée tire sur la foule, faisant des centaines de morts. Nicolas II promet aussitôt des élections, la liberté de la presse, le suffrage universel et une Constitution – mais rien ne vient. À la fin de l'année, les rares marxistes et révolutionnaires du pays sont emprisonnés et la Douma (le Parlement) dissoute. Lénine est resté en exil : pas encore question pour lui de la « conquête du pouvoir pour la révolution socialiste ». Mais cette insurrection manquée l'incite à réfléchir au rôle de la grève générale dans la conquête du pouvoir.

Les 23-25 avril 1905, dans la salle du Globe, boulevard de Strasbourg, à Paris, est réuni un congrès d'unification de socialistes français, en application de l'injonction de l'Internationale. Les deux cent quatre-vingt-six délégués adoptent une « Charte d'unité » au vocabulaire explicitement marxiste[158] : « Le Parti socialiste est un parti de classe qui a pour but de socialiser les moyens de production et d'échange, c'est-à-dire de transformer la société capitaliste en une société collectiviste ou communiste, et pour moyen l'organisation économique et politique du prolétariat. Par son but, par son idéal, par les moyens qu'elle emploie, la section française de l'Internationale ouvrière, tout en poursuivant la réalisation des réformes immédiates revendiquées par la classe ouvrière, n'est pas un parti de réforme, mais un parti de lutte de classe et de révolution. » *L'Humanité* en devient l'organe.

En Allemagne, Kautsky, qui a réussi à obtenir de Bernstein qu'il confie certains manuscrits dont il a la garde conjointe au Parti, fait alors paraître, ayant obtenu au préalable l'accord d'Eleanor, le livre IV du *Capital*, regroupant les théories de Marx sur la plus-value sous le titre *Histoire des doctrines économiques*[36].

En 1906, à Londres, le Labour Representation Committee créé six ans plus tôt prend le nom de Parti travailliste ; l'emporte en son sein l'inspiration fabienne, celle d'une imprégnation marxiste progressive de la société.

Le 12 juillet, la Cour de cassation annule « sans renvoi » le jugement condamnant Dreyfus. « L'Affaire » est terminée. Jaurès, qui l'a portée, devient le leader des socialistes français. Cette année-là n'en paraît pas moins, dans un journal du Parti socialiste, *Le Mouvement socialiste*, un article intitulé « La faillite du dreyfusisme ou le triomphe du parti juif »...

En 1908, à l'occasion du vingt-cinquième anniversaire de la mort de Marx, Rosa Luxemburg, qui croit en une prochaine révolution en Allemagne, publie dans *Le Socialisme* un texte annonçant que la Russie, malgré l'échec de la révolution de 1905, devient elle aussi un possible terrain de conquête du pouvoir : « Ce n'est généralement qu'après leur mort que la valeur scientifique de la plupart des grands savants est pleinement reconnue. Le temps lui donne toute sa portée. Aujourd'hui, un quart de siècle après la mort de Marx, le tonnerre de la Révolution russe annonce qu'un nouveau vaste territoire vient d'être, grâce au capitalisme, annexé à la pensée marxiste. »

En 1910, en fouillant dans les archives rapportées par Bernstein, Kautsky, qui dirige encore la revue *Neue Zeit*, découvre des manuscrits de Marx dont nul ne connaissait l'existence et que Bernstein cachait : son travail préparatoire à la *Critique de la philosophie du droit de Hegel*, les *Manuscrits de 1844* et les *Grundrisse der Kritik der politischen Ökonomie*. Considérable découverte, qui fait le lien enre l'*Idéologie allemande* et les œuvres de la maturité. Kautsky rencontre Riazanov. Le jeune émigré russe, qui étudie les textes de Marx, est venu l'interroger, tout comme il a déjà questionné Bebel et Bernstein. Il n'a pas mis longtemps à se rendre compte de l'attitude ambiguë de Bernstein, ce qui le rapproche *ipso facto* de Kautsky qu'il impressionne par sa connaissance de l'œuvre de Marx et son haut niveau intellectuel. Kautsky lui parle de ses découvertes stupéfiantes, en fait son secrétaire ; il lui confie la tâche de reconstituer la correspondance de Marx en vue d'une publication. Riazanov accepte. Quoi de mieux, quand on est révolutionnaire, que de travailler à faire connaître les textes du maître ? Riazanov écrira : « Quelques mots sur l'état dans lequel j'ai trouvé tout récemment ce fonds. Il est à l'abandon depuis la mort d'Engels. Engels n'aurait pu jouer de plus de malchance dans les dispositions testamentaires relatives à ce fonds. S'il n'y avait eu aucun testament, le fonds aurait sans doute été mieux protégé [...]. Il a été si malmené que l'imposante bibliothèque de Marx et d'Engels a été presque entièrement perdueï [...]. Les héritiers ne se donnèrent même pas la peine, pour commencer, de chercher à savoir si tout le fonds leur avait été vraiment transmis...[232] » C'est ainsi que les archives de Marx passent de mains allemandes dans celles de Russes – ou plus exactement des mains de quelques Allemands qui ne s'y intéressent plus vraiment à celles d'un Russe qui s'y intéresse fort.

Riazanov s'y intéresse tant et si bien que, pendant l'été 1910, il passe plusieurs semaines à Draveil, non loin de Paris, chez les Lafargue, qui « avaient très obligeamment mis à ma disposition les papiers et lettres laissés par Marx[232] ». Il trouve là d'innombrables correspondances, des manuscrits politiques, des textes de moindre importance, comme les réponses que Marx avait faites au questionnaire de « confessions », auquel il avait répondu pour Nanette aux Pays-Bas, soixante ans auparavant. Il en prend copie. Il ne pressent rien du drame qui se prépare chez ses hôtes et retourne à Berlin.

Le dimanche 26 novembre 1911, Laura se suicide, comme sa sœur douze ans plus tôt. Elle a soixante-cinq ans ; son mari Paul Lafargue en a soixante-dix et la suit dans son geste. C'est l'âge qu'ils ont choisi pour se donner la mort, « avant l'impitoyable vieillesse », par injection d'acide cyanhydrique, à Draveil. Laura lègue les papiers de son père à la social-démocratie allemande. Lénine assiste à leurs obsèques et prononce leur oraison funèbre.

Riazanov retourne aussitôt à Draveil, mais là, il « ne réussit pas, raconte-t-il, en recevant des mains des héritiers les papiers de Marx qui appartiennent aujourd'hui à la social-démocratie allemande, à retrouver ces confessions ni certains autres documents : des étrangers y avaient déjà porté la main[232] ».

En 1913, soit trois ans après avoir entamé son travail, Riazanov publie à Berlin un premier ensemble de lettres de Marx comportant d'abondantes coupures que Bernstein et Mehring, un autre dirigeant socialiste, le contraignent à pratiquer « parce que tout ne peut pas être mis entre toutes les mains ».

Le 28 juin 1914, l'héritier de l'Empire austro-hongrois est assassiné à Sarajevo par un terroriste serbe, Gavrilo Princip. L'Autriche déclare la guerre à la Serbie le mardi 28 juillet. Le lendemain, l'empereur allemand Guillaume II, qui sent venir le désastre, télégraphie à plusieurs reprises au tsar pour le dissuader de soutenir, par solidarité slave, la Serbie. Le jeu des alliances précipite la catastrophe. Le 30, le tsar Nicolas II, qui a reçu à Moscou, trois jours auparavant, le soutien du président de la République française, Raymond Poincaré, et du président du Conseil, René Viviani, décrète la mobilisation générale. À leur retour, Poincaré et Viviani sont acclamés aux cris de « Vive la guerre ! ». La France entière – hormis une infime minorité, dont Jaurès et Caillaux – est pour l'entrée en guerre. Un mois plus tard, le 31 juillet, dans un café de Paris, le Croissant, un anarchiste, Raoul Villain, assassine Jaurès (il sera acquitté cinq ans plus tard).

Le samedi 1er août 1914, à Berlin, le Kayser et son chancelier Bethmann-Hollweg déclare la guerre au tsar. La capitale impériale fondée par Pierre le Grand sous le nom allemand de *Sankt Petersburg*, devient Petrograd. La France décrète à son tour la mobilisation générale, mais Poincaré, qui se veut encore rassurant, déclare : « La mobilisation n'est pas la guerre. » Partout les dirigeants socialistes se disputent sur l'attitude à adopter. À l'exception des Russes et des Serbes, pourtant les premiers concernés, ils votent les crédits militaires demandés par leurs gouvernements respectifs.

Le 3 août, l'Allemagne déclare la guerre à la France. Le 4, le SPD vote les crédits militaires ; le chef de son groupe parlementaire, Hugo Haase, déclare : « Nous n'abandonnerons pas la Patrie à l'heure du danger. » Kautsky emboîte le pas à la direction de son parti et soutient la guerre. Quelques militants du SPD restent fidèles à la paix. Parmi eux, Rosa Luxemburg, Julian Borchardt, le vulgarisateur de Marx, et Karl Liebknecht, le fils de Wilhelm. Pour Rosa Luxemburg, l'Europe doit choisir entre « socialisme ou barbarie ». Étrange ironie : les pacifistes sont exclus de la IIe Internationale, qui ne réunit plus pourtant que des partis en guerre les uns contre les autres ! Ils sont alors appelés « communistes », par opposition à leurs ex-camarades « socialistes » qui se réfèrent toujours à Marx. L'Internationale socialiste perd dès lors toute raison d'être. Les communistes fondent un groupe à part, *die Internationale*.

Le même jour, le chancelier allemand qualifie de « chiffon de papier » le protocole de 1831 garantissant la neutralité belge, ce qui précipite l'Angleterre dans la guerre, à la grande surprise de Guillaume II.

À Paris, le bellicisme est à son paroxysme : le 10 août 1914, le quotidien socialiste *L'Humanité*, fondé par Jean Jaurès, écrit : « Des entrailles du peuple comme des profondeurs de la petite et de la grande bourgeoisie, des milliers de jeunes gens, tous plus ardents les uns que les autres, quittant leur famille, sans faiblesse et sans hésitation, ont rallié leurs régiments, mettant leur vie au service de la Patrie en danger. » Malgré son opposition à toute participation des socialistes au gouvernement bourgeois, Jules Guesde participe à l'« Union sacrée » et devient ministre sans portefeuille du gouvernement d'Union nationale.

Le 23 août, le Japon, allié de l'Angleterre, déclare la guerre à l'Allemagne. Le 29 novembre, le sultan Mahomet V entre en guerre aux côtés de son alliée, l'Allemagne.

Le troisième mensonge détournant la pensée de Marx voit alors le jour : après Engels et Kautsky, voici Lénine qui, récupérant le travail des Allemands, se met à son tour à truquer cet héritage. Après l'invention du parti-guide dans *Que faire ?*, il écrit dans son exil suisse, de juillet à novembre 1914, pour le *Dictionnaire encyclopédique de la Société des frères Granat*, quarante-cinq pages sur Karl Marx, ou plutôt sur le « marxisme »[169]. Tout, dans ce texte, est falsification, ou à tout le moins caricature tirant l'auteur du *Capital* dans le sens de la révolution qu'il prépare. Il s'agit pour Lénine de démontrer que la révolution en Russie, associant paysans et ouvriers sous la direction du parti ouvrier, constituera la clé de la révolution mondiale : « Le marxisme a frayé le chemin à l'étude globale et universelle du processus de la naissance, du développement et du déclin des formations économiques et sociales en examinant l'ensemble des tendances contradictoires, en les ramenant aux conditions d'existence et de production, nettement précisées, des diverses classes de la société, en écartant le subjectivisme et l'arbitraire dans le choix des idées “directrices” ou dans leur interprétation, en découvrant l'origine de toutes les idées et des différentes tendances, sans exception, dans l'état des forces productives matérielles. Le marxisme a donné le fil conducteur qui, dans ce labyrinthe et ce chaos apparents, permet de découvrir l'existence de lois : la théorie de la lutte des classes[169]. » Lénine passe sous silence les difficultés que Marx a débusquées dans sa propre théorie : « L'écart entre le prix et la valeur et l'égalisation du profit, faits incontestables et connus de chacun, sont parfaitement expliqués par Marx grâce à la loi de la valeur, car la somme des valeurs de toutes les marchandises est égale à la somme de leurs prix[169]. » Le socialisme est donc, assène-t-il, économiquement inéluctable : « Marx conclut à la transformation inévitable de la société capitaliste en société socialiste, entièrement et exclusivement à partir des lois économiques du mouvement de la société moderne. La socialisation du travail, qui progresse toujours plus rapidement sous mille formes diverses et qui, pendant le demi-siècle écoulé depuis la mort de Marx, s'est surtout manifestée par l'extension de la grande production, des cartels, des syndicats et des trusts capitalistes, ainsi que par l'accroissement immense des proportions et de la puissance du capital financier[169]. »

Il commence à défendre l'idée du socialisme dans un seul pays : il faut, dit-il, cesser de penser à l'échelle mondiale ; les ouvriers appartiennent à une nation et c'est dans le cadre de leur nation qu'il leur faut faire la révolution, car « les nations sont un produit et une forme inévitables de l'époque bourgeoise de l'évolution des sociétés. La classe ouvrière n'aurait pu se fortifier, s'aguerrir, se former sans "s'organiser dans le cadre de la nation", sans être "nationale" (quoique nullement au sens bourgeois du mot)[169] ». Pour les ouvriers, le meilleur lieu pour agir est, selon Marx, la Russie, prétend-il : « Signalons quelques pensées profondes de Marx (particulièrement importantes pour les pays arriérés tels que la Russie) sur l'évolution du capitalisme dans l'agriculture. Avec la transformation de la rente en nature en rente-argent, il se constitue nécessairement en même temps, et même antérieurement, une classe de journaliers non possédants et travaillant contre salaire [...]. Les coopératives, c'est-à-dire les associations de petits paysans, qui jouent un rôle progressif bourgeois des plus considérables, ne peuvent qu'affaiblir cette tendance, mais non la supprimer ; il ne faut pas oublier non plus que ces coopératives donnent beaucoup aux paysans aisés, et très peu ou presque rien à la masse des paysans pauvres, et qu'ensuite ces associations finissent par exploiter elles-mêmes le travail salarié[169]. »

Le tour est joué : la révolution doit se faire en Russie en associant ouvriers et paysans, avec, à leur tête, un parti unique. Mais comme il faut justifier ce parti, Lénine fait d'Engels l'égal de Marx ou du moins celui qui traduit la pensée de Marx : « En ce qui concerne la position du socialisme de Marx à l'égard de la petite paysannerie, qui existera encore à l'époque où les expropriateurs seront expropriés, il importe de mentionner cette déclaration d'Engels, qui exprime la pensée de Marx[169]... » Suit un texte d'Engels sans rapport avec la pensée de Marx.

Dans une courte biographie qu'il lui consacre, Lénine complète cette couronne tressée à Friedrich Engels : « Grand combattant et éducateur du prolétariat, qui vivra éternellement [...]. Après son ami Karl Marx [...] Engels fut le savant le plus remarquable et l'éducateur du prolétariat contemporain du monde civilisé tout entier. Du jour où la destinée a réuni Karl Marx et Friedrich Engels, l'œuvre de toute la vie des deux amis est devenue le fruit de leur activité commune [...]. Dans leurs œuvres scientifiques, Marx et Engels ont été les premiers à expliquer que le socialisme n'est pas une chimère, mais le but final et le résultat nécessaire du développement des forces productives de la société actuelle[169]... »

Pendant ce temps, à la fin de 1914, les armées russes reculent de plus de 500 kilomètres à l'intérieur des terres et perdent plus de deux millions d'hommes. La guerre s'installe pour durer quand l'armée allemande, qui a fait une percée en France par le nord, est stoppée à Verdun.

Rosa Luxemburg est arrêtée à Berlin le 18 février 1915 pour ses écrits hostiles à la guerre que mène l'Allemagne. Le 15 est fondée la revue l'*Internationale*, « revue mensuelle pour la pratique et la théorie du marxisme », qui publie sous le pseudonyme de « Junius » des lettres de prison de Rosa à son groupe, qui vient de prendre le nom de « Spartakus » : « L'Internationale, qui exprime les intérêts du prolétariat, ne peut naître que de l'autocritique du prolétariat, dans la conscience de son propre pouvoir, ce pouvoir qui, le 4 août, s'est plié comme un roseau chancelant[184]. »

En 1916, alors que la guerre s'enlise dans les tranchées et que l'armée tsariste du général Broussilov reprend en Pologne l'offensive face aux troupes de Hindenburg, Lénine écrit que l'impérialisme est le « stade suprême du capitalisme ». Dans une nouvelle édition parue quatre ans plus tard, il précisera : « Ce livre montre que la guerre de 1914-1918 a été de part et d'autre une guerre impérialiste (c'est-à-dire une guerre de conquête, de pillage, de brigandage), une guerre pour le partage du monde, pour la distribution et la redistribution des colonies, des “zones d'influence” du capital financier, etc. Car la preuve du véritable caractère social ou, plus exactement, du véritable caractère de classe de la guerre ne réside évidemment pas dans l'histoire diplomatique de celle-ci, mais dans l'analyse de la situation objective des classes dirigeantes de toutes les puissances belligérantes. Pour montrer cette situation objective, il faut prendre non pas des exemples, des données isolées (l'extrême complexité des phénomènes de la vie sociale permet toujours de trouver autant d'exemples ou de données isolées qu'on voudra à l'appui de n'importe quelle thèse), mais tout l'ensemble des données sur les fondements de la vie économique de toutes les puissances belligérantes et du monde entier[170]. »

Le 24 mars 1916, la direction de la social-démocratie décide d'exclure ceux qui s'opposent à la guerre. Le 30 mars, dans une de ses lettres, Rosa Luxemburg écrit : « Tout est en jeu : la lutte pour le parti, non pas contre le parti. Le slogan, ce n'est pas division ou unité, non pas ancien ou nouveau parti, mais la reconquête du parti par en bas par la rébellion des masses qui doivent prendre dans leurs propres mains les organisations et leurs moyens, non pas avec des mots, mais avec les actes de la rébellion. La lutte décisive pour le parti a commencé[184]. » Elle va jusqu'à écrire que, avec la direction social-démocrate, « Hindenburg [qui dirige les opérations militaires] est devenu l'exécuteur testamentaire de Marx et Engels » ! C'est la rupture : une partie du SPD, dirigée par Bernstein, Karl Liebknecht, Franz Mehring et la Russe Clara Zetkin se joint à elle et fonde l'USPD (*Unabhängige, SPD*, SPD indépendant), lié au groupe Spartakus, dont Rosa Luxemburg rédige le programme depuis sa prison. Bernstein, pacifiste mais pas révolutionnaire, a tôt fait de rompre avec eux et s'attriste qu'« une personne possédant les dons intellectuels et la formation scientifique [elle a fait de brillantes études au lycée de Varsovie] de Rosa Luxemburg ait pu participer à la rédaction » de ce programme, « méchant libelle, aussi confus que démagogique et provocant ».

La guerre est de plus en plus lourde à soutenir. Alors qu'en France la classe ouvrière est dans sa quasi-totalité rangée derrière l'armée (à de rares exceptions près), en Allemagne se développe une vague révolutionnaire appuyée et stimulée par Spartakus. Les métallos de Berlin et Leipzig se mettent en grève pour protester contre la guerre et la faim.

À la même époque, par un extraordinaire tour de force, en février 1917, en pleine guerre entre la Russie et l'Allemagne, alors que le front s'étend sur plusieurs milliers de kilomètres, Riazanov quitte Berlin et arrive en Russie en emportant dans ses bagages des manuscrits de Marx et d'Engels, des collections du *Vorwärts* et de la *Rheinische Zeitung* de 1842-1843, du *New York Daily Tribune* des années où Marx y écrivait, ainsi que des photostats de pièces d'archives allemandes. Sans doute le fait-il avec l'autorisation tacite des dirigeants sociaux-démocrates qui ne s'offusquent pas de voir partir de vieux papiers… Et tout ce qui peut déstabiliser le tsar est utile à l'armée allemande.

Le 8 mars 1917, les ouvriers des usines Poutilov, à Petrograd, font grève pour protester contre la faim, et se joignent à un défilé organisé à l'occasion de la journée des Femmes. Rares sont ceux qui crient : « À bas le tsar ! » Les manifestations se renouvellent les jours suivants. Le dimanche 11, l'armée tire, faisant quarante morts[163]. Soldats et ouvriers ne tardent pas à fraterniser et créent le *soviet* (« conseil ») des ouvriers et soldats de Petrograd. Les quelques députés mencheviks de la Douma, conduits par un avocat, Alexandre Kerenski, les rejoignent et demandent, le 15, à un noble libéral, le prince Lvov, et à Milioukov, de prendre la direction du gouvernement[163]. Le même soir, le tsar abdique, mais la guerre continue. Les mencheviks de Martov participent au nouveau gouvernement.

Le 27 mars, en pleine émeute communiste à Berlin et à Petrograd, le gouvernement du Kaiser affrète un train blindé et assure le transit de Lénine et de certains de ses camarades venus de Suisse jusqu'en Russie, tout comme il a assuré un peu plus tôt le passage de Riazanov, escomptant que les bolcheviks déstabiliseront le nouveau gouvernement en place à Petrograd.

Et, en effet, le 29 juin 1917, Kerenski ne parvient pas à calmer rapidement les émeutes que Lénine fomente contre lui. Il fait arrêter les dirigeants bolcheviks, interdit leurs journaux, telle la *Pravda*, et expédie au front les régiments trop proches des bolcheviks. Pourchassé, Lénine s'enfuit en Finlande. Au début de juillet, la situation semble assez mûre à certains communistes pour déclencher une révolution ; Lénine s'oppose à eux. Le gouvernement Kerenski annonce des élections prochaines en vue de désigner une Assemblée constituante.

Kerenski, qui a pris les rênes du gouvernement des mains de Milioukov, relance la guerre ; le général Broussilov, toujours à la tête des armées russes, bat les Allemands, le 1er juillet, près de Brzezany. Kornilov, qui lui succède, continue à remporter des victoires. Puis l'armée russe se défait. En septembre, les Allemands attaquent au nord. Le 3, ils occupent Riga ; le 21, Jakobstadt.

Les S-R (socialistes-révolutionnaires), en qui se reconnaissent les paysans, sont majoritaires à l'Assemblée constituante, où ils obtiennent 419 sièges contre 168 aux bolcheviks, 18 aux mencheviks, 17 aux K-D et 81 divers.

Riazanov, qui a été nommé en avril commissaire du peuple aux Communications à Odessa, est élu représentant de ce port d'Ukraine à l'Assemblée et membre de l'exécutif de l'Union des cheminots.

De Finlande, Lénine écrit le 28 septembre au Comité central de son parti, resté à Petrograd, pour demander qu'on prépare en secret l'insurrection. Obsédé par le sort de la Commune – elle n'a tenu que soixante-douze jours – et par sa lecture de la troisième *Adresse* de Marx, comme de son texte sur le coup d'État de Napoléon III, il sait qu'il ne conquerra et ne conservera le pouvoir que s'il sait nouer une alliance avec les paysans. Mais, pour lui, dictature du prolétariat veut bien dire dictature durable. Il rédige alors une lettre à son comité central, texte fondateur de la révolution d'Octobre, par lequel il tente de fonder une analyse tactique précise de l'action à mener sur une interprétation faussée de Marx, auquel il prête une apologie de la révolution à tout prix (« la révolution comme un art ») qui ne figure dans aucun de ses textes.

« Le grand maître de l'opportunisme, Bernstein, s'est déjà acquis une triste célébrité en portant contre le marxisme l'accusation de blanquisme [...]. Accuser les marxistes de blanquisme parce qu'ils considèrent l'insurrection comme un art ! Peut-il y avoir plus criante déformation de la vérité, alors que nul marxiste ne niera que c'est justement Marx qui s'est exprimé sur ce point de la façon la plus précise, la plus nette et la plus péremptoire, en déclarant précisément que l'insurrection est un art, en disant qu'il faut la traiter comme un art, qu'il faut *conquérir* les premiers succès et avancer de succès en succès sans interrompre la *marche* contre l'ennemi, en profitant de son désarroi ? Pour réussir, l'insurrection doit s'appuyer non pas sur un complot, non pas sur un parti, mais sur la classe d'avant-garde. L'insurrection doit surgir à un *tournant* de l'Histoire de la révolution ascendante où l'activité de l'avant-garde du peuple est la plus forte, où les hésitations sont les plus fortes dans les rangs de l'ennemi et dans ceux des amis de la révolution faibles, indécis, pleins de contradictions. Dès lors [...], refuser de considérer l'insurrection comme un *art*, c'est trahir le marxisme, c'est trahir la révolution. C'est pourquoi, les 3 et 4 juillet, l'insurrection aurait été une faute : nous n'aurions pu conserver le pouvoir ni physiquement ni politiquement. Physiquement, bien que Petrograd fût par instants entre nos mains, car nos ouvriers et nos soldats n'auraient pas alors accepté de se battre, de mourir pour la possession de Petrograd, il n'y avait pas alors cette "exaspération", cette haine implacable [...]. Nos gens n'avaient pas encore été trempés par l'expérience des persécutions contre les bolcheviks avec la participation des socialistes-révolutionnaires et des mencheviks [...]. Aujourd'hui, la situation est tout autre. Nous avons avec nous la majorité de la classe qui est l'avant-garde de la révolution, l'avant-garde du peuple, capable d'entraîner les masses. Nous avons aussi avec nous la majorité du peuple, car [...] la paysannerie ne recevra pas la terre du bloc socialiste-révolutionnaire (ni des socialistes-révolutionnaires eux-mêmes). C'est là le point essentiel, celui qui donne à la révolution son caractère national. Nous avons pour nous l'avantage d'une situation où le parti connaît sûrement son chemin, en face des hésitations inouïes de tout l'impérialisme et de tout le bloc des mencheviks et des socialistes-révolutionnaires. Nous avons pour nous une victoire assurée[47]. »

Pour faire adopter ce point de vue, Lénine revient à Petrograd, le 23 octobre, et fait accepter le principe d'une insurrection armée destinée à mettre en place une « dictature du prolétariat ». Il obtient que les bolcheviks développent trois mots d'ordre : « paix immédiate » pour se rallier les soldats, « la terre aux paysans » pour les ruraux, « tout le pouvoir aux soviets » pour les ouvriers. Puis il repart aussitôt en Finlande, laissant à Trotski, dont il a fait son adjoint, le soin de préparer le soulèvement. Il revient le 29 octobre, emporte la décision contre Kamenev et Zinoviev qui craignent un échec et veulent retarder l'assaut. Dans la nuit du 6 au 7 novembre 1917 (selon le calendrier grégorien), les bolcheviks s'emparent des principaux centres de décision de Petrograd et arrêtent les ministres siégeant alors au palais d'Été. Lénine prend les commandes du gouvernement et proclame que le mouvement ouvrier russe est l'« avant-garde du prolétariat mondial ». Il nomme Trotski commissaire du peuple aux Affaires étrangères. Il espère bien tenir le pouvoir au moins soixante-douze jours, comme la Commune. Il répète la formule de Marx : « Les principes de la Commune sont éternels et ne peuvent être détruits. Toujours ils resurgiront à nouveau jusqu'à ce que la classe ouvrière soit émancipée[8]. » Mais il va dès lors imposer une conception de la dictature du prolétariat on ne peut plus différente de celle de Marx : alors que, pour Marx, elle est le règne provisoire d'une large majorité, qui respecte le droit des gens, la liberté de la presse, les partis d'opposition et la séparation des pouvoirs, Lénine l'envisage comme la dictature définitive d'une minorité déterminée.

Le lendemain, le leader bolchevique demande la paix. Il est prêt à toutes les concessions, parce qu'il est convaincu que les Allemands ne tarderont pas à suivre les Russes dans la voie de la révolution prolétarienne.

En Russie la presse « bourgeoise » est étouffée. La police politique (Tcheka) est créée le 7 décembre, la grève interdite le 20. Le parti modéré K-D (ou « cadet », constitutionnel-démocrate) est interdit.

Le 19 janvier 1918, dès le lendemain de son entrée en fonction, Lénine dissout l'Assemblée constituante. Le 30 août, une militante S-R, Dora Kaplan, étant accusée d'avoir fomenté un attentat, le dernier parti d'opposition aux bolcheviks est interdit, ses membres, les socialistes-révolutionnaires pourchassés et envoyés dans des camps. Riazanov crée le Centre des archives du pays, devient professeur à l'université Sverdlov et prend part à la fondation de l'Académie socialiste.

Le 3 mars 1918, un armistice est signé à Brest-Litovsk entre la Russie et les puissances centrales. Celles-ci accordent son indépendance à l'Ukraine qui s'empresse de donner asile aux troupes « blanches » hostiles au gouvernement communiste.

Le parti bolchevik, qui s'appelle encore Parti ouvrier social-démocrate de Russie, devient le Parti communiste au congrès de mars 1918.

Les socialistes allemands sont très divisés sur les événements de Russie. Rosa Luxemburg accueille avec enthousiasme la révolution d'Octobre tout en s'inquiétant de la conception léniniste de la dictature du prolétariat. Elle écrit dans un texte lucide : « La liberté seulement pour les partisans du gouvernement, pour les membres d'un parti, si nombreux soient-ils, ce n'est pas la liberté. La liberté, c'est toujours la liberté de celui qui pense autrement [...].

La tâche historique qui incombe au prolétariat une fois au pouvoir, c'est de créer, à la place de la démocratie bourgeoise, la démocratie socialiste, et non pas de supprimer toute démocratie[184]. » Comme Marx, elle envisage la dictature du prolétariat comme « la manière d'appliquer la démocratie, non pas dans son abolition, [mais] dans des interventions énergiques, résolues, dans les droits acquis et les rapports économiques de la société bourgeoise, sans lesquelles la transformation socialiste ne saurait être réalisée. Mais cette dictature doit être l'œuvre de la classe et non d'une petite minorité dirigeante au nom de la classe, autrement dit elle doit sortir pas à pas de la participation active des masses, être sous leur influence directe, soumise au contrôle de l'opinion publique, produit de l'éducation politique croissante des masses populaires[184] ».

Au même moment, Karl Kautsky rejoint son vieil ennemi Bernstein pour dénoncer ce qui se met en place en Russie. Pour lui, l'étatisation de l'économie conduit à un pouvoir despotique de type oriental. « Cette folle expérience ne peut s'achever que par une effroyable culbute », et le modèle bolchevique ne peut qu'« apporter la contre-révolution ».

Dans *La Révolution prolétarienne et le renégat Kautsky*[170], Lénine lui répond par une fausse citation de Marx : « Cette violence est surtout rendue nécessaire, comme Marx et Engels l'ont expliqué maintes fois et de la façon la plus explicite (notamment dans *La Guerre civile en France* et dans la préface à cet ouvrage), par l'existence du militarisme et de la bureaucratie[170]. » Or Marx, on l'a vu plus haut, dit exactement le contraire. Conscient de cette déformation, Lénine ajoute un mensonge de plus : « Or, ce sont justement ces institutions, justement en Angleterre et en Amérique, qui, justement, dans les années 70 du XIXe siècle, époque à laquelle Marx fit sa remarque, n'existaient pas. Maintenant elles existent et en Angleterre et en Amérique[170]. » Il développe : « Tous deux [Bernstein et Kautsky] sont révolutionnaires et marxistes en paroles, renégats en fait : ils tendent leurs efforts pour se dérober à la révolution. Ni chez l'un ni chez l'autre on ne trouve la moindre trace de ce qui inspire l'œuvre entière de Marx et d'Engels, et qui distingue le socialisme réel de sa caricature bourgeoise, c'est-à-dire l'analyse de la révolution en opposition avec les tâches réformistes, l'analyse de la tactique révolutionnaire en opposition avec la tactique réformiste, l'analyse du rôle du prolétariat dans l'anéantissement du système ou de l'ordre, du régime d'esclavage salarié, en opposition avec le rôle du prolétariat des "grandes" puissances, qui partage avec la bourgeoisie une parcelle du surprofit et du surbutin impérialistes de cette dernière[170]. »

En mai 1918, à Moscou, devenue capitale, Lénine instaure un monopole d'État sur l'agriculture et l'industrie, nationalise les grandes entreprises et collectivise l'agriculture.

Au même moment, à Berlin, alors que l'armée commandée par Ludendorff va vers la défaite[1] sous les coups des militants marxistes autant que sous ceux des canons français, l'historien Oswald Spengler, dans un texte capital et trop méconnu, *Prussianité et Socialisme*[254], dénonce le socialisme de Marx comme anti-allemand parce que juif, alors que le « vrai » socialisme est à ses yeux prussien et national. Il fournit ainsi une base idéologique à la droite allemande, puis, demain, à l'extrême droite et au national-socialisme, pour résister tout à la fois aux communistes et aux Anglo-Saxons, car il accuse marxistes et capitalistes d'avoir partie liée contre l'Allemagne. Ce texte doit être longuement cité car il fournit l'articulation de ce qui, en cette terrible année 1918, conduit à la naissance des deux pires barbaries de tous les temps, toutes deux nées en Prusse.

« C'est Frédéric-Guillaume Ier et non pas Marx qui fut, consciemment, le premier socialiste. C'est de lui, personnalité exemplaire, que part ce mouvement mondial... » Alors que, dit Spengler, le capitalisme est anglais. « Au summum de la culture ouest-européenne se sont développées deux grandes écoles de philosophie, l'anglaise, école de l'égoïsme et du sensualisme, la prussienne, école de l'idéalisme [...]. Alors que pour nous, Prussiens, l'opposition constructive restera toujours de commander et obéir au sein d'une communauté rigoureusement disciplinée, qu'elle se nomme État, Parti, classe ouvrière, corps d'officiers ou fonctionnariat, communauté dont chaque membre est sans exception le serviteur [...], le peuple insulaire, par son instinct de pirate, comprend la vie économique tout différemment. Il s'agit là de lutte et de butin – plus précisément, de la part de butin qui reviendra à chacun [...]. Leur but est d'édifier des fortunes individuelles, des richesses privées, d'éliminer la concurrence privée, d'exploiter le public par la publicité, la politique [...]. Toutes les luttes entre patrons et ouvriers dans l'industrie anglaise de 1850 concernent la marchandise “travail”, dont l'un veut s'emparer à bon marché tandis que l'autre veut chèrement la négocier[254]. » Marx est le produit du capitalisme anglais, et sa théorie ne saurait s'appliquer en Allemagne. « Tout ce que Marx dit, avec une colère admirative, des résultats de la “société capitaliste” est valable pour l'instinct économique anglais et non pas pour celui de l'homme en général [...]. Seul le capitalisme de style anglais fait pendant au socialisme de style marxiste. L'idée prussienne d'une gestion de la vie économique dans une perspective supra-individuelle a transformé sans le vouloir, à partir de la législation protectionniste de 1879, le capitalisme allemand en des formes socialistes au sens d'un ordre d'État [...]. Ainsi, deux grands principes économiques se trouvent aujourd'hui face à face. Le

Viking est devenu défenseur du libre échange ; le Chevalier, quant à lui, est fonctionnaire dans l'administration. Aucune réconciliation n'est possible entre eux ; et parce que tous deux, Germains et hommes faustiens de premier rang, ne connaissent aucune borne à leur désir, et qu'ils ne se croiront parvenus au but que lorsque le monde entier sera soumis à leur Idée, il y aura la guerre jusqu'à ce que l'un d'eux l'emporte définitivement[254]. »

Texte épouvantable et prophétique qui se termine ainsi : « L'économie mondiale doit-elle être une exploitation ou une organisation du monde ? Les césars de ce futur empire doivent-ils être des milliardaires ou des fonctionnaires ? Les peuples de la Terre, aussi longtemps que les unit cet empire de la civilisation faustienne, doivent-ils être l'objet de la politique des trusts ou de celle des hommes, ainsi que le laisse entendre la fin du second *Faust* ? Car il y va du destin du monde[254]... »

Sans le savoir, Spengler fait ici l'éloge de l'URSS, où les « czars seront des fonctionnaires », et celui du futur Troisième Reich, où le Kaiser sera un *Führer*, un guide.

Alors que dans les tranchées se poursuit l'hécatombe, le 7 octobre 1918 le groupe Spartakus et des radicaux de gauche de Brême en appellent à la création d'une « République socialiste allemande qui soit solidaire de la République soviétique russe ». Le 1er novembre, la révolution se déclenche, la monarchie s'écroule, le Kayser abdique, la république est déclarée. La guerre se termine. Spartakus devient une ligue sous le nom de « Parti communiste allemand-Ligue Spartakus », et s'allie à l'aile gauche de l'USPD. Dans son bulletin, *Le Drapeau rouge*, on peut lire que « l'Histoire est la seule vraie donneuse de leçons ; la révolution est la meilleure école du prolétariat ».

Pendant que les Français festoient, après l'horrible boucherie, Lénine, lui, commence à structurer son État, à collectiviser les entreprises et à se doter des moyens de répression, oubliant que la première mission que Marx assignait à la dictature du prolétariat était tout au contraire de « faire disparaître les appareils répressifs ». Pour l'économie, la voie est décisive. C'est le collectivisme industriel. Lénine dit alors que le socialisme c'est : « les soviets plus l'électrification ». L'économiste Preobrajenski forge le concept d'« accumulation socialiste primitive » pour reconstruire un pays en ruine[270], sous la forme d'un capitalisme d'État alors qu'à la lecture de Marx les socialistes russes auraient dû s'inspirer de la communauté paysanne slave *(obcijna).*

Mais, pour échapper tant à la démocratie parlementaire qu'aux populistes, dans la définition des fondements idéologiques du nouveau régime, pour en montrer la valeur « scientifique et l'appuyer sur toute l'histoire européenne de la libération des peuples », Lénine a besoin de citer Marx en référence.

Aussi, l'un des premiers actes de la révolution d'Octobre – assiégée par ses ennemis intérieurs et extérieurs, aux prises avec la tâche gigantesque de s'emparer d'un pouvoir d'État en pleine guerre et d'avoir à lutter contre une fraction de l'armée alors en dissidence – est de faire ériger à travers tout le pays des monuments... à la gloire de deux Allemands – c'est-à-dire deux ennemis – inconnus du peuple russe : Marx et Engels ! Étrange priorité dans un pays en ruine qui doit reconstruire à partir de rien un État et un système social collectiviste sans équivalent dans le monde...

Le 9 novembre 1918, soit deux jours avant la signature de l'armistice franco-allemand à Rethondes, alors que les communistes allemands tentent de prendre le pouvoir en Bavière dont ils organisent la sécession, Lénine inaugure lui-même le premier de ces monuments à Marx et Engels à Moscou, devenue la capitale russe en mars 1918. Il prononce à cette occasion un discours important dont le compte rendu paraît *in extenso* dans le n° 242 de la *Pravda* :

« Nous inaugurons un monument aux chefs de la révolution ouvrière mondiale, Marx et Engels [...]. Le grand mérite, d'une portée historique mondiale, de Marx et d'Engels, c'est qu'ils ont prouvé, par une analyse scientifique, la faillite inévitable du capitalisme et le passage inévitable au communisme où il n'y aura plus d'exploitation de l'homme par l'homme ; [...] qu'ils ont montré aux prolétaires de tous les pays leur rôle, leur tâche, leur mission, à savoir : engager les premiers la lutte révolutionnaire contre le capital, rassembler autour d'eux, dans cette lutte, tous les travailleurs et tous les exploités. Nous vivons un temps heureux où cette prévision des grands socialistes a commencé à se réaliser. Nous voyons tous comment, dans un ensemble de pays, se lève l'aurore de la révolution socialiste internationale du prolétariat. Les horreurs sans nom de la tuerie impérialiste des peuples provoquent partout l'élan héroïque des masses opprimées, décuplent leurs forces dans la lutte pour leur émancipation. Puissent les monuments érigés à Marx et Engels rappeler encore et toujours aux millions d'ouvriers et de paysans que nous ne sommes pas seuls dans notre lutte. À côté de nous se soulèvent les ouvriers des pays plus avancés. D'âpres batailles nous attendent encore, eux et nous. C'est dans la lutte commune que le joug du capital sera brisé, que le socialisme sera définitivement conquis[170] ! »

La phrase clé est : « nous ne sommes pas seuls dans cette lutte ». Par Marx, Lénine veut se relier à la science, à l'Histoire, mais aussi à l'espoir qu'il sent poindre d'une révolution en Allemagne.

Sur l'obélisque érigé par les Romanov en 1913, pour le tricentenaire de leur dynastie, Lénine fait figurer, avec ceux de Marx et d'Engels, les noms d'une vingtaine de précurseurs du communisme, dont celui de Thomas More,

Campanella, Fourier et Tchernytchevsky. La Russie est seule dans l'espace ; elle se cherche des alliés dans le temps.

Au même moment, Riazanov revient à son métier : étudier Marx. Après avoir fondé le Centre des archives où sont rassemblés les documents du socialisme russe et allemand et participé à la fondation de l'Académie socialiste, il y dirige une « section du marxisme » qu'il transforme vite en Institut Marx-Engels où il dépose ce qu'il a rapporté d'Allemagne et de France au beau milieu de la guerre : des manuscrits de Marx et d'Engels, et des photostats de pièces des archives allemandes. Puis il retourne en Allemagne pour un mois et cherche à obtenir les manuscrits de Marx et Engels restés encore au Parti social-démocrate ou chez Bernstein. Malgré le chaos qui prévaut alors, chacun défend ses intérêts chez les socialistes. Bernstein n'entend pas lâcher ce qu'il détient et prétend avoir prêté un chapitre de *L'Idéologie allemande*, non publié, que Riazanov lui réclame, à un autre dirigeant socialiste, Mehring, qui ne le lui aurait pas rendu. Les communistes ont quelques textes ; les socialistes indépendants en ont d'autres. Riazanov sait que le manuscrit de *L'Idéologie allemande* est là. Il le veut. Le Russe se plaindra plus tard de « tout le mal que j'ai eu pour sortir un manuscrit après l'autre des archives de Bernstein au cours de ces quatre semaines. Je dus invoquer toutes les sources imprimées que je connaissais, et ce n'est qu'après plusieurs jours de discussion qu'il me montra la seconde partie du manuscrit. Le résultat de mon voyage à Berlin effectué à cette fin est le suivant : avec bien de la peine, j'ai enfin réussi à mettre au jour toute *L'Idéologie allemande*, et j'en possède une photocopie[233] ».

Riazanov retourne fouiller dans les archives du Parti social-démocrate allemand et y découvre « un manuscrit assez important commençant à la page 5 » – c'est la

Critique de la philosophie du droit de Hegel, le premier ouvrage de Marx, qu'on croyait perdu ! –, un autre manuscrit sur le travail salarié et « le fragment d'une étude de Marx portant sur la philosophie grecque[233] », c'est-à-dire sa thèse. Il y a également là les manuscrits économiques de la fin des années 1850, et les vingt-trois cahiers ayant servi à la rédaction du *Capital* ! « L'énorme travail de photocopie du fonds détenu par Bernstein et des manuscrits économiques les plus importants m'empêcha de photocopier les cahiers de notes et d'extraits de Marx. Mais il faudra tout de même le faire[233]... ». Il se rend ensuite à Francfort, à l'Institut de recherches sociales de l'université, dépendant, depuis la fin de la guerre, de la social-démocratie allemande, pour tenter de négocier avec eux la publication conjointe des œuvres complètes de Marx et d'Engels. Les Allemands acceptent. Les événements s'y opposeront.

C'est l'heure de toutes les audaces théoriques ; plusieurs économistes tentent d'appliquer à la lettre les théories marxistes. Ainsi, deux économistes soviétiques, du nom de Smit et Klepirov, tentent, avec l'appui de Lénine en personne, d'élaborer une méthode de fixation des salaires d'après le contenu énergétique du travail fourni. Lénine déclare en ce sens : « En suivant le chemin tracé par la théorie de Marx, nous nous approcherons de plus en plus de la vérité objective (sans toutefois l'épuiser jamais) ; quelque autre chemin que nous suivions, nous ne pourrons arriver qu'à la confusion et au mensonge[170].

En Chine, cette même année, Li Dazhao et Chen Duxiu organisent des groupes d'études scientifiques autour de l'œuvre de Marx qu'ils ont découvert en France pendant leur exil. Mao Zedong est membre d'un de ces groupes dans le Hunan. Le penseur allemand est réellement devenu l'esprit du monde.

En Allemagne, en décembre 1918, les deux partis sociaux-démocrates, le SPD et l'USPD s'unissent pour placer le chef du SPD, Friedrich Ebert, au poste de chancelier, et contrer la montée du Parti communiste qui devient aussi la cible principale de l'extrême droite. Les principaux dirigeants sociaux-démocrates Kautsky, Bernstein, Hilferding, Noske et Scheidemann occupent les postes clés du premier gouvernement allemand démocratique.

Au début de janvier 1919, les spartakistes se lancent dans une insurrection à l'instar de celle qui vient de réussir en Russie. Rosa Luxemburg s'oppose à ce mouvement, sentant que le rapport de forces dans le pays n'est pas bon. L'insurrection est réprimée sous les ordres de deux socialistes, Noske et Scheidemann. Rosa est arrêtée. Le 15 janvier, elle est assassinée, avec Karl Liebknecht, sur les quais de la Speer, par des officiers des corps francs. Ils ont tous les deux une quarantaine d'années. Bernstein proteste contre ce « lâche et brutal assassinat » du fils de son ami et de Rosa. Il s'inquiète surtout du revanchisme des militaires qui considèrent qu'ils n'ont pas perdu la guerre, mais qu'ils ont été poignardés dans le dos par les communistes. Ils rejoindront bientôt les rangs nazis.

Riazanov rentre à Moscou et, cette même année 1919, fonde des magazines : *Les Archives Marx-Engels* et *Les Annales du marxisme*. Il publie aussi plusieurs recueils d'articles marxistes : *Le Prolétariat international et la guerre*, *Georges Plekhanov et la Ligue pour l'émancipation du travail*, *Sketches in the History of Marxism*, *Les Tâches des syndicats avant et pendant la dictature du prolétariat*, et *Marx et Engels*. Il commence à éditer la « Bibliothèque marxiste », la « Bibliothèque du matérialisme » (Gassendi, Hobbes, La Mettrie, Helvetius, D'Holbach, Diderot, Toland, Priestley et Feuerbach) et divers travaux philosophiques de Hegel. Tout cela traduit à marche forcée.

En mars 1919, toujours soucieux d'éviter l'isolement de la Russie, Lénine, dont le parti est maintenant devenu « communiste », fonde la IIIe Internationale, bientôt nommée « Komintern », pour unir des communistes appliquant, selon le modèle bolchevique, une logique d'épuration de toute dissidence et pour soutenir la révolution russe. Lénine écrit alors que « la mission de cette Internationale est d'appliquer, traduire dans la vie les préceptes du marxisme, et réaliser l'idéal séculaire du socialisme et du mouvement ouvrier[70] ». L'article 1 des statuts de l'IC stipule : « La nouvelle AIT unit les partis communistes en un parti mondial pour la fondation d'une union mondiale des républiques socialistes des Soviets[70]. » Et comme il faut être clair, il ajoute : « La troisième "Association internationale des travailleurs" coïncide dès maintenant dans une certaine mesure avec l'Union des républiques socialistes soviétiques[170]. » Autrement dit : les autres partis communistes doivent d'abord se placer au service de l'Union des républiques socialistes soviétiques, nouveau nom que va bientôt prendre le pays.

La IIIe Internationale est structurée autour d'un congrès mondial, « organe suprême », doté d'un Comité exécutif fort qui se réunit chaque mois et d'une assemblée plénière. Le Comité exécutif s'appuie sur des « sections de travail ». Une propagande massive est mise en place. Les services d'édition traduisent, impriment et diffusent les classiques du marxisme. Des services de presse éditent en quatre langues *L'Internationale communiste* ; des écoles du Komintern forment les cadres dirigeants des partis communistes. Pour adhérer, chaque parti doit remplir vingt et une conditions. La IIIe Internationale, d'abord riche de débats, s'aligne progressivement sur l'appareil soviétique[174] et réduit le marxisme à un catéchisme. La secte que Marx dénonçait justement chez Bakounine.

Partout les socialistes sont sommés de choisir. En Allemagne KPD choisit d'adhérer à la nouvelle Internationale, pas le PSD. En France, la dispute faire rage entre les partisans de la IIe et IIIe Internationale. Léon Blum, élu pour la première fois député de Paris en 1919, écrit dans *L'Humanité* : « Nous restons des socialistes révolutionnaires. Je ne choisis ni Wilson, ni Lénine. Je choisis Jaurès. »

Quand, en mai 1919, s'effondre, en Bavière, la République des conseils, avec l'assassinat de son chef, Kurt Eisner, retombe la vague révolutionnaire. Le KPD reflue malgré sa fusion avec l'aile gauche de l'USPD. Quand le KPD tente, en janvier 1920, une nouvelle révolte, le gouvernement social-démocrate fait tirer sur la foule, causant une quarantaine de morts, et interdit sa presse. Le Parti communiste se range alors ; il entre au Parlement national ainsi que dans les parlements régionaux. Ce qui n'empêche pas Moscou d'espérer encore un soutien de l'Allemagne à sa révolution.

En 1920, l'Institut Marx-Engels de Riazanov publie, sous le titre « Livre V du *Capital* », des notes éparses qui n'ont rien à voir avec cette œuvre, et des fragments de la correspondance entre Marx et Engels très soigneusement choisis. Riazanov parcourt l'Europe pour rassembler, arracher, voler même, un maximum de manuscrits de Marx, originaux ou copiés. Il crée un Institut des professeurs rouges qui forme des professeurs de philosophie marxiste, d'économie politique, d'histoire du Parti, pour l'appareil et les hauts fonctionnaires. Sur ce modèle, plusieurs universités forment désormais les cadres communistes : celle de Sverdlov à Moscou (où enseigna Riazanov), celle de Zinoviev à Leningrad, l'université Sun Yat-sen des peuples d'Orient et l'université Marchlewski des peuples d'Occident pour les communistes étrangers. Riazanov lance même très librement des travaux de recherche sur la vie de Marx, et jusque sur ses revenus. Il fait faire en particulier un bilan des sommes reçues repérables dans la correspondance de Marx. Pendant ce temps, en Russie, la collectivisation avance à marche forcée ; pour gérer la rareté par le rationnement et non plus par les prix, Lénine supprime même la monnaie.

Le Parti socialiste français se réunit en congrès à Tours le 25 décembre 1920 pour débattre de son adhésion à cette nouvelle Internationale. La motion dite « Cachin-Frossard » prône l'adhésion ; les partisans de celle défendue par Jean Longuet, petit-fils de Marx, s'y résignent moyennant des réserves, avant de rallier Blum qui, avec une minorité de militants, refuse la conception du parti modelée par les vingt et une conditions d'admission à l'Internationale communiste. Dans un discours resté célèbre, il déclare que le bolchevisme « repose sur des idées erronées en elles-mêmes et contraires aux principes essentiels et invariables du socialisme marxiste [...]. Si vous estimez que le but, c'est la transformation que c'est la transformation qui est la révolution, alors tout ce qui, même dans le cadre de la société bourgeoise, peut préparer cette transformation devient travail révolutionnaire. Si là est la révolution, l'effort quotidien de propagande qu'accomplit le militant, c'est la révolution avançant un peu chaque jour. Tout ce qui est organisation et propagande socialistes, tout ce qui est extension à l'intérieur de la société capitaliste [...], tout cela est révolutionnaire. Et les réformes elles-mêmes [...], si elles servent à consolider les emprises de la classe ouvrière sur la société capitaliste [...], sont révolutionnaires [...]. Ce socialisme neuf [qu'est le bolchevisme] repose sur une vaste erreur de fait qui a consisté à généraliser [...] un certain nombre de notions tirées de l'expérience de la Révolution russe elle-même [...]. Au lieu de la volonté populaire se formant à la base et remontant de degré en degré, votre régime de centralisation comporte la subordination de chaque organisme à l'organisme qui lui est hiérarchiquement supérieur ; c'est, au sommet, un Comité directeur de qui tout doit dépendre, c'est une sorte de commandement militaire formulé d'en haut et se transmettant de grade en grade jusqu'aux simples militants, jusqu'aux simples sections [...]. Vous, ce n'est plus l'unité en ce sens que vous cherchez, c'est l'uniformité, l'homogénéité absolues [...]. Moscou exige une épuration complète et radicale de tout ce qui est jusqu'à présent le Parti socialiste[47] ». Blum conclut : « Nous sommes convaincus que pendant que vous irez courir l'aventure, il faut que quelqu'un garde la vieille maison. »

À ce moment, la situation se dégrade en Russie où la bataille n'est pas encore gagnée contre les armées blanches. En butte aux famines et aux épidémies, les citadins quittent les villes. Les bolcheviks ne tiennent plus le pays. Le 3 mars 1921, des marins de Cronstadt se soulèvent aux cris de : « Vivent les soviets ! À bas les bolcheviks ! » Le régime réagit par la répression, mais, au Xe congrès du Parti communiste, Lénine tire les leçons de la situation en annonçant la Nouvelle Politique économique (NEP), contre Trotski qui prône la poursuite du « communisme de guerre ». Pour Lénine, « nous sommes stupides et faibles ; nous avons pris l'habitude de nous dire que le socialisme est un bien, et le capitalisme un mal. Mais le capitalisme n'est un mal que par rapport au socialisme ; par rapport au Moyen Âge où s'attarde la Russie, le capitalisme est un bien[170] ! ». Il s'est donc enfin souvenu de Marx, après l'avoir si longtemps occulté. Lénine entend reconstruire dans « certains » secteurs (agriculture, artisanat, commerce de détail, petite industrie), et pour une durée « limitée », une économie de type capitaliste (privatisations), et construire parallèlement un secteur socialiste dans les transports, la banque, la grande industrie, le commerce de gros et les échanges extérieurs[163]. C'est la fin des réquisitions dans les campagnes, remplacées par un impôt en nature ; c'est aussi la fin des distributions de terres. Le commerce intérieur redevient libre ; on fait appel aux capitaux, aux méthodes et aux techniciens étrangers[163]. La Tcheka est remplacée par la Guépéou, avec des pouvoirs plus limités.

Le 23 juillet 1921, à Shanghai, le Parti communiste chinois convoque son premier congrès qui fait de Marx sa référence et se donne pour objectif « la réalisation du communisme par la dictature du prolétariat ». Marx est maintenant omniprésent dans les esprits révolutionnaires de la planète. Il a suffi qu'un grand pays agricole, la Russie, l'adopte comme icône de la modernisation pour que les autres en fassent autant, prônant une doctrine anticapitaliste faute de pouvoir accéder encore aux réalités du capitalisme. Le marxisme est donc un substitut du capitalisme.

En 1922, alors que Lénine commence à être atteint du mal qui va l'emporter, la Russie, devenue l'URSS, organise sa démocratie comme un théâtre d'ombres. Elle décrète l'égalité des nationalités et la reconnaissance de leur droit à l'autodétermination, mais c'est évidemment un droit absolument fictif. Le pouvoir législatif, fictif lui aussi, est prétendument confié à un Congrès des soviets de l'Union (composé de deux chambres : Conseil de l'Union, Conseil des nationalités) qui désigne un Comité exécutif. Selon ces textes, le pouvoir exécutif est exercé par le Comité exécutif et le Conseil des commissaires du peuple. En réalité, l'un des adjoints de Lénine, le Géorgien Staline, promu au secrétariat général du Parti à la mort de Lénine, en fait le poste le plus important du pays en éliminant progressivement tous ses rivaux.

Riazanov, qui publie alors intégralement les textes des lettres qu'il a retrouvées, comme s'il se sentait pressé d'agir avant qu'on ne vienne l'arrêter, raconte dans un discours datant du début de 1923 *(Sur l'héritage littéraire de Marx et Engels)*, qui ne sera pas publié en URSS, mais deux ans plus tard, clandestinement, à Leipzig, dans les *Archive für die Geschichte des Socialismus und der Arbeiterbewegung*, l'histoire des tribulations des manuscrits de Marx. Il dit sa fierté du travail auquel il vient de consacrer près de trente ans de sa vie, envers et contre tous.

« L'édition pour laquelle Bernstein et Mehring sont les responsables reconnus est indigne. À présent, les innombrables passages qu'ils avaient éliminés de la correspondance, sans fournir la moindre indication, sont remis à leur place, [...] en tout cas pour les lettres que j'ai pu moi-même comparer à l'original. Il n'y avait pas une seule lettre que ces mains sacrilèges n'aient entrepris de modifier. Les expressions un peu fortes de Marx et d'Engels avaient été édulcorées ou bien rayées du texte. Lorsque Marx traite quelqu'un d'"âne", voilà que nos deux saintes-nitouches éprouvent le besoin de remplacer ce mot par "bête" ou "sot". » Ainsi, cette correspondance « ressemble à des épîtres de bonnes sœurs. En revanche, il n'est pas omis un shilling ni même un penny qu'Engels a envoyés à Marx de Manchester. Ils n'ont passé aucun détail susceptible de présenter Marx sous un jour défavorable pour le philistin. Si les éditeurs de la correspondance ont tout fait pour sauver le prestige du vieux Liebknecht ou de Lassalle en reformulant les expressions un peu fortes, ils n'ont eu aucun ménagement pour la vie privée de Marx. Avant la guerre, j'avais déjà pu obtenir de Bebel la correspondance de Marx et d'Engels des années relatives à mon *Histoire de l'Internationale*. J'avais dit à Bebel qu'il m'était impossible de poursuivre mon travail sans ces lettres, car il était indigne d'utiliser une correspondance expurgée. Sous la pression de Bebel, Bernstein dut me les confier. Avant de les rendre, j'en ai fait une photocopie, sans prévenir personne. C'est aussi ce qu'il nous a fallu faire avec le reste de la correspondance[233] ».

Riazanov s'exprime ainsi parce qu'il sait que ses jours sont comptés. Qu'un autre truqueur est à la porte. Ici, ce n'est pas de Bernstein qu'il parle, mais, à mots couverts, tragiquement, de Staline qui va entraîner le pays dans sa folie, toujours en usurpant le nom de Marx et en se présentant lui-même comme son meilleur exégète, puis comme un penseur supérieur.

En 1923, la IIe Internationale, mise en sommeil au début de la guerre, se reconstitue avec les sociaux-démocrates d'Europe et les socialistes autrichiens qui ont fondé à eux seuls ce qu'on a appelé par dérision l'« Internationale deux et demi ». Ils ne désespèrent pas encore d'une démocratisation de l'URSS et ne rejettent pas l'alliance avec les communistes au sein de chaque pays.

Pourtant, en Allemagne, commence une guerre fratricide entre socialistes et communistes, les uns et les autres héritiers de Marx. Elle ne profite qu'à l'extrême droite.

Il convient de retracer brièvement cette histoire, car elle explique pourquoi le marxisme va se trouver dévoyé et comment il va accoucher de deux monstres, tous deux annoncés et redoutés par Marx lui-même.

Alors qu'en 1843 il désignait toutes les religions (dont le judaïsme) et le capitalisme comme la cause du malheur des hommes, voilà que deux dictatures se mettent simultanément en place pour éliminer non pas le capitalisme, mais les capitalistes ; non pas les religions, mais les Juifs. Toutes deux plongent leurs racines dans la Prusse de Hegel et de Bismarck que Marx a tant dénoncée.

En URSS, la bataille commence, autour de Lénine mourant, entre Staline et Trotski, c'est-à-dire entre ceux qui veulent continuer à conduire la révolution vers les horizons de l'Internationale et celui qui entend l'approfondir dans la seule Russie. Les prix agricoles baissent ; les prix industriels grimpent. Dans les villes les jours des *nepmen*, à la campagne ceux des koulaks sont comptés.

En Allemagne, le parti communiste (KPD) réussit en 1923 à former en Thuringe et en Saxe un gouvernement d'union des partis ouvriers. Le gouvernement central allemand, dont viennent de sortir les socialistes, refuse de tolérer pareille situation et envoie l'armée chasser les communistes des gouvernements locaux. Une révolte s'ensuit, vite écrasée, cependant qu'Hitler en profite pour tenter de prendre le pouvoir en Bavière contre les communistes. Hitler survient ainsi comme la réalisation de la prophétie de Spengler : lui aussi prétend faire le bonheur des hommes grâce à l'action de l'État, en éliminant les parasites, les ennemis du peuple, les exploiteurs. Dans son livre *Mein Kampf*, il condamne le marxisme qui, dit-il, est étranger à l'entité communautaire ; le marxisme affaiblit la nation, il est le « fossoyeur » du peuple et de l'Empire allemand. Le « problème le plus important à résoudre » est donc d'annihiler le marxisme, « abcès qui ronge la chair de la nation[99] ». « Le jour où le marxisme sera brisé en Allemagne, celle-ci verra ses chaînes brisées pour toujours. » *Le Capital* de Marx est pour Hitler une émanation du capital international, lié à la démocratie qui « affirme qu'un homme en vaut un autre[99] ». Le futur Führer mêle dans le même opprobre judaïsme, démocratie, capitalisme, communisme et marxisme : « La doctrine juive du marxisme rejette le principe aristocratique observé par la nature, et met à la place du privilège éternel de la force et de l'énergie la prédominance du nombre et son poids mort. Le marxisme nie la valeur individuelle de l'Homme, conteste l'importance de l'entité ethnique et de la race, et prive ainsi l'humanité de la condition préalable à son existence et à sa civilisation[99]. » On retrouve là les idées de

Spengler rejetant tout à la fois capitalisme et marxisme comme étant un héritage anglo-saxon.

Hitler est alors arrêté et envoyé en prison, où il reçoit des visites comme s'il était installé à l'hôtel. Le KPD, dont Ernst Thälmann devient le président, est de plus en plus sous l'influence du Komintern qui le pousse à s'aligner en tout sur l'URSS.

Dans l'Allemagne en pleine crise financière, le journal social-démocrate *Volkswacht* achète à Trèves le fonds de commerce au rez-de-chaussée de la maison natale de Marx, puis le parti lui-même acquiert la demeure proprement dite.

En janvier 1924, Lénine meurt. Trotski prône la « Révolution mondiale » ; Staline, la consolidation du socialisme dans un seul pays. Trotski est hostile à la poursuite de la NEP que son rival soutient, pour l'heure. Staline, Zinoviev et Kamenev constituent une direction collégiale (« troïka »), mais les deux derniers se rangent derrière Trotski. Staline laisse se poursuivre l'expérience de la NEP. Il a besoin de déifier Lénine tout comme celui-ci avait eu besoin de déifier Marx et Engels. Ainsi fait-il placer partout l'effigie du fondateur de l'URSS aux côtés de celle des fondateurs du marxisme, et dans l'ordre suivant : Lénine-Engels-Marx. Pour mieux le statufier encore (alors qu'il chasse tous ceux qui l'entourèrent), il publie des ouvrages théorisant son action : *Les Principes du léninisme*, puis *La Révolution d'Octobre et la tactique des communistes russes, concernant les questions du léninisme, les résultats du travail de la XIVe conférence du PCR, Questions et Réponses*, etc.

Il utilise l'Internationale pour s'assurer des soutiens à travers l'Europe. En Allemagne, en France, en Autriche, partout où il existe des partis communistes, le Komintern ouvre des écoles de cadres. Intellectuels, scientifiques, artistes et écrivains membres du Parti sont invités à montrer que leurs découvertes, leurs idées ou leurs œuvres sont conformes aux lois de la dialectique. Des conférences dites « philosophiques » de Staline sur le léninisme sont publiées et ressassées.

En Italie, où Mussolini l'a emporté en 1922 sur les communistes, le philosophe Gramsci rédige en 1926 des *Lettres de prison*, dans lesquelles il critique la méconnaissance de l'économie dont sont coupables les communistes, et s'en prend en particulier à un théoricien à la mode dans l'URSS de l'époque, Boukharine. Il dénonce aussi à mots couverts les dérives staliniennes.

De novembre 1923 à juin 1929, le SPD, que dirige en Allemagne Hermann Müller, reste hors du gouvernement mais le soutient. Il regroupe plus du tiers des voix aux élections et peut s'appuyer sur un puissant syndicat ouvrier (l'ADGB) et sur un mouvement d'anciens combattants, la Bannière du Reich. Il opte pour une ligne réformiste et accepte que le pays paie le prix de la défaite. Le chancelier à cette époque est un homme du centre nommé Wilhelm... Marx !

En 1927, les partisans de Trotski manifestent à Moscou. Staline, appuyé par Molotov et Kalinine, exclut alors Trotski et Zinoviev du PCUS. Le premier est exilé à Alma-Ata puis banni. Le second est éliminé. Staline se débarrassera ensuite de Rykov et de Boukharine. Riazanov, qui dirige encore l'Institut Marx-Engels, publie les deux premiers volumes des archives Marx-Engels, puis les cinq premiers tomes de la *MEGA*, c'est-à-dire les œuvres complètes de Marx et Engels, désormais définitivement placés à égalité – sur le même plan que Lénine et bientôt... Staline.

À la fin des années 1920, Staline expédie en masse les opposants dans des camps de travail, met fin à la Nouvelle Politique économique et entame une politique de nationalisations systématiques. Il théorise sa ligne sous l'appellation de « marxisme-léninisme », qui n'a rien à voir avec Marx : édification du socialisme dans un seul pays, priorité au développement de l'industrie lourde et de l'armement, « centralisme démocratique » au sein du Parti, soit dictature absolue d'un homme sur l'ensemble de la société et mainmise tout aussi implacable sur les dirigeants des « partis frères ». Ainsi, par exemple, en Allemagne, alors que la situation économique se stabilise avec la fin des exigences de remboursement des dettes de guerre, le Komintern, dans une lettre ouverte du 19 décembre 1928, dénonce le « danger de droite » au sein du KPD dont une fraction a protesté contre l'alignement inconditionnel du parti sur l'URSS. Les leaders de ce groupe, Thalmeier et Brandler, sont accusés de « liquidationnisme de gauche », de « déviationnisme menchévique », d'être des « réconciliateurs », des « opportunistes », et de « rompre avec les principes du léninisme ». Eux-mêmes membres du Parti communiste d'Union soviétique, ils sont rapatriés en URSS et éliminés.

Cette année-là, à Londres, un ouvrier socialiste, Frédéric Demuth, meurt à soixante-dix-huit ans sans avoir jamais su que Karl Marx pourrait avoir été son père.

En Allemagne, le Parti social-démocrate revient au pouvoir et annonce que la maison natale de Marx deviendra bientôt un musée Marx-Engels. La virulence des attaques des communistes contre les socialistes est alors sans bornes. Le journal du KPD, *Le Drapeau rouge*, écrit le 13 avril 1929 dans une adresse aux ouvriers : « La social-démocratie est votre ennemi [...]. La social-démocratie a ouvert les hostilités contre les organisations révolutionnaires du prolétariat. La social-démocratie augmente le poids des impôts frappant le peuple travailleur et les cadeaux à l'État capitaliste par pleins sacs d'argent. La social-démocratie laisse construire des cuirassés par votre ministère. La social-démocratie est la meilleure troupe de défense de la bourgeoisie allemande, elle est le plus robuste bélier du fascisme et de l'impérialisme... » Le 1er mai 1929, le chef de la police berlinoise, le social-démocrate Zörgiebel, fait tirer sur cent mille manifestants communistes. À son congrès de juin 1929, le KPD accuse la social-démocratie de « préparer l'instauration de la dictature fasciste », et lui reproche d'être le « le plus fort soutien de l'essor fasciste ». Pour le KPD, les socialistes font donc figure d'ennemis encore plus dangereux que les nazis. La crise financière qui éclate aux États-Unis en octobre 1929 met fin à la relative stabilité de l'économie en Europe et relance chômage et manifestations : à Berlin, le socialiste Hilferding démissionne de son poste de ministre des Finances à la fin de l'année.

Pour justifier le concept d'édification du socialisme dans un seul pays, Staline distingue alors, dans un article intitulé « La question nationale et le léninisme », les nations socialistes à l'intérieur des nations bourgeoises qui disparaîtront avec le capitalisme. À partir de 1930, le Géorgien se proclame le seul interprète autorisé de Marx[58]. En février 1931, Riazanov est arrêté. Il s'y attendait depuis quelque huit ans. L'année suivante, l'Institut qu'il a créé publie les œuvres de jeunesse de Marx qu'il avait préparées jusqu'au dernier jour.

À l'Ouest où s'amorce une crise très profonde, certains voient le début de l'agonie du capitalisme dans le keynésianisme et l'intervention de l'État. John Maynard Keynes qualifie *Le Capital* de Marx de « manuel économique désuet [...], non seulement erroné du point de vue économique, mais encore sans intérêt ni application dans le monde moderne[154] ». Certains, rares, commencent à penser que le socialisme n'est pas à rechercher *au-delà* du capitalisme, mais *à côté* de lui. Non pas comme un summum de l'abondance matérielle, mais comme une remise en cause de la notion même de progrès marchand. En 1930, Walter

Benjamin propose d'élaborer « un matérialisme historique qui ait annihilé en lui l'idée de progrès[270] ». Au lieu d'être une « locomotive de l'Histoire », la révolution doit agir, selon lui, comme un « frein d'alarme » qui détournerait le monde de la catastrophe[270].

En 1931, le parti nazi remporte ses premiers succès électoraux significatifs alors que le chômage ne cesse d'augmenter. Le KPD ne mesure pas l'exacerbation du sentiment nationaliste chez la petite bourgeoisie en phase de déclassement, et persiste à considérer que son principal ennemi est le Parti social-démocrate. En juillet 1931, le leader communiste, Thälmann, écrit : « Parce que les nazis ont pu remporter un important succès électoral, des camarades sous-estiment notre lutte contre le social-fascisme [...]. En cela s'expriment indubitablement des indices d'une déviation de notre ligne politique qui fait un devoir de diriger le coup principal contre le Parti social-démocrate [...]. Toutes les forces du Parti doivent être jetées dans la lutte contre la social-démocratie ; aussi longtemps qu'ils ne sont pas délivrés de l'influence des social-fascistes, ces millions d'ouvriers [socialistes] sont perdus pour la lutte antifasciste [...]. Au stade actuel du processus de fascisation progressive, toute atténuation de notre lutte contre la social-démocratie devient une faute lourde. » Le KPD met sur pied le Front rouge, l'Union des combattants rouges, et persiste à s'opposer aux socialistes, alors que les SA du parti nazi se développent grâce au soutien financier des industriels. On dénombre en février 1932 six millions de chômeurs. Le KPD organise des centaines de grèves. Les nazis remportent les élections de mars 1932, puis perdent des voix lors de celles de novembre suivant. Le SPD ne recueille plus que 18,3 % des voix et refuse la grève générale unitaire proposée par le KPD.

Hitler est appelé au pouvoir par Hindenburg le 30 janvier 1933. À la même époque, la maison natale de

Marx est vandalisée par des nazis. Plus question d'en faire un musée. L'incendie du Reichstag sert de prétexte au parti nazi pour interdire le KPD et le SPD, frères ennemis, ainsi que toutes les autres organisations ouvrières. Le 7 février, Thälmann, qui a enfin compris son erreur, déclare dans une réunion clandestine du Comité central du parti communiste : « Ce n'est pas seulement la liquidation de ce qu'il reste de droits aux travailleurs, ce n'est pas seulement l'interdiction du parti, ce n'est pas seulement la justice de classe fasciste, mais également toutes les formes de la terreur fasciste, et, au-delà, l'internement en masse des communistes dans les camps de concentration, le lynchage et le meurtre de nos courageux combattants antifascistes, en particulier des dirigeants communistes – voilà les armes que la dictature fasciste utilisera contre nous. » Il a raison : il sera arrêté – et, avec lui, des milliers de militants communistes. Tous seront exécutés en 1944.

Car, à compter de cette époque, les communistes sont assassinés aussi bien dans l'Allemagne nazie que dans la Russie stalinienne. Arrêtés et fusillés en Allemagne pour avoir défendu leur liberté, ils le sont aussi bien en Russie soviétique où la dérive stalinienne vire au délire. Dans l'un et l'autre pays, les camps se remplissent de savants, de professeurs, d'intellectuels, de dirigeants du parti. La science est dévoyée par la peur. De grandes figures de la recherche, de la littérature ou de l'art se fraient une place dans l'un ou l'autre régime, les unes en glorifiant une caricature de Marx, les autres en le critiquant de manière caricaturale.

En février 1935, au IIe congrès des « fermiers de choc représentant les fermes collectives », un certain Lyssenko, qui se prétend agronome, déclare que « les koulaks de la science sont les ennemis du communisme ». Et d'ajouter : « Un ennemi de classe est toujours un ennemi, qu'il soit ou non savant. » Staline, présent dans la salle, s'exclame :

« Bravo, camarade Lyssenko ! Bravo ! » et lui donne tous pouvoirs pour développer ses théories : Lyssenko affirme ainsi que les caractères acquis sont héréditaires, et nie tout rôle des gènes et des chromosomes dans la transmission.

En Allemagne, les massacres continuent. En 1936, 11 000 personnes sont arrêtées pour « activités communistes illégales » ; 8 000 le sont encore l'année suivante.

Au printemps 1937, l'ultime chasse aux ennemis du parti unique est lancée, en Russie comme en Allemagne. Staline dénonce les « défaillances à l'intérieur du Parti et les mesures à prendre pour liquider les trotskistes et les traîtres ». Lyssenko et son bras droit, le philosophe Prezent, dénoncent les « généticiens comme des saboteurs, des incapables ou des ennemis du prolétariat [...], rampant à genoux devant les derniers propos réactionnaires de savants étrangers... ».

En 1938, Riazanov est fusillé au camp de Saratov. Cette année-là, Kautsky meurt à Amsterdam, et Trotski fonde une IVe Internationale. L'Internationale socialiste, quant à elle, cesse alors d'exister, minée par les divergences entre les partis neutralistes d'Europe du Nord et les franco-britanniques, ralliés à la politique de recrutement. Molotov et Ribbentrop signent un pacte de non-agression entre les deux dictatures.

En mars 1939, dans son rapport au XVIIIe congrès du PCUS, Staline en vient même à passer Marx à la trappe pour ne plus parler que des « classiques du marxisme » : « On ne saurait exiger des classiques du marxisme, séparés de notre époque par quarante-cinq à cinquante-cinq années, qu'ils aient prévu pour un avenir éloigné tous les zigzags de l'Histoire dans chaque pays pris isolément. Il serait ridicule d'exiger des classiques du marxisme qu'ils aient élaboré pour nous des solutions toutes prêtes sur tous les problèmes théoriques pouvant surgir dans chaque pays pris à part dans cinquante ou cent ans, afin que nous autres, descendants des classiques du marxisme, puissions tranquillement rester couchés sur le flanc et mâcher des solutions toutes prêtes[256]. »

Puis survient la guerre et, avec elle, la Shoah, aboutissement d'un long processus de « destruction de la Raison[270] » que nul n'a su prévoir à la lumière de la lutte des classes[181].

En 1940, Trotski est assassiné par un agent de Staline, alors que sont publiés dans l'URSS qui se prépare à entrer en guerre les *Principes de la critique de l'économie politique*, écrit par Marx près d'un siècle auparavant. En 1942, en Allemagne, 9 916 personnes sont encore arrêtées en tant que communistes et expédiées dans des camps, tout comme le sont les Juifs en Allemagne, les paysans et les intellectuels en Russie.

Les deux dictatures s'affrontent avec violence après la rupture, le 22 juin 1941, du pacte signé par Molotov et Ribbentrop. Les démocraties n'auraient sans doute jamais pu vaincre en 1945 l'ennemi juré du marxisme sans leur alliance avec la patrie du stalinisme…

À la fin de la guerre, à Trèves, dans la zone de l'Allemagne occupée par la France, on retrouve intacte la maison actuelle de Marx. Un comité international présidé par Léon Blum réunit des fonds pour sa restauration. Le Parti communiste reste interdit dans la partie occidentale de l'Allemagne, cependant qu'il devient l'idéologie d'État à l'Est, de Berlin à Sofia.

Après la découverte des camps nazis, Adorno et Horkheimer tentent de repenser le marxisme à la lumière d'Auschwitz dans *La Dialectique de la raison*, cependant que Herbert Marcuse, dans *Éros et Civilisation* et dans *L'Homme unidimensionnel*, tente de le réanalyser dans le contexte de l'avènement de la psychanalyse. Ni les uns ni les autres n'arrivent à trouver dans la lutte des classes le fondement de la barbarie nazie ni à y loger les ressorts de la psychanalyse.

En 1946, Aragon écrit : « L'homme communiste n'est plus une vue de l'esprit, il existe parce qu'il a versé son sang. » L'idée d'un homme nouveau, venue de la Révolution française, fait encore des ravages.

En URSS, la démence stalinienne atteint son paroxysme. L'enseignement est expurgé, toujours au nom de Marx. Des instituts de recherche sont fermés. Lyssenko et ses partisans accèdent aux postes clés de la bureaucratie scientifique soviétique. La génétique est pratiquement interdite. Lyssenko se fait fort « grâce à Marx » de transformer le blé en seigle, l'orge en avoine, les choux en raves, il assure que le communisme va triompher de la nature et les peuples qui ont la chance d'avoir Staline pour maître vont connaître un nouvel âge d'or, une « abondance illimitée ».

En 1947, Staline reconstitue la IIIe Internationale sous le nom de « Kominform ». À l'automne 1948, il dévoile un plan visant à transplanter des cultures du sud vers le nord en « transformant leur nature », à augmenter les récoltes de printemps au détriment de celles d'hiver et à créer de larges ceintures forestières dans les régions méridionales pour les protéger contre les vents secs en provenance de l'est. Dans un discours prononcé à la session solennelle du soviet de Moscou le 6 novembre 1948, Molotov, ministre des Affaires étrangères depuis 1939, salue le triomphe d'une « science véritable basée sur les principes du matérialisme, contre les survivances réactionnaires et idéalistes dans le travail scientifique ». Au même moment, en France, Aragon écrit à propos de Lyssenko dans la revue *Europe* : « Jamais, dans aucun pays, à aucun moment de l'histoire humaine, une discussion scientifique n'aura bénéficié d'une telle publicité, n'aura pu être suivie ainsi par des millions d'hommes et de femmes [...]. Pour la première fois le travail d'un peuple entier est associé à la recherche scientifique... »

Le 21 septembre 1949, les communistes prennent le pouvoir en Chine et se réfèrent eux aussi à Marx qu'ils voient comme le père du socialisme scientifique universel. Le 26 décembre, à l'occasion du soixante-dixième anniversaire de Staline, au cours d'une cérémonie invraisemblable, est atteint le paroxysme du délire marxiste, selon un compte rendu officiel de l'époque : dans la salle des conférences de la section d'histoire et de philosophie [...] l'académicien M.B. Mitin déclare : « J.V. Staline, disciple loyal de Lénine, continuateur de sa cause, a apporté une inestimable contribution au développement du léninisme. [...] Le camarade Staline souligne l'unité, la continuité, l'intégrité et la progression des enseignements de Marx et de Lénine. Il a souligné que la base du léninisme est le marxisme, que, sans commencer par le marxisme, sans le comprendre, il est impossible de comprendre le léninisme. [...] Par ailleurs, il est complètement faux de considérer la philosophie classique russe comme la base théorique du léninisme à côté du marxisme. Le léninisme, comme l'a souligné à plusieurs reprises le camarade Staline, a une seule base théorique, et cette base est le marxisme [...]. Le camarade Staline souligne la continuité, l'intégrité et la progressivité des enseignements de Marx et de Lénine. Il a insisté sur le fait que la base du léninisme est le marxisme, qu'à défaut de commencer par le marxisme, à défaut de le comprendre, il est impossible de comprendre le léninisme. Ce faisant, le camarade Staline a attiré l'attention sur ce qui est nouveau, sur ce qui est lié au nom de Lénine, il a montré en quoi Lénine a contribué au développement de la théorie marxiste à partir de la généralisation de la nouvelle expérience dans la lutte de classe du prolétariat à l'époque de l'impérialisme et de la révolution prolétarienne. [...] J.V. Staline a développé plus avant, il a hissé à un plus haut niveau l'enseignement du matérialisme dialectique et historique. Il s'inscrit à côté des travaux des classiques du marxisme-léninisme comme *Le Capital* de Marx, *L'Anti-Dühring* d'Engels et *Matérialisme et Empiriocriticisme* de Lénine. Par ce travail de génie, il livre les bases du matérialisme dialectique et historique de manière extrêmement concise et ramassée. Le camarade Staline a procédé dans ce travail à une généralisation des contributions de Marx, d'Engels et de Lénine sur l'enseignement de la méthode dialectique et de la théorie matérialiste. Il a développé tout cela sur la base des résultats les plus nouveaux de la science et de la pratique révolutionnaire [...]. À notre époque, les enseignements de Marx et d'Engels, élevés par Lénine et Staline à un niveau encore jamais atteint, sont devenus la base scientifique de la transformation des rapports sociaux, de la technologie et de la nature même. Joseph Vissarionovitch Staline, continuateur de l'immortel travail de Marx et d'Engels, ami et compagnon d'armes de Vladimir Ilitch Lénine et continuateur de ses travaux de génie, est le plus grand penseur de notre époque moderne, un trésor de la science marxiste-léniniste. » Le délire est à son comble.

En Allemagne de l'Est, commence la publication, qui restera inachevée, des œuvres complètes de Marx.

En 1951, au congrès de Francfort, les travaillistes britanniques recréent la IIe Internationale socialiste, qui admet le marxisme comme une référence socialiste parmi d'autres, mais qui exclut le communisme, « incompatible avec l'esprit critique du marxisme ». Elle fait le choix de l'atlantisme : les partis membres, essentiellement européens, sont ceux des pays membres de l'OTAN, seulement opposés entre eux sur la décolonisation.

Quand Staline meurt, en 1953, son système fondé sur la terreur meurt avec lui. Les partis communistes d'Europe de l'Est renoncent l'un après l'autre à la théorie de la paupérisation absolue du prolétariat et bannissent même, en 1956, toute référence à Staline, au moment où est écrasée une révolte en Hongrie sans que l'Occident intervienne. Marx est alors, pour certains insurgés, une source d'inspiration, pendant que d'autres le maudissent. Cette année-là, un buste de Marx est posé sur sa tombe, au cimetière de Highgate, à Londres. Les goulags, où sont morts des centaines de milliers de *zeks*, au nom de Marx et de Lénine, sont peu à peu ouverts.

La Chine de Mao Zedong et l'Albanie d'Enver Hodja continuent de se réclamer de Staline. À Pékin, les statuts du Parti, énoncent : « Le Parti communiste chinois prend le marxisme-léninisme et la pensée maozedong comme guides de ses activités. » Du Vietnam au Ghana, de la Guinée à l'Algérie, la plupart des mouvements de libération se réclament du marxisme ou d'une de ses incarnations modernes, d'Hô Chi Minh à Che Guevara. Pourtant, le marxisme au sens littéral n'est plus. Et Marx moins encore. Nul ne se réfère plus guère aux textes originaux, ensevelis sous des couches successives de mensonges et de travestissements.

Le « dégel » se manifeste partout ; Marx en est la victime indirecte, tenu pour responsable des monstruosités perpétrées en son nom.

En 1959, à Bad Godesberg, la social-démocratie allemande abandonne, à l'instar de ses homologues scandinaves, toute référence au marxisme. Elle renonce aux nationalisations et à la planification pour promouvoir la cogestion. Son programme spécifie : « Concurrence autant que possible, planification autant que nécessaire. »

En URSS, la situation reste très mouvante. En juin 1964, à Moscou, la candidature du lyssenkiste N. N. Noujdine, est encore admise par la section Biologie de l'Académie des sciences. Mais, lors de l'assemblée générale de cette instance, un jeune physicien, Andreï Sakharov, proteste : « Pour ma part, j'invite les personnes présentes à voter de sorte que les seules voix “pour” soient celles qui, avec Noujdine, avec Lyssenko, portent la responsabilité de cette abominable et douloureuse période de l'histoire de la science soviétique qui heureusement touche à sa fin. » La dictature sur l'esprit promue par les épigones de Marx semble toucher à sa fin…

Guevara quitte Cuba en 1964 parce qu'il ne croit plus à la révolution dans un seul pays. En février 1965, Lyssenko est démis de ses fonctions de directeur de l'Institut de génétique de l'Académie, et se retire dans sa ferme. En mai 1968, la maison natale de Marx à Trèves devient un musée, au moment-même où la révolte se lève en son nom à Paris, à Berlin, à Rome et à Prague. En 1971, le congrès d'Épinay voit les socialistes français conserver leur référence au marxisme, et François Mitterrand lui-même se dit volontiers marxiste, mais pas léniniste, expliquant que la construction de l'Europe passe à ses yeux avant les avancées du socialisme dans un seul pays. Après la mort de Mao (1976), la Chine puis l'Albanie renoncent à la référence au léninisme.

En URSS, en 1983, alors que des régimes se réclamant du marxisme recouvrent encore plus de la moitié de la planète, les auteurs d'une édition illustrée d'une partie de l'œuvre de Karl Marx, publiée pour le centenaire de sa mort par l'Institut du marxisme-léninisme du Comité central du PCUS, écrivent encore à propos de Lénine : « Il s'était fait pour règle inflexible d'“écouter” Marx, d'étudier dans un esprit créateur les ouvrages de Marx et d'Engels. Ses ouvrages développent en tous points la science marxiste : la philosophie, la doctrine économique, le socialisme scientifique. Il a créé une doctrine cohérente du Parti, et a armé le Parti d'une théorie de l'État socialiste. Pour résoudre toutes ces questions, Lénine partait de la théorie de Marx et d'Engels… »

Le marxisme-léninisme subsiste alors encore dans le Cambodge des Khmers rouges, au Pérou dans les rangs du Sentier lumineux, au Népal, et en France dans des groupements tels que le PCMLF. Le marxisme, lui, reste bien vivant en Occident. Les Allemands de l'école de Francfort (tels Marcuse et Adorno), les Français (avec Althusser) insistent sur la dimension idéologique du contrôle exercé par le capital sur la société ; ils en reviennent à celui qu'ils appellent le « premier Marx », en tentant de créer une distinction – factice, on l'a vu – entre ses œuvres de jeunesse et celles qui suivirent. Le marxisme est alors vivant en économie, en histoire, en philosophie. Certains économistes comprennent l'importance de la théorie de l'accumulation, le rôle que jouent les monopoles dans la formation des prix ; certains réussissent à concilier la théorie des prix et sa théorie de la plus-value[66]. Certains autres fondent sur son travail des théories du capitalisme moderne, où dominent les très grandes entreprises, dans lesquels dominent des technostructures. D'autres encore développent des théories essayant de fonder sur les travaux de Marx une analyse des rapports Nord/ Sud, (« l'échange inégal » de Samir Amin[66]), une théorie de l'histoire (les « cœurs » de Wallerstein[275]) ou une dénonciation du « complexe » militaro-industriel[263] (Baran et Sweezy) ; d'autres trouvent comment résoudre le problème de la transformation de la valeur en prix, qui a tant obsédé Marx[66]. D'autres enfin tentent de fonder sur ses livres une pratique politique d'un parti communiste dans un pays moderne (théorie du capitalisme monopoliste[79] d'État de Boccara). La plupart des économistes américains et européens critiquent sa théorie comme non fondée scientifiquement et purement idéologique. Pour eux, le marxisme n'est qu'une pure idéologie, sans fondement scientifique ni de principe.

Pendant qu'à l'Est des dictateurs réinventent Marx pour légitimer leurs caprices, en Occident, certains réinventent aussi sa biographie pour en faire le diable et discréditer ses idées. Il est présenté tour à tour comme abominablement égoïste, insupportablement mesquin, immensément paresseux, affreusement dur avec ses enfants, irrésistiblement bourgeois[173] ; on lui reproche d'être athée ou, inversement, d'être un croyant masqué. D'autres même[259], d'être un suppôt du diable voulant se venger de Dieu et détruire l'humanité : ils en trouvent les marques dans sa barbe, dans ses écrits et dans la disparition tragique de ses enfants (trois d'entre eux morts de misère et deux autres suicidés). À l'inverse, certains, comme Paul Lafargue, Friedrich Engels, Karl Liebknecht, Franz Mehring, Boris Nicolaïski, Lénine, racontent sa vie comme celle d'un quasi-Messie.

Aux États-Unis, après le maccarthysme qui l'a tout à la fois chassé et imaginé partout, le marxisme s'installe dans les campus universitaires où quelques milliers de professeurs se réclament de lui, et préfèrent se qualifier de « radicaux ». Les historiens marxistes Eugen Genovese et William A. Williams prennent le contrôle de l'Organization of American Historians. Dans les rangs de l'Église catholique, l'influence de la doctrine marxiste reste alors notable ; une fraction du clergé de base y souscrit encore et le Conseil œcuménique des Églises (où ne siège pas l'Église catholique) est même un instrument de la politique des gauches locales avec certains « théologiens de la libération ». Le prolétariat, dont Marx a vu la naissance et prédit l'avènement, est pour eux aussi comme un nouveau Messie.

Pendant ce temps, la société soviétique post-stalinienne ne réussit pas à concilier dictature et progrès : démocratie, marché et innovation se révèlent nécessaires l'un à l'autre. L'URSS, même si elle s'ouvre un peu, ne peut dégager assez de productivité pour rester concurrentielle ; les besoins de son armée monopolisent l'essentiel des ressources du pays, sous la pression de la course aux armements et en particulier de la « guerre des Étoiles » lancée par le président Reagan en 1984. En 1989, miné par des dépenses militaires considérables, par un gaspillage effréné des ressources, par une planification absurde, le système édifié par Lénine et ses successeurs disparaît de par la volonté du dernier de ceux-ci, Mikhaïl Gorbatchev, qui choisit de ne pas s'opposer par la force à la volonté d'émancipation polonaise conduite par le mouvement Solidarnosc. En 1991, il laisse le pouvoir à Boris Eltsine et à quatorze autres dirigeants communistes légaux après une tentative désespérée de putsch militaire. C'est la fin de l'Union soviétique.

Partout, à l'est de l'Europe, les statues de Marx, de Engels et de Lénine sont déboulonnées. Il n'est aujourd'hui plus guère de pays au monde pour s'y référer, si ce n'est – de façon plus au moins symbolique et épisodique – la Chine, la Corée du Nord et Cuba. Tous remplacent peu à peu le socialisme par le nationalisme de marché.

Ainsi s'achève la longue parenthèse ouverte à la mort de Marx.

En 1883, le monde était plein de promesses : la démocratie s'annonçait, la mondialisation s'esquissait, le progrès technique explosait. Puis les hommes ont pris peur de l'avenir ; certains se sont alors servis de l'œuvre du penseur le plus mondialiste, de l'esprit du monde, comme d'un alibi pour édifier des forteresses barbares. Aujourd'hui, non seulement les pratiques de l'URSS, du Cambodge, de la Chine, de Cuba et de bien d'autres l'a discrédité, mais les fondements de sa théorie semblent dépassés.

Il n'est plus possible de définir les classes sociales ; bourgeoisie et prolétariat ne sont plus deux groupes sociaux en opposition absolue ; les salariés eux-mêmes sont divisés en groupes de plus en plus nuancés ; certains d'entre eux sont désormais des actionnaires ; des cadres gèrent des entreprises sans en être propriétaires et s'approprient une part du profit, les innovateurs, les artistes prennent de l'importance financière. À côté de l'argent, le savoir devient un capital déterminant ; c'est par lui que passe une part majeure du profit, et il est impossible de mesurer le coût de production d'un objet par les heures de travail nécessaires pour le produire. Enfin, la mesure de la plus-value est de plus en plus incertaine.

Malgré cela, la théorie de Marx retrouve tout son sens dans le cadre de la mondialisation d'aujourd'hui, qu'il avait prévue. Nous assistons à l'explosion du capitalisme, au bouleversement des sociétés traditionnelles, à la montée de l'individualisme, à la paupérisation absolue d'un tiers du monde, à la concentration du capital, aux délocalisations, à la marchandisation, à l'essor de la précarité, au fétichisme des marchandises, à la création de richesses par la seule industrie, à la prolifération de l'industrie financière visant à se prémunir contre les risques de la précarité. Tout cela, Marx l'avait prévu. Le coût du travail reste, comme il l'avait indiqué, la variable clé de l'économie ; le taux de rentabilité reste l'objectif majeur ; pour le préserver, voire l'accroître, les salaires continuent d'augmenter moins vite que la productivité, et l'État continue de prendre à sa charge une part croissante des dépenses sociales et de recherche.

Demain – si la mondialisation n'est pas une nouvelle fois remise en cause – le maintien de la rentabilité du capital ne pourra pas passer par une socialisation mondiale des pertes, faute d'un État mondial ; il passera donc par la réduction du coût du travail, c'est-à-dire par des délocalisations, le démantèlement de la protection sociale et le remplacement accéléré de certains services par des produits industriels, afin de réduire le coût de la reproduction de la force de travail. Autrement dit, par l'automatisation des services de loisirs, de santé et d'éducation.

Si l'homme devient ainsi marchandise, à terme, il sera cloné, comme tel, malgré les illusoires digues juridiques que s'évertuent à dresser quelques pays ; nul ne pourra plus vouloir être autre chose qu'une marchandise. La tyrannie du neuf, le fétichisme de la consommation dont Marx a tant parlé, retardera alors – peut-être à jamais – dans la fascination du spectacle indéfiniment renouvelé des marchandises, l'avènement de la révolution, elle-même devenue un spectacle donné par quelques terroristes au reste du monde.

Lorsqu'il aura ainsi épuisé la marchandisation des rapports sociaux et utilisé toutes ses ressources, le capitalisme, s'il n'a pas détruit l'humanité, pourrait aussi ouvrir à un socialisme mondial. Pour le dire autrement, le marché pourrait laisser place à la fraternité. Il faudrait, pour l'imaginer, en revenir aux principes que Marx évoquait déjà lorsqu'il rêvait d'un socialisme universel : la gratuité, l'art du « faire » et non du « produire », la mise en commun et à disposition gratuite des biens nécessaires à l'exercice des libertés et des responsabilités (« biens essentiels »). Comme il n'y a pas d'État mondial à prendre, cela ne saurait passer par l'exercice d'un pouvoir à l'échelle planétaire, mais par une transition dans l'esprit du monde – cette « évolution révolutionnaire » si chère à Marx. Par un passage à la responsabilité et à la gratuité[63]. Tout homme deviendrait citoyen du monde et le monde serait enfin fait pour l'homme[63].

Il faudra alors relire Karl Marx ; on y puisera des raisons de ne pas réitérer les erreurs du siècle passé, de pas céder aux fausses certitudes ; d'admettre que tout pouvoir doit être réversible, que toute théorie est faite pour être contredite, que toute vérité est vouée à être dépassée, que l'arbitraire est certitude de mort, que le bien absolu est la source du mal absolu ; qu'une pensée doit rester ouverte, ne pas tout expliquer, admettre des points de vue contraires, ne pas confondre une cause avec des responsables, des mécanismes avec des acteurs, des classes avec des personnes. Laisser l'homme au centre de tout.

Pour y parvenir, les générations à venir se souviendront du proscrit Karl Marx qui, dans sa misère londonienne, pleurant ses enfants morts, rêva d'une humanité meilleure. Ils reviendront alors vers l'esprit du monde et son message principal : l'homme mérite qu'on espère en lui.

REMERCIEMENTS

Claude Durand m'a inspiré l'idée de ce livre.

Jeanne Auzenet, Élisabeth Kovacs, Yann Dourdet, Denis Maraval et Claude Durand ont bien voulu en relire de multiples versions préliminaires. Leurs commentaires me furent très utiles.

Jeanne Auzenet et Murielle Clairet ont mis au point la bibliographie.

Murielle Clairet, Rachida Azzouz et Colette Ledannois ont assuré la mise en forme des dizaines de manuscrits successifs.

Qu'ils en soient tous ici remerciés.

BIBLIOGRAPHIE

Il existe deux éditions collectives des œuvres de Marx et d'Engels :

1) *Karl Marx und Friedrich Engels, Historisch-kritische Gesamtausgabe Werke/Schriften/Briefe*, dite *MEGA*, sous la direction de Riazanov puis d'Adoratsky, Institut Marx-Engels de Moscou, 12 volumes publiés sur les 40 projetés par Riazanov (Francfort-sur-le-Main, Marx-Engels Archiv, 1927 ; Berlin, Marx-Engels Verlag, 1929-1932 ; Moscou, 1935).

2) *Karl Marx und Friedrich Engels Werke*, dite *MEW*, collection publiée par l'Institut für Marxismus-Leninismus, beim Zentral Komitee der Socialistischen Einheitspartei Deutschlands, 45 volumes parus à Berlin, Dietz, 1957-1985.

Les instituts du marxisme-léninisme de Moscou et Berlin entreprennent à partir de 1975 une édition « complète » de 133 volumes prévus, *MEGA*, dont 45 sont publiés chez Dietz, à Berlin, de 1975 à 1994, et dont le projet est repris par l'Institut international d'histoire sociale d'Amsterdam.

En français existent trois éditions des Œuvres complètes de Marx :

1) Celle parue chez Alfred Costes de 1923 à 1947, trad. Jules Molitor : *Le Capital* (14 vol.), *Histoire des doctrines économiques* (8 vol.), Herr Vogt, *Le 18 Brumaire de Louis Bonaparte* (3 vol.), *Révolution et Contre-Révolution en Allemagne* (1 vol.), *Œuvres philosophiques* (8 vol.), *Misère de la philosophie* (1 vol.), *Karl Marx devant les jurés de Cologne* (1 vol.), *Correspondance Karl Marx-Friedrich Engels* (9 vol.).

L'édition des *Œuvres complètes* de Friedrich Engels est aussi parue chez Alfred Costes, trad. Bracke.

2) Celle des Éditions sociales, publiée à partir de 1945, qui s'interrompt avec le t. XII de la *Correspondance.*

3) Celle de Gallimard, dans la coll. « Bibliothèque de la Pléiade », à partir de 1963.

Chaque maison d'édition a publié des éditions partielles d'œuvres isolées, ainsi que des recueils de correspondance et d'articles.

Les correspondances de Marx, de ses filles, d'Engels et d'autres n'ont pas été éditées en entier en français. J'ai donc traduit moi-même quelques lettres de l'anglais. Les Éditions sociales ont publié le fonds des lettres mises au clair par Riazanov. Yvonne Kapp[146] a puisé aussi dans les correspondances privées, par exemple les lettres familiales des Marx (auparavant propriété privée des héritiers Longuet), dont le dépositaire, à l'époque où elle a fait sa recherche, était Émile Bottigelli (professeur à Nanterre), qui a publié une partie des lettres que Marcel Charles Longuet lui avait confiées. L'Institut international d'histoire sociale d'Amsterdam a également ouvert ses archives à Yvonne Kapp et l'a autorisée à reproduire certains passages. Les lettres de et à Liebknecht ont été publiées en allemand.

ÉDITIONS DES ŒUVRES DE MARX ET D'ENGELS

1. MARX, Karl, *Œuvres*, trad. sous la dir. de Maximilien Rubel, Paris, Gallimard, coll. « Bibliothèque de la Pléiade », 1963. 4 vol. parus : *Économie*, I et II ; *Philosophie* ; *Politique*, I.
2. MARX, Karl, *Œuvres complètes,* Paris Éd. sociales, 1947-1989, dont la *Correspondance K. Marx et F. Engels (1835-1874)*, 1971-1989, 12 vol. parus.
3. MARX, Karl, *Œuvres complètes*, trad. Jules Molitor, Paris, Alfred Costes, 1939.
4. MARX, Karl, et ENGELS, Friedrich, *Historisch-kritische Gesamtausgabe (MEGA)*, Moscou-Berlin, Instituts du marxisme-léninisme, Dietz, 1975-1994.
5. MARX, Karl, et ENGELS, Friedrich, *Werke (MEW)*, Institut für Marxismus-Leninismus, Berlin, Dietz, 1958-1985.
6. MARX, Karl, et ENGELS, Friedrich, *Selected Works*, Moscou, Foreign Languages Publishing House, 1962, 2 vol.
7. MARX, Karl, et ENGELS, Friedrich, *Collected Works*, New York-Londres, International Publishers, 1975.
8. MARX, Karl, *Adresses du Conseil général de l'AIT sur la guerre franco-allemande et sur la guerre civile en France en 1871*, in *Œuvres choisies* de Marx et Engels, t. 2, Moscou, Éd. du Progrès, 1970, 3 vol.
9. MARX, Karl, *Le Capital*, éd. populaire (résumé-extraits) par Julien Borchardt, Paris, PUF, 1935.
10. MARX, Karl, *Early Writings*, trad. Rodney Livingstone, Penguin Books, 1992.

11. MARX, Karl, *The American Journalism of Marx and Engels. A selection from the New York Daily Tribune*, édité par Henry M. Christman, introd. par Charles Blitzer, The New American Library, 1966.

12. MARX, Karl, *Le Capital. Critique de l'économie politique*, liv. I : *Le Développement de la production capitaliste*, trad. Jules Roy entièrement révisée par l'auteur, Paris, Éd. sociales, 1948-1960, 8 vol.

13. MARX, Karl, *Le Capital. Critique de l'économie politique*, liv. III : *Le Procès d'ensemble de la production capitaliste*, trad. C. Cohen-Solal et G. Badia, Paris, Éd. sociales, 1957-1960, 3 vol., 1957-1960.

14. MARX, Karl, *L'Idéologie allemande*, in *Œuvres philosophiques*, II, Paris, Éd. Champ Libre, 1981.

15. MARX, Karl, *Contribution à la critique de l'économie politique*, Paris, Éd. sociales, 1957.

16. MARX, Karl, *Thèses sur Feuerbach, in* Georges Labika, *Karl Marx, les thèses sur Feuerbach*, Paris, PUF, 1987.

17. MARX, Karl, *Différence de la philosophie de la nature chez Démocrite et Épicure*, trad. et notes de Jean Ponnier, Bordeaux, Ducros, 1970.

18. MARX, Karl, *Écrits militaires*, trad. et présentation par Roger Dangeville, Paris, L'Herne, 1970.

19. MARX, Karl, *Fondements de la critique de l'économie politique*, Paris, Anthropos, 1968.

20. MARX, Karl, *Le 18 Brumaire de Louis Bonaparte*, Paris, Éd. sociales, 1969.

21. MARX, Karl, *Les Luttes de classe en France, 1848-1850*, Paris, Éd. sociales, 1952.

22. MARX, Karl, *La Guerre civile en France – 1871 (la Commune de Paris)*, Paris, Éd. sociales, 1953.

23. MARX, Karl, *Manuscrits de 1844. Économie politique et philosophie*, trad. E. Bottigelli, Paris, Éd. sociales, 1962.

24. MARX, Karl, *Misère de la philosophie. Réponse à la philosophie de la misère de M. Proudhon*, Paris, Éd. sociales, 1968.

25. MARX, Karl, *La Question juive*, Paris, Aubier, 1971.

26. MARX, Karl, *Réflexion d'un jeune homme sur le choix d'une carrière*, dissertation d'août 1835.

27. MARX, Karl, *Lettres à Kugelmann*, préface de Lénine, Paris, Anthropos, 1968.

28. MARX, Karl, *La Critique moralisante ou la morale critique*, t. 3 de *La Sainte Famille*, Paris, A. Costes, 1928.

29. MARX, Karl, « La domination britannique en Inde », *New York Daily Tribune*, n° 3804, 25 juin 1853.

30. MARX, Karl, « Les résultats éventuels de la domination britannique en Inde », *New York Daily Tribune*, n° 3840, 8 août 1853.

31. MARX, Karl, *Discours sur le libre échange*, trad. G. Plekhanov, Genève, 1885, repris dans t. 1 des *Œuvres* de la coll. « Bibliothèque de la Pléiade ».
32. MARX, Karl, « Préface » à la 2e éd. russe (1882) du *Manifeste communiste*, in *Œuvres*, Paris, Gallimard, coll. « Bibliothèque de la Pléiade », t. 1 : *Économie*, 1963, « Appendices », V.
33. MARX, Karl, *Pour une critique de la philosophie du droit de Hegel*, in *Œuvres*, Paris, Gallimard, coll. « Bibliothèque de la Pléiade », t. 3, 1982.
34. MARX, Karl, *Salaire, prix et profit*, Paris, Éd. sociales, 1973.
35. MARX, Karl, *Travail salarié et capital*, Paris, Éd. sociales, 1955.
36. MARX, Karl, *Histoire des doctrines économiques*, éd. Karl Kautsky, trad. J. Molitor, Paris, A. Costes, 1924-1925, 8 vol.
37. MARX, Karl, *La Russie*, précédée de « Karl Marx et l'origine de l'hégémonie de la Russie en Europe » par David Riazanov, Paris, Union générale d'éditions, 1974.
38. MARX, Karl, *Le Capital*, liv. II : *Le Procès de la circulation du capital*, traduit sous le contrôle d'E. Bottigelli, Paris, Éd. sociales, 1952-1953.
39. MARX, Karl, et ENGELS, Friedrich, *Critique des programmes de Gotha et d'Erfurt*, Paris, Éd. sociales, 1950.
40. MARX, Karl, et ENGELS, Friedrich, *Lettres sur les sciences de la nature et les mathématiques*, Paris, Éd. sociales, 1974.
41. MARX, Karl, et ENGELS, Friedrich, *Manifeste du Parti communiste*, Paris, Éd. sociales, 1966.
42. MARX, Karl, et ENGELS, Friedrich, *The Communist Manifesto*, éd. Frederic L. Bender, Norton, 1988.
43. MARX, Karl, et ENGELS, Friedrich, *La Sainte Famille, ou Critique de la critique critique, contre Bruno Bauer et consorts*, trad. E. Cogniot, Paris, Éd. sociales, 1972.
44. MARX, Karl, et ENGELS, Friedrich, *Marxisme et Algérie*, présentation et trad. Gallissot et Badia, Paris, UGE, 1976.
45. *Nouvelle Gazette rhénane*, textes de Marx et Engels, Paris, Éd. sociales, 3 vol.
46. MARX, Karl, et ENGELS, Friedrich, *Correspondance*, éd. Gilbert Badia et Jean Mortier, Paris, Éd. sociales, t. 1 à 12, 1971-1994.
47. *Archives de Marx*, Internet, www.marxists.org et autres sites.
48. *Lettres sur « Le Capital »*, présentées et annotées par Gilbert Badia, Paris, Éd. sociales, 1964.
49. MARX, Karl et Jenny, et ENGELS, Friedrich, *Lettres à Kugelmann*, Paris, Éd. sociales, 1971.
50. Fonds d'archives de l'Institut international d'histoire sociale, Amsterdam.

AUTRES RÉFÉRENCES CITÉES

51. ACTON, H.B., *The Illusion of the Epoch*, Londres, Cohen & West, 1955.
52. AGLIETTA, Michel, *La Fin des devises clés. Essai sur la monnaie internationale*, Paris, La Découverte, 1986.
53. ALBERTINI, J.-M, et SILEM, A., *Comprendre les théories économiques*, Paris, Le Seuil, 2001.
54. ALTHUSSER, Louis, *et al.*, *Lire « Le Capital »*, Paris, PUF, 1996.
55. ALTHUSSER, Louis, *Positions*, Paris, Éd. sociales, 1976.
56. ALTHUSSER, Louis, *Pour Marx*, Paris, La Découverte, 1986.
57. AMIN, Samir, *L'Échange inégal et la loi de la valeur*, Paris, Anthropos, coll. « Économie », 1988.
58. ARON, Raymond, *Le Marxisme de Marx*, Paris, Fallois, 2002.
59. ARON, Raymond, *L'Opium des intellectuels*, Paris, Hachette, coll. « Pluriel », 1991.
60. ARON, Raymond, *De Marx à Mao-Tsé-toung. Un siècle d'Internationale marxiste*, Paris Calmann-Lévy, 1967.
61. ARTUS, Patrick, *Karl Marx is back*, paru dans Flash CDC Ixis Capital Markets et reproduit dans *Problèmes économiques*, n° 2756, 10 avril 2002.
62. ATTALI, Jacques, *Les Juifs, le monde et l'argent*, Paris, Fayard, 2002.
63. ATTALI, Jacques, *Fraternités*, Paris, Fayard, 1999.
64. ATTALI, Jacques, *Bruits*, Paris, PUF, 1977.
65. ATTALI, Jacques, *L'Homme nomade*, Paris, Fayard, 2003.
66. ATTALI, Jacques, *Les Trois Mondes*, Paris, Fayard, 1981.
67. ATTALI, Jacques, *Au propre et au figuré. Une histoire de la propriété*, Paris, Fayard, 1987.
68. BACH, I. et STEPANOVA, E.A., *La Première Internationale. Le Conseil général et son rôle dans l'AIT*, Éd. du CNRS.
69. BALZAC, Honoré de, *La Comédie humaine*, Paris, Gallimard, coll. « Bibliothèque de la Pléiade », 1990, 12 vol.
70. BAKOUNINE, Michel, *Œuvres complètes*, t. 3 : *Les Conflits dans l'Internationale*, Paris, Champ Libre, 1975.
71. BENSAÏD, Daniel, *Marx, les hiéroglyphes de la modernité*, Paris, Textuel, 2001.
72. BENSUSSAN, Gérard, et LABICA, Georges, *Dictionnaire critique du marxisme*, Paris, PUF, 1982.
73. BERLE, Adolf A. Jr, *The XXth Century Capitalism Revolution*, New York, Brace & Co, 1954.
74. BERLIN, Isaiah, *Karl Marx, His Life and Environment*, Oxford-Londres-New York, Oxford University Press, 1978.

75. BERNSTEIN, Édouard, *Les Prémisses du socialisme*, Paris, Le Seuil, 1974.
76. BEROUD, Sophie, MOURIAUX, René, et VAKALOULIS, Michel, *Le Mouvement social en France. Essai de sociologie politique*, Paris, La Dispute, 1998.
77. BLANC, Louis, *Histoire de la Révolution française*, Paris, 1847, t. 1 et 2.
78. BLUMENBERG, Werner, *Marx*, Paris, Mercure de France, 1967.
79. BOCCARA, Paul, *Études sur le capitalisme monopoliste d'État, sa crise et son issue*, Paris, Éd. sociales, 1977.
80. BONVICINI, Stéphanie, *Louis Vuitton. Une saga française*, Paris, Fayard, 2004.
81. BOTTIGELLI, Émile, *Genèse du socialisme scientifique*, Paris, Éd. sociales, 1967.
82. BROUÉ, Pierre, *Trotsky*, Paris, Fayard, 1988.
83. BUTLER, Samuel, *Erewhon ou De l'autre côté des montagnes*, trad. Valéry Larbaud, Paris, NRF, 1920.
84. CABET, Étienne, *Voyage en Icarie*, Paris, Le Populaire, 1848.
85. CALVEZ , Jean-Yves, *La Pensée de Karl Marx*, Paris, Le Seuil, 1956 ; rééd. 1970.
86. CANTO-SPERBER, Monique, *Les Règles de la liberté*, Paris, Plon, 2003.
87. CARRÈRE D'ENCAUSSE, Hélène, *Lénine*, Paris, Fayard, 1998.
88. CARVER, Terrell, *Marx's Social Theory*, New York, Oxford University Press, 1982.
89. CARVER, Terrell (ed.), *The Cambridge Companion to Marx*, Cambridge, Cambridge University Press, 1991.
90. CASTEL, Robert, *L'Insécurité sociale*, Paris, Le Seuil, coll. « La République des idées », 2003.
91. CHARLE, Christophe, *Les Intellectuels en Europe au* XIX*e* *siècle*, Paris, Le Seuil, 1996.
92. COHEN, G.A., *Karl Marx's Theory of History. A Defence*, 2e éd., Oxford, Oxford University Press, 2001.
93. COHEN, G.A., *History, Labour and Freedom*, Oxford, Oxford University Press, 1988.
94. *Correspondance Engels-Lafargue*, Éd. sociales, 1956.
95. COURIER, Paul-Louis, *Pamphlets politiques et littéraires*, Paris, Éd. d'Aujourd'hui, 1984.
96. DARWIN, Charles, *La Descendance de l'homme et la sélection naturelle*, Bruxelles, Éd. Complexe, 1981.
97. DARWIN, Charles, *The Origins of Species by Means of Natural Selection*, fac-similé de la 1re éd. anglaise de 1859, Cambridge, Harvard University Press, 1966.
98. DERRIDA, Jacques, *Spectres de Marx*, Paris, Galilée, 1993.

99. DESBROUSSES, Hélène, *Le Mouvement des masses ouvrières en France entre les deux guerres*, Centre de sociologie historique, 1975.
100. DRAPER, Hal, *The Marx-Engels Register. A Complete Bibliography of Marx and Engels' Individual Writings*, New York, Shoken Book, 1986.
101. DRAPER, Hal, *The Marx-Engels Chronicle. A Day-by-Day Chronology of Marx and Engels' Life and Activity*, New York, Shoken Book, 1985.
102. DEVILLE, Gabriel, *Aperçu sur le socialisme scientifique*, Paris, Flammarion, 1987.
103. EAGLETON, Terry, *Marx et la liberté*, Paris, Le Seuil, 2000.
104. ELLEINSTEIN, Jean, *Histoire mondiale des socialismes*, Paris, Armand Colin, 1984, t. 2.
105. ELLEINSTEIN, Jean, *Marx*, Paris, Fayard, 1981.
106. ELSTER, Jon, *Making Sense of Marx*, Cambridge, Cambridge University Press, 1985.
107. ENGELS, Friedrich, introduction à l'éd. anglaise de *Socialisme utopique et socialisme scientifique*.
108. ENGELS, Friedrich, *Socialisme utopique et socialisme scientifique*, nouv. éd., introduction et préface de F. Engels, Paris, Éd. sociales, 1977.
109. ENGELS, Friedrich, *L'Anti-Dühring*, Paris, Éd. sociales, 1971.
110. ENGELS, Friedrich, *La Situation de la classe laborieuse en Angleterre*, avec la préface de 1892, Paris, Éd. sociales, 1961.
111. ENGELS, Friedrich, *La Dialectique de la nature*, notes de Pierre Naville, Paris, Marcel Rivière, 1950.
112. ENGELS, Friedrich, *Le Procès des communistes à Cologne*, in *La Révolution démocratique bourgeoise en Allemagne*, Paris, Éd. sociales, 1952, repris dans les *Œuvres choisies* de Marx-Engels, t. I, Moscou, 1970.
113. ENGELS, Friedrich, *Lettre du 21 octobre 1871 à Mme Engels sa mère*, reproduite en annexe à *La Guerre civile en France - 1871*, Paris, Éd. sociales, 1975.
114. ENGELS, Friedrich, Préface à une édition du *Manifeste communiste*, Paris, Éd. sociales, 1980.
115. ENGELS, Friedrich, *Préface* au livre III du *Capital*, in *CAP*, liv. III.
116. FEUERBACH, Ludwig, *La Philosophie de l'avenir*, trad. Louis Althusser, in *Manifestes philosophiques*, Paris, PUF, 1960.
117. FEUERBACH, Ludwig, *L'Essence du christianisme*, Leipzig, 1841, Paris, Gallimard, 1992.
118. FEUERBACH, Ludwig, *Pensées sur la mort et sur l'immortalité*, Paris, Pocket, 1997.
119. FREYMOND, Jacques, *La Première Internationale. Recueil de documents publiés par Jacques Freymond*, Genève, Droz, 1962.

120. ENGELS, Friedrich, et LAFARGUE, Paul et Laura, *Correspondance*, textes recueillis, annotés et présentés par Émile Bottigelli, trad. Paul Meier, Paris, Éd. sociales, 1956-1959, 3 vol.
121. GALBRAITH, John Kenneth, *Capitalisme, communisme et coexistence*, Paris, Inter Éditions, 1988.
122. GERAS, Norman, « The Controversy about Marx and Justice », *in* A. Callinicos (ed.), *Marxist Theory*, Oxford, Oxford University Press, 1989.
123. GIROUD, Françoise, *Jenny Marx, la femme du diable*, Paris, Robert Laffont, 1992.
124. GOETHE, Johann Wolfgang von, *Campagne de France, 23 août-20 octobre 1792*, Paris, Hachette, 1915.
125. GRAMSCI, Antonio, *Cahiers de prison*, t. 1 : *Cahiers 1, 2, 3, 4*, Paris, Gallimard, 1996.
126. GROSOS, Philippe, « Michel Henry ou le dernier système », *Études philosophiques*, avril-juin 1998.
127. GUÉRIN, Daniel, *Ni Dieu ni maître. Anthologie de l'anarchisme*, Paris, Éd. de Delphes, 1966 ; rééd. Lausanne, 1999.
128. HAUBTMANN, Pierre, *Proudhon, Marx et la pensée allemande*, Grenoble, PUG, 1981.
129. HEGEL, Friedrich, *Principes de la philosophie du droit*, Paris, Gallimard, 1963.
130. HEGEL, Friedrich, *Encyclopédie des sciences philosophiques*, Paris, Vrin, 1994, § 482.
131. HEGEL, Friedrich, *Phénoménologie de l'esprit*, Paris, Aubier, 1941,
132. HEINE, Heinrich, *Allemagne. Un conte d'hiver suivi de quelques poèmes*, trad. M. Pellisson, Paris, 1994.
133. HENRY, Michel, *Philosophie et phénoménologie du corps. Essai sur l'ontologie biraniennne*, Paris, PUF, 1987.
134. HENRY, Michel, *Marx*, Paris, Gallimard, 1991.
135. HESS, Moses, *Rome et Jérusalem*, Paris, Albin Michel, 1981.
136. HESS, Moses, *L'Essence de l'argent*, (extraits) *in* Élisabeth de Fontenay, *Les Figures juives de Karl Marx. L'idéologie allemande*, Paris, Galilée, 1973.
137. HILFERDING, Rudolf, « Aus der Vorgeschichte des Marxschen Ökonomie », in *Die Neue Zeit*, t. 29, vol. 2.
138. HOBSBAWM, Éric J., *L'Âge des extrêmes : le court vingtième siècle, 1914-1991*, Bruxelles, Éd. Complexe, 1999.
139. HOBSBAWM, Éric J., *Histoire économique et sociale de la Grande-Bretagne*, t. 2 : *De la révolution industrielle à nos jours*, Paris, Le Seuil, 1969.
140. HUGO, Victor, *Napoléon le Petit*, Londres-Bruxelles, 1952.
141. HOOK, Sidney, *From Hegel to Marx*, New York, Humanities Press, 1950.

142. HORKHEIMER, Max, *La Dialectique de la raison*, Paris, Gallimard, 1989.

143. HUNLEY, John Dillard, *The Life and Thought of Friedrich Engels*, New Haven, Yale University Press, 1991.

144. HUSAMI, Ziyad, « Marx on Distributive Justice », *Philosophy and Public Affairs*, 1978.

145. JAURÈS, Jean, *Le Manifeste communiste de Marx et Engels. Comment se réalisera le socialisme*, Paris, Spartacus n° 24, février 1948.

146. KAPP, Yvonne, *Eleanor. Chronique familiale des Marx*, Paris, Éd. sociales, 1980.

147. KAPP, Yvonne, *Eleanor Marx. The Crowded Years*, Londres, Lawrence & Wishart, 1976.

148. KAPLAN, Francis, Karl Marx, extrait de *La Philosophie allemande de Kant à Heidegger*, Paris, PUF, 1993.

149. *Karl Marx, sa vie et son œuvre*, Moscou, Éd. du Progrès, 1983 (documents iconographiques).

150. KAUTSKY, Karl, *Le Marxisme et son critique Bernstein*, Paris, Stock, 1900.

151. KAUTSKY, Karl, *Aus der Frühzeit des Marxismus*, Prague, 1935.

152. KAUTSKY, Karl, *The Economic Doctrines of Karl Marx*, Ann Arbor (Mich.), UMI, 1992.

153. KESSLER, Jean, « Introduction », in *Misère de la philosophie*, Paris, Payot, 1996.

154. KEYNES, John Maynard, *Essays in Persuasion*, Londres, Macmillan, 1972.

155. KEYNES, John Maynard, *Theorie générale de l'emploi, de l'intérêt et de la monnaie*, Paris, Payot, 1996.

156. KEYNES, John Maynard, *La Pauvreté dans l'abondance*, Paris, Gallimard, 2002.

157. KOLAKOWSKI, Leszek, *Main Currents of Marxism*, Oxford, Oxford University Press, 1978, 3 vol.

158. KOLAKOWSKI, Leszek, *Histoire du marxisme*, t. 2 : *L'Âge d'or de Kautsky à Lénine*, Paris, Fayard, 1987.

159. KORSCH, Karl, *Karl Marx*, Paris, Éd. Champ Libre, 1971.

160. LAFARGUE, Paul, *Le Droit à la paresse. Réfutation du « Droit au travail » de 1848*, nouv. éd. contenant le discours de Lénine aux obsèques de Paul et Laura Lafargue, Paris, Bureau d'éditions, 1935.

161. LAFARGUE, Paul, et LIEBKNECHT, Wilhelm, *Souvenirs sur Marx*, Paris, Bureau d'éditions, 1935 ; repris in *Souvenirs sur Marx et Engels*, Moscou, Éd. en langues étrangères.

162. LASSALLE, Ferdinand, *Capital et travail*, Paris, V. Giard et E. Brière, 1904.

163. Laramé, site internet Hérodote.

164. *Le Conseil général de la Première Internationale*, Moscou, Éd. du Progrès, 1972.
165. LEFEBVRE, Henri, *Le Marxisme*, Paris, PUF, coll. « Que sais-je ? », 1959.
166. LÉNINE, Vladimir Ilitch, *Contribution à l'histoire de la dictature*, in *Œuvres complètes*, Moscou, Éd. du Progrès.
167. LÉNINE, Vladimir Ilitch, *Que faire ? Les questions brûlantes de notre mouvement*, Stuttgart, Dietz, 1902.
168. LÉNINE, Vladimir Ilitch, *L'État et la Révolution*, Paris, Seghers, 1971.
169. LÉNINE, Vladimir Ilitch, *Karl Marx et sa doctrine*, Moscou, Éd. du Progrès, 1971.
170. LÉNINE, Vladimir Ilitch, *Œuvres complètes*, Moscou, Éd. du Progrès.
171. LÉNINE, Vladimir Ilitch, *De l'État*, conférence faite à l'université Sverdlov, le 11 juillet 1919, Moscou.
172. LEVY, Amy, *The Complete Novels and Selected Writings*, Gaisnesville, University Press of Florida, 1993.
173. LEVY, Françoise, *Karl Marx. Histoire d'un bourgeois allemand*, Paris, Grasset, 1976.
174. LEWIN, Moshe, *Le Siècle soviétique*, Paris, Fayard, 2003.
175. LIEBMAN, Arthur, *Jews and the Left*, John Wiley & Sons, 1979.
176. LIEBKNECHT, Wilhelm, *Souvenirs sur Marx*, in *Souvenirs sur Marx et Engels*, Moscou, Éd. en langues étrangères.
177. LISSAGARAY, Prosper Olivier, *Histoire de la Commune*, Paris, Maspero, 1967.
178. LONDRES, Herbert, *The World and I*, janvier 1987.
179. LUKACS, Georg, *La Destruction de la raison*, Paris, L'Arche, 1958-1959.
180. LUKACS, Georg, *Balzac et le réalisme français*, Paris, La Découverte, 1998.
181. LUKACS, Georg, *Histoire et Conscience de classe*, Paris, Éd. de Minuit, 1960.
182. LUXEMBURG, Rosa, *Réforme sociale ou révolution*, Paris, Maspero, 1965.
183. LUXEMBURG, Rosa, *L'Accumulation du capital*, Paris, Maspero, 1967.
184. LUXEMBURG, Rosa, *Lettres et tracts de « Spartacus »*, choisis par Daniel Guérin, Paris, Éd. La Tête de feuilles, 1972.
185. LUXEMBURG, Rosa, *Marxisme contre dictature*, Paris, R. Lefeuvre, 1974.
186. MAAREK, Gérard, *Introduction au « Capital » de Karl Marx*, Paris, Calmann-Lévy, 1975.
187. MACÉ, Arnaud, *La Matière*, Paris, Flammarion, 1998.

188. *Magazine littéraire*, numéro spécial, novembre 1973.
189. *Magazine littéraire*, n° 324 : *Karl Marx après le marxisme*, textes de Janover, Rubel, Althusser *et al.*, septembre 1994.
190. MAGNE, Patrice, *La Théorie marxienne et la thermodynamique*, thèse de doctorat sous la direction de René Passet, Paris, 1997.
191. MAGUIRE, John, *Marx's Paris Writings*, Dublin, Gill & Macmillan, 1972.
192. MANDEL, Ernest, *Traité d'économie marxiste*, Paris, Christian Bourgois, 1986.
193. MANDEL, Ernest, *La Formation de la pensée économique de Karl Marx, de 1843 à la rédaction du « Capital »*, Paris, Maspero, 1967.
194. MARCUS, Steven, *Engels, Manchester, and the Working Class*, Londres, Weidenfeld & Nicolson, 1974.
195. MARCUSE, Herbert, *L'Homme unidimensionnel*, Paris, Le Seuil, 1970.
196. MARCUSE, Herbert, *Éros et Civilisation*, Paris, Le Club français du livre, 1968.
197. MAYER, Gustav, *Friedrich Engels. Eine Biographie*, Haag, Nighoff, 1934, 2 vol.
198. MARX-AVELING, Eleanor, *The Eastern Question*, Londres, S. Sonnenschein, 1897.
199. MARX-AVELING, Edward et Eleanor, *The Working-Class Movement in America*, Londres, Swan Sonnenschein & Co, 1891.
200. *Marx, Jenny, Laura et Eleanor, Les Filles de Karl Marx*, lettres inédites de la coll. Bottigelli, trad. et notes d'Olga Meier, Paris, Albin Michel, 1979.
201. MARX, Jenny, *Brève esquisse d'une vie mouvementée*, in *Souvenirs sur Marx et Engels*, Moscou, Éd. en langues étrangères, s.d.
202. MATTICK, Paul, *Marx et Keynes. Les limites de l'économie mixte*, Paris, Gallimard, 1972.
203. MCLELLAN, David, *Marx before Marxism*, Londres, Macmillan, 1970.
204. MCLELLAN, David, *Karl Marx. His Life and Thought*, Londres, Macmillan, 1973.
205. MEHRING, Franz, *Karl Marx. Histoire de sa vie*, Paris, Éd. sociales, 1983.
206. MERLINO, Francesco, *Formes et essence du socialisme*, préface de Georges Sorel, Paris, Giard et Brière, 1898.
207. MILL, John Stuart, *Auguste Comte and Positivism*, Bristol, Thoemmes Press, 1993.
208. MILZA, Pierre, et MATARD-BONUCCI, Anne, *L'Homme nouveau dans l'Europe fasciste, 1922-1945*, Paris, Fayard, 2004.
209. MITIN, E. A., *Discours sur Staline*, Moscou, Éd. internationales du Progrès.

210. MURAT, Inès, *La IIe République, 1849-1851*, Paris, Fayard, 1987.
211. NEGRI, Antonio, *Marx au-delà de Marx*, Paris, Christian Bourgois, 1979.
212. NOVE, Alec, *Le Socialisme sans Marx. L'économie du socialisme réalisable*, Paris, Economica, 1983.
213. NICOLAÏEVSKI, Boris, et MAENCHEN-HELFEN, Otto, *La Vie de Karl Marx. L'homme et le lutteur*, Paris, La Table ronde, 1997.
214. NOEBEL, David A., *Discerner les temps* (trad. fr. d'*Understanding the Times*), Mâcon, J.-F. Oberlin, 2003.
215. PADOVER, Saul K., *Karl Marx. An Intimate Biography*, McGraw-Hill Book Company, 1978.
216. PAQUOT, Thierry, *Les Faiseurs de nuages. Essai sur la genèse des marxismes français, 1880-1914*, Paris, Le Sycomore, 1980.
217. PARETO, Vilfredo, *Œuvres complètes*, Genève, Droz, 1964, fac-similé de l'éd. de 1896.
218. PAYNE, Robert, *The Unknown Karl Marx*, New York University Press, 1971.
219. PEILLON, Vincent, *Pierre Leroux et le socialisme républicain*, Lafresne, Le Bord de l'eau, 2003.
220. PERROUX, François, *Le Capitalisme*, Paris, PUF, 1958.
221. PETERS, H.F., *Jenny la Rouge*, Paris, Mercure de France, 1986.
222. PLEKHANOV, Georges, *Essais sur l'histoire du matérialisme*, Paris, Éd. sociales, 1957.
223. POPPER, Karl, *La Société ouverte et ses ennemis*, t. 2 : *Hegel et Marx*, Paris, Le Seuil, 1990.
224. POULANTZAS, Nicolas, « K. Marx et F. Engels », *in* François Châtelet (éd.), *La Philosophie*, t. 3 : *De Kant à Husserl*, Paris, Marabout, 1979.
225. PROUDHON, Pierre-Joseph, *Confessions d'un révolutionnaire*, Dijon, Les Presses du Réel, 2002.
226. PROUDHON, Pierre-Joseph, *La Révolution sociale démontrée par le coup d'État du 2 décembre*, Paris, Garnier Frères, 1852.
227. PROUDHON, Pierre-Joseph, *Système des contradictions économiques ou Philosophie de la misère*, Paris, Garnier Frères, 1850.
228. PROUDHON, Pierre-Joseph, *Qu'est-ce que la propriété*, Antony, Tops-H. Trinquier, 1997.
229. QUESNAY, François, « Le Tableau économique » (1758), in *Physiocratie. Droit naturel, tableau économique et autres textes*, Paris, Flammarion, 1991.
230. RADDATZ, Fritz J., *Karl Marx*, Paris, Fayard, 1978.
231. RÜHLE, Otto, *Karl Marx, The life and work*, Paris, Grasset, 1933.
232. RIAZANOV, David, *Karl Marx, homme, penseur et révolutionnaire*, suivi d'une communication de Riazanov, *L'Héritage littéraire de Marx et d'Engels*, Paris, Anthropos, 1968.

233. RIAZANOV, David, *Conférences faites au cours de marxisme de l'Académie socialiste en 1922*, Pantin, Les Bons Caractères, 2004.
234. RIOUX, Jean-Pierre, *Jean Jaurès*, Paris, Perrin, 2005.
235. ROBINSON, Joan, *An Essay on Marxian Economics*, Londres, Macmillan, 1949.
236. ROEMER, John, *A General Theory of Exploitation and Class*, Cambridge (Ma.), Harvard University Press, 1982.
237. ROSEN, Michael, *On Voluntary Servitude*, Cambridge, Polity Press, 1996.
238. RUBEL, Maximilien, *Bibliographie des œuvres de Karl Marx, avec en appendice un répertoire des œuvres de Frédéric Engels*, Paris, Marcel Rivière, 1956.
239. RUGE, Arnold, *Aux origines du couple franco-allemand*, Toulouse, Presses universitaires du Mirail, 2004.
240. RUGE, Arnold, *Zwei Jahre in Paris*, Leipzig, 1846.
241. RUGE, Arnold, *Werke und Briefe*, Aalen, Scientia Verlag, 1998.
242. SAINT-SIMON, Claude Henri de, *Le Catéchisme des industriels*, Paris, 1823-1824.
243. SAINT-SIMON, Claude Henri de, *Le Nouveau Christianisme*, Paris, Hachette, 1977.
244. SAND, George, « Souvenirs de mars-avril 1848 » et « Journal de novembre-décembre 1851 », in *Œuvres autobiographiques*, Paris, 1971.
245. SCHUMPETER, Joseph Alois, *Ten Great Economists*, New York, Oxford University Press, 1951 ; reproduit in *Capitalism, Socialism and Democracy*, Londres-New York, Routledge 1992.
246. SCHUMPETER, Joseph Alois, *Capitalisme, socialisme et démocratie*, Paris, Payot, 1990.
247. SCHILLER, Friedrich VON, *Les Brigands*, Paris, Aubier-Flammarion, 1968.
248. SEIGEL, Jerrold E., *Marx's Fate. The Shape of a Life*, Princeton, 1978.
249. SHELLEY, Mary, *Frankenstein*, in *Three Gothic Novels*, Penguin Books, 1968.
250. SISMONDI, Jean Charles Léonard, *Nouveaux principes d'économie politique ou de la richesse dans ses rapports avec la population*, Paris, Calmann-Lévy, 1971.
251. SOBER, E., LEVINE, A., et WRIGHT, E.O., *Reconstructing Marx*, Londres, Verso, 1992.
252. SOUVARINE, Boris, *La Troisième Internationale*, précédée d'*Appel aux socialistes français*, Paris, Clarté, 1919.
253. *Souvenirs sur Marx et Engels*, Moscou, Éd. en langues étrangères, s.d.

254. SPENGLER, Oswald, *Prussianité et Socialisme*, Arles, Actes Sud, 1986.
255. SPIRE, Alfred, *Inventaire des socialismes français contemporains*, Paris, Librairie de Médicis, 1945.
256. STALINE, Joseph, *À propos de la déviation social-démocrate dans notre parti*, rapport du 1er nov. 1926 à la 15e conférence du PC de l'URSS, Paris, Éd. du Centenaire, 1974.
257. STALINE, Joseph, *Les Bases du léninisme*, présentation de Patrick Kessel, Paris, UGE, 1969.
258. STALINE, Joseph, *Doctrine de l'URSS*, Paris, Flammarion, 1938.
259. STIRNER, Marx, *L'Unique et sa propriété*, Lausanne, L'Âge d'homme, 1994.
260. STORR, Anthony, *L'Agressivité nécessaire*, Paris, Robert Laffont, 1969.
261. SUE, Eugène, *Le Juif errant*, Paris, Robert Laffont, 1992.
262. SWEEZY, Paul, *The Theory of Capitalist Development* (1942), New York, Monthly Review Press, 1970.
263. SWEEZY, Paul, et BARAN, Paul, *Le Capitalisme monopoliste*, Paris, Maspero, 1968.
264. *The Thorough Collection of Resources*, sur Internet : epistemelinks.com.
265. TOCQUEVILLE, Alexis DE, *L'Ancien Régime et la Révolution*, Paris, Gallimard, 1979.
266. TOCQUEVILLE, Alexis DE, *De la colonie en Algérie*, Bruxelles, Éditions Complexe, 1988.
267. TOCQUEVILLE, Alexis DE, *Le Droit au travail*, discours prononcé à l'Assemblée nationale, le 12 sept. 1848, Paris, Guillaumin, 1848.
268. TOCQUEVILLE, Alexis DE, *De la démocratie en Amérique*, Paris, Charles Gosselin, 1840.
269. TOCQUEVILLE, Alexis DE, *Souvenirs, 1814-1859*, Paris, Gallimard, 1999.
270. TRAVERSO, Enzo, *Les Marxistes et la question juive. Histoire d'un débat, 1843-1943*, Paris, Kimé, 1997.
271. TROTSKY, Léon, *La Révolution trahie*, Paris, Éd. de Minuit, 1994.
272. TROTSKY, Léon, *Lénine*, suivi d'un texte d'André Breton, Paris, PUF, 1970.
273. VIDELIER, Philippe, *Manifestez ! Destin et postérité du « Manifeste communiste »*, Paris, Syllepse, 2003.
274. WALLERSTEIN, Immanuel, *The Capitalist World. Economy Essays*, Paris, Maison des sciences de l'homme, 1991.
275. WALLERSTEIN, Immanuel, *Le Capitalisme historique*, Paris, La Découverte, 2002.
276. WEITLING, Wilhelm, *Die Menschheit wie sie ist und wie sie sein solte*, Munich, M. Ernst, 1985.

277. WHEEN, Francis, *Karl Marx*, Londres, Fourth Estate, 1999.
278. WIEDEMANN, Uwe, *A Philosophical Biography.*
279. WOLFE, Bernard, *Limbo*, Paris, Robert Laffont, 1971.
280. WOLFF, Jonathan, *Why Read Marx Today ?*, Oxford, Oxford University Press, 2002.
281. WOLFF, Jonathan, « Marx », in *The Stanford Encyclopedia of Philosophy.*
282. WOLFF, Robert Paul, *Understanding Marx,* Princeton (NJ), Princeton University Press, 1984.
283. WOOD, Allen, *Karl Marx*, Londres, Routledge, 1981.
284. WOOD, Allen, « The Marxian Critique of Justice », *Philosophy and Public Affairs*, n° 1, 1972.
285. WURMBRAND, Richard, *Was Marx a Satanist ?*, Glendale (États-Unis), Diane, 1976.

INDEX

G

H

M

QR

S

T

UV

W

Z

TABLE

Cet ouvrage a été composé par
PARISPHOTOCOMPOSITION
Paris 75017

Impression réalisée sur CAMERON par
BRODARD ET TAUPIN
La Flèche

pour le compte des Éditions Fayard
en juin 2005

Imprimé en France
Dépôt légal : juin 2005
N° d'édition : 61775 – N° d'impression : 30587
ISBN : 2-213-62491-7
35-57-2691-03/0